中国近现代中医药期刊续编

第三辑

卫生杂志（一）

王咪咪　侯酉娟◎主编

2022年度北京市优秀古籍整理出版扶持项目

北京科学技术出版社

图书在版编目（CIP）数据

卫生杂志：全二册 / 王咪咪，侯西娟主编. — 北京：北京科学技术出版社，2023.11
（中国近现代中医药期刊续编. 第三辑）
ISBN 978-7-5714-3356-7

Ⅰ. ①卫… Ⅱ. ①王… ②侯… Ⅲ. ①中国医药学—医学期刊—汇编—中国—民国 Ⅳ. ①R2-55

中国国家版本馆CIP数据核字(2023)第206565号

策划编辑：侍 伟 吴 丹
责任编辑：吴 丹 杨朝晖 刘 雪
文字编辑：王明超 刘雪怡 李小丽 毕经正
责任校对：贾 荣
图文制作：北京艺海正印广告有限公司
责任印制：李 茗
出 版 人：曾庆宇
出版发行：北京科学技术出版社
社 址：北京西直门南大街16号
邮政编码：100035
电 话：0086-10-66135495（总编室） 0086-10-66113227（发行部）
网 址：www.bkydw.cn
印 刷：北京捷迅佳彩印刷有限公司
开 本：787 mm × 1092 mm 1/16
字 数：1 220千字
印 张：66.5
版 次：2023年11月第1版
印 次：2023年11月第1次印刷
ISBN 978 - 7 - 5714 - 3356 - 7

定 价：**1780.00元（全二册）**

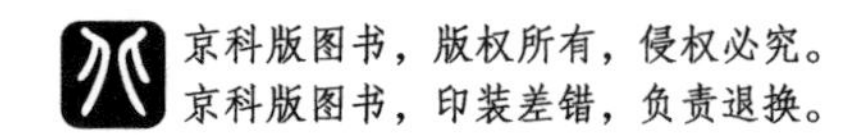

《中国近现代中医药期刊续编·第三辑》编委会名单

序

2012年，上海段逸山先生的《中国近代中医药期刊汇编》（下文简称“《汇编》”）出版，在中医界引起了广泛关注。这部汇集了众多中医药期刊的著作为研究近代中医药发展提供了宝贵的学术资料。在《汇编》的影响下，时隔7年，中国中医科学院中国医史文献研究所的王咪咪研究员决定仿照《汇编》的编纂模式，尽可能地将《汇编》中未收载的中华人民共和国成立前的中医药期刊进行搜集、整理，并将其命名为《中国近现代中医药期刊续编》（下文简称“《续编》”）。

尽管《续编》所收载期刊的数量与《汇编》的相当，但其总页数仅为《汇编》的1/4，约25 000页。《续编》中绝大部分内容为中医期刊及一些纪念刊、专题刊、会议刊。除此之外，还收录了1915—1949年《中华医学杂志》（合计35卷，近300期）中与中医发展、学术讨论等相关的200余篇学术文章，其中包括6期《医史专刊》的全部内容。值得注意的是，《续编》还收录了1951—1955年、1957年、1958年出版的《医史杂志》。尽管这与整理中华人民共和国成立前期刊的初衷不符，但是段逸山先生已将1947年、1948年（1949年、1950年《医史杂志》停刊）的《医史杂志》收入了《汇编》。王咪咪等编者认为，将这7年的《医史杂志》全部收入《续编》，将使《医史杂志》初期各种学术成果得到更好的保存和利用。我认为这将是对段逸山先生《汇编》的一次富有学术价值的补充与完善，对中医近现代的学术研究，以及对中医的整理、继承、发展都是有益的。医学史的研究范围不只是中国医学史，还包括世界医学史，医学各个方面的发展史、疾病史，以及从史学角度探讨医学与其关系等。《续编》中收载的文章虽有些出自西医学家之手，但提出来的问题对中医发展具有极大的推进作用。例如，陈邦贤先生在《中国医学史》的自序中指出："世界医学昌明之国，莫不有医学史、疾病史、医学经验史……岂区区传记遽足以存掌故资考证乎哉！"陈先生将他所研究内容分为三大类："一关于医家地位之历史，一为医学的知识之历史，一为疾病之历史。"医学史的研究具有连续性。例如，在中华人民共和国成立初期，《医史杂志》登载了一系列具有开创性和历史性的文章，无论是陈邦贤先生对医学史料的连续性收集，还是李涛先生对医学史的断代研究，都对医学史的研究做出了重要贡献。范行准先生的《中国预防医学思想史》《中国古代军事医学史的初步研究》《中华医学史》等，具有极高的学术价值，自出版以来未曾被超越。 这些文献多距今已近百年，能保存下来的十分稀少。今天能把这样一部分珍贵文献用影印的方式保存下来，是对这一研究领域最大的贡献。此外，将1951—1958年期间的《医史杂志》也纳入收载范围，完整保留医学史学科在20世纪50年代的研究成果，这很好地保持了学术研究的连续性，故而我对主编的这一做法表示支持。

《续编》借鉴了段逸山先生《汇编》的编纂思路，旨在更为全面地保存和整理中华人民共和国成立前的中医及相关期刊。愿中医人利用这丰富的历史资料更深入地研究中医近现代的学术发展、临床进步、中西医汇通实践、中医教育改革等，以更好地继承、挖掘中医药这一伟大宝库。

李经纬 九十老人

2019年11月于中国中医科学院

前　言

《汇编》主编段逸山先生曾总结道，中医相关期刊文献凭借时效性强、涉及内容广泛、对热门话题反应快且真实的特点，如实地记录了中医发展的每一步，展现了中医人为中医生存而进行的每一次艰难抗争，是记录中医近现代发展的真实资料，更是我们今天进行历史总结的最好参考资料。因此，中医药期刊不但具有很高的文献价值，还对当今中医药发展具有很强的借鉴意义。

本次出版的《续编》具40余册之规模，主要收载了段逸山先生《汇编》中未收载的中华人民共和国成立前50年间的中医相关期刊，以期为广大读者进一步研究和利用中医药近现代期刊提供更多宝贵资料。

《续编》所收载期刊的时间跨度主要集中在1900—1949年。之所以不以1911年作为界限，是因为《绍兴医药学报》《中西医学报》等一批在社会上具有深远影响力的中医药期刊是在1900年之后才陆续问世的。这些期刊开始关注并讨论中医的改革、发展等相关话题，是承载那段岁月的重要历史载体。

在历史的长河中，50年或许很短暂，但在20世纪上半叶的50年却是中医曲折发展并产生深远影响的50年。随着西医东渐，中医在中国社会上逐渐失去了主流医学的地位，学术传承面临危机，以至于连中医是否能名正言顺地保存下来都变得不可预料。因此，能够反映这50年中医发展状况的期刊便成为重要的历史载体。据不完全统计，这批文献有1 500万～2 000万字，包括3万多篇涉及中医不同内容的学术文章。虽然这50年间所发生的事件都已成为历史，但当时中医人所提出的问题、争论的焦点、未完成研究的课题一直在延续，促使今天的中医人要不断地回溯过去，思考答案。

中医究竟是否科学？如何改革才能使中医适应社会需要并有益于其发展？120年前，这些问题就已经在社会上引发广泛讨论。在现存的近现代中医药期刊中，有关这类主题的文章不下3 000篇。

关于中医基础理论的学术争论仍在继续：阴阳五行、五运六气、气化的理论要怎样传承？怎样体现中国古代的哲学精神？在这50年间涌现出不少相关文章，其中有些还是大师之作，对延续至今的这场争论具有重要的参考价值。

像章太炎这样知名的近代民主革命家，曾对中医的发展有过重要论述，并发表了近百篇的学术文章。他是怎样看待中医的？他的观点可以在这些期刊中找到答案。

最初的中西医汇通、结合、引用对今天的中西医结合有什么现实意义？中医如何在科学技术高度发达的现代社会中建立起完备的预防、诊断、治疗系统？这些文章可以给我们以启示。

为适应社会发展，中医院校应该采取何种办学模式？中医教材应该具备哪些特点？在收集期刊的过程中，我们发现仅百余种期刊中就有50余位中医前辈所发表的20余类80余种中医教材。以中医经典的教材为例，有秦伯未、时逸人、余无言等大家在不同时期从不同角度撰写的《黄帝内经》《伤寒论》《金匮要略》等教材20余种，它们在学术性、实用性上堪称典范。然而，由于当时的条件所限，这些教材只能在期刊上登载，无法正式出版，因此很难保存下来。看到秦伯未先生所著《内经生理学》《内经病理学》《内经解剖学》《内经诊断学》中深入浅出、引人入胜的精彩章节时，联想到现在许多中医学生在读了5年大学后，仍不能深知《黄帝内经》所言为何，一种使命感便油然而生。我们真心希望尽可能地将这批文献保存下来，为当今的中医教育、中医发展尽一份力。

中华人民共和国成立前这50年也是针灸发展的一个重要阶段，在理论和实践上都有很多优秀论文值得被保存下来。除承淡安主办的《针灸杂志》专刊外，其他期刊上也有许多针灸方面的内容是研究这一时期针灸发展状况的重要文献。

在中医的在研课题中，有些学者在做日本汉方医学与中医学的交流及相互影响的研究，而这一时期的期刊中保存了不少当时中医对日本汉方医学的研究成果。但如今这些最原始、最有影响的重要信息载体却面临散失的危险，保护好这些文献可以为相关研究提供强有力的学术支撑。

在这50年中，以期刊为载体，一门新的学科——中国医学史诞生了。中国医学史首次作为独立学科出现在世人面前，为研究中医、整理中医、总结中医、发展中医，把中医推向世界，再把世界的医学展现于中医人面前，做出了重大贡献。创建中国医学史学科的是一批中医专家和一批虽出身于西医却热爱中医的专家，他们潜心研究中医医史，并将其成果传播出去，对中医发展起到了举足轻重的作用。《古代中西医药之关系》《中国医学史》《中华医学史》《中国预防医学思想史》《传染病之源流》等学术成果均首载于期刊中，作为对中医学术和临床的提炼与总结，这种研究将中医推向了世界，也为中医的发展坚定了信心。这些医学史文章大都较长，因此在期刊上发表时大多采用连载的形式进行刊登。此外，这类文章也需要旁引很多资料。为了帮助读者更全面、连贯地了解医学史初期的演变过程，以及该学科对中医发展的重要作用，我们决定将《医史杂志》的收集范围定为1958年之前刊行的内容。《医史杂志》创刊于1947年，在此之前一些研究医学史的专家利用西医刊物《中华医学杂志》发表文章，从1936年起《中华医学杂志》不定期出版《医史专刊》。（《中华医学杂志》是西医刊物，我们已把相关的医学史文章及1936年后的《医史专刊》收录于《续编》之中。）这些医学史文章的学术性很强，但其中大部分只保存在期刊上，一旦期刊散失，这些宝贵的资料也将不复存在，如果我们不抢救性地加以保护，可能将永远看不到它们了。

此外，值得一提的是，近现代期刊中的这些文献不只是资料，更是前辈们智慧的结晶，我们应该尽最大的努力把这批文献保存下来。这50年的中医期刊、纪念刊、专题刊、会议刊等，都为我们提供了一段回忆、一个见证、一种警示、一份宝贵的经验。这批1 500万～2 000万字的珍贵中医文献已到了需要保护、研究和继承的关键时刻，它们大多距今已有百年，那时的纸张又是初期的化学纸，脆弱易老化，在百年的颠沛流离中能保留至今已属万分不易，若不做抢救性保护，就会散落于历史的尘埃中。

段逸山先生、王有朋先生等一批学术先行者们以高度的专业责任感，克服困难领衔影印出版了《汇编》，以最完整的方式保留了这批期刊的原貌，最大限度地保存了这段历史。《汇编》收载的48种期刊的遴选标准为中华人民共和国成立前保留时间较长、发表时间较早、内容较完备，其体量是中华人民共和国成立前中医药期刊的2/3以上，但仍留有近1/3的期刊未被收载出版。正如前面所述，每多保留一篇文献就是在多保留一点历史痕迹，故对《汇编》未收载的近现代中医药期刊进行整理出版有着重要意义。

北京科学技术出版社有限公司秉持传承、发展中医的责任感与使命感，积极组织协调《续编》的出版事宜。同时，在该出版社的大力支持下，《续编》入选北京市优秀古籍整理出版扶持项目，为其出版提供了可靠的经费保障。这些都让我们十分感动。希望在大家的共同努力下，我们能尽最大可能保存好这批珍贵期刊文献。

近现代中医可以说是对旧中医的告别，也是更适应社会发展的新中医的开始，从形式上到实践上都发生了巨大的改变。这50年中医的起起伏伏、学术的争鸣、教育的改革、理论与临床的悄然变革，都值得现在的中医人反思回顾，而这50年的文献也因此变得更具现实研究意义。

《续编》即将付梓之际，我代表全体编委向曾给予本书出版大量帮助和指导的李经纬、余瀛鳌、郑金生等研究员表示最诚挚的感谢。

王咪咪

2023年2月

内容提要

本书是《中国近现代中医药期刊续编》第一辑、第二辑的延续之作，又为收官之作，收录了包括《医学扶轮报》在内的文献 11 种。

本书所收录的期刊除来自江浙一带外，尚有广东、山东、四川等地方性中医期刊。受环境和经费等因素的限制，地方性期刊通常存续时间较短、存留期数有限，能够保存至今实属不易。本次将有较高学术价值、历史意义且保存比较完整的地方性中医药学术期刊整理、影印出版，不仅有助于完善近代中医药发展脉络，而且可以间接反映出一些地区近代中医药发展情况，让更多人看到近代地方中医工作者为了传承和发扬中医所做出的努力与贡献。

《医学扶轮报》

中西医汇通报刊，1910 年创刊，月刊，发起人为吴鹤龄，扬州南河下中西医学研究会发行，现存 1 ~ 6 期（1910 年）。

此刊在第 1 期的发刊词中详细介绍了办刊宗旨："世界医学开化以吾中国为最先，秦汉以后虽见退化，然犹代有贤豪，如孙思邈之裒集古方，许叔微之传记方案，张子和之发明三法，李东垣之发明脾胃……倘能举中国古今来固有之医学与今日东西洋之学说，合一炉而熔冶之，取其精华，弃其糟粕，实事求是，锐志图存，安见吾中国医学不能驾东西洋而上哉！"这是出版此刊的初衷，也是目标。

此刊内容既有中医学术，也有西医学知识。当时西医东渐对中医学的发展具有重大影响，此刊第1期第1篇文章即陈邦贤先生的《中西医学分科相同论》，第2期则有袁焯的《论今日医学界急宜扩张其势力以图自存》，可见此刊编者对中医结合西学非常重视。此刊所载文章学术水平较高，其中《心理疗病法》《切脉为传声之学说》《脑与心互为功用说》《痘科明辨》《察舌辨证法》等文章有很高的临床价值。另外，此刊还引录了许多优秀医案，如《扁仓医案合解》《勉吾轩医案》《春泽堂医案》《春在寄庐医案》《杏雨草堂医案》等。

《现代国医》

中医学术期刊，1931年创刊，月刊，谢利恒主编，上海市国医公会发行，现存第1卷1～6期、第2卷2～7期（1931—1932年）。

此刊编委会成员均为中国近代名中医，包括丁仲英、蒋文芳、陆士谔、吴克潜、张赞臣、陈存仁、秦伯未等。此刊设有医事杂评、言论、专著、学说、医案、方剂、纪载、案牍等栏目。在第1卷第1期的医事杂评中，谢利恒先生写道："吾今不辨国医之是否不合科学，独问国医之是否不适于现代社会？从国内观之，西医之不能战胜国医，固成绩昭著。即从国外观，德美之赞美中药，日本之复兴汉医……不在国医学术之本身上，而在国医之缺乏时代精神耳。"从这段杂评可以看出将此刊定名为《现代国医》的初衷。

此刊内容丰富，涉及中西汇通、中医办学相关内容。此刊第1卷第1期就刊登有商复汉的《中西医治疗之比较》、聂崇宽的《中西医之科学观》、严苍山的《中西医之门户见》、胡树百的《中西医之脏燥病比观》等多方面阐明对中西医学汇通看法的文章。首刊刊登了秦伯未的《医校之教材问题》一文，此文提出了当时中医发展迫切需要解决的关键问题。此刊第2卷第2期特别设立了"中国医学院专号"，专门刊登医学院教师职工的中医研究论文及中医学生的研究成果，以增加中医院校在社会上的影响力。此刊还刊登了有关中医发展问题的文章，如日本富士川游的《日本医学之变迁与中国医学及西洋医学》、郑守谦的《各国趋重中医学说》、李怀仁的《中国医药研究之法门》、姜子房的《中医与中药同时改进说》、陆士谔的《论国医》、俞大同的《中央国医馆与振兴中医药具体方案》等，对中医的发展和改革提出了多种可期的设想。

此刊收录了诸多学术水平较高的名家论述，如朱懋泽的《伤寒温病之我见》和《气病概论》、胡安邦的《伤寒以六方提纲论》和《书阴阳应象大论后》、王辉中的《外感成温与伏气成温的研究》等。此刊亦登载了一些知名医家的医案，如《一瓢砚斋医案》《碧荫书屋新医案》《潜庐医案》《澄斋医案》《尤在泾晚年医案》等。

此外，需要说明的是，在第 2 卷第 2 期封面上清晰地标注着“第二卷第二期”字样，但其目录页却标为“第二卷第八期”，此期又为“中国医学院专号”，其目录与正文内容完全相符，故目录中的“第八期”为误。这种文字错误在第 2 卷第 7 期也出现了。第 2 卷各期出刊时间均为民国二十一年（1932 年），第 2 卷第 7 期却注为“民国二十年（1931 年）”。此刊各期也并非完全按月出刊，如第 2 卷第 3 期出刊时间为 1932 年 1 月，但第 2 卷第 4 期的出刊时间是 1932 年 8 月。故读者应以各期实际内容为准，注意时间标注即可。

《中国医学月刊》

中医学术期刊，1928 年创刊，不定期，现存 1 ～ 11 期（1928—1931 年）。

此刊有一篇很有特色的发刊词，提出中医应勇于革新，向西医学习，指出中医不能“只知抱残守缺，凭借特效之方药以自足，绝不思极深研几，以求学理至当……急起整理，力谋发新，焉可墨守旧说，划地自限，不事创作……抑集思广益以求迈越于西医乎！由前之说，则必尽弃其学，醉心欧化，如戴季陶先生所言，近时青年对于五十年前读物便不肯寓目，是直丧心病狂，自暴自弃，既显示我国无一学术可以独立，尚能免除劣等民族之恶谥乎，此则一国人民之奇耻大辱，非仅医学本身问题而已也……为谋人类健康问题、生命问题，关系至重，本极艰难困苦，而在个人，则有学术之兴趣，引人入胜，不能自已者也。现在受环境压迫，既不能望有力者之提倡，惟凭借社会之信仰，勉自支撑，若再不从学术根本上谋其发展，吾恐数千年圣哲相传无尽藏之义蕴，皆将自吾而斩。医学亦随此潮流而汩没不复矣。故就医论医，吾人应急起直追，以冷静态度，做忍耐工夫，出之以敏锐之视察力，绵密之思考力，精微之判断力，以引动其日新月异自得之兴趣，为中国医学放一异彩，开一新纪元”。

20 世纪 20 年代末正是中医发展最艰苦之时，此发刊词不仅体现了办刊宗旨，更反映出当时的中医人对中医改革的强烈愿望。当时的中医人坚信“吾国固有宝藏，得以由整理而尽泄，俾出陈而发新”，并且对中医的改革发展有着明确的目标和长期奋斗的思想准备。此发刊词鼓舞着新一代中医人不断前进。

此刊发刊地为上海，现存的部分没有关于主编、编委会组成的介绍，但从所载文章可知此刊主编应为民国著名医家陆渊雷。此刊 1 ～ 7 期连载了陆渊雷先生的《改造中医之商榷》一文（其中第 6 期无刊载），这篇数万字的文章中讲到了改造中医之动机、医药的起源是单方、《内经》学说之由来、病理学说与治疗方法之不相应、中西学派之不同、中国的科学趋势、唐宋以后的医学、伤寒之外没有温热、中医方药对于证有特效对于病无特效、中医不能识病却能治病、中医有吸收科学之必要、科学头脑与中国学术的柄凿、细菌原虫非绝对的病源等，这些内容对中西汇通初期一些存在争议的问题明确地提出了自己的观点，吸引着当时的中医人投身到中医继承、改革的队伍中来。陆渊雷先生的这篇文章不仅是几十年前有关中医改革问题的宝贵历史资料，而且对今天的中医发展具有借鉴意义。

此外，此刊还刊有研究医经及临床疾病的70余篇学术论文，这些论文充分体现了此刊的学术价值。

《卫生杂志》

中医学术期刊，1932年创刊，月刊，张子英主编，中医书局发行，现存第1～2卷1、2、5、6、8及13～20、22～24期，第3卷5～6期，以及第4卷1～5期（1932—1935年）。

此刊在“编辑大意”中描述了创刊目的：“我国卫生问题太不讲究，死亡率来得很高……使人人都知道卫生问题的紧要，同时发扬我国医药的精华……非但不反对西药，不攻讦西医，又共同联络研究。”刊中有多幅名人题词，如谢利恒先生的“吾道干城”、蒋文芳先生的“养生宝筏”及钱今阳先生的“康强之道”等。

此刊不仅载有常见病防治方面的文章，如《冬日滋补问题》《皮肤病与血液之关系》等，还收录了《痢疾商榷》《肺结核之超早期诊断》《疟疾经验谈》《喉痧与白喉之别》等涉及传染病防治内容的文章。同时，此刊还设立有特别专刊，对日常多见疾病的相关知识加以普及。例如，“性病专号”收录了有关性病、白带、男女之阴阳痿病等的文章；“服装专号”收录了有关服装与疾病关系等的文章。

另外，此刊也收录了有关学术讨论、医案验方等的论文，如《内科病理治疗大要》《六气致病之原理》《骨蒸的病原和证状》《国医三焦通义》等；同时还收录了一些具有前瞻性的文章，如《中西医学术之趋向解》《中西医药优劣平议》《中医学理是否合乎科学平议》《国医以维护同道改进学术为先务》《关于医药之空间性的讨论》等。

《大众医学月刊》

中医学科普期刊，1932年创刊，月刊，杨志一主编，大众医刊社发行，现存第1卷1～12期（1932年）。

此刊可谓是中西医汇通临床应用的百科全书。其内容十分广泛，包括卫生常识、胃病指南、吐血概论、四季时症、精神病学、肺病讲义、脑病研究、大众医药顾问、小药囊等。此刊所载文章的作者有杨志一、时逸人、张山雷、宋大仁、尤学周、蔡济平等，他们都是当时的名医大家。

在此刊第3期中宋大仁写道：“伤风……最初为呼吸郁闷，其次为鼻炎，鼻流清涕，发热咳嗽。其在消化器之病，为口中无味，食欲不振，或则腹痛，或下痢，或则为春温诸病，久咳则延成肺痨……通用金沸草散、川芎茶调散加减。有虚体受风，屡感屡发，形气病气俱虚者，又宜顾正解肌，亦不可专泥发散。正气益虚，腠理益疏，病反增矣。李士材曰：风邪伤人，必从俞入，俞皆在背，故背常固密，风弗能干。已受风者，常曝其背，使之透热，则默散潜消矣。”第4期中则有一篇探讨食补、药补的文章，该文章提到：“食补之原素，一为炭水化物，二为蛋白质，三为脂肪质，四为无机物质，五为维他命，凡此种种，多混合于谷畜果蔬之中。药补之功能，一为温补，能使神经活泼，局部血行畅利，加增脏腑阳气，二为凉补……食补为日常所需要，药补为一时所需要。”此刊还设有“小药囊”栏目，以西医学科对所列各药进行分类，并以中医知识对其进行解说。

由以上内容可以看出，当时中医学者对西医理论的接受程度很高，且西医理论已得到一定的普及。因此，此刊在当时具备了较高的科学性与实用性，同时具有时代价值，值得后世研究。

《幸福杂志》《丹方杂志》

《幸福杂志》：中医验方验案期刊，1933年创刊，月刊，朱振声主编，上海幸福书局发行，现存1～8、11～12期（1933—1934年）。

《丹方杂志》：中医验方期刊，1935年创刊，月刊，朱振声主编，上海幸福书局发行，现存1～12期（1935—1936年）。

《幸福杂志》每期列有10～12个专题，其重要内容会在多期中连载，如“胃病研究”“吐血概论”等。此刊还载有“长篇专著”，向读者介绍优秀的中医著作，最大程度地向读者普及医学知识，介绍各类疾病的治疗方法。

《幸福杂志》内容全面、浅显易懂。此刊重视养生，所载文章观点独特。如有文章提出要养成良好的卫生习惯，不要吸烟；吃饭要细嚼慢咽，不使脾胃受损；要注意食品卫生、居室卫生、个人卫生等。此刊收载了有关各类人群精确细致的养生方法的文章。

如有文章认为健忘大多由精神衰弱引起，健忘者在生活中要保护与保养脑力，不要过多刺激，勿用脑过度；小儿要注意睡眠卫生；女性要注意月经卫生、孕期卫生、产褥卫生、女子阴部卫生等；要从环境、心理、饮食等多方面对病人进行调理。

此刊的撰稿人多为当时的临床名家，他们所撰有关各种常见病的文章都具有较强的实用性，可称得上是当时的常见疾病手册。例如，尤学周的《脾胃虚弱之简治法》《胃气痛》《胃酸过多》，丁仲英的《胃病与失眠》《胃口不开》，陈存仁的《吐血治疗大要》，严苍山的《便血之研究》，张锡纯的《因凉而得之吐血治法》等。由于这些文章为读者提供了许多疾病的防治知识，因此，此刊成为20世纪30年代具有较大社会影响力的刊物。

1935—1936年，为扩大影响力，《幸福杂志》更名为《丹方杂志》，专门收载有关民间丹药验方之应用研究的文章。尤学周在《丹方杂志》的序中写道："今有《丹方杂志》之刊行，探秘搜奇，深入民间，将灵方妙药尽量披露，介绍于人群，不特为病者谋幸福，而国医药前途亦发见不少光明，实堪钦佩。"张赞臣则在序中表示："今朱君有鉴于此，搜集古来丹方，以为骨干，下及近世丹方，旁及乡村丹方，秘及私家丹方，而为之五官百骸，编为杂志，非其体，达其用，以为苍生。"另外，此刊主编在自序中写道："而于无意中发见不少治病之法，今之所谓丹方者，即道家所赠遗之品也。道家推千其教义，深入民间，同时为人治病，以眩其术，以坚人信仰，丹方亦传入民间，书中偶有记载，皆由道听途说，偶然录下者。关于单方之专书，则少有所见，鄙人于丹方之应用，往往发见不可思议之效力，对于丹方之信力甚坚，故有本刊之发行。"此刊12期共登载了约千首治疗临床各科疾病的方剂，其价值有待后人进一步挖掘。

《中国医药杂志》

中医学术期刊，1934年创刊，月刊，赵恕风主编，中国医药研究社发行，现存第2卷1～12期（1935年）。

此刊为地方性中医药期刊，内容广泛。此刊设有学说、临床各科、医案、验方、来函等栏目，并且非常重视学术讨论，如刊登了唐映书的《瘟疫与温病不同说》、姚肃吾的《春令流行性时疫的病因和治法》、单生文的《中医学理之科学观》、梁惠群的《湿温病与伤寒少阳病异同之点》、林志生的《论气血与风》等。

此刊实用性较强，较为重视验方和医案。除刊登了《隔食症验方》《治疗淋病的效方》《经过实验的喉病奇方》等验方类文章外，还刊登了《治验笔记》《诊伤寒笔记》《论瘟疫之症治》《咳嗽论治》等医案类文章，并引录《植林医庐笔记》《也是斋随笔》及邢锡波的《怀葛斋医案》等。另外，此刊也连载了一些有实用价值的书籍，如《张五云痘疹书》。

综上所述，此刊在一定程度上起到了传播和推广地方中医药的作用。

《医药改进月刊》

中医学术期刊，1941年创刊，月刊，本刊编审委员会主编，现存第1卷1～12期（1941—1942年）。

此刊发行于四川成都，为地方性中医药期刊。此刊第1期的发刊词阐明了创刊宗旨："本社有鉴于此，乃联合同志创办社刊，特辟学术论文、学术研究、整理珍闻等各栏，意在以科学之方法，发皇古医之奥义，且整齐同一步调，一致向前，务使古圣之遗意无余，中西之各美兼备，而我国医之伟迹长留于万世，始可稍尽本社同人之素志。"为体现创刊宗旨，此刊第1卷第1期便刊载了具有针对性的论文，如《我们对于国医科学化的意见》《为什么要改进中医》。第2期《中医管理权》一文指出："我们主张西医应该研究中医学术，中医也应该研究西医医理，两者融会贯通，自不难产生新的医术，为世界医学放一异彩。"此刊连续数期刊登的评论文章《对于建设中国本位医学的意见》对当时中医的改革与发展具有较大影响。

此刊比较注重经方的学习与应用，除刊登一般性中医学术研究文章外，每期都刊登有关于经方的文章，如《桂枝十九方合论》《甘草干姜汤》《芍药甘草汤》《三承气汤麻仁丸》《大青龙汤》《四逆十一方合论》《理中九方合论》《泻心十一方论》等，非常值得经方研习者及临床医生研究学习。

从以上内容可以看出，此刊学术水平很高，是近代中医期刊中的上乘之作。

《广东医药旬刊》

中医学术期刊，1943年创刊，旬刊，吴粤昌主编，广东医药旬刊社发行，现存第2卷1～8期（1943年7—11月）。

此刊是地方性中医药期刊，内容丰富，有较强的理论性与学术性，连载了较多理论性文章，如梁荫天的《中医学术源流》、梁乃津的《略论中西医学之特质及中西汇合问题》、曾天治的《整理中国医学之我见》、蔡适季的《现阶段中医进修问题》等。

其中，《现阶段中医进修问题》具有很强的前瞻性与实用性，其内容包括中医进修的意义、步骤、原则、条件、方式及方法等，对当时乃至现在的中医药发展都有很强的指导意义。

此刊保留了许多具有全局性的中医学术文章，如姜春华的《伤寒新论》及《中医基础学》、钟春帆的《近世内科学》、梁乃津的《霍乱》、缪俊德的《疾病之本相与现象》、袁鉴韬的《中国物理医学之针灸》等。

另外，此刊还刊登了《本草脞识》《中医应用处方集》《实用方剂学总论》《药物各论》等长篇文章，这些文章展现了当时一批致力于研究、发展中医的学者们的学术思想，虽然数量有限，但值得被保存和研究。

《医药卫生专刊》

又名《济世日报佑仁医药卫生》，中医学术期刊，1947 年创刊，周刊，施今墨主编，济世日报社发行，现存 1 ~ 15 期（1947 年）。

此刊的办刊宗旨是“建医、强种、救国”，即“不攻击西医，也不攻击中医，我们一心一德，把中西各方真实的医药卫生常识，介绍给水深火热中的同胞，同时提供有心沟通中西学术的朋友，及贤明当局，作为参考的资料”。

此刊与报纸类似，没有栏目分类，每期 20 余页。每期都有相当篇幅的普及卫生知识的内容，如《细菌常识》《为什么会发炎》《蛔虫的生活史》《如何避孕》等。此刊既收录有《伤寒质难》《国药性赋》《法定传染病概说》等学术文章，同时也向读者普及医学器材的知识，如介绍什么是注射器、显微镜等，具有一定的学术性和科普性。

另外，此刊还载有用通俗易懂的语言探讨中医发展的文章，如《中医为什么要争管理权》，强调中医机关“不但要负管理的责任，还要负规划中医药教育方针的责任”，提出科学化的中医仍是中医。

目　录

中国近现代中医药期刊续编·第三辑

卫生杂志

HEALTH MAGAZINE

衛生雜誌

張子英醫士主編

創刊號

靈驗異常

腳趾濕癢 一滴止癢
瘡癬癩疥 着膚即靈
去濕止癢 消毒殺菌
藥到病除

樂的能

白濁

要根本剷除

端賴「樂的能」的藥力

「樂的能」有殺菌、利尿、止痛、減淋、清濁等功效

藥力異乎尋常

上海漢口路四十六號 新星藥行 獨家經理 各大藥房均有出售

夏令避暑還不如裝亞浦耳電風扇

夏令炎熱。若避暑遠地。舟車勞頓。耗費光陰。妨害業務。還不如裝置亞浦耳國貨電風扇。價廉物美。省電耐用。需風即動。不需即停。絕無天氣過於寒涼。受感冒之虞。

亞浦耳電燈泡廠出品

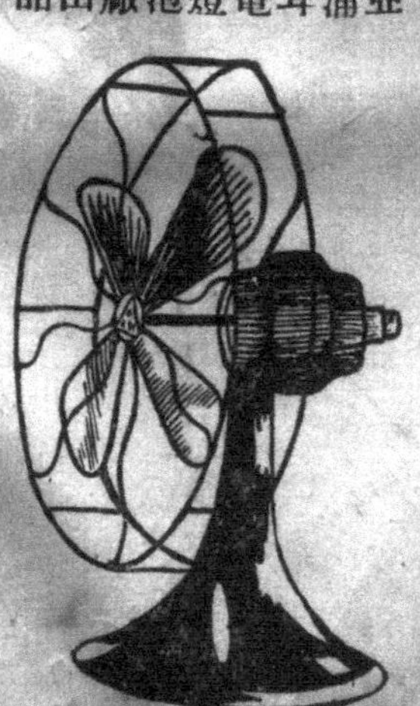

小馬達　電燈泡　電爐　電風扇

光亮充足　支光準確　省電耐用

價目廉宜　提倡國貨　同胞樂用

廠址　遼陽路十四號

發行所　北浙江路八百二十號

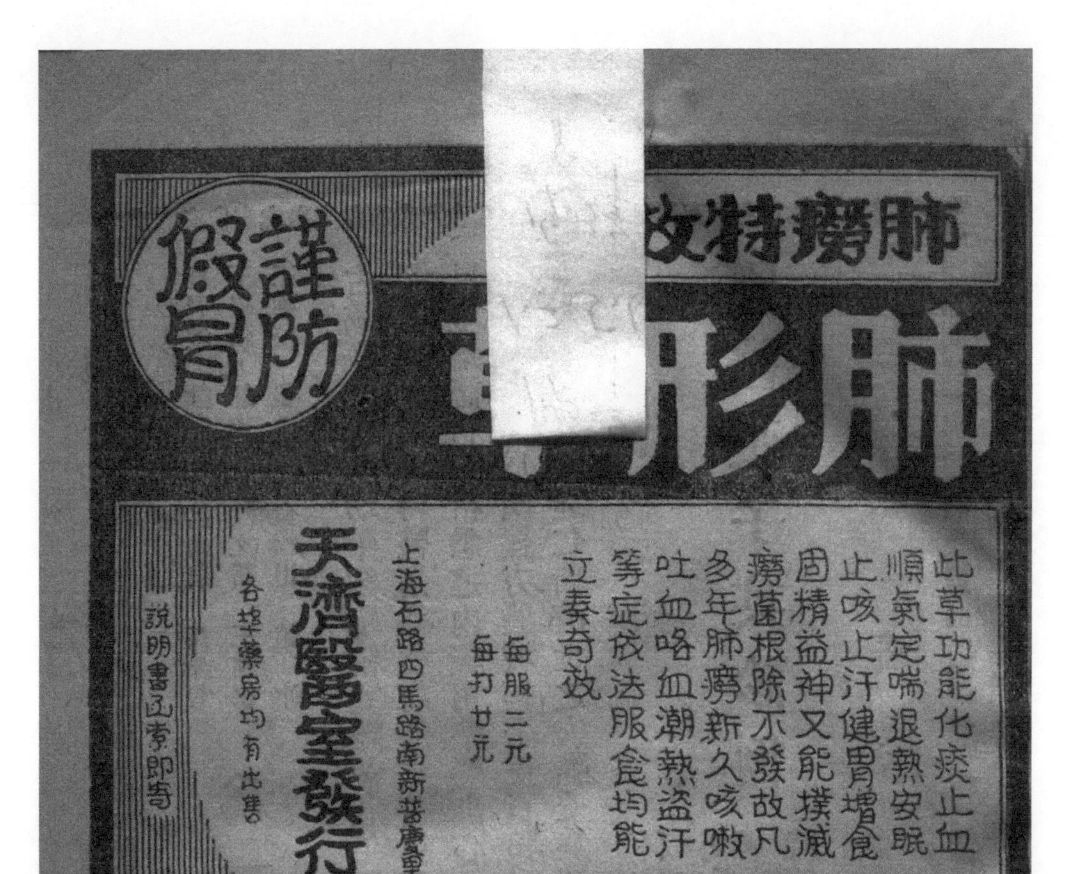
謹防假冒
肺癆特效
肺形草
此草功能化痰止血順氣定喘退熱安眠止咳止汗健胃增食固精益神又能撲滅癆菌根除不發故凡多年肺癆新久咳嗽吐血咯血潮熱盗汗等症依法服食均能立奏奇效
每服二元
每打廿元
上海石路四馬路南新芸慶里
天濟醫室發行
各埠藥房均有出售
說明書函索即寄

請飲
屈臣氏
瓶瓶蒸化
眞眞衛生
檸檬水 解渴消食
橘子水 香甜潤肺
沙示水 去濕清血尤能化除花柳熱毒
可口可樂 味雅滋潤心神爽快
發行所江西路三二七號電話一二七二六
製造廠匯山路八十六號電話五〇四八六

爲張子英醫士啓事

杜月笙　徐賡華　呂岳泉　孫吉堂
王曉籟　鄔志豪　陸文韶　王鈍根
王延松　裴雲卿　俞福田　趙　冲

古越張君子英幼年夠學精究岐黃壯年與其姻戚遜淸御醫太醫院徐起霖先生遊深得徐太醫祕傳醫術益彰如傷寒溫熱虛損痰嗽瀉痢雜症以及婦女經產小兒驚風痘瘄諸科辯析悉遵內經用藥別出心裁靡不藥到病除是以懸壺滬上數年於茲活人無算現爲國難方殷減輕平民負担起見門診祇收四角一百文出診祇收二元赤貧者不計俾達仁術濟世之宏願爰爲紹介以告病家之未識先生者

國醫張子英診例

科目　內科傷寒溫熱虛損痰嗽瀉痢等雜病婦女經產小兒急慢驚風瘄痘疳積諸症

診資　門診一元二角（平民祇收四角一百文）出診五元（平民祇收二元）路遠酌加赤貧不計

時間　門診上午九時至下午三時出診下午三時以後急症隨時面商

診所　上海英租界南成都路福煦路口輔德里念四號

衛生雜誌目錄

序言

王鈍根

天下最掃興的事。最沒法挽救的事。便是人們的死亡了。大凡國家社會和家庭。一切事業的發展。都仗着人們去做。一個人只要有了很切實的志願。很堅忍的工夫。很努力的奮鬥。沒有不成功的。但是因爲壽命的不長。或是疾病的淹纏。往往功虧一簣。事敗垂成。不但國家社會和家庭都受着重大的影響。便是世界的進化。也因此阻滯了。我們要減低人們的死亡率。延長多數的壽命。唯一方法。只得從衞生問題上去研究。因爲人們死亡的原因。雖然不一定是由於疾病。也許死於炮彈咧。水火咧。天災咧。但是十分之七八。大都由於身體衰弱而致疾病死亡的。况且現在科學昌明的時代。對於炮彈水火天災等等。將要死亡而還有一點生機未絕。總還有方法挽救。那麽對於普通的疾病死亡。何嘗不可思患預防。所以一國的衞生科學愈加昌明。人民的死亡率。便愈加減低。同時一國的家庭和社會事業。便有盡量發展之可能。因技術人才死亡而發生的阻礙力。也可以避免。那麽國家就有强盛的希望了

我國文化的發源。比較全世界任何國家都來得早。對於衞生的方法。醫藥的發明。也是最古最久。爲什麽倒讓後來居上。現在世界文明各國。都譏誚我國的醫學頑固陳腐。不合科學的原理呢。原來學術沒有

衛生雜誌序言　二

止境。越研究越是昌明。不進化就是退化。我國的衛生醫藥。因爲墨守舊法。不向前進。所以反而被歐美各國趕上頭裏去了。幸而現在有幾位頭腦清楚的醫師。抱着救國的熱心。大家研究中西一貫的實用的衛生醫藥問題。這是多麼的可喜呀。希望從此以後。大家同心協力。切磋琢磨起來。推而至於全國從風。共同進步。過了數十年之後。仍舊駕乎歐美之上。也並不算是夢想呢。老友張子英君。對於醫學很好用功。現在更加有志深造。不但抱着改進醫藥的志願。更要指導社會人們對於衛生有相當的經驗。突飛的進步。所以刊行這本衛生雜誌。我很希望他售價定得低廉。普通民衆。人人可以閱覽衛生雜誌。因爲衛生問題。人人有研究的必要。

民國二十一年七月　王鈍根謹識

編輯大意

張子英

我國素稱東方開化最早的古國。地方這般大。人口這般多。爲什麼把「東亞病夫」的雅號。加到我國呢。這是沒有其他原由。因爲我國衞生問題太不講究。死亡率來得很高。所以全世界都稱我國「東亞病夫」。像花柳肺癆等傳染疾病。我國尤其普遍地來得多。一般有用的青年。每每因爲染了疾病。不能替社會服務。許多勤奮的志士。往往因爲未老先衰。身體很孱弱。不能工作。所以有志難伸。這都是我國萎靡不振的一部份原因。現在我們在醫言醫。所以要喚醒社會。提倡衞生問題。灌輸醫藥常識。特地集合了同志。創刊這本衞生雜誌。使人人都知道衞生問題的緊要。醫藥常識宜熟諳。同時發揚我國醫藥的精粹。改進我國醫藥的劣點。和全國同志作公開的討論。對於醫藥界同道。負互相提攜的責任。非但不反對西藥。不攻訐西醫。又共同聯絡研究。原來醫藥無國界。視效驗爲歸依。學術無止境。越是砌磋越是精良。那末衞生講究一點。就是人民疾病減少一點。醫術進步一點。就是死亡率減低一點。不是我國前途的幸福麼。

民國二十一年七月　　張子英謹識

凡患癬疥，癩頭，及皮膚各病立能

去濕。止癢。殺菌。消毒。

脚趾濕癢

一滴卽靈

脚趾濕癢乃一種葡萄狀菌作祟癢後卽搔愈搔愈癢久之易使漿液流出若用「阿墨林」（“Amolin” Liq）一滴此菌卽斃因其殺菌力收斂性極强之故也

醫師索樣可憑正式信箋蓋章並附郵票廿分當卽寄奉一瓶

上海北京路九六號

百昌洋行經理

英國頂上八卦牌煉牛奶

最衞生　最滋補

英國衞生滋補藥品

八掛牌煉牛奶係在英國用最新科學方法精製而成其中含滋養料極豐富尤多生活素常服最滋補有益居家旅行貯藏攜帶均極便利炎夏避暑購備應用尤爲適宜

各南貨號　均有出售

上海廣東路十九號

寶克洋行進口部啓

完全國貨

民丹

長城商標

▲防疫 日來報載本外埠發生眞性霍亂，形勢日趨險惡，我人稍一不愼，卽有傳染之虞，惟常服民丹，可免危險，蓋民丹功能辟瘟避穢，解毒殺菌，誠屬人人必備之防疫聖藥。

▲治痧 痧氣四時皆有，惟夏令獨多，且來勢極凶，或因循不治，或朝發夕死，至堪浩嘆，民丹善治各種時行痧症，故不論個人家庭，團體機關，均宜多多購置，以備不時之需。

▲急救 當此炎夏，暴日侵凌，穢氣四溢，中暑中邪之下，頭目暈眩，腹痛吐瀉，山嵐瘴氣等症，極易發生，惟常備民丹，可以急救一切時症，以之施送貧病，救得一人之命，以全閩家之生，造福社會，功德無量。

▲特色 民丹係採取國產原料，根據國人體質，配合而成，有起死回生之功，斬關奪命之效，且粒子粗大，粒數加多，價廉功偉，爲任何牌子所不及，而日貨某丹，更不能望其項背。

▲上海望平街中愛華製藥社總發行

▲每瓶二角盒一角包五分

▲各藥房及雜貨店均有出售

防疫商榷

張子英

自滬戰以後。僉謂大兵之後。必有大疫。加以時屆夏令。平常年份。此時亦應設法防疫。故醫家常有防疫之建議。但吾國社會。自崇尚西藥以來。將原有防疫之舊習慣。幾乎湮沒無遺。甚爲可惜。茲以不偏不倚之立場。謹將時疫來原。及防疫問題。商榷如下。

時疫之來原

非其時而天氣過寒。人感之。則榮血裹束衛氣。而生頭痛惡寒等症。是謂寒疫。有傳染性。若多數人患之。即統稱時疫。邪犯胃經。則嘔吐泄瀉。俗稱霍亂。（西醫稱虎烈拉）

非其時而天氣過熱。人感之。則衛氣閉遏營血。而生內熱。症見頭痛煩渴燥結等狀。是謂溫疫。亦能傳染。若多數人患之。亦統稱時疫。（西醫稱腦膜炎）邪犯胃經。亦嘔吐泄瀉。俗亦稱霍亂。（西醫稱虎烈拉）

大戰之後。難民流離失所。飢寒交迫。不愼風寒。與飲食。偶遇天氣乍寒乍熱。大多數人俱患同樣之病。亦能傳染。如頭痛發熱或霍亂吐瀉等症。亦稱時疫。

衛生雜誌社

仁壽同登

夏紹庭題

大戰之際。死亡枕籍。尸體滿野。腐爛穢汚之氣。人感之。伏於膜原。至陽氣暴發。而變爲溫疫。傳染極速。亦稱時疫。

大戰之後。尸體遍地。腐爛之穢氣或細菌。流入河浜。人飲河浜之水。大多數俱患同樣之病症。傳染性尤速。亦稱時疫。

以上三條。大約卽是大兵之後必有大疫之原理。此外如飲生水。食已壞之瓜菓。及蚊蠅麕集之食物。與有病菌之病人接觸。皆足以傳染疾病。而且夏令暑氣炎熱。過於勞頓。發爲暑溫。以及夏令過於貪涼飲冷。發爲傷寒。傷食過飽。發爲腹痛泄瀉等症。於是大都籠統視之。皆曰時疫。

防疫之舊習慣

吾國舊習慣。防疫首重夫逐穢。以其不正之穢氣。由口鼻入腹。易於鬱滯氣血。胸腹疼痛。霍亂吐瀉。所以國醫向有芳香逐穢之說。如平常佩蘭花佩香袋。佩樟腦丸。室內燒盤香。端午燻蒼朮白芷。噴雄黃燒酒嗅大蒜頭等事。皆爲驅逐不正之穢氣。與避防蛇蝎之毒氣而設。因爲芳香。爲氣之最正者。正可驅邪。況且芳香入腹。善能散滯開鬱。尤能醒脾。奮興精神。近來報載哥倫比亞大學教授麥司登善加德博士。在紐約電氣協會。報告香水含有化學生成的營養分，將來嗅香水可以保持生命。亦卽芳香逐穢扶正氣之意耳。

注射鹽水針之效用

近來西醫防疫；多用鹽水注射靜脈。而研究其效用。亦不過增液而已。蓋時疫之發生。必有稟體之偏寒偏熱爲之作導火線。偏寒者。血液凝滯。循環運動不利。偏熱者。血液枯涸。循環運動亦不利。故一經發作。氣血鬱滯。腹痛泄瀉。頭痛嘔吐。待其吐瀉既多。體內津液愈乾澁。則見足痙痛。腦力脫。眼陷皮皺等症。是皆體內津液枯澁。血氣循環失職所致。注入鹽水。所以補足體內液量。使血液循環運動靈活。因爲鹽水與血之性質相合。亦是移花接木權變之法。所以病輕者。一經注射之後。卽見腳痙痛。眼陷皮皺之現象漸去。若未患時。預先注射。則血液循環更加敏活。氣血不致鬱滯。自然時疫可免。國醫治乾霍亂。古方用鹽熬調以童便。力能降火行血。實與注射鹽水之旨相合。

個人防疫之討論

綜以上所述。時疫之來原。種種不一。則防疫之道。亦一言難盡。茲將個人防疫之法。約略述之如下。

（一）平衡體溫。　萬病之襲感。靡不由稟氣之偏寒偏熱爲之行導。所以稟體之寒熱燥濕。務使其平衡。如常覺口乾大便燥結小便短赤。是謂偏於燥熱。宜多食甘寒之品。如甘蔗地力生梨等。如常覺大便溏畏寒飽悶舌淡多涎。是謂偏於濕寒。宜多食生薑胡椒辣醬等辛熱之品。天氣雖寒熱不常。衣服厚薄必須適宜。使體溫平衡。不可感寒受熱。

（二）調節飲食。　過於飢過於飽。皆易傷脾胃。過於多飲。停水不化。亦易傷脾。肉食及不易消化之物。不可貪食。如未煑沸之生水。及不潔之瓜菓。皆不可食。（日常所用之水須先消毒。如和明礬或漂白粉。使其濁物沉澱。）

吾道干城

謝利恒題

（三）愼防穢氣。　時行不正之穢氣。卽是時疫之根原。隨處行路。尤須嚴防吸入。如常佩蘭花樟腦丸。或其他香物。卽使觸吸穢氣。立刻嗅香氣。亦可使穢氣逐出。

（四）隔離病家。　凡患病之人。能可不去接近。否則口中穢氣。痰唾濁氣。及病菌等觸着。皆易傳染。

（五）清潔居室。　居室必須清潔乾燥。空氣尤須流通。常燒避穢盤香。及洒臭藥水。水溝不可令其積水。並洒以消毒水。則蚊蠅不致麕集。

（六）清潔身體。　衣服宜常常洗換。體宜常浴。能可用溫水。如口腔牙齒陰唇陰莖腋下等。易藏汚穢之處。尤須清潔。

（七）調節勤勞。　身體過於安逸。易致疾病。故有時亦須行相當之運動。過於勞苦。則勞傷氣血。正氣先虧。易遭時疫。所以必須調節勤勞。此外如用腦過度。色慾過分。更須戒避。

（八）臨時避防。　如種痘。注射防疫針，服清火劑。皆爲臨時避防之手續。

或謂西醫治霍亂。用鹽水注射。以增體內液量頗有效驗。而中醫治霍亂。每用胃苓湯以除濕滿。效驗更靈。何治法之相反。而奏效相同耶。實令人懷疑。余謂鹽水針所以靈活血液循環運動。使氣血不鬱滯。則濕滿可去。胃苓湯所以除吐瀉麥作之濕滿。蓋霍亂吐瀉，爲脾胃病。湯藥入口，直達病所。所以奏效更速。注射鹽水針。爲隔一之治法。所以奏效較徵耳。

兒童節和兒童康健問題

金柏生

我國社會最大的劣根性。不是盲從瞎效麽。我常常看見外國發生無論什麽一件新事情。或者一個新名詞。傳到中國。一般好新奇喜歡歐化的人們。就不問好劣和情由。爭先恐後似的去學去行。這是一個極好的現象。就是我們民族的仿效力很大。足夠適應潮流。但是事實上告訴我們。我國民族順應潮流的創造力是很薄弱。已無可諱言。譬如四月四日爲兒童節。我們也順着潮流仿效歐美。來舉行兒童節紀念。所以我們在這一天。聚集了一個熱烈盛大的會。大家把兒童穿着新衣服。多買一些食物給兒童吃。或者請一個名人來演講。表示兒童節應該紀念的意思。就算了。可是這種辦法。老實不客氣說。對於兒童節的意義。還沒有明瞭。我們要知道兒童是我們未來的主人翁。我們不要救中國則已。倘然我們要救中國。當然先要從將來的主人翁做起。就是從現在的兒童做起。因爲不論家庭和社會。將來的事業。都全仗兒童來發展。所以我們覺得最悲慘的事。就是兒童的死亡。現在我們沒有統計。據一位外國教士說。中國嬰孩的死亡率。占百分之八十。這是多麽悲慘呀。嬰孩的死亡。對於家庭和社會。都受着極重大的打擊。所以我希望大衆。不一定是舉行兒童節。就可以敷衍了事。平常時候。也要顧到兒童的康健問題。若使單單在兒童節注意一些。過了兒童節就忘記了。對於兒童的飲食衣服訓育。都藐不注意。那末簡直是不明瞭兒童節的意思。不知道兒童的可以寶貴了。

現在我知道本埠慕爾堂於（六月十二日舉行兒童節。）我覺着有無限的感想。所以就聯想到我國社會盲從瞎效的劣根性。很希望大衆明瞭舉行兒童節的意思。同時也希望各處常常舉行兒童節。必須啓發父母對於兒童的注意。原來我國家庭教育幼稚得很。對於兒童衛生。尤其不講究。所以兒童死亡率這樣高。雖然據外國人的說。未免過分一些。但是我們自己。也承認兒童死亡率一定是很高。從這樣看來。不是我國民族前途很危險麽。所以我們爲家庭幸福計。爲社會進展計。對於兒童不能再糊塗過去了。對於兒童的健康。我們應該先從兒童的飲食衣服教養先要改良。因爲我國社會。常常看見兒童哭了。父母就哺乳。或給其糖果吃。要知道兒童的哭。不一定是飢餓的表示。也許有什麽痛苦。或者什麽不舒適。我們要細細視察。不可誤認兒童的哭。爲一種飢餓的表示。古老人有一句話。若要小兒大。常帶三分飢與寒。兒童本來沒有什麽疾病。疾病的來源。既然沒有情慾的刺感。往往是飲食寒熱所傷。所以我們應該選擇容易消化。富於滋養的食物。給兒童吃。革除糕餅糖果。種種閒食，或者給與有益的水果。但不可過量。對於服裝問題。也要適合兒童的軀幹。因爲兒童發育。沒有完全。不能照成人一例。穿長袍短褂。像冬天的棉襖過厚。使兒童動作不便。阻礙發育。所以我們對於兒童服裝問題。也應該要相當的改良。還有兒童自已不曉得身體寒暖。做父母的也要常常注意兒童體溫之適宜。和不適宜。那末就是飲食和寒熱方面。應該要注意。還有一旦不幸。兒童發生疾病了。我常常看見父母驚慌失措。對於醫藥一層。官然不研究。反而信仰

丹方。或求神問卜。種種迷信。不一而足。也應該革除。以上所說的節制飲食。改良服裝。破除迷信。都應該舉行兒童節的時候。作一種深刻動人的化粧表現。使引起父母相當的注意。這是治標的積極辦法。至於治本的辦法。還須要做父母的研究家庭教育。和醫藥常識。因爲常常看見做父母的，把自己的意思。當作兒童的意思。父母要怎樣做。就勉强叫兒童做。我們應該明白兒童是天眞爛漫。他的思想動作。要和成人一樣是辦不到的。所以我們應該用一種正當的思想動作。啓發他的智能。引導他良好的習慣。切切不可用什麼外國人，什麼老虎，或者什麼惡鬼。種種洞嚇言語。去畏嚇他。總之要避免養成從小畏怯的根原。所以兒童的不良習慣。和成人時代的苦楚。都是父母强迫造成的。從這樣說起來。兒童節不是兒童的解放節麼。鄙人學識淺薄得很。希望大衆再仔細研究研究罷了。

國醫之細菌學說

張子英

歐風東漸。科學昌明。西醫治病。多從實質。一般病症。剖解之後。以顯微鏡照之。發見細菌。於是經剖解之後。發見細菌之病。皆目爲染傳病。治之之道。非殺除細菌不可。如淋濁、霍亂、痢疾、白喉、肺癆、等症。病狀增進致死之原。皆諉諸細菌繁殖。而所以發生細菌之原。則說不出理由。於是籠統視之。認爲傳染而來。不知細菌之原。非僅由於飲食不潔。起居不愼。傳染而來。人體最易生菌。國醫於數千年前。早已發明細菌之原由。仲景傷寒論一百十三方。皆爲殺除細菌而設。何則。人體之病。不外乎氣血之鬱滯。氣血鬱滯。則細菌生焉。但氣血鬱滯。爲理論上之學說。發見細菌。爲實驗上之學說。流水不腐，戶樞不蠹。流動不鬱滯耳。是以仲景諸方。爲開散鬱滯而設。亦卽殺除細菌而設也。觀夫農人。堆草蓬經久。而中心腐爛。發生黴菌。農人發開草蓬。令透散其鬱滯。或以日光晒之。則黴菌殺除。而草不腐。今西醫以人工太陽燈。及紫光電治病。亦卽殺除細菌之意。猶農人之腐草。以日光晒之以除黴菌也。況夫人體一部份氣血鬱滯而生細菌。猶樹枝一部份腐朽而生蠹蟲也。茲將氣血鬱滯而生細菌之病狀。詳解如下。

淋濁　由於脾陽虛陷。肝氣不達。肝脈絡陰器。氣血鬱滯。則陰器發熱。（西醫稱子宮炎尿道炎膀胱炎）熱久氣血愈鬱滯。則細菌生而小便澁痛。溺下赤白。所以瀉火以蕩滌尿道細菌。爲中西醫治淋濁之治標法。

霍亂　由於脾陷胃逆。而脾陷胃逆之原。由於脾胃鬱滯。胃燥不敵脾濕。蓋脾胃燥濕均衡。則氣血流通無病。胃燥不敵脾濕。則脾胃水濕過盛。盛則氣滯。人體血隨氣而行。氣滯則血亦鬱。久則蒸熱生細菌。若偶感風寒。或飲食過度。則水濕泛濫上逆爲吐。暴注下陷爲瀉。吐瀉之水。若以顯微鏡照之。則發見細菌。而所以生細菌之由。因於脾胃濕盛。氣血鬱滯。故中醫治霍亂吐瀉。每以胃苓散去濕散鬱滯。

痢疾　由於肝脾鬱滯。濕熱久蘊腸胃。致發生細菌。一旦飲食過度。或風寒外湊。則氣血愈鬱滯。細菌有發展之機會。但肝藏欲疏泄。而氣血愈鬱滯。欲便不得暢下。則爲疼痛後重。甚則腸胃膜油被細菌腐融而下。則便濃血。所以中醫有通因通用之法。以蕩滌腸胃細菌。而調氣則後重自除。行血則便濃自愈之說。所以散鬱滯以行肝之疏泄。而免細菌之繁殖也。

白喉　由於心火熾盛。肺氣不降。痰涎鬱滯咽喉。經久發炎生菌。遂成腫痛。若將濃涎以顯微鏡照之。有細菌甚多。假使咽喉氣血流通。涎液升降自如。則細菌不生。腫痛不作。所以中醫治白喉。每以辛散之藥末。吹於腫痛處。吐出鬱滯生菌之惡涎。再以辛涼或辛溫之劑。散火鬱而降痰涎。則細菌殺滅。無繁殖之機會也。

肺癆　由於勞傷氣血。脾腎先虧。脾濕鬱滯不化。先成飲邪。作爲咳嗽。停飲既久。細菌乃生逐漸繁殖。飲邪化熱。變爲痰核。即西醫所爲肺結核是也。（因西醫將肺病之屍剖解之發見結核菌）所以初期肺病。不過咳嗽心悸頭眩耳鳴。皆是停飲爲患。若正氣尚健。可以逐飲而愈。若細菌繁殖。結核已成。則咳吐稀痰頻頻。體溫增高。潮熱骨蒸。胃氣更逆。咯血脇痛諸症作矣。此種現狀。氣血被細菌漸已剝融，中醫所謂正不勝邪。療治已感棘手。扶正則細菌猖獗。熱邪熾盛。除邪則氣血虛耗。難於攻伐。所以惟有清補兼行。疏鬱散滯。使細菌不再繁殖。緩緩調養而已。

綜以上所述。細菌之繁殖。原於氣血鬱滯。若正氣旺盛。氣血不鬱滯者。雖吞服肺病者痰菌。痰菌入胃。不久卽行自然殺滅。決無繁殖之禍。而剖解學說未明之先。古人不知細菌。已早有治細菌之醫方發明。可見哲學與科學。有融會貫通之妙。而無背道而行之譏也。

牙痛淺談

周森懋

牙齒痛的原因。是由於胃經發炎。胃氣不降。濁氣和炎熱上壅。因爲牙齦是胃神經所經過的地方。但是假使牙床沒有細菌。牙齒沒有蛀壞。那末胃火無論什麼樣劇烈。也不致於發生牙痛。所以牙齒痛的原因。不一定是胃炎。也許因爲刷牙不潔淨。食屑留住齒縫。好久了。齒縫和牙齦裏發生細菌。漸漸地腐融齒骨。等到胃經發炎的時候。濁氣和炎熱上逆。牙齦裏的氣血壅滯。細菌尤其活動。所以牙齦裏的神經。也劇烈疼痛。有時候。牙齦裏的涎水壅塞。牙床也腫得很大。從這樣看來。齒壞是牙痛的起因。胃炎是牙痛的誘因。所以患牙痛的病家。除鑲補壞齒之外。也許要內服清胃的涼劑。雙方並進。那末牙痛根本消滅了。

子英按。牙痛的原由。周醫師說齒壞是起因。胃炎是誘因。實在言之有理。所以我們要避免牙齒痛。就不得不注意於牙齒的清潔。清潔的辦法。不外乎每日刷牙。但是常常看見社會一般人。雖然每天不間斷地刷牙。也不能避免齒痛。這是什麼緣故呢。原來一般人。每天刷牙不是十分清潔。或者不過每天習慣上敷衍了事。或者因爲牙刷不好。常常脫毛。毛根柔軟。不易刷除逐日穢積的食屑。容易腐爛生菌。釀成壞牙和蛀牙，所以每天應用的牙刷。也不得不愼重選擇。我常常用梁新記雙十牌牙刷。和無敵牌牙粉。淸潔牙齒。因爲雙十牌牙刷。堅挺不軟。一毛不拔。容易刷除食屑。無敵牌牙粉。富於辛涼消炎殺菌性。和除垢去濁素。所以我十餘年來永沒有發生牙痛。牙齒也半顆都沒有壞。

小兒驚風淺述

張子英

小兒之病。多成於寒熱飢飽。初無五情六欲之傷。但臟腑柔脆，易虛易實。攻補未便妄投。况且古人以小兒疾痛疴癢不能自陳。稱爲啞科。言脉又難憑。用藥易致錯誤。所以非積多年之經驗。神而明之。不足以言兒科。但虛虛實實之間。最足以誤事者。莫若於驚風。玆將急驚慢驚及類驚淺述如下。

急驚　驚風爲小兒之通常疾病。每每倉卒之間。陡然牽掣抽搐。大人驚惶失措。非强爲擒捉。則亂推亂拿。致神經更爲擾亂。愈速其夭殤。其或誤投藥石。誤於推拿。則更速之死矣。所以小兒忽然牙關緊閉。手足抽搐。目睛對視。或歧視。頭項脊背反張勁强。或壯熱。或身涼等症。皆爲急驚風之候。此時大人須力事鎮靜。切勿脚忙手亂。因其搐搦。强爲捉住；反致手足拘攣。神經愈擾愈壞。正在抽搐之時。可解寬衣帶。聽其睡眠床上。自動自止。亦不可驟灌藥水。待搐勢漸減。然後綏綏進藥，蓋驚風一症。西醫卽稱腦充血。是氣火升浮。激動腦神經所致。種種病狀，俱是神經爲病。而急驚之原。由於積熱之深。熱卽生風。或外夾時邪。或內夾乳食。或因跌仆驚恐。因之火飛風煽。冲動神經。治法以清熱鎮心降痰逆爲主。總之急驚爲實熱。只宜涼瀉。不宜溫補。虛實之間。失之毫厘。夭亡立見。

慢驚 急驚爲陽病。陽動而速。慢驚爲陰病。陰靜而綏。所以慢驚之原。爲虛寒。其手足牽掣抽搐。有時作而有時止。似甚綏慢。非若急驚之動而有力。睡則露睛而目半閉。體冷或微熱。面色青白。口鼻氣冷。唇青。呼吸極微。皆爲虛極之候。此時大人亦須鎮靜。若强爲推拿。使兒虛汗大出。津液更涸。神經愈亂。多致不救。宜速延醫。進以大劑溫補。蓋慢驚之病。非一朝一夕之禍。其來也漸。或因於吐瀉。或因於久咳。或因於脾胃久虛。或因他病失治而成。是以急驚抽搐甚而不足畏。慢驚雖靜睡而甚可危也。

類驚(痓病) 小兒忽然噤口不啼。項背强直搖頭。瘈瘲發熱。神昏不醒。但手足不搐掣。是爲痓病。有汗者曰柔痓。無汗者曰剛痓。西醫稱流行性腦膜炎。皆因小兒臟陰先衰。積熱在中。風寒外襲。膽胃火煽。上逆入腦神經所致。治宜清熱降逆。鎮定神經。

類驚(癇病) 小兒忽然面色青黑。兩目直視。或昏仆啼叫。口流涎沫。四肢軟弱。項脊强直。昏睡片時卽醒。是爲癇病。俗稱羊癇病。大抵由驚風之後。得之最多。皆因乳食風寒不慎。或時起驚怖。使結痰停積。迷塞心竅所致。治法宜清降痰涎。兼調補元氣。

類驚（天釣）小兒手足搐掣。或啼或笑。喜怒不常。身體壯熱。目上翻。背後仰。如角弓之反張。是爲天釣。大抵肝陽素盛。風熱上煽所致。治宜辛涼疏散風熱爲主。

類驚（內釣）小兒因爲小腹急痛。忽然大叫哭。陰囊腫。傴僂反張瘈瘲。兩目直視。唇黑。又有紅筋紅斑者。是爲內釣。因爲肝經受寒氣壅滯所致。治宜辛溫疏散爲主。

以上諸端。先賢不過以症狀而分別名目。其實小兒百病。不外乎寒熱虛實。急驚日久雖不死。正氣先虧。每入慢驚狀態。予常常以溫補收功。卽初起時若見小兒稟體虛弱。雖有實熱見症。亦須清補兼行。方不致於誤事。至於小兒吐瀉瘧痢等症。每至釀成慢驚。予每每預先兼顧脾胃。正氣旣健。則邪易退。亦有實熱熾盛者。急攻之不暇。或邪漸退稍加補益。易致身熱復作。用藥極感困難。此全在積久之經驗神而明之。

生殖器衛生法

海角

當這自由解放社交公開的時代。男女異性接觸的機會。尤其來得多。因此有情人總成眷屬。自由戀愛的目的。很容易達到。但是一個社會上。社交越是公開。花柳病的傳染力。越是迅速。原來性慾是人們不可避免的路徑。男女青年到了相當的年齡。自然性慾勃發。必須得着相當的安慰。所以大都醉心於花街柳巷尋快樂。還有許多男女青年們。因爲環境的關係。還沒有正式結婚。得到性慾的滿足。或者已經結了婚。因謀食遠方。不能夠享同居的幸福。所以常常走到宿娼誘姦手淫等路徑。去暫時解決性慾的安慰。不知道受了一時之安慰。已經染了性病。就鑄成無窮的大錯。因此最神祕的生殖器裏。發生了下疳橫痃遺精白濁等疾病。許多進展的事業。也發生阻碍。不但個人受了毒害。而且還要傳染到妻子身上。等到自身底毒傳染於妻。就也發生一樣的痛苦。同時把姙娠中斷。卽使受了孕。也常常流產。弄到絕嗣滅種。不是多麼可怕麼。還有從個人推想到社會。梅毒的蔓延和傳染力。實在足以影響到全社會。使全社會一般人。都變爲殘弱孱尩。甚至於人口繁殖停止。民族衰敗。從這樣看來。我們對於生殖器。須要充分的衞生。和極力避免性病的傳染。

男女生殖器。確實是一件很神秘的東西。兩性交媾。也是不可省却的一件事。但是要有充分的衞生。和嚴厲的節制。方可得到美滿的快樂。和陰陽調和的舒適。否則雖然不去尋花問柳。也很容易發生性病。現在我且把不去宿娼。發生性病的原由。寫在下面。

(一)器物底傳染。　凡公共廁所。每每患性病的人放便之後。毒菌遺下廁所。因而傳染他人。還有公共浴池和浴巾。患性病的人沐浴之後。毒菌遺剩。也因而極易傳染他人。

(二)住宿底染傳。　凡旅社客棧。往來客人朝秦暮楚很多。難免患性病的客人。毒菌遺下被褥。因而傳染亦速。

(三)酒後强力交接。　酒後興濃。每每强力交接。摩擦太猛。陽莖或陰唇表皮容易剝脫。都能夠分泌濃液。發生下疳。

(四)積穢腐融化濃。　凡包皮陽莖和包皮陰戶。其分泌白液都容易積聚。好久了。腐融化濃。也很容易發生下疳。

(五)淋巴腺核腫大。　陽莖和陰戶旁邊。大腿上面陷處。有淋巴腺核。氣血虛弱的人們。若過於劣跑路。淋巴腺核就腫大起來。發生橫痃。

(六)不適合的交接。　凡男女交媾。必須要男性和女性一齊有興。才得交接。方可得到陰陽調和的愉快。若男性陽莖勃舉。强力交接。而女性毫不起興。淫液不出來。陰戶乾澁不滑爽。也足以使男性陽莖表皮剝脫。發生下疳。

(七)陰毛過長擦破。　凡女性陰毛過多過長。男性交接。又過於勤。每每要擦破陽莖表皮。若下焦熱重。很容易化濃。發生下疳。

(八)忍精不出腐化。 有許多人。男女交接的時候。要圖長時間的快樂。常常忍住精。不令其射出。因之精留住於陽莖牛途裏。好久了。精腐化成濃。撤尿疼痛。發生淋濁。

(九)思慾不遂精溢。 凡壯年或年老的人們。每每因爲氣血旺盛。嘗思色慾。而不得遂。所以精每每自溢出。發生遺精病。又有溢出而不射出。停留於陽莖牛途裏。好久了。精腐化成濃。撤尿疼痛。亦發生淋濁。

(十)濕熱下注成濁。 凡患淋濁。不一定是傳染梅毒的緣故。若濕熱過重。沒有出路。常常下注尿道。濃液稠粘。稍有疼痛。須清利濕熱。

(十一)肝脾虧成淋濁。 凡脾陽虛弱，肝氣不達的人們。必定多濕。肝氣不達。相火也鬱陷。好久了。漸漸地撤尿濇痛。成爲淋濁。這種淋濁決非專醫性病的醫生可以治愈。

(十二)手淫耗精洩萎。 常常手淫的青年。耗傷精血。每多腰痠脚軟。好久了。腎陽虛敗。成爲早洩陽萎。

(十三)勞傷夢遺陽萎。 凡操勞過度。損傷氣血。腎精虧敗。每多夢遺陽萎等症。這就是生殖器神經發生障碍的現象。

(十四)一切無名腫毒。 凡多寒濕的人們。常常發生寒濕瘡。陰疳[illegible]囊癰。陰融。皮膚濕癢等無名腫毒。發生的地位。也在生殖器裏。和梅毒相仿。

以上十四端。都是不去宿娼。而有仿髴梅毒之症狀。我現在敢替患花柳病者。大伸寃枉。所以我說患性病。不一定是由宿娼妓傳染來的。也許因爲自已不知道生殖器怎樣衛生。因之釀成了像性病一般的症狀。現在我把生殖器衛生的方法。寫在下面。

(未完)

衛生小問答

張子英

(問)夏天容易渴欲飲水。飲而仍渴者何故。

（答）夏天火浮於上。肺氣不降。濕蘊中脘。津液不升。故口乾欲飲水。飲而渴仍不減。愈飲愈渴。宜利其小便。則濕去津生而渴止。

（問）夏天四肢容易疲倦好臥何故。

（答）夏天濕邪過盛。脾陽受困。脾主四肢。故疲倦好臥。宜醒脾升陽。如行適當之運動。使其出汗。亦能奮興精神。

（問）夏天多食西瓜。或飲汽水。有害否。

（答）夏天食西瓜飲汽水。可以涼解暑熱之煩渴。若勞動汗出悶熱之際食飲之。果屬有益無害。但身體涼快。毫無煩熱之時。祇可少食。否則易傷脾胃。總之夏天食涼物。須適合自已體格。

（問）夏天胃納不開。飯量常常減少何故。

（答）夏日煩熱。胸膈胃口。常有積熱不去。所以胃納不開。飯量減少。若感受外邪。易患暑濕。宜服適當之涼物。清降積熱。則胃納照常。

（問）夏天飲涼食。以何物爲適宜。

（答）夏天暑熱。口乾煩渴。以食西瓜或飲汽水爲相宜。但小便不利者。最好常飲冬瓜湯以利濕。若多熱痰者。最好食海粉。可以清熱除痰。（向南貨店買得。以冷開水浸漲。漂二三次。加白糖隨時冷食。）

（問）因吸鴉片而大便燥結。尤其夏天更燥難下。用何法可以常通。

（答）吸鴉片者。夏日大便尤其燥結。事之常也。欲其通暢不易。惟有常服滋潤育陰之品。如蜜糖茶銀耳。西瓜。海粉。及其他涼潤水菓等物。則稍通潤。萬一過於燥結之時。則用下藥暫時通之。

（問）忽然霍亂吐瀉。醫藥不及。有何法可以自救。

（答）忽然霍亂吐瀉。總因感受疫氣。或飲食傷脾胃。致脾陽下陷爲瀉。胃氣上逆爲吐。家常燒小菜之生薑。戶戶必備。急煎濃汁飲之。則吐止而瀉亦能減。即腹痛者。亦能漸瘥。蓋生薑辛溫能散疫氣。入脾理中氣。能降胃逆而升脾陷。

（問）小兒常多流涎何故。

（答）小兒陽虛。脾冷多積滯。故大便多溏泄。口常流涎。若延久必致面黃飢瘦。漸成疳熱。須請醫調理之。

(問)小兒常常鼻流清涕何故。

(答)小兒肺經受寒。濁陰不降。所以鼻流清涕。宜厚其衣服。散其寒邪。

(問)小兒要夜啼何故。

(答)小兒夜啼。非胎驚卽是風熱。總是心肝二經熱甚。宜清心火退肝熱。

(問)小兒額上多汗何故。

(答)小兒純陽之體。頭爲諸陽之會。頭上多汗。爲發育之象。不須治之。惟頭汗至胸背爲陽虛自汗。或陰虛盜汗。宜請醫調理之。

(問)小兒要咬牙齒何故。

(答)小兒腎水虛。心火旺。齒爲骨之餘。腎主骨。水虧不能制火。所以咬牙。亦爲將發驚搐之狀。

(問)婦人多流白帶何故。

(答)婦人肝脾虛陷。濕熱下注。肝主疏泄。故常常流白物。但肥盛婦人。則濕更重而流白更多。宜疏肝升脾陽以去濕。

(問)婦人行經水時腹痛何故。

(答)婦人心意有所不遂。或貪食生冷。致氣血鬱滯。所以經水來時多腹痛。

(問)婦人產後大便多燥結何故。

(答)婦人新產後血虛。腸胃津液乾燥。所以竅澁而大便難下。宜補養氣血。

醫藥介紹

▲徐重道的代煎藥。一個小家庭裏。躺着一個病人。已經弄得愁雲密佈。滿室憂悶了。還要煮茶煎藥來服侍病人。不是冗繁得很麼。尤其煎藥也許要有相當的醫藥常識。否則隨便煎了一下。藥性一定不準確。藥力一定不十分有效驗。現在徐重道國藥號。已經知道社會上有這一點困難。首先創設接方送藥代客煎藥。病家只要沓照一聲。或者用電話告知。就可以服藥。省却許多麻煩。尤其藥性來得準確。用熱水瓶盛藥。隨時隨處都可以送服。使病家

感覺得十分便利。這炎夏的當兒。一個病家又是愁悶。又是冗繁。很容易使不患病的人。也弄出病來。所以我特地來介紹。請病家還是咨照徐重道代煎藥罷。 (子英)

▲中西藥房的「痰敵」。 患咳嗽多痰的人。若服過幾種藥。咳痰不能停止。一定是有特殊的原因。決非發散風寒的藥。可以治療。原來咳嗽初起的時候。用疎散的藥。很容易治療。等到疎散不效。咳痰更厚。一定是脾濕很重。夾飲邪作祟。我常常用中西藥房的「痰敵」治愈疎散不效的咳嗽。後來研究起來。「痰敵」的配製。和仲景小青龍湯的意思。似乎相同。所以有根本治療咳痰之妙。非但初初起來的咳嗽。服了「痰敵」容易治療。就是像初期肺病般的咳嗽。服了「痰敵」也很有效驗。 (子英)

▲燕醫生補丸 民國十七年的時候。我因事回鄉。晉謁老友王君。到了鄉間。已經夜色黑黯。說罷幾句寒暄。王君就道，我妻臥病床第。已經一星期多了。我問什麼病。王君答道。據醫生云是溫熱病。我當卽診其脈。洪大而數。苔黃厚。身熱口乾。頭眩煩燥不寐。問其服藥。己經四劑。見藥方所寫的俱是微凉解表之品。我道。醫書裏說。「溫熱病下不嫌早。」爲什麼這樣煩燥。不用下藥呢。就寫了一張方。但是因爲鄉間沒有藥鋪。只好明天再服。後來我和王君閑談的時候。只聽見病人的煩燥呻吟聲。我問王君道。你家裏有什麼可以下大便的藥麼。王君答道。我家裏只有燕醫生補丸。恐怕還有幾粒。不知道可以服麼。我道。你妻病這樣沉重。下大便有刻不容緩之勢。請找尋出來給她服二粒。不料服了燕醫生補丸二粒之後。到了後半夜三點鐘。就解大便。下了黑色宿糞甚多。第二天。身熱已退。煩燥也止。口乾也減。我就改寫了一張清潤的藥方。服了二劑就平安。今年春季。一位逃難的老婦。頭痛很厲害。苔很黃厚。大便數日不下。胃納不進。問病於我。我替她向友人處討了燕醫生補丸二粒。給她服。後來果然大便下。頭痛止。胃納可以進。前月底。老友沈君因吸鴉片。大便常常燥結。

十日不下。服燕醫生補丸四粒。仍然不下。又服了二粒。大便泄瀉至六七次。又加頭甚痛。骨節痠楚。身大熱。自汗如雨。精神萎靡。召我診治。我診其脈。帶浮數。我說這身熱。並非服燕醫生補丸太過。原來是感冒時邪。須服表藥。先用辛涼疎解。繼用清熱育陰。四劑完全平安。總之吸大烟的人們。常備燕補丸除燥結。實在相宜。不過服量之多少。須看各人的體格而分別 (子英)

▲萬應二天油。 前幾天。我跑過北四川路。無意之中遇着老友李鶴雲君。蒙惠贈萬應二天油數瓶。帶了回家。適同居有一位女僕。患頭眩悶氣惡心腹痛。正在括痧的時侯。我就把二天油十滴給她用開水冲服。我半支香煙還沒有吸完。她就說好了好了。這藥水好得很。頭眩悶氣惡心都除了。肚裏也不痛了。第二天。我從南京路回來。四肢痠軟。疲倦得很。夜飯也吃不落。後來我把二天油用開水冲服了數滴。立刻就精神爽健。腦醒眼清了。我就感想到這二天油的原料。價値一定很貴重。尤其辛辣的氣味。比無論什麼痧藥水。來得濃烈。所以起死回生的功效。尤其來得大。像時行瘟疫。霍亂吐瀉。中風中痰。食積氣滯。等等外感和內傷。都能夠治療。奏效很快。外科瘡癢。跌打刀傷等症。又可以搽擦。立刻止痛消腫。眞正有萬應萬靈之妙。凡勞動界的人們。很容易感受疾病。又缺乏資力醫治。最好常備二天油隨時治療內外諸病。慈善家用二天油施送。效力尤其迅速。功德尤其無量。 (承椿)

▲天喜堂調經丸。 我的身體素來孱弱。所以不易受孕。尤其經水常常稀少。遲早不一定。去年的冬季。經水尤其枯涸。差不多已經斷絕了。白帶頻頻自流。有時腹痛腰痠。四肢乏力。我見了天喜堂老婢調經丸的廣告。就去買了數盒。試服。初初服起。覺得身體似寒熱般不舒服。大便像微瀉般滋潤。又加也有點極微的腹痛。後來服了五盒。就漸漸地平安了。到了一定的時候。經水照康健時的來得鮮紅又多了。白帶也止。腰痠腹痛都除。精神鮮健。四肢有力。我感想到這調經丸。確實是很有效驗。

很有調經的價值。 （芸蘭女士）

▲愛立司太學眼藥。 我的眼裏，常常昏糊。有時候眼白紅腫。有星翳。因爲小姊妹隊裏告訴我。搽愛立司太學眼藥。我就到三馬路大舞台對過去買了一瓶。搽了幾次之後。就覺得很有效驗。眼裏黑白分明。紅腫都退除。星翳又不見了。所以我把愛立司太學眼藥。常常備藏在家裏。 （芸蘭女士）

張子英醫案

編者

▲瘧疾

初診 霞飛路銘德里十九號陶建華君。先寒後熱。瘧疾日作十餘日。咳嗽多痰。微喘。形容樵悴。口乾。苔白。服金鷄納霜丸不效。診其脉。左沉細。右弦大。問其習慣。常冷水浴。偶感風寒。化爲瘧邪。肝脾鬱陷。肺胃上逆。濕鬱爲痰熱咳嗽。治宜辛涼以清降肺胃。溫燥以疎肝理脾。

草菓仁一錢五分 肥知母二錢 生石膏三錢
小青皮八分 姜半夏二錢 蒼朮二錢
川朴一錢 炒白芍一錢五分 浙貝母二錢
山查肉一錢五分 鮮蘆根一尺

二診 喘咳稍平。口乾稍止。瘧仍作如前。再仿前法以截瘧。

酒炒常山一錢五分 小青皮一錢 草菓仁一錢五分
川朴一錢 檳榔二錢 陳皮一錢 姜半夏二錢
蒼朮二錢 肥知母二錢 淡黃芩二錢
炒白芍一錢五分 山查肉一錢五分

三診 瘧疾已止。喘咳亦瘥。苔尚微白。神衰疲倦。左脉仍細軟。脾陽久困。中樞不運。再以溫補脾陽兼疎肝。

西潞黨一錢五分 焦白朮二錢 浙茯苓二錢
炙甘草一錢 姜半夏二錢 小青皮六分
山查肉一錢五分 炒穀芽一錢五分 知母二錢
炒白芍一錢五分 粉丹皮二錢

▲乳核

初診 三洋涇橋成業印刷局姚師母。因怒後。左乳忽然腫痛。按之似有核。左脉弦大。苔微白。寒熱交作。精神倦怠。胃呆。不思食。肝陽素盛。胃氣上逆。怒後氣愈逆愈鬱。左乳爲少陽胆經。陽明胃經所絡。氣血鬱滯爲癰腫。治以辛溫發散。兼疎肝降逆。

柴胡一錢五分　黃芩二錢　炒白芍二錢
粉丹皮二錢　薄荷一錢五分　升麻一錢
全當歸二錢　仙半夏二錢　小青皮八分
桂枝六分　浙茯苓二錢

二診　前方服二劑後。腫痛頓減。寒熱亦止。精神振奮。再依前法加減。二劑而安。

浙貝母二錢　天花粉三錢　炒白芍二錢
粉丹皮二錢　枳殼一錢　仙半夏二錢
陳皮八分　柴胡一錢五分　薄荷一錢五分
小青皮八分　桂枝六分

▲痧疹

初診　商務印書館總務處陳時中君令媛。痧後發熱不退。身若燔炭。咳嗽喘急。夜間煩燥不寐。口乾。苔微黃。由於初潮之際。多食酸甘。不忌風寒。痧邪留戀不解所致。亟宜清營解毒。

肥知母二錢　生石膏六錢　鮮生地五錢
金銀花二錢　連翹一錢五分　大力子一錢五分
粉丹皮一錢五分　前胡一錢　元參二錢
枳殼一錢　絲通草一錢五分　浙貝母二錢
鮮蘆根一尺

二診　前方服兩劑後。發熱輕微。夜間煩燥頓止。咳嗽喘急亦減。惟口尚乾。時時索飲。仍以清營解毒。兼生津育陰。

鮮生地五錢　金銀花三錢　知母二錢
連翹一錢五分　大力子一錢五分　天花粉三錢
元參三錢　麥冬二錢　粉丹皮一錢五分
絲通草二錢　鮮石斛三錢　鮮蘆根一尺

三診　飢熱退淨。咳嗽喘急亦瘥。惟胃納不佳。精神倦怠。再以清營育陰中。加以開胃醒脾。三劑痊愈。

元參三錢　麥冬二錢　肥知母二錢
生白芍一錢　山查肉一錢五分　鮮石斛三錢

連翹一錢五分　金銀花二錢　粉丹皮一錢五分
炒穀芽一錢五分　冬瓜仁二錢　絲通草一錢五分

初診　馮小兒發熱三四天。鼻流清涕。有時噴嚏。眼汪汪似淚狀。微咳嗽。大便溏泄腮赤。頭面及四肢發現痧粒。種種症狀。是營衛鬱塞。痧子初潮之候。治宜辛涼疎解。以鬆飢達表。

荊芥一錢　前胡一錢　大力子一錢五分
蘇薄荷一錢五分　連翹一錢　枳殼八分
金銀花二錢　桔梗一錢　笋尖二個
櫻桃核二十粒

二診　瘄潮已畢。飢熱漸退。惟苔尚白。咳嗽未止。夜間煩心啼哭。瘄毒未淨。亟宜育陰清營以防變化作喘。

大力子一錢五分　知母一錢五分　連翹二錢
金銀花二錢　元參二錢　粉丹皮二錢
杏仁一錢　天花粉三錢　絲通草一錢五分
淡竹葉二錢　鮮蘆根一尺

▲驚風

初診　成都路輔德里馮寶寶。未滿一週。發熱若燔炭。苔白膩微黃。下利臭水。夜間煩哭。微喘。時時手足發搐。溫邪紛擾動風。手足抽搐。已成驚狀。茲以辛涼解飢兼疎肝息風。

粉葛根一錢　連翹一錢五分　金銀花二錢
冬桑葉一錢　知母一錢五分　天花粉二錢
生白芍一錢　仙半夏一錢五分　淡黃芩一錢
絲通草一錢五分　鮮蘆根一尺

二診　發熱下利稍減。但夜間煩哭。手足抽搐仍不止。熱邪熾盛。亟以清熱疎肝。

肥知母一錢五分　黃芩一錢　粉葛根一錢
生白芍一錢　柴胡八分　小青皮三分
仙半夏一錢　益元散一錢五分(包煎)
粉丹皮一錢五分　天花粉二錢　鮮蘆根一尺

三診　發熱及抽搐漸減。下利亦止。稍有咳痰。仍以清降疎肝。少佐扶脾。

粉葛根一錢　生白芍一錢　天花粉二錢
知母一錢五分　焦白朮一錢　仙半夏一錢五分

粉丹皮一錢五分 陳皮六分 益元散一錢五分包煎
山查肉一錢 小青皮三分 浙茯苓一錢

四診 抽搐雖止。有時候尙有微熱。疲倦好睡。虛象畢現。易以溫補。兼淸虛熱而愈。

西潞黨一錢 焦白朮一錢 浙茯苓一錢五分
益元散一錢五分(包煎) 炙甘艸八分 陳皮八分
生黃耆一錢 粉丹皮一錢五分 炒白芍一錢
知母一錢五分 仙半夏一錢五分

初診 俞寶寶微發熱。自汗。苔白。不哭不啼。疲倦好睡。睡則露睛。大便時下青白。有時抽搐。脚背反張。面色黃瘦。唇白微喘咳。種種脾陽下陷。虛寒景象。若肝風煽動。則搐抽更甚。已成慢驚。漸入危途。急以溫中息風。

代赭石三錢 西潞黨一錢五分 野於朮一錢五分
炙黃耆一錢五分 桂枝六分 乾薑八分
浙茯苓一錢五分 炙甘艸一錢 法半夏一錢
粉丹皮一錢五分 炒白芍一錢 小青皮四分

二診 抽搐已止。神志稍健。有時啼哭。惟虛熱未退。仍依前法加減二劑卽安。

生黃耆一錢五分 西潞黨二錢 生甘艸一錢
野於朮一錢五分 益元散二錢包煎 柴胡八分
陳皮六分 浙茯苓一錢五分 粉丹皮一錢五分
炒白芍一錢 粉葛根一錢 知母一錢五分

▲痰核

初診 漢口路國貨銀行趙冲君。左腮痰核腫痛。經西醫施刀後。流濃未淨。寒熱大作。牙齦亦痛。苔白膩。口氣穢臭。脉象緩而有力。脾陽素虧。濕蘊中脘。胃氣上逆。膽火不降。致時多濁痰。左腮爲少陽膽經及陽明胃經所絡。氣血鬱滯。乃生痰核。癰腫。治以淸降膽胃火邪。疎肝理脾以除痰熱。兼外敷生飢拔毒散。(向徐重道買)

升麻一錢 知母二錢 生石膏四錢
防風一錢 粉丹皮二錢 炒白芍二錢
柴胡一錢五分 細辛四分 仙半夏二錢
陳皮一錢 浙茯苓二錢 黃芩二錢

二診 前方服兩劑後。寒熱已除。痛已止。腫漸退。惟苔尚白膩。口氣尚臭。再以清胃育陰疎肝理脾。

粉丹皮二錢　炒白芍二錢　肥知母二錢
生牡蠣六錢　元參三錢　細辛四分
姜半夏二錢　浙茯苓二錢　防風一錢
蒼朮二錢　陳皮一錢　鮮蘆根二尺

▲頭痛

初診　馮老太太。頭腦疼痛。胸痞。胃納不入。大便燥結。脈弦數。苔黃膩。素有蘊熱。熱盛生痰。胃氣上逆。濁邪泛濫。上冲頭腦。治以苦泄降濁。

錦紋大黃一錢五分　江枳實一錢五分　法半夏二錢
陳皮一錢　澤瀉二錢　黃芩二錢
川芎一錢五分　浙貝母二錢　山查肉一錢五分
粉丹皮二錢　冬桑葉一錢五分

一劑而大便下。頭痛止。胸痞亦瘥。胃納漸開。病者不願服藥。竟獲痊愈。

▲咳嗽

初診　新閘路交通小學徐鈞君。咳嗽月餘。微喘少痰。脚趾溼瘡淋漓成瘡。右脈弦緩。左寸沉細。左關弦大。苔微白膩。羣醫多用疎散之劑少效。此緣脾陽久敗。木氣不達。因而水氣不化。下注爲濕邪成脚瘡。上逆爲飲邪成喘咳。應仿金匱水氣治法。溫化飲邪。兼扶脾疎肝。脚趾溼瘡外搽兜安氏藥膏。

桂枝六分　細辛三分　姜半夏二錢
浙茯苓二錢　麻黃八分(炙)　炒白芍一錢五分
冬瓜仁三錢　澤瀉二錢　五味子八分
炙甘草一錢　杏仁一錢五分　薏苡仁三錢
生薑一片

二診　脈象如前。咳喘頓減。苔膩亦微。顧脾陽虧敗是起因。外感風寒是誘因。仍須培土燥溼以逐飲邪。

焦白朮二錢　桂枝六分　浙茯苓二錢
姜半夏二錢　炙甘草一錢　細辛三分
絲通草二錢　冬瓜仁三錢　澤瀉二錢
陳皮八分　五味子八分　生薑一片

▲溼溫

初診　陳左。脈象洪數。苔白膩。中帶黃燥。發熱四天。身若燔炭。頭痛脘悶。口渴煩心。微喘氣粗。大便燥結。小便黃赤。肢體重滯。溼溫化燥。裏症漸露。不久液涸。夜間須防譫語。急宜辛涼清降。

生石膏六錢　肥知母二錢　仙半夏二錢
枳殼一錢五分　黃芩二錢　六一散二錢包煎
天花粉三錢　冬桑葉一錢五分　浙貝母二錢
焦梔子二錢　連翹一錢五分　鮮蘆根一尺

二診　進辛涼清降二劑後。身熱已退。頭痛亦止。大便微下。脈仍數。苔微黃。口尚乾。再以清熱滋液法。二劑而安。

元參三錢　天花粉三錢　知母二錢
枳殼一錢五分　金銀花二錢　連翹一錢五分
絲通草二錢　淡竹葉二錢　六一散二錢包煎
浙貝母二錢　瓜蔞仁二錢

▲泄瀉

初診　成都路輔德里吳府小兒。微發熱。苔白潤。日泄瀉十餘次。若乳片狀。口時流涎。脾陽下陷。木氣不達。溼多失運。治宜疎肝燥脾以止瀉。

蒼朮一錢五分　川朴八分　澤瀉二錢
猪苓一錢五分　茯苓一錢五分　桂枝六分
姜半夏一錢五分　炒白芍一錢五分　山查肉一錢五分
防風一錢　陳皮六分

▲痢疾

初診　新閘路徐寶寶。微發熱。日下臭穢赤白十餘次。漸成痢疾。苔白。面色黃瘦。似有積食在中。脾虛不化。鬱久成痢。治以清導兼調氣血。

山查肉一錢五分　小青皮八分　炒白芍一錢
淡黃芩一錢五分　粉葛根一錢　六神麯一錢五分
炙甘草六分　枳殼八分　陳皮一錢
粉丹皮一錢五分

二診　痢下已減少。發熱亦止。精神漸爽。再依前法加減。二劑而愈。

粉葛根一錢　炒白芍一錢　淡黃芩一錢

粉丹皮一錢五分　木香八分　山查肉一錢五分
炙甘草八分　炒穀芽一錢　陳皮八分
淅茯苓二錢　小青皮六分

醫藥雜訊

（編者）

▲大中西藥行已開幕　南京路冠羣坊。大中西藥行。係前華美藥房經理黃裕生君所創設。前日（七月六日）已正式開幕。前往道賀者達七百餘人。均由黃君親自招待云。

▲謝利恆醫廬遷移　本埠名醫謝利恆診所。已遷移於派克路梅福里總弄第四家照常應診。

▲中國醫學院院址遷移　西門黃家闕路中國醫學院。創辦多年。成績頗著。現因原址不敷應用。已遷移於公共租界靶子路二百十二號洋房。院務由國醫公會推派朱鶴皋全權負責辦理。除原任院長薛文元郭伯良外。並添聘朱南山爲名譽院長。蔣文芳爲教務主任。謝利恆陳存仁秦伯咏張贊臣包天白許半龍吳克潛嚴蒼山方慎盦等各任專科教授。已於七月一日開學。

▲上海聯益善會施診給藥　上海聯益善會施醫院。每屆夏秋施醫給藥。以利貧病。並贈送時疫藥水。今年滬戰以後。疫癘更盛。該會已於七月一日起每日在虹口狄思威路東有恆路轉角（電氣廠橋東堍）該會施醫院內施診給藥。聞求診者非常擁擠。但經費支絀。尤盼海內仁人君子加以捐助云

▲新亞藥廠擴充計劃　新亞藥廠。創設於民國十五年。已有久遠之歷史。與善良之成績。年來鑒於金價高漲。金錢外溢。漏卮太大。國內新醫事業。日形發達。新藥製造。刻不容緩。於是接受新醫藥兩界之督促。爲孚國人之期望計。將原有範圍。加以擴大。茲將擴充計劃之綱要。照錄於下。

（一）組織　該公司設董事會。由股東中公推財政界與金融界諸巨子組織之。爲代表股東執行業務之最高機關。下分經理與廠務兩大部份。經理部份。總攬營業推廣。會計管理等一切業務。由許超會計師主持之。廠務部份。包括設計製造。學術研究等一

切業務。由趙汝調藥師主持之。

(二)事業　該廠製造品。惟求新穎。而以能抵用外貨爲目標。製造種類：(一)化學原料材料(二)新藥及醫用藥品(三)高尙化粧品(四)求國產藥材之科學化(五)硬質玻璃安瓿(六)玻璃儀器(七)注射器(八)錶面玻璃。以上數類出品。在國內已足抵用外貨。更進一步。推銷沿太平洋諸國。以求在世界市場上爭獲一席地。

(三)人材　該廠製造方面之人材。各幹部均已聘定專家。如國內之醫藥專門家。曾辦製造廠。而因時局關係停頓者。及留學國外之醫藥博士。在外國廠中担任技師者。均已洽定。姓名暫不宣布。惟以集中人材爲目的。確係該廠擴充之本旨。

(四)銷路　該公司出品。化學藥品部。如止血劑、强心劑、鎭痛劑、注射局部痲醉劑、及一切開刀用藥品。計一百六十種。玻璃部如安瓿燒瓶、醫用玻璃器。化學用玻璃儀器。各式大小錶面。計三百餘種。行銷區域。除上海市外。如蘇、浙、皖、贛、鄂、湘、豫、魯、晉、燕、蜀、滇、陝、甘、閩、粵、朔、遼、吉、黑、香港、小呂宋、日哩棉蘭、新加坡。共計批發藥房及商店五百家。而此項商店之分批商店與間接用戶。約計之最少數在百萬人以上。該廠不加努力。則此百萬之消費者。非盡購洋貨不可。醫藥品在生活上之重要。權操外人之手。如最近海上之戰爭。倘果海口封鎖。後患何堪設想。

(五)資本　該公司總額定二十萬元。凡係中華民國國籍而贊成本廠宗旨者。得任意認股。每股二十元、先認先繳。認足截止。超過額數。平均支配。如認股超過一倍。則認股二股者。退還一股。繳股地點。上海之商業儲蓄銀行。天津之上海銀行。蘇州之鴻源錢莊。常州之彙豐錢莊。南京之鹽業銀行。杭州之鹽業銀行。北平之上海分行。廣州之鹽業銀行。香港之鹽業銀行。

(六)會計　該公司早經在國府實業部註冊。每年以十二月底爲決算期。照公司法一百六十六條辦理。

會計報告。交股東公推之監察人。會同會計師審核公佈之。如蒙同志贊助。通函上海白克路四百二十八號該公司接洽。

憶自暴敵貪橫。既佔東北。復陷東南。其陰懷席捲東亞之野心。昭然若揭。我退彼進。置國際公理於不顧。弱肉强食。夫復何言。然我民心之堅決。團結之一致。終有戰勝强權。克復國土之一日。該公司自民國十五年創設迄今。所出醫用藥品。均係代替舶來藥品。已蒙我國醫藥界一致提倡使用。近自戰事發生以來。尤爲各傷兵病院必不可少之救護品。當此國難臨頭。外侮日迫。提倡國貨。不容或緩。乃集議急進。增加資本。擴充製造。使國產新藥。行銷國內外。打倒仇貨。挽回利權。聊盡匹夫救國之天職。亦爲解决國民健康之關鍵。如蒙愛國同胞。慨然加入。使該廠盡量出品。與外貨爭雄。以期達實業救國之本旨。直無異於同赴國難。

醫林社會長篇小說

絕處逢生

天涯

拂拂的綠楊。迎着風東搖西擺。彷彿似舞女般的纖腰輕舞。皓白的明月。照着地光輝燦爛。好比白晝似的映亮清楚。當這昏夜的時候。一個英姿颯爽的少年。孤獨似的跑來。像煞急忙回家的情狀。原來這個少年。姓王。名叫福根。他是王會長的大公子。他自從某中學畢業後，雖然領得了一番中學文憑。但是實際上胸中沒有相當的學問。他的父親雖然是本縣商會的會長。也有相當的聲望和勢力。但是社會上都知道他的兒子是紈袴子。只知道吃着嫖賭。做不來事務。所以他在社會上跑到東跑到西。總之謀不到什麼相當的事業。這一天。惠風和暢。天氣來得晴爽。他跑到一個鄉村裏去玩玩。因爲這個鄉村。離開縣城不過三里左右的遠。風俗是很樸厚。許多鄉人大都出門去謀生計。常常把家務事情委付女人去幹。王福根正在鄉村裏徘徊的時候。恰巧有一位二十多歲的少婦。從縣城裏回來。手裏持了一籃雜物。纖腰玉骨似的踽踽獨行。已經被王福根的眼簾捉着了。福根急忙怒目注視。不覺得已經魂飛神飄。一脚踏着牛糞堆裏。也一點兒不知道。弄得一隻緞面鞋子。糟了一榻糊塗。頃刻間。一位風韻動人姿態艷麗的少婦。從王福根身旁走過。秋波也絲毫未轉。很嚴肅似的。這時候。王福根也一聲不響。眼睛送了好久。等到已經有相當的距離。王福根就點首。徐徐尾隨。後來王福根看見她已經向黑色台門屋裏進去了。也只好止步。但是他盤桓了十分鐘。察得這個黑台門。房屋不是十分狹小。當然人眼很多。無論如何不好進去。後來他看見這個黑台門裏。有一位彷彿六歲左右的小孩兒出來玩耍。手裏拿着桃子。嘴裏又大嚼。王福根一想。這小兒一定和這位少婦有關係的。不是她的兒子。定是她的姪子。原來王福根看見這少婦籃裏帶着許多桃子和枇杷等物進去。所以他就去動問小孩兒。（你媽媽買桃子來給你吃麼。）小孩兒天眞爛漫。就很高興似的答對他。（我媽媽買得桃子很多。另外還有枇杷和許多物件。）王福根又問小孩兒。（你爹爹在麼。）小孩兒又答對。（我爹爹在上海做生意）。王福根又問。（你家裏有幾多人。）小孩兒又答對。（我和媽媽兩個人。）正答對的時候。忽然聽見屋裏大叫聲。（金錢來呀。）王福根吃了一驚。小孩兒也跑進去了。這時候。夕陽已經西墜。夜色濛濛似的催人回去。所以王福根徘徊了片刻。就向原路回去。返到家門。已經月光白晝似的很明亮了。

王福根回家以後。腦經裏印着姿態艷麗風韻動人的少婦。便合眼不得熟睡。又心裏飢腸轆轤似的躊躇。知道少婦的丈夫。既然出門。在上海。家裏又沒有什麼親屬。若用相當的妙計。去引誘她。一定可以達到目的。但是他自忖。陌生的人。怎樣跑進去呢。他思想了一夜。想不出什麼計策。後來等到天色東方已白。他想到丈夫出門的婦人。若說丈夫有物件託便人帶歸去。一定可以受她熱烈的招待和殷勤。等到已經有相當的情感。便老實直說。也不妨。所以他第二天就去買了許多糖果和化粧品。包紮得很堅固。假稱上海帶來。就立刻跑到鄉村裏去。又跑又心裏非常躊躇。原來不識她丈夫姓名。怎樣說法呢。說誰帶來呢。後來他自忖道。如婦人聽說上海有物件帶來。這裏姓什麼。一定很誠懇地自已先說出姓來。那時就可以順從她的意思。說出去了。所以王福根就此大胆地向黑台門裏跑進去。恰巧看見這位少婦。就說（你們姓什麼。因爲上海有物件帶來。）福根只聽見歡喜似的燕語。（我們姓趙。請裏邊坐。）福根就跟她到一間小客堂裏坐下來。她去拿香煙和茶去了。就看見壁上題着趙鑑堂先生的對聯。信插上看見寫着趙鑑堂先生家中收的信扎。信封面印着上海莊東明酒棧緘的字樣。福根已經明白她丈夫的事業。等到她香煙送來。親自點火給福根吃。福根已經實受風流滋味。就忍不住的微笑。不料她因爲丈夫有物帶來。也很高興的帶着微笑道。要你勞駕。恐怕特地由城裏來的。福根答對。是從城裏來的。因爲我前天由上海回來。趙先生有一包物件。囑我帶來。特地送上。她又問。你先生姓什麼。是一起在上海莊東明做事麼。王福根答對我姓王。我和趙先生是多年老朋友。但我不在莊東明做事。我在某洋行裏辦事。她又問。王先生家住那裏。王福根答。我家住在城裏縣前街。正在談話的時候。一個六歲小孩兒。名叫金錢。喊着媽媽要吃要吃。把一大包的物件。亂拉亂拆。所以金錢的母親。只好把物件拆開來看。除幾種化粧品之外。都是糖果。小孩兒就很高興似的拿來吃。只聽見金錢的母親自述。「糖菓弄得許多。衫料到不買」。這時候。王福根心裏忽然驚慌。恐怕物件不合意難免她起疑心。所以王福根道。我還有別種事要去幹。我要走了。但是我不久要回上海。你要帶信。我明天再來吧。金錢的母親。連口說。慢慢慢慢。許多路跑來。吃點粗點心去。急忙跑到灶間裏。煮開水。這時候。王福根只好和小孩兒玩玩。又東顧西盼的。只看見對過西廂房。也是一份住宅。裏邊也有一份住家。但是似乎各自管自。沒有什麼關係。頃刻間。金錢的母親。捧着一碗藕粉出來。請王福根吃。又跑到樓上房間裏。拿着一盆瓜子來。也請王福根吃。又客氣得非凡。語言和談笑。不同鄉下婦人。使王福根越加傾心。尤其羨慕。但時間已經好久。只得告辭。由原路歸家。

王福根自從第一次送物件和意中人接談之後。胸中稍有成竹。自覺得達到目的。已經有七分把握。所以他細味她「衣衫到不買」的口氣。特向綢緞店裏。買了一件華爾紗的衫料。次日下午。又赴鄉村晉謁趙宅去了。

颯颯的涼風飄着。是蟬翼般的長衫。喔喔的啼聲喊着。是稻田裏的蝦蟆。王福根挾了小包。沿着大路向前走。嘴裏唱着得意歌。恰巧和稻田裏的蝦蟆聲一般同。不到一個鐘頭。已經跑到趙宅門前。大胆地進了台門。小孩兒金錢已經捉着了王福根的景子。飛奔到樓上告訴母親。金錢的母親。拿着香烟下樓來。王福根已經跑進小客堂裏。老實坐下。閒談了幾句。王福根把華爾紗的衫料給她看。又說這塊料作我特地來贈送你的。金錢的母親。看了這塊華爾紗。面帶微笑。好像說不出的意思。雖然春情早動。究屬鄉下婦人。和男性少接近。所以只說不敢

當。後來互談了好久。情感越濃了。金錢的母親就說。我們到樓上去坐罷。只看見她關了客堂門。拉着了金錢。從扶梯上樓。王福根也跟她一仝上去。王福根走到樓上房間裏。只看見朝南擺着一張凋花的木床。箱攏桌椅也陳列齊備。鄉下地方這種佈置。還是小康之家。金錢的母親。和王福根對面坐着。暢聚幽談。情感已達沸點。不料夕陽西墜。夜色迷迷。烏鴉陣陣催客回去。這時候。王福根只好假說要回去了。金錢的母親就說。你不嫌齷齪。請我家住宿一夜罷。王福根答。你這樣盛情。我實在感激得很。金錢的母親。就起身說。請你暫坐。和小孩兒玩玩。我燒夜膳去。請不要嫌委曲罷。說畢。就下樓去了。王福根和小孩兒玩玩說說。在床上躺了一刻鐘。覺得床上香氣撲鼻。不同鄉下人。不過一句鐘的時間。金錢的母親。就三盆一湯的小菜和飯。搬到樓上來了。三個人一仝用夜膳。小孩兒偏偏喜歡多說。常常打斷他倆的閑話。已經遭着他倆的妒忌。後來吃罷夜飯之後。幸喜小孩兒因爲睡魔

光降。要求先睡覺。所以金錢已經早入睡鄉。他倆可以毫無顧忌。就此完成破題兒第一夜的工作了。一位孤衾生寒的曠婦。遇着一個英姿颯爽的少年。自然兩情相合。膠漆般的結不解緣了。原來金錢的父親。名叫趙鑑堂。在上海莊東明酒棧管賬。已經有三年不回家。雖然音訊有時常常通。銀錢也時常寄歸。但是金錢的母親。天天過着守寡般的生活。慾感上沒有相當的安慰。實在悲慘得很。王福根因爲是袖手好閑的上等遊民。他的妻很看輕他。所以常常夫妻反目。也得不到慾感上的安適。這一次湊巧和金錢的母親發生戀愛。兩方面都覺得有相當的愉快。所以他倆愛情十二分的充足。有時候。王福根到城裏住了幾天。但不長久。就又來了。後來他倆竟雙宿雙飛。同眷屬一般無二了。

金錢的母親。自從和王福根發生戀愛。足足已經有半年多了。對於她丈夫的音訊雖然常常通往。但是她自已絕對的相信。她的丈夫一定不至於回家來。所以她和王福根安安穩穩度快樂生活。毫無顧忌。

不料有一天下午。她正在樓上房間裏午睡的時候。忽然聽見敲門聲急得很。鄰居陳媽媽大聲喊叫。「金錢的娘呀。」「金錢的娘呀。」她急急忙忙下樓來開門。那裏知道她的丈夫趙鑑堂。因爲患病很重。所以店裏雇人特地送他回來。金錢的母親。吃了一驚。只看見她的丈夫。骨瘦如柴。面色潔白，毫無血色。咳嗽喘急。頻頻吐痰。聲音似啞的說不出。那時候。外面鄰人爭先恐後都來看。把一間小客堂裏。團團圍住得氣息不通。後來金錢的母親。把病人扶持到樓上房間裏去躺。一般鄰人就漸漸地離散。但是伊唔伊唔的閒言。還議論得非常熱鬧咧。這時候。王福根恰巧從城裏很高與似的回來。手裏拿着一些食物。和金錢的母親來度甜蜜的光陰。

（未完）

雲華軒牙醫局

周森懋牙醫生

拔牙 用上等藥水絲毫不覺痛苦亦無出血之患

鑲牙 專鑲足赤金牙滿口磁牙當日可以吃食

電補 治療迅速永不再發永不復痛

牙痛 立刻可以止痛手術完善

技術精良 取費優待

診所 北浙江路龍麗里口第一百六十七號門牌

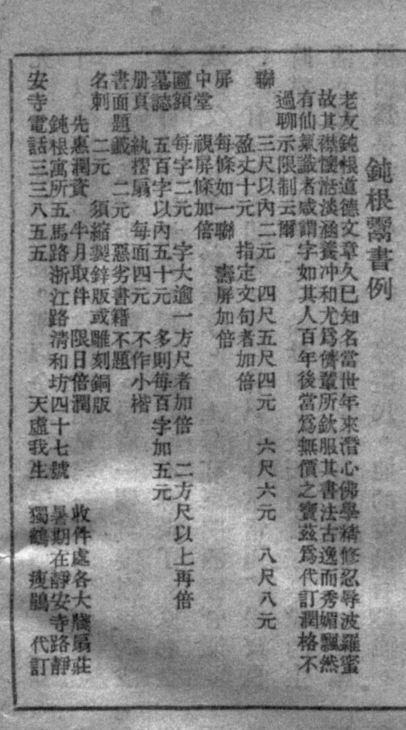

鈍根鬻書例

老友鈍根道德文章久已知名當世年來潛心佛學精修忍辱波羅蜜故其襟懷恬淡涵養冲和尤爲儕輩所欽服其書法古逸而秀媚飄然有仙氣識者咸謂字如其人百年後當爲無價之寶茲爲代訂潤格不過聊示限制云爾

聯 三尺以內二元 四尺五尺四元 六尺六元 八尺八元 盈丈十元 指定文句者加倍

屏 每條如一聯 壽屏加倍

中堂 視屏條加倍

圖額 每字二元 字大逾一方尺者加倍 二方尺以上再倍

墓誌 五百字以內五十元 多則每百字加五元

冊頁 紈摺扇 每面四元 不作小楷

書面 題籤二元 惡劣書籍不題

名刺 二元 須縮製鋅版 或雕刻銅版

先惠潤資 半月取件 限日倍潤

鈍根寓所五馬路浙江路清和坊四十七號

安寺電話三三八五五

天虛我生

收件處各大牋扇莊

暑期在靜安寺路靜

獨鶴 瘦鵑 代訂

Drink Sanitas!
攝生氏汽水
名副其實
SANITAS
攝生氏
SHANGHAI
TRADE MARK
點滴蒸溜
蔗糖製造
物質精良
價錢公道
誠攝生家
最經濟最
衛生之飲
料也
總經理
代天祥洋行
百部洋行

德國醫學博士「台克司」氏經過數十年之苦心研究現宣告成功發明特效白濁丸確能有殺菌清毒利尿止痛澈底治療之特効
MASKEE
百發百中
馬上斷根
淋漓腫痛
急慢新老
白濁
速服
德國台司甘白濁丸
每瓶售洋貳元外埠函購寄費加一郵票通用
優待券
將此券剪下一同附下照原價可再打八五折計算
總經理美富行
上海北京路九十六號
經售處 先施 新新

一個小寶寶自療病

王家的小寶寶。才四歲患痧子已經出透了。還沒有回盡身體熱得很又加微微咳嗽。嘴裏乾得很常常索飲。他的媽媽很憂慮。就請幼科醫生來診療。但是小寶寶嗅了藥氣味不肯吃藥。見了藥。就大聲叫哭。他的媽媽很愛小寶寶。也只好停止給藥吃。後來小寶寶口裏乾索飲的時候。他的媽媽把冠生園的菓子露給他吃。小寶寶非但不哭而且還要索添。後來常常要討菓子露吃。吃了三四天之後。痧子已經回盡。身熱也退咳嗽也止了。他的媽媽告訴幼科醫生。我的小寶寶自己能夠療病不吃藥也痊愈了。因爲他不肯吃藥。偏偏喜歡吃冠生園的菓子露。幼科醫生答道。冠生園的菓子露清涼滋潤。並不過甜。所以也不膩膈。痧子回後。餘熱不清。常常飲服冠生園的菓子露。確實很適宜。有滋陰清熱之妙。就是平常時候和夏令常常飲服。也能夠清潤肺胃燥熱。可以避免溫熱病和胃腸炎等症。

The "MAGAZINE" also directs sufferer and consumer the way of obtaining doctors and medicines. Especially, those experimental chemicals will be recommended. So the sufferers and consumers will keep our publications as the best guidance. Chemical dealers will also keep our publications with all efforts, since these publications are full of medical and chemical studies. In short the "MAGAZINE" will effect the public in a continuity since so much related to the society is the "MAGAZINE", and so important is the problem of health, evidently of two kinds of medinine, the one which is advertised in one publications will of course be purchased in the larger quantity.

Advertising Rates

Position	Space	Rhte For Each Issue
Front Cover (Outer)		Mex. $ 30.00
Back Cover (Outer)	Full Page	Mex $ 30.00
Front Cover (Inner)	Full Page	Mex. $ 20.00
Back Covey (Inner)	Full Page	Mex. $ 20.00
First Page Opposite Inside of Front Cover and Back Cover	Full Page Half Page Auarter Page	Mex. $ 16.00 Mex. $ 10.00 Mex. $ 6.00
Ordinary Pages	Full Page Half Page Quarter Page	Mex. $ 12.00 Mex. $ 8.00 Mex. $ 5.00

◉本雜誌投稿簡章◉

（一）本刊以提倡衛生研究醫藥改善國醫之短而發揚其精粹爲宗旨凡海內外中西醫藥家蒙惠賜鴻文或畫片不論自撰或譯述具有研究衛生醫藥意味者均所歡迎

（二）投寄之稿務須繕寫清楚以免錯誤並注明自撰或譯述字樣

（三）譯稿請將原文題目原著姓名書報原名日期詳細叙明

（四）投寄之稿本社得酌量增删投稿人倘不願他人增删者請於來稿註明

（五）稿末請註明姓名地址以便通信至登載時如何署名聽投稿者自定

（六）來稿登載與否恕不作覆如未登載之稿須欲寄還者請來稿聲明之

（七）本刊以灌輸醫藥知識提倡社會公衆衛生爲天職編輯者皆盡義務所以對於投稿諸君僅以贈閱本報爲酬

（八）投稿者請逕寄上海南成都路福煦路口輔德里念四號衛生雜誌社

衛生雜誌社編輯部謹啓

衛生雜誌創刊號

中華民國二十一年八月出版

主編者 國醫張子英

發行者 衛生雜誌社

印刷者 衛生雜誌社

分發行所 上海山東路 中醫書局

分售處 各省書局及本埠報販

衛生雜誌定價表（費須先惠）

出版	月出一冊	全年十二冊
價目	大洋一角	大洋一元
附注	郵費在內	國外加倍
	郵票代洋以五分一分爲限	

社址上海南成都路輔德里念四號

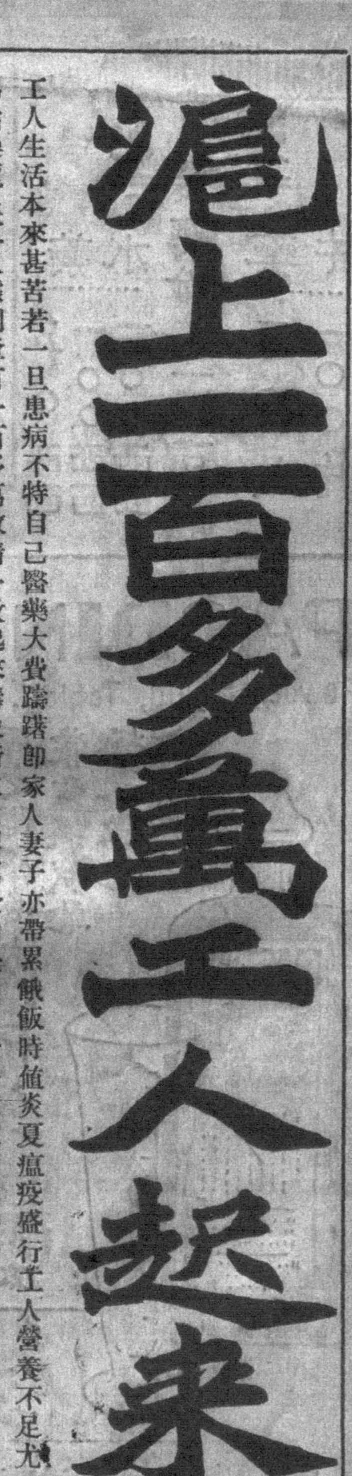

滬上一百多萬工人起來

工人生活本來甚苦若一旦患病不特自己醫藥大費躊躇即家人妻子亦帶累餓飯時值炎夏瘟疫盛行工人營養不足尤易沾染滬上工人據調查有一百多萬敢請一致起來講求衛生虎標萬金油是治時行各病之聖藥務希常爲購備以防不測平時擦鼻孔可免傳染

此油功用

內科主治

傷風感冒　中熱昏倒
時行瘟疫　絞腸痧痛
霍亂吐瀉　心胃氣痛
一切惡痧　寒熱肚痛

外科主治

刀傷物傷　水火盪傷
打傷跌傷　蛇獸咬傷
傷風鼻塞　頭昏目眩
牙痛耳痛　無名腫痛
面部各瘡　週身癢痛

內科取此油重約四分滾水或熱茶送下重症酌加童子酌減立見神效外科將油搽患處約二點鐘搽一次必愈

鐵盒萬金油

原爲利便平民而製現因國內奇災遍地民不聊生特將此油**大行減價**以便貧病購買而符本堂製藥本旨

鐵盒油外包背面所印大洋一角係指叻洋約值國幣大洋一角購者幸勿誤會

本堂爲求良藥普濟起見特設優待代理商辦法　藥價低廉更有折扣佣金之外再有酬金　簡章函索即寄

虎標永安堂上海分行啓　新行址甯波路五百九十五號

HEALTH MAGAZINE

衛生雜誌

張子英醫士主編

胡[illegible]學士校正

第二期

南京飯店

是上海最衛生最舒適的大旅社

建築偉大 富麗堂皇

交通便利 地點適中

地址南京路[illegible]

設備完善 應有盡有

佈置新穎 幽雅合宜

電話九一〇〇〇至九一〇〇九

靈驗異常

脚趾濕癢　一滴止癢
瘡癬癩疥　着膚即靈
去濕止癢　消毒殺菌
藥到病除

白濁

要根本剷除

端賴「樂的能」的藥力

「樂的能」有殺菌、利尿、止痛、滅淋、清濁等功效

藥力異乎尋常

樂的能

上海漢口路四十六號　新星藥行　獨家經理　各大藥房均有出售

夏令避暑還不如裝亞浦耳電風扇

夏令炎熱。若避暑遠地。舟車勞頓。耗費光陰。妨害業務。還不如裝置亞浦耳國貨電風扇。價廉物美。省電耐用。需風即動。不需即停。絕無天氣過於寒涼。受感冒之虞。

亞浦耳電燈泡廠出品

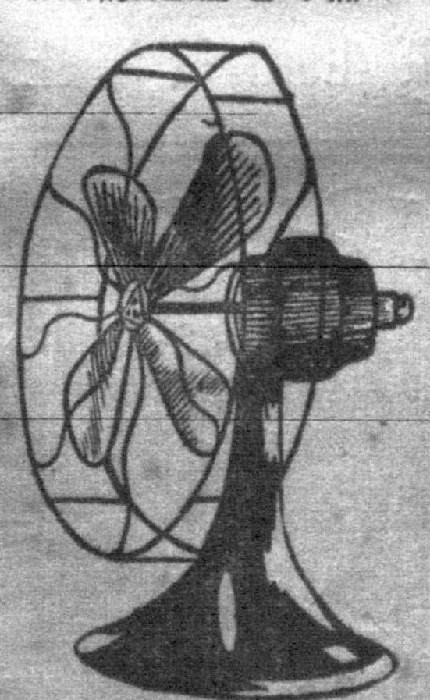

小馬達　電燈泡　電爐　電風扇

光亮充足　支光準確　省電耐用

價目廉宜　提倡國貨　同胞樂用

廠址　遼陽路十四號

發行所　北浙江路八百二十號

Drink Sanitas!
攝生氏汽水
名副其實
SANITAS SHANGHAI 攝生氏
TRADE MARK
點滴蒸溜蔗糖製造物質精良價錢公道誠攝生家最經濟最衛生之飲料也
總經代理
天祥洋行
百部洋行

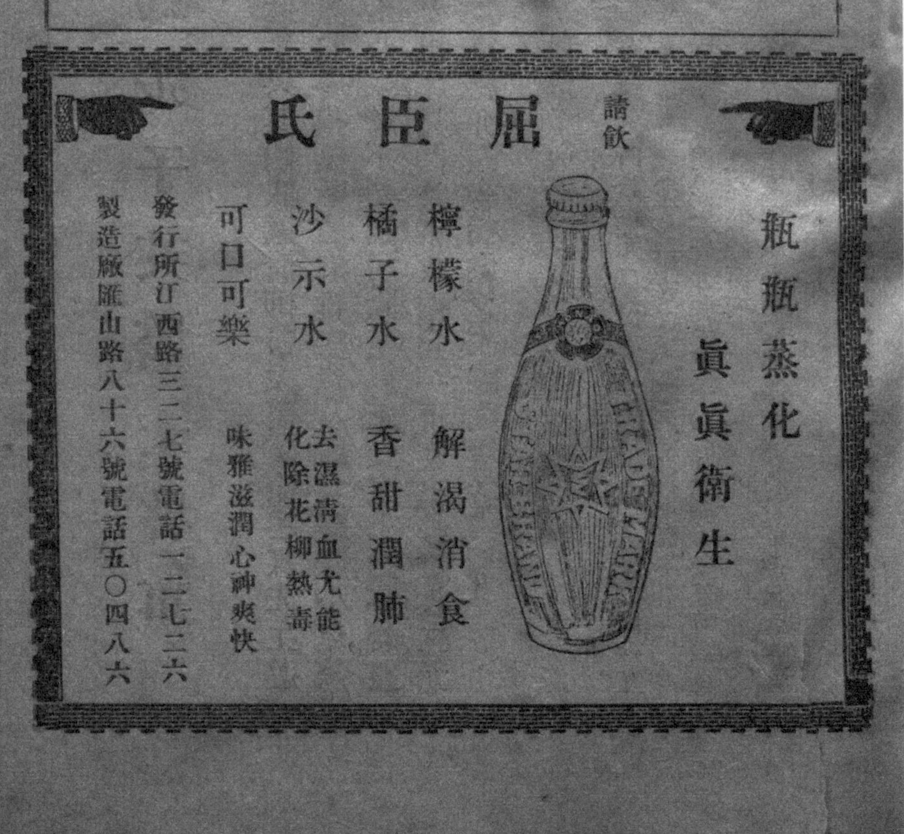
請飲
屈臣氏
瓶瓶蒸化
眞眞衛生
檸檬水
解渴消食
橘子水
香甜潤肺
沙示水
去濕清血尤能化除花柳熱毒
可口可樂
味雅滋潤心神爽快
發行所江西路三二七號電話一二七二六
製造廠匯山路八十六號電話五〇四八六

為張子英醫士啓事

杜月笙 徐賡華 呂岳泉 孫吉堂
王曉籟 鄔志豪 陸文韶 王鈍根
王延松 裴雲卿 俞福田 趙冲

古越張君子英幼年夠學精究岐黃壯年與其姻戚遜淸御醫太醫院徐起霖先生遊深得徐太醫祕傳醫術益彰如傷寒溫熱虛損痰嗽瀉痢雜症以及婦女經產小兒驚風痘瘄諸科辯析悉遵內經用藥別出心裁靡不藥到病除是以懸壺滬上數年於茲活人無算現為國難方殷減輕平民負担起見門診祇收四角一百文出診祇收二元赤貧者不計俾達仁術濟世之宏願爰為紹介以告病家之未識先生者

國醫張子英診例

科目　內科傷寒溫熱虛損痰嗽瀉痢等雜病婦女經產小兒急慢驚風瘄痘疳積諸症

診資　門診一元二角（平民祇收四角一百文）出診五元（平民祇收二元）路遠酌加赤貧不計

時間　門診上午九時至下午三時出診下午三時以後急症隨時面商

診所　上海英租界南成都路輻輳路口輔德里念四號

本社啓事

本社爲擴大組織起見公推胡佛醫士爲本社社長共同担任編輯事務並擬加聘海內名醫爲本刊特約撰述員如醫界同志願意担任者請先賜稿以便函聘

安定醫廬胡佛啓事

本醫廬現已遷移於英租界雲南路甯波路口鏞壽里一百零九號應診　門診時間上午九㫙至下午三時止出診須午前先行掛號　電話九一七一五號

本社啓事

本社原址因不敷辦公現已遷移於英租界雲南路甯波路口鏞壽里一百零九號各界函件請逕寄該處如蒙　電話下詢請撥九一七一五號爲荷

本社敦請

湯有爲大律師爲常年法律顧問特此啓事

上海衛生雜誌社

社址上海雲南路甯波路口鏞壽里一百零九號　電話九一七一五號

湯有爲大律師受任上海衛生雜誌社常年法律顧問啓事

本律師茲受任上海衛生雜誌社聘爲常年法律顧問，嗣後關于該社信譽及版權一切法益本律師負依法保障之責，此啓

法律事務所　上海海甯路天保里九號電話閘北第一百念號　六馬路一號（廣西路西）電話九二九零一

職務執行區域　上海第一二特區地方法院　江蘇高等法院第二三分院　最高法院　上海地方法院　吳縣地方法院及無錫分院　江蘇高等法院

衛生雜誌第二期目錄

凡患癬疥，癱頭，及皮膚各病立能
去濕。止癢。殺菌。消毒。

阿墨林

AMOLIN

脚趾濕癢 一滴即靈

脚趾濕癢乃一種葡萄狀菌作祟癢後即搔愈搔愈癢久之易使漿液流出若用「阿墨林」("Amolin" Liq) 一滴此菌即斃因其殺菌力收斂性極强之故也

醫師索樣可憑正式信箋蓋章並附郵票廿分當即寄奉一瓶

上海北京路九六號
百昌洋行經理

英國頂上八卦牌煉牛奶

英國衛滋補藥品

最衛生 最滋補

八掛牌煉牛奶係在英國用最新科學方法精製而成其中含滋養料極豐富尤多生活素常服最滋補有益居家旅行貯藏攜帶均極便利炎夏避暑購備應用尤爲適宜

各南貨號 均有出售

上海廣東路十九號
寶克洋行進口部啓

編輯者言

編者

本刊抱着不偏不倚的精神。已經和社會初次相見了。但是我們來負担這重大的仔肩。覺得很慚愧。很忐忑。原來改進我國衛生醫藥的使命。簡直是蚊負泰山。怎樣勝任呢。我們早經明白這困難的問題。但是勇往直前。不避艱險地要去趕。原來我國在這樣形狀一直下去。將來民族有衰落的危險。非但東亞病夫的雅號。一直稱呼下去。恐怕還要再添上一個東亞「短命鬼」的雅號咧。到了這個地步。試問我國的社會怎樣呢。我國的政治經濟怎樣呢。

現在另外不必說。把上海和豫省來比較。上海總算是衛生醫藥講究一些。今年的虎疫。比內地任何一省稀少。豫省是交通不便。文化開啓遲鈍。衛生醫藥尤其不講究。所以今年的虎疫。比別省尤其來得多。從這樣看來。不是我國缺乏提倡衛生。和講究醫藥麼。

現在要曉得衛生問題。是人人不可以離開的。人人有關繫。人人應該要研究。不比其他問題。與自己無關。可以不注意。即使修佛的僧尼。已經脫離塵凡。與世界上毫無關繫。有時候。疾病也免不去。總之不能夠脫離衞生問題。所以要請大衆不可輕視本刊。假使你有了閑暇的光陰。要想看書報作消遣。別的刊物不要閱覽。儻可還是閱覽本刊。覺得有實際上的利益。原來康健的身體。就是無形的基本財產。一切的事業。都靠着基本財產去發展。還有一層。人們最親愛的是怎麼呢。並不是父母妻子等。實際上是自己的手足。到了臨大難的時候。牠總是很忠誠地服務。就是父母妻子等。恐怕還靠不住啊。

本刊是很忠誠地。來指導社會一般人衞生問題。要希望人人康健壽命延長。尤其指示社會一般人。怎樣增加精神和腦力。使事業發展。生產增加。得到「富且壽」的快樂。所以要請大衆自己閱覽了本刊。應該還要去勸告親友也閱覽本刊。那末非但自己有功德。差不多全社會都受着利益。原來一人患了疾病。簡直可以傳染到一村或一鄉。從這樣看來。衞生問題不講究。不是很可怕麼。

本刊抱着服務社會的主義。又經大衆訂閱者的要求。從第二期起。添闢衞生顧問欄。凡有衞生醫藥上的問題。和因病請求藥方。都可以依本刊衞生顧問欄的章程。來函詢問。本刊的同志。當即很忠誠地。照來信答覆。詢問的辦法。請閱衞生顧問欄的章程就明白了。

痢疾商榷

胡佛

到了秋天的時候。痢疾尤其流行。西醫稱爲腸加答兒。病症的原因。西醫諉有腸加答兒菌。其實把病人的糞水。用顯微鏡照起來。確實有細菌。從物質上說起來。西醫言之很有理。不過從發生細菌的原由說起來。西醫籠統稱爲傳染來。似乎理由不充足。現在我把歷年治愈痢疾的經驗。和大衆談談。那末痢疾發生細菌的原由。也可以明白了。

痢疾的原由

痢疾的原由。有內因。外因。和內外因之別。假使飲食過度。或不潔淨。細菌由食物傳入。而發生的。是爲內因。宜先用通因通用法。西醫所謂洗腸法。假使風寒外襲。入腸胃而泄痢的。是爲外因。宜先用疎散法。鼓邪外出。假使厚味恣食。濕熱久蘊。一旦風寒外湊而發生的。是爲內外因。宜疎散外邪。兼清濕熱。但痢疾的發生。每因先有伏邪。蘊釀蒸腐。發生細菌。如夏月的暑邪多飲了冷物。迫熱內陷。伏於腸胃。漸漸地生細菌。所以秋令的多痢疾。實在是夏天伏暑的緣故。

凡人既有伏暑。又加厚味恣食。積滯既盛。細菌就生。且伏邪欲出不出。火性炎上。不得上達。迫而

本社社長胡佛醫士近影

下行爲痢。火性急速。欲泄痢而氣滯住。欲解不解。疼痛難堪。甚至於濃血和黏液剝融而下。一日泄痢數十次。而便實在不多。

還有稱爲噤口痢的。因爲胃口有熱。而邪熱不殺穀。所以不能食。實在是痢疾最重的症。用人參黃連湯下咽頗效。

痢疾的治法

痢疾的原由。既然是伏邪和積滯爲主要原因。所以治法最重要的。也應該注意於疎邪外出。和清利積滯。內經通因通用的方法。就是蕩滌積滯和清利結熱而設。實在是治痢的常法。但施之壯實的人們很相宜。稍涉虛弱的人。猶慮誤事。余治痢疾。每注重於鼓邪外出。和疎滯清解。通因通用的方法。非積熱熾盛勿用。對於治療方面。效驗很靈。每每二三劑痊愈。永不復發。

伏邪不透出。痢疾就纏綿難愈。雖日下數十次。極重的痢疾。一經伏邪透達。泄痢逐漸減少。就有向愈之可能。所以鼓邪外出。實在比較攻下的方法。來得穩妥得多。

倘有泄利既久。積滯已去。熱邪很微。而痢疾纏綿不止。有用補澀法。但初初起來。斷不可止澀。

痢疾欲便不便。疼痛後重。是氣滯不達。原來肝主

疏泄。性喜升達。若肝氣鬱陷。則氣滯疼痛。營血滲塞。則腸胃之濃血隨便剝融而下。所謂調氣則後重自除。行血則便濃自愈。實在是治痢的格言。

痢疾效用藥

鼓邪 白芷 藿香 葛根 桂枝 大豆卷 荊芥 蘇叶

調氣 木香 青皮 陳皮 砂仁 佛手甘 枳殼 厚朴

行血 白芍 紅花 川芎 當歸 丹皮

去積 山查肉 神麯 穀芽 萊菔子 雞內金

清熱 黃連 黃芩 梔子 白頭翁 連翹 金銀花

分利 澤瀉 猪苓 茯苓 車前子 通草

補濇 阿膠 赤石脂 龍骨 牡蠣 人參 白朮

攻下 大黃 枳實 元明粉 檳榔

肺結核之超早期診斷

石錫祜譯

按肺結核之超早期診斷。為日本醫學博士小林義雄所述。由石錫祜君譯著。披露於同仁醫學。渠之意見。以謂肺結核之完全治療。除早期診斷。早期治療之外。無良策。又謂肺之早期浸潤者。好在銷骨下部發現孤立性限局性之圓形浸潤。於Tuberculin反應陰性者不能見。此種理論。與中醫肺癆學理。正相符合。蓋所謂肺之早期浸潤者。即金匱所謂短氣有微飲。苓桂朮甘湯症是也。檢查之反應陰性者不能見。蓋飲邪原為陰邪。早期肺病咳嗽上氣諸病。原為小青龍症。若能早期診斷。早期治療。不難治愈。自朱丹溪偏重滋陰以後。曆來治肺病。每用清潤。而近今科學昌明。西醫用科學方法。已經證明肺病浸潤之為害。亟以溫化飲邪而不遑。奈何概用清潤耶。總之肺結核。乘元陽未虧。氣血未衰。細菌未猖獗之際。早期診斷。早期治療。實為無上良策。原述錄下。

（二）

近來結核病理有長足之進步。他無比倫。結核為實地醫家無一日不見之最多疾患。而其病理尚未闡明之處極多。此為從來一般醫學者對結核無多興味之一因也。雖在極重要之領域。因不明而捨棄之。然而最近數年間。對結核有數多之革命的事實出現。從來。對結核無關心的。無理解的醫學者又實地家。至此不得不再吟味數十年來之舊學說。以期改變不徹底之結核豫防

心境快樂可愈百病受侮不爭受毀不辯處困辱而不慍視窮居如富貴更無憂悶之事矣　壬申七月　欽根

法及結核治療法。

（二）

結核之完全治療。除早期診斷。早期治療之外無良策。今昔相同。然而。隨診斷法之進步。其診斷愈能早期。故治療法亦隨之而變更。

從來肺結核之臨床的早期診斷。即所謂肺尖炎之早期發見也。於有微熱者。呈貧血者。榮養減退者。其肺尖部行打診有抵抗及濁音。聽診之。呼吸音粗烈。乃至呼氣延長者爲肺尖浸潤。又呈水泡音者爲肺尖加答兒。而此等所謂肺尖炎爲肺癆之初期。然肺尖炎之中。無論至何時不成肺癆。用X光線檢查肺尖無變化。或每回Tuberculin反應皆陰性者有之。因此錯誤。徒使患者生結核恐怖病者不少。

（三）

肺結核早期診斷能得長足之進步者維何。曰。Röntgen線是也。用Röntgen診斷法。於臨床上不呈症狀者。往往能認出著明之變化。又臨床的診斷爲肺尖炎者。用Röntgen線得查出有著明之肺癆者不少。

然而與相反。臨床的診斷爲肺尖浸潤或肺尖加答兒。用Röntgen檢之。無變化者有之。此

時固然不能專信賴 Röntgen 但臨床的檢查有再一次反復之必要。故肺之 Röntgen 診斷非常困難。雖檢其照像。尚不能正確判斷。診斷肺之病變像時而肺之正常像不可不知。但肺之正常像爲如何尚不判然。行肺結核之診斷者多。例如。正當之肺門像如何。正常肺門之淋巴腺像如何。灰化像如何。灰化像與肺動脈或氣管支像之鑑別如何。此等問題。必須用健康體適當之 Röntgen 照像與剖檢所見之比較對照始能判明。但此等研究尚不能謂之完全。

次於肺之 Röntgen 像的確有異常時。其異常表示如何之肺病變乎。對此問題幸有谷雷夫及裴貝魯雷兩氏之研究。兩氏所著 Röntgen 剖檢對照圖譜。於肺結核之 Röntgen 診斷上爲不可缺之伴侶。但是。今日一般所行之肺結核 Röntgen 診斷。與臨床的診斷相同。即診斷『過附』。譬如 Tuberculin 反應陰性健康者肺 Röntgen 像。以其有能見程度之陰影而診斷爲結核性肺浸潤。又 Tuberculin 反應陰性健康者之肺門 Röntgen 像。以其有可見程度之陰影而診斷爲肺門淋巴腺結核者不少。固然。其診斷爲正或誤。非經其個體之剖檢難決定也。於生前無斷定之根據也。

某年一月之事。余所素識之一個青年。於寒假歸故鄉而傷風。其後熱在三七度二一三分。遂訪求某醫云有結核之疑。於是。急速。行胸部。Röntgen 之檢查受早期診斷。定肺門淋巴腺結核。於是用 Calcium 靜脈內注射一個月。而熱仍至三十七度以上。余聞其事。乃調查該青年健康時之檢診記錄。其體溫常常比他人高概爲三十七度二一三分。蓋此熱度爲該青年之平溫也。又其青年 Tuberculin 皮內反應每次陰性。由此乃速呼返檢查之。胸部臨床的及 Röntgen 所見尋常。赤血球沈降速度尋常。Tuberculin 皮內反應陰性。不似結核。其後約二年間健在。體溫常三十七度內外。此爲肺門淋巴腺陰影「過讀」之一例。

（四）

近來。有所謂肺之早期浸潤者。好在鎖骨下部發現

孤立性限局性之圓形浸潤。此物爲數年前馬斯曼所初見者。其後各國學者皆承認之。但成人肺癆之起初也。且謂凡成人肺癆皆由此發達之。而從來之所謂肺尖炎無發達肺癆之危險云云。

關於此早期浸潤之本態。其剖檢材料不多故未明。但一般的以此爲成人期之結核再感染而生者。總之。由此早期浸潤發達成急性肺癆者。於事實上甚多。爲肺結核之早期診斷上之一革命無異議也。然而從來所知者。所謂早期浸潤者。全然無症狀偶然由胸部 Röntgen 檢查發見者不少。故欲完全遂行肺結核之早期診斷。必於不呈他覺疾狀之健康者。行胸部 Röntgen 檢查可也。極端言之。人當每月一回由 Röntgen 之肺健康診斷。但實行非容易之事。特於貧困者尤然。若於有發熱者。有咳嗽者。行胸部 Röntgen 檢查。發見所謂早期浸潤。尚非理想的肺結核之早期診斷也。

（五）

數年來。余常凡檢查人之結核感染有無時。先用千倍 Tuberculin 0.1 竓皮內注射檢其反應。若陰性則結核未感染。即其人在呈陰性反應之時則非結核患者。胸部 Röntgen 檢查亦不要。但每月或隔月

行Tuberculin反應檢之。若為陽性轉化。其人始為有結核感染。此時行胸部Röntgen檢查。往往發見於肺有一種孤立性浸潤。

此結核初感染竈。是否即Röntgen像所謂早期浸潤難區別也。馬斯曼氏以來之所謂早期浸潤者。謂由結核之再感染而生。故我等之浸潤與所謂早期浸潤為別物。若所謂早期浸潤。不必一定由再感染而生。則我等所發見之肺浸潤。亦可稱之謂早期浸潤。

與早期浸潤在Röntgen-film上不能區別之肺浸潤用右之方法極早期可發見之。如斯之肺浸潤。於Tuberculin反應陰性者不能見。長時間Tuberculin反應陽性者。此浸潤不能發見者無乎因調查未充分不敢定言。但是。此物在Tuberculin反應陽性轉化後晚期。不如於其早期屢屢發見。可料言也。

以此Tuberculin陽性轉化為目標。行胸部Röntgen檢查。其實行上不甚困難。因此而能完全早期發見。與謂早期浸潤相當之成人肺癆起始。呈如此之肺浸潤者。若其赤血球沈降速度亢進。則易發急性肺癆。

漫然行胸部Röntgen之檢査而發見所謂早期浸潤。即以之為肺結核早期診斷。則此方法可名之謂肺結核超早期診斷。（完）

瘧疾治驗談

張子英

夏秋的時候。有一種流行病。初初起來。先發冷。後發熱。或者先熱後寒。戰慄。四肢厥冷。冷後自汗口渴。一日一發。或間日一發。這病叫做瘧疾。金鷄納霜。就是專醫瘧疾的要藥。但是依余治瘧疾的經驗。認為金鷄納霜。衹治寒熱均衡經微的虐疾。若是但熱不寒。大熱煩渴的癉瘧。或日久不愈的瘧母。決非金鷄納霜可以治愈。癉瘧必須先用白虎湯沃其熱。然後再用普通除瘧之品截之。瘧母用金匱鱉甲煎丸最神。但久瘧正氣必虛。扶正氣以制邪。也是治療上活法「無痰不成瘧。」是古人老話。所以治瘧疾。尤其要除痰溫脾燥濕。平胃散加青皮山查等品。是治瘧套方。而瘧疾也是伏邪的一種。所以很慮其內陷不透。柴胡桂枝俱是透邪要藥。尤其常山。就是蜀漆的苗。升發之性最捷。瘧疾纏綿不愈。用之很有效驗。又因瘧疾先賢稱爲脾寒。脾土濕寒。痰濁就生。胃氣也因之上逆。而草菓仁溫脾。治太陰獨勝之寒。對於瘧疾治療上。也占極重要的位置。此外量寒熱之多寡。積食之有無。隨症加減。用藥尤須中肯。不可太過或不及。其有不藥而漸漸自愈者。原來正氣旺盛。足以制邪。或病人調理適當。因爲像溫瘧之纏綿不愈。內經所謂以飲食消息止之。就是用梨汁蔗漿等諒潤之品。徐徐消潤其內熱而自愈。從這樣說起來。病家對於飲食的宜忌宜食。尤須注意。愼勿貪一時的口腹恣意狂食。

喉痧與白喉之別

楊則徐

喉痧與白喉二病。爲最普通。最危險。而又最易傳染之喉症也。二病雖發生于同一之地位。但其病源病理之不同。治療當亦判然各異。極對不容混合者。因作喉痧與白喉之別。在未分辨二病之前。先要曉得什麼叫做喉痧。什麼叫做白喉。何爲而生喉痧。何爲而生白喉。明乎此方可言其別。

先說喉痧

喉痧之病因　前賢論因。多謂時邪由口鼻吸入。肺胃受之而發者。西醫則謂由傳染細菌而發者。兩種說法。各自具有充分的理由。但吾對于這兩種學說。皆認爲不大妥當，西醫之斷爲細菌爲祟。但是現在細菌非極對病源之說。任何人也曉得。無庸多贅。中醫謂由時邪由口鼻吸入。肺胃受之。若肺受之。亦不過西醫之呼吸器傳染細菌而已。至云胃受之。試問胃如何能受之。夫病之由于胃受者。惟食物中毒而已。因餘物中毒而發生喉痧之病。此爲生理上病理上所不可能之事。據吾之見。以爲喉痧之病。乃痧疹之變症。由于風邪外受。痧　不達。上擁于喉頭所致。故當喉病未起之前。必有發痧疹之見象。故此症當以痧疹爲生發症。喉病爲續發症。

喉痧之症狀 本病之過程。分爲五期。——第一期——惡寒壯熱。口渴煩躁。手掌心熱。痧點隱隱。繼而發生喉痛。或腫或不腫。在未發生喉痛以前。不得名之曰喉痧。但一見喉痛。不問其腫腐與否。皆得名之曰喉痧。——第二期——乍寒乍熱。或但熱不寒。心中懊憹。煩燥少汗。咽喉腫痛。痧則紅暈成片。突起如雲不分點粒。摸之則壘壘然。視之則乾燥無津。或能食。或不能食。——第三期——身發壯熱。胸痞咽阻。食不得下。喉頭腫痛。痧鬱不達。或痧透後。有如疙搭塊者。發則多痒而麻木。尿赤便秘——第四期——身熱如灼。丹痧隱伏。喉頭腫腐。神後昏憒。耳前後腫。頰車不開。唇緊膚黑。小便赤濇。大便秘結。——第五期——爛喉。臭黑。神識昏迷。痙厥牙緊。丹痧不起。下痢臭穢。音啞氣喘。鼻煤而煽。舌骴而焦。甚則舌卷囊縮。頃刻云亡。

喉痧之治法 經云。治病必求其本。此病既由于痧鬱不達而致。自當以透痧爲第一要務。痧疹一達。則喉病不治自愈。有斷然者。——第一期爲邪傷在表。鬱而不宣。治當表散。宜荆防敗毒散加減。——第二期。邪熱已入半表半裏。侵入心營。宜用湧泄法。梔子豉湯加味。——第三期。此時邪熱壯盛。宜用苦寒泄熱法。黃連解毒湯加味。——第四期。此表裏之邪兩盛。宜用兩解法。三黃石膏湯加減。或用麻杏石甘湯參以承氣法。——第五期。此所邪已內陷。熱度已達極點。非用大劑清營盪府。不足一以克之。宜犀角地黃湯或紫雪散參以承氣法。總之。第一期至第四期。按症施治。投藥中的。不難應手而起。病至第五期。則終覺難爲力矣。

再說白喉

白喉之病因　西醫謂由細菌傳染。但細菌非極對病原。說已見前。至於中醫論因。耐修子曰。白喉之因。由于肺之灼。肺之灼。由于胃之蒸。胃之蒸。由于腸之寒。全是模糊想像之談。要知白喉之爲病。在氣候潮潤之時。必無發生之可能。必也待秋冬之際。燥神司令。方得施其虐于人間。雖然在春夏之時。間亦有生白喉者。必當時天氣異常。久旱不雨。氣候乾燥有以使之。亦有由于人工所造成之燥氣亦能發生者。如燃煤之家。易罹白喉。即此理也。且生白喉者。必是陰虛液虧之體質。至若身體強壯。津液充足。自然療能力大。雖有燥邪。亦有何傷。總之。白喉之因。由于內虧津液。外傷燥火而成。

白喉之症狀　初起微微發熱。亦有壯熱者。頭項骨節疼痛。喉頭乾哽。嚥津不爽。或痛或不痛。不紅不腫。舌乾無津。苔或白或黃。其邊必絳。繼則熱勢稍退。喉中哽痛益甚。甚則閉塞。白點乃現。亦有隨發而白隨現者。再則白點密佈。點形擴大。白條白塊。黏連成片。或滿口皆白。苔雖白燥。其舌質必紅。再進則中心剝腐。疼極而閉。勺水不得嚥入。眼紅聲啞。口噴臭氣。白喉而至此。危矣危矣。

白喉之治法　白喉古無專書。治無成法。自鄭氏創養陰清肺湯。耐修子著白喉抉微以來。治白喉者。始有準繩可據。陳存仁先生亦云。白喉始終宜以養陰爲主。養陰清肺湯主之。麥門冬湯。大補元煎。間亦可用之。至于現在新發明之白喉血清注射療法。其效亦不減於養陰清肺湯。且奏效時。速于煎劑。患斯疾者。不妨試之。

附白喉兼症治法　白喉乃燥邪爲祟。治以養陰之劑。原是的症的方。但余去年治一白喉病。經嚴密之診察後。斷定是爲白喉。乃專在養陰清肺一方相出入。而其結果。適得相反。甚怪之。乃請之余師蔣永錩氏。診之云。此症初起。本是白喉。治以養陰清肺。理固相當。但白喉未愈。復感外邪。一味泥用養陰清肺。反致引邪入內。今幸外來之邪。倘未內陷。倘可由原路使出。乃處一養陰清肺。參以疎風散邪之方。再劑而症象大佳。但白仍滿佈。乃去疎散藥而重用養陰之味而愈。先哲云。見症投藥。不泥于病名經絡。但求藥之中肯。是謂上工。斯誠治療之律也。一月後。余又治一白喉。情形與此相若。乃宗蔣師之法而愈。可見白喉之兼外感者原多。成見之方。誤人不淺。爲醫者斯可注意及之。

現在喉痧與白喉。大略已具。但施治之先。必須診斷得確。方能投藥中肯。不然虛虛實實。毫厘千里。不惟喉症如此。舉凡疾病。莫不如此。茲將二病之鑑別點。羅列于下。

舌苔之鑑別　白喉乃燥火爲病。故不問其苔之何狀。其舌質必紅舌邊必絳。乾燥無津。喉痧乃外邪爲病。津液充足。其苔白膩白滑。必黏液滿口。

喉毒之鑑別　喉痧初起。多形紅腫。繼則腐爛。如潰瘍。白喉初起。但有哽痛之自覺症。亦竟有不痛而卽現白者。其後但見滿口白點。非若喉痧之紅腫腐爛。

脉象之鑑別　喉痧初起。脉多浮數有勁。其後熱邪漸進。于是脉乃有變象。至于白喉之脉。多形細數。

痧疹之鑑別　喉痧初起之時。必痧點隱約。甚或肌紅密佈。色鮮紫艶。從未有不發痧疹而起喉痧者。縱或有之。亦不得名之曰喉痧。至若白喉初起並無痧點。卽有痧點。亦必發于毒退邪輕之時。其色必談紅而枯燥。

喉痧白腐時期。與白喉之誤認。　喉痧在進行時期，亦有白腐而如白喉者甚多。是則必須互察其已往症及現在之各種現象。以診斷施治。切勿一見其白。而卽認爲白喉。致召孟浪誤病之譏。

冠生園
飲冰室
冰淇淋二角
汽水六角
啤酒五角
刨冰一角
桔子水四角
檸檬水四角
南京路
法大馬路
河南路

德國醫學博士「台克司」氏經過數十年之苦心研究現宣告成功發明特效白濁丸確能有殺菌清毒利尿止痛澈底治療之特効
MASKEE
百發百中
馬上斷根
淋漓腫痛
急慢新老
白濁
速服
德國
白濁丸
每瓶售洋貳元外埠函購寄費加一郵票通用
優待券
將此券剪下一同附下照原價可再打八五折計算
總經理 美富行
上海北京路九十六號
經售處 先施 新新

咳嗽不止卽是肺病基礎

張子英

外感咳嗽。肺氣壅塞。可散之而愈。今散之不愈。頻頻咳嗽上氣。或乾咳無痰。或咳吐白沫。則胃氣上逆之現象。已彰明顯露。其或舌苔由白膩而化白燥微黃。面色由鮮明而變黃瘦。皆爲飲邪化熱。將發生細菌。胃氣愈逆。脾陽愈陷之景象。同時膽火亦隨胃氣上逆。因而上冲頭腦。則兩耳爲鳴。頭昏目眩。相火隨脾陽下陷。因而下鬱腎陰。則夢遺淋濁。腰痠骨楚。且夫膽火飛揚。則潮熱脅疼。肝風煽動。則骨蒸盜汗。甚則陽絡傷而咯血衄血諸症皆作矣。是以咳嗽者。非輕微之小恙。治之得法。一二劑可愈。若纏綿難愈。必脾陽之已憊。氣血鬱滯。細菌將生。肺病之基礎已成矣。現夫今之治咳嗽者。散之不愈。加以清潤。甚至脾陽愈憊。化爲洞泄。而卒至莫救者。比比皆然。不知今日之肺病。泰半由於小青龍症爲之基礎。仲景於小青龍湯內治喘咳。早已顧到肝脾之鬱陷。而以溫化飲邪爲急務。奈何以陰邪而再加清潤。豈非抱薪救火耶。然則治咳嗽者。當預測飲邪之有無。若初起時。脉象沉弦。面色鮮明。舌苔白膩。疎散之中。兼去飲邪。而理肝脾。自然易愈。而不致於釀成肺病。但脉象沉弦。脾陽久憊者。若咳嗽治之纏綿不愈。已難免於初期肺病也。

痢疾論治

朱殿

自來醫家。論痢疾症。名類頗繁。如五色痢。寒痢。熱痢。濕痢。休息痢。噤口痢等。病因不同。論治亦異。痢門方書甚多。各家主張互歧。金元而降。東垣重補。丹溪重涼。景岳主溫。嘉言主散。學者胸無成竹。識乏臨床。將莫所適從。莫知所宗。且病家習性不同。有參不沾唇。心先痞塞。有硝黃未入口。神卽飄揚。懼補畏攻。隨時掣醫家之肘。是以痢疾一症。病家畏而醫家厭也。

治痢之法。今姑分四期言之。一。痢因滯成。初起則宜通因通用。攻劑施之。視其挾寒。挾熱。挾濕。兼用溫中。清裏。滲濕之品。倘顧前思後。臨床徘徊。則必失治而致後更棘手也。

二。攻補並用。初起失治。邪戀漸深。正氣愈虧。攻則投鼠忌器。補則膠柱鼓瑟。進退兩難。惟有取剛柔相濟之義。作寬嚴並用之法。寓補於攻。宜慰扶正。寓攻於補。綏靖達邪。用藥如枳朮導滯丸之類。

三。則宜溫補。病久正虧。陰液大傷。攻邪不可。慮傷元氣。惟有培補脾土。溫煖命門。氣旺血和。邪亦自退。用藥如八珍湯。腎氣丸等類。

四。則宜固濇。病久邪雖漸達。餘蘊未清。而本氣怯弱。正氣不支。乃作破釜沉舟之計。採用固濇一法。惟症中堪用此法者。十不得其三。因固澀之後。仍難足恃。而且施用過早。別症百出。故此法最宜慎用。其他如休息痢。則宜培養中土。噤口痢則宜調中開噤。證治雖複。亦在醫家之臨床善於應變耳。

生殖器衛生法（續）

海角

（一）洗浴宜勤。　凡人們身體內分泌的排泄物。如汗液大便小便等。都是排除體內汚物的作用。身體強健的人們。排泄尤其旺盛。如出汗很多。皮垢很盛。就是體內分泌作用健全的預兆。但積穢不去。氣血鬱滯。皮膚裏容易發生細菌。成爲癰腫瘡瘍諸病。尤其生殖器。是排泄物的大出口地。是分泌汚液的大本營。所以許多人們的生殖器。每每發生鹹臭的穢氣。觸鼻難受。假使時常洗浴。把生殖器裏的黃白色積穢物。如數洗除。那末穢氣既然除盡。許多癰腫瘡瘍也不致於發生。（這種黃白色積穢物。男性以包皮陽莖者尤多。最好把陽莖包皮割去。女性多積聚於內陰唇。洗浴時須如數揩除乾淨。）

（二）謹防傳染。凡被褥櫈倚公共厠所等。俱要隨時留意。是否潔淨。否則難免患生殖器者遺下毒菌。容易傳染。如和異姓接吻或交媾。傳染尤其迅速。

（三）避忌交媾。　不正當時候的交媾。最易傷身。

尤其容易發生生殖器病。今約略寫在下面。

（一）酒後。（酒後興濃，强力交媾。易於擦傷陽莖表皮。而且精液暴泄則脫陽。）（二）遠道奔走。（遠道奔跑至數十里之後而行交媾。則神經衰弱。發生危險重症。醫書裡說。行百里之後而交媾。其人必死。又先交媾之後，而後遠道奔馳。亦發生同樣疾病。（三）婦人行經。（凡婦人行經時。强行交媾。男子小便滯澀如淋痛。婦人血崩白帶子宮炎諸症就作。）（四）婦人產後。（婦人產後八星期以前。强行交媾。女性發生子宮轉位。子宮炎，貧血腰彎等症。（五）疾病時候。（身患疾病而行交媾。小則病狀增加。大則傳染受害。尤其濕熱病。濕熱下注。成如淋濁。膀胱炎等症。）所以男女交媾。也許有相當的節制。最好是男女一齊有興的時候行交媾。方可得到美滿的愉快。

(四)制止手淫。　手淫是耗傷精血。易於釀成陽痿。凡一分慾念不可想到。常常用冷水洗生殖器。使陽莖不可勃舉。

(五)不可手搔。　生殖器裏皮膚。分泌汗液尤其旺盛。所以常常發癢。不可手搔。因爲越搔越癢。可用蛇床子和枯礬煎湯常洗，汗液和濕氣過盛的時候，用撲粉撲乾。

(六)疎肝理脾　生殖器裏種種疾痛。大都因爲肝氣不達。相火下陷。脾陽不振。濕熱下注之故。所以疎肝理脾。爲調理生殖器唯一的方法。可以常服於朮丹皮白芍等品。

(七)多食厚味　內經曰。精不足者補之以味。凡患陽痿精稀薄的人們。宜多食厚味之品。如鷄蛋牛羊肉胡桃栗子熟地黃阿膠杞子等物。

(八)不可過勞　古人謂「勞則思逸。逸則思淫。」原來過於勞動。易於耗傷精血。所以農人終日勤勞。不思色慾。富人終日安逸。常思色慾。實緣生殖器裏環境使之然也。凡生殖器的自然性。精滿而相火忘動。則思色。精乏而相火不動。則不思色。所以清心寡慾。實爲延年益壽之秘法。

查都市社會。患生殖器的人們。總比較鄉僻社會來得多。原來都市裏是性病的出產地。都市越是熱鬧。性病越是多。因爲性慾是任何人不能脫離的。都市裏的青年們。大抵由於他處移來謀生活。迫於環境。往往不能夠享同居的幸福，但是性慾勃發。不得不從花街柳巷去解决這問題。同時許多不良份子。也爲應付社會的需要。設了許多妓院。來引誘青年們。護得厚利。一方面竭力傳染性病。把一個都市成爲生殖器病的製造廠。

所以都市裏的生殖器病。十分之八是傳染梅毒性。救治的方法。就必須從剷除梅毒性的路徑去找尋。但是梅毒的傳染。有下列幾種不同的症狀。寫在下

面。（未完）

衞生小問答

張子英

（問）大便欲解不解。很不通爽。何故。

（答）稟體燥熱過盛。或老年血虛液虧。每致大便燥結。但欲解而至廁所仍不解者。實爲氣滯。宜用青皮枳實等調其氣。

（問）秋天多痢疾何故。

（答）夏季受了暑氣。伏而不發。又被涼風遏抑不得外出。是以伏邪下陷爲痢。

（問）瘧疾長久不愈何故。

（答）瘧疾長久不愈。是成瘧母。當以峻劑除之。若飢熱不全退者。是爲溫瘧。內經以飲食消息止之。即以梨汁蔗漿等甘寒之品。常食以除熱。

（問）泄瀉肚腹暴痛。有何法可以止之。

（答）泄瀉肚腹暴痛。有食積者。得瀉稍瘥。有寒者。得熱亦鬆。平常救急法。以香服砂仁末錢許。可以止之。

（問）常常頭眩何故。

（答）頭眩症以痰火上逆爲多。血虛與肝風次之。凡肥胖多濕。舌苔厚膩者。全是痰火上逆。宜以二陳湯降痰爲主。

（問）忽然吐血何故。

（答）平常無病之人。忽然吐血。總是熱傷陽絡。內經曰。陽絡傷則血上溢。當以甘寒之品。涼血降逆爲主。十灰丸。藕汁。童便。俱是止血很有效。若身體壯盛。苔黃熱重者。可用大黃暫下之。實爲釜底抽薪之法。

（問）小兒夜間發熱煩哭何故。

（答）小兒夜間煩哭。是心肝有熱。宜清心火退肝熱。但日間熱退而夜間發熱甚者。清火必不易退熱。當作虛熱治之。以參蓍甘草補之。則熱退而安寐不煩。

（問）小兒泄瀉綠糞何故。

（答）小兒脾陽虛弱。消化不良。下焦有寒。每多泄瀉青綠水。延久不愈。漸成疳癆。

(問)小兒忽然氣粗喘急。胸高肩搖何故。

(答)肥盛小兒。痰熱久蘊。偶因風寒外湊。忽然氣粗喘急。胸高肩搖。名爲馬脾風。多致不救。

(問)小兒痧疹多咳嗽泄瀉何故。

(答)小兒痧疹初起。若見咳嗽泄瀉。爲痧毒出發之兆。不須治之。因痧爲陽毒。咳嗽知痧毒之在肺。泄瀉知痧毒之在腸胃。但初起之時。以輕微泄瀉爲宜。若暴瀉是痧毒完全內陷。亦非佳象。

(問)婦人經水忽然暴崩甚多何故。

(答)婦人經水忽然暴崩甚多。總是熱傷陰絡。以涼血止澀爲主。但氣血衰弱之婦人。素來經水甚少。血色淡紅。或經期每多愆遲。決非熱傷陰絡。是氣血虧極。氣不攝血。下元將脫。急以參朮等峻補之。

(問)婦人並未發見疾苦。又不受孕。忽然經水斷絕不來。何故。

(答)婦人並未發見疾苦。又非受孕。經水斷絕不來。其原由實非一朝一夕之事。內經所謂二陽之病。發於心脾。其傳爲風消。其傳爲息賁。蓋婦人意有不遂。抑鬱不快。則心不生血。脾不化精。而經水斷絕。漸見飢肉瘦削。甚則短氣微喘。癆損之現象生矣。

鴉片之流毒　(自新)

鴉片一物。在醫藥上亦有相當之功用。然彼沈湎黑籍者。不以鴉片爲藥。而以鴉片當飯。遂致弊病百出。貽害無窮。其顯而易見者。則形容枯槁，面色萎黃。或精神疲憊。意志昏頹，其發癮時。煙容醜相。尤爲難看。內感煩悶。外覺困憊。呵欠頻作。涕淚滂沱。必至吸烟過癮而已。其精神外觀。均與平時狀態不同。烟癮既成。則身受其控制。而壽歲亦因之短促矣。國人不悟。反甘之如飴。誠愚不可及也。謂非自取滅亡而何。

鴉片不論如何施用。均有強烈之麻醉性及刺戟作用。如施用過度。必致毒死。考其中毒之所在。即因

鴉片含有嗎啡之故。苦服純粹嗎啡。其毒尤爲迅劇。茲將鴉片和嗎啡中毒病理略述如左。

中鴉片或嗎啡毒的病症。可分急性慢性兩種。但不論急性慢性。由解剖屍體檢驗的結果。證明在中央神經系均生顯著變化。在急性中毒者的腦部。起急性腦細胞壞死。膠質變性。內皮破裂出血。至慢性者。則腦細胞先起脂肪化。然後至於壞死。腦組織內的小血管。則鬱血或出血。此外在急性中毒時。臟器常充血或出血。在慢性中毒時。肝腎心肌組織常起脂肪變性和鬱血。全身有惡液浮腫等症象。故有稱中鴉片或嗎啡之毒而死者爲腦死 Hirntod

凡吸鴉片或嗎啡者。其腦神經卽發生上述變化。初時。因受藥力毒性的刺戟。情神一時爲之奮興。久則非受此毒力刺戟不能提神。蓋因腦細胞及膠質受毒性刺戟後。暫時營靈敏工作。後卽衰疲壞死。腦細胞既死。卽不能復生。故腦力日趨微弱後。非用多量毒力不能起片刻奮興。終至無論如何。亦不發生作用。如是。則腦的機能休矣。

鴉片毒害。概如上述。其能禍國弱種。自不待言。世人每以洪水猛獸取譬。誠有過之而無不及。因猛獸噬人。人皆趨避。洪水為災。人皆知防。獨鴉片之殺人。或貽誤於庸醫治病之言。或成癮於交際酬酢之間。其來無形。人不知戒。故自鴉片傳入中國以來。上而文人學士，官僚政客。下而販夫走卒。勞工苦力。呑雲吐霧。沈溺於鴉片中者。何啻恆河數。言念及此。曷勝痛心。爰將鴉片及各種麻醉品之流毒。述之如下。(未完)

記遜清御醫

胡佛

遜清御醫徐起霖。字雨蒼。浙江紹興人。幼聰慧。工詩文。及長而專究岐黃。至京都。考取太醫院。時慈禧太后及光緒帝。頗垂愛之。及宣統時。詔令署理雲南某知州。未及到任。而革命起義。清室推翻。徐太醫院遂携眷退歸故里。生平樂善好施。嘗茹素。不忍食活物。雖蝦魚之類。亦必擇已死者。而後購食之。親友以疾病求診者。無論疑難雜症。輒數劑痊愈。蓋其治病也。必求乎根本。洞察微渺。全在乎脈。如診慈禧太后及光緒帝病。跪於幃幕之外。既不見面。又不得問。祇憑切脈。即知其致病之大概。而治其根本。即漸漸獲愈。年五十六歲逝世。遺女二。乏子嗣。其醫術亦鮮傳授。惟老友張子英醫士。與徐太醫院誼屬姻戚。為忘年交好。時而捉膝談心。時而討論醫術。耳提面命。深得秘傳。可欣碩果僅存耳。

醫藥介紹

▲鐵盒萬金油　華僑大慈善家胡文虎君。所創設之虎標永安堂藥行。出品的幾種藥物很靈驗。恐怕大概已經都知道。也不必我來多說了。但是我現在有一種感想。就是社會上生活程度。一天高似一天高起來。生活非常困難。不過無情的病魔。總是要來侵凌，還有世界越是文明。使用電汽和機械越是興盛。因此宇宙間的危險。也隨之增加。尤其一般工人。時時刻刻在危險工作裏奮鬥。一旦患了疾病。或

者受了機械的軋傷。非但醫藥困難。就是闔家妻子。也受飢餓。說起來。實在悲慘呀。現在虎標永安堂出品的萬金油。內科一切疾病。用開水送下數分。就可安全。外科一切傷痛。把油搽敷患處。立刻可以止痛痊愈。實在是救護工人的恩物。但是我要希望每個工廠裏都常備那萬金油。那末倉卒之間，發生了疾苦。就可以應手治愈。不是工人的幸福麼。又間接不是工廠裏主人的幸福麼。（安人）

▲梅濁魁星　上海是性病的出產地。大概已經知道了。尤其患白濁的人來得多。因此市場上。售白濁丸的。也應運而很多。但是許多白濁丸。總是擅香油一類的性質。固濇尿道。和強止淋濁。反而把淋菌內陷。釀成尿道炎和睪丸炎。因此患者得了「老白濁」的名號。痛苦難堪。終身受累。惟有猩猩商標的「梅濁魁星」。已經全世界醫師試驗認為合理療法的治淋濁聖藥。原來「梅濁魁星」。是德國戚彌鄧藥廠出品，藥力能夠直達病所。把梅菌殺除淨盡。於六小時間可以奇效。一星期可以斷根。（藹白）

▲開胃靈　凡胃機能發生障碍。就把分泌消化液。和吸收胃內營養素等工作廢弛。於是胸腹飽悶。飲食不思。嘔吐噁心。噫氣吞酸等症起來了。大概統稱叫胃病。李東垣氏是胃病專家。發揚胃病醫理很確切。我國醫家俱宗他說。現在佛慈大藥廠。依他的醫理。精益求精。用科藥方法。採取精華。製成「開胃靈」問世。又把藥方公佈。歡迎全世界中西醫家試驗評論。鄙人醫學淺陋得很。不敢評論。但是我有幾句意見。要發表在下面。原來參朮神麯麥芽等品。俱是補脾開胃必需之品。即醫理很淺薄的。都知道。其妙義精深的地方。就是在用肉桂。因為消化不良。分泌機能不健全。由於人體眞火缺乏。如釜底無火。不能熱腐五穀。肉桂味甘辛。性大熱。能補眞火。健脾陽。使消化機能亢盛。同時又能疏肝行血。使運輸消化液。和營養素。一方面又佐乾薑等品。辛以潤水。使濕寒去而嘔吐噁心等症頓除。確實是「開胃靈」方劑中最神秘莫測的藥物。原來金匱治心痛徹背。背痛徹心。有烏頭赤石脂湯。

治胸痺心痛有括蔞薤白酒湯。都是助陽去濕寒。實在意義相仝。嘔吐噁心等症。也是脾陽困憊。水濕不運；積爲濕寒之飲邪。時時上逆的緣故。所以「開胃靈」方劑的配製。既然這樣精妙。對於治胃病有特殊的功效。而且藥品既然這樣王道。就毫無流弊。請患胃病的人們注意些吧。(子英)

醫藥雜訊

編者

▲上海戒烟醫院開幕　上海辛未救濟會。竭力進行積極救濟事業特設上海戒烟醫院。迭經開會。籌備已誌前報日前(二十一)上午十時。該院舉行正式開幕典禮。是日到會者。有副董事長王一亭，常董聞蘭亭。屈文六。黃涵之。關芸農。許董事長靜仁。代表黃伯度。院長陳藹士。副院長兼醫務長宋企洛。暨吳市長代表胡鴻基君。各機關長官。各團體代表。以及各界領袖名流。計共一百數十人。屆時行禮如儀。首由陳院長報告籌備經過情形。是日來賓演說甚多。均表示期望之意。特區第二法院應院長演說。尤爲動聽。而屈常董文六演說。最爲沉痛懇切。略謂。本會開設戒烟醫院。完全是慈善性質。拯救貧苦黑籍同胞。醫師職員。均須慈祥愷悌。如父兄之待子弟。慈母之待赤子。倘辦理稍不得法。便負本會設立之初衷。定受社會之指摘。希望本院同人•努力邁進。剷除烟毒等語。該醫院設在海格路四百七十六號。地點清幽。花木扶疏。空氣新鮮。房舍整潔。設備完全。所聘醫師。均屬學驗均富。以科學之方法。於短期內。無痛苦解除惡癖。並設有特別病室。尤爲精雅。受費極微。如有貧苦黑籍同胞。立志戒烟者。覓得確實舖保。即可免費戒除。惟須保人擔保。不得再犯。有志戒烟者。幸勿失此難逢之機會也。

▲全國痲瘋大會訊　中華痲瘋救濟會本定四月十五。十六。兩日召集全國痲瘋專家。及社會熱心人士。舉行全國痲瘋大會。所有議案論文。均早經定妥。佈置就緒。不料滬變倉卒。不克如期舉行。茲聞該會董事部新近議決。改於十月五日六日兩天。大

會會場。已擇定哈同路李司德研究院內。大會第一日。適爲全國醫學會議閉幕。故得接集全國醫師於一堂。作討論痲瘋之治療與研究。主理者爲皮膚病專家陳鴻康與盧愛思（Dr. F. Reiss）二醫師。次日由刁信德與麥雅谷（Dr. James L.Maxwell）二醫師主席。其討論範圍。均屬於實際方面者。如痲瘋法律之釐訂。痲瘋醫院之設立。宣傳之擴大等是。頃據該大會籌備處消息云。凡醫學界對於此次全國痲瘋大會。如有論文及提案加入。不勝歡迎。但務須於大會前二星期。交與上海博物院路二十號中華痲瘋救濟會總幹事鄔志堅君云。

▲獅力牌牛鷄汁到貨旺　上海華達藥行經理德國瑪爾大藥廠用冷榨法監製之獅力牌牛肉汁鷄汁。具有絕大效力。獅力牌牛肉汁鷄汁。行銷中國已久。不惟有無上補力。且四時咸宜。有防弭時疫之效。現値秋風初起。患病者應時而興。若能預先購服。便可消弭於無形。卽不幸已患。則新痊之後。尤須購服。可立卽恢復平時健康。今年到貨甚多。供求可以相應惟須注意獅力牌三字。凡有一獅字者固非。有一力字者亦非。須認明獅力牌三字聯貫。方爲眞正德產。本外埠百貨公司及各大藥房各大食品商店。均有出售。

▲惠生難民產科醫院訊　本埠北泥城橋愛文義路一三零號。惠生醫院。出資創設難民產科醫院。專門免費接收難民產婦。成立以來。於茲數月。所接難民產婦。已達四百餘名。均已產後出院。茲爲普及貧民起見。凡屬正式貧苦產婦。咸得照常待遇。免費接產。

▲胃病藥獨特靈暢銷　經銷胃病新藥獨特靈之愼利洋行。業務頗爲發達。致原址不敷應用。現已遷至博物院路十九號大廈營業。聞代售該藥之永安、先施、新新、及中西、五洲、中英、大華、集成、國民、南洋、華英、華美、大陸等各大藥房。每家均日銷百數十起非常暢銷云。

▲上海市國醫分館卽將成立　上海市國醫分館·自委派籌備員後。數月以來。積極籌備。加以中央國

醫館長焦易堂。率同視察員胡邃然。駐滬督促進行、業已就緒。當卽派定馮炳南爲正館長。夏應堂、丁仲英、爲副館長。陸仲安、謝利恆、陳无咎、方椒伯、蔡濟平、王仲奇、薛文元、唐堯欽、朱南山、沈琢如、徐相任、郭柏良、丁濟萬、江天鐸、胡遽然、戴達夫、秦伯未、張贊臣、顧渭川、陳存仁、陸淵雷、蕭退菴、方公溥、馮明政、張梅菴、徐衡之、蔣文芳、趙詠白、陳楚湘、周乾生、岑志良、陳松坪、張允中、及女醫景芸芳、謝斐予等三十餘人爲董事會董事。並又指定陸仲安、謝利恆、陳无咎、方椒伯、蔡濟平、爲常務董事。已在辛家花園清涼寺召集一度籌備會議。聞不日卽將召開滬上國醫國藥各界全體大會。舉行分館成立大典。對於中國醫藥。將以科學的方法。切實的加以整頓改良。以致中國數千年固有之文化與國粹。不致日趨消沉。且可保存發揚。大放光明於世界。

本刊衛生顧問章程

（一）本刊經大衆訂閱者之要求。闢設衛生顧問欄。以便醫藥上疑難問題。及病由症治藥性等。作公開之討論與研究。若依本章程投函詢問。當卽照來函解答。

（二）重要問題。除依來信直接通函答覆外。本刊得隨時將答案披露。以便同志之研究。

（三）疑難之答案。須檢查醫籍。詳細考慮者。至遲須一個月可以答覆。

（四）不答覆之問題如下。（一）來信記述不詳者。（二）詞義不明者。（三）要求立得藥方者。（四）無關醫藥者。（五）委託評論藥方之是非者。（六）本社同志學識所不及者。（七）無覆信郵費者。（八）無衛生顧問劵者。但不答覆者。不答之理由。覆信聲明。

（五）來函概用中式紙張。繕寫楚清。附覆信郵費一角三分。並附寄下列衛生顧問劵一個。

(六)來函寄雲南路鏽壽里一百零九號本社收。

衛生顧問

▲惲滬生君問 (一)因手淫過度。生殖器神經過敏。常有見色流精之虞。乞求治法。 (二) 因耗精過多。時覺頭目暈眩健忘等症。有何簡便良方以補腦。(因時正求學時代。對於用腦之處。尤其重要也。)

(答) 尊恙因手淫過度。致精竅不固。非但時常遺泄。甚至目見色慾。精卽流出。此精必甚稀薄。實稱白淫。治法當須固濇精關。使精遺自止。但平時尤須戒除淫慾。及一切不正思想。至於頭目暈眩健忘等症。當然由久遺而連帶爲病。因爲精血虛耗。無以涵養肝臟。相火益熾。濁氣上逆。爲頭昏眼花。且精液時流。血併於下焦。則無以養其心。氣併於上焦。則無以充其腎。水火不交。則善忘其前言。總之誤犯手淫。斵傷心腎。腦爲精髓之海。也得不衰涸哉。玆擬方於后。

龍骨 黃耆 石蓮子各三錢 大熟地龜版各四錢 丹皮 赤石脂 潞黨參 珠茯神 柏子仁 酸棗仁各二錢 遠志八分 益智仁一錢五分 炒黃柏一錢

試服數劑後有效可以合丸量隨加倍

又藥肆出售之成丸。如六味地黃丸。三才封髓丹。歸脾丸。皆可常服。每日三錢。開水或淡鹽湯送下。

▲秦卜明君問 老年婦人。大便下濃血。有時腹痛。體本肥壯。近來漸瘦。兼且其性容易忿怒。其餘起居飲食尙可。有何法可治。乞賜方。

(答) 便血之症。有遠血近血之別。其來也漸。既據體本肥壯。則脾土濕陷可知。近來容易忿怒。則肝陽旺盛無疑。木鬱風動。而行疏泄。老年人氣不攝血。脫於大便。職是故也。宜升脾陽燥土。疏木鬱濕肝。少佐清熱以治標。擬方於后。

鮮生地四錢。　炒白芍　灶心黃土　粉丹皮各三錢。　焦白朮　柴胡地榆炭　淡黃芩各二錢。桂枝小青皮各八分。薄荷一錢五分。阿膠龜版膠各三錢另烊冲服，數劑卽效。

又簡便方，用益母草青皮各一錢。每日泡茶飲之。二星期見效請試服之。

★　★　★　★　★　★

張子英醫案

編者

▲濕溫

初診　北浙江路錦昌鐵工廠賬房韓君。發熱頭眩脘悶。大便不爽。口乾心煩。脉象濡緩有力。苔黃膩。濕熱久蘊。感冒時邪。引動內熱。治宜辛涼疎解兼泄熱。

連翹一錢五分　薄荷一錢　金銀花二錢
冬桑叶一錢五分　肥知母二錢　絲通草一錢五分
冬瓜仁二錢　淡黃芩一錢五分　六一散二錢包煎
陳皮八分　仙半夏一錢

二診　飢熱已減。口乾煩心如故。大便不下。苔仍黃燥。濕溫化熱益熾。當清熱滋液。

天花粉三錢　元參二錢　肥知母二錢　瓜蔞仁二錢
連翹二錢　枳殼一錢　陳皮一錢　益元散二錢包煎
淡竹叶二錢　絲通草二錢　鮮蘆根二尺

三診　大便已下。飢熱退盡。精神萎靡。苔黃減少。脉象已呈和平。再以清熱育陰二劑而安。

肥知母二錢　元參二錢　麥冬二錢　連翹一錢五分
天花粉三錢　絲通草二錢　澤瀉一錢五分
鮮石斛三錢　炙枇杷叶二錢　陳皮一錢　冬瓜仁二錢

初診　白爾路寶安坊沈君。因大便燥結十日不下。服燕補丸四粒仍不便。又服二粒。溏瀉數次不止。發熱身若燔炭。遍身骨節痠痛。自汗如雨。口乾煩心。仝夜不睡。脉象洪數帶浮。苔黃膩。稟體燥熱過甚。感冒時邪。裏熱內應。宜其煩渴自汗。茲以辛涼疎解時邪。兼清裏熱。

荆芥一錢五分　薄荷一錢五分　淡香豉一錢
連翹二錢　肥知母二錢　粉葛根二錢　天花粉三錢
六一散二錢包煎　淡黃芩二錢　絲通草二錢
冬桑叶一錢五分　冬瓜仁二錢　陳皮八分

二診　發熱已退。骨痛亦瘥。惟自汗口乾如故。腹瀉未止。小便甚少。水濕不運。再以清熱利濕。

益元散三錢包煎　粉葛根二錢　連翹一錢五分
猪茯苓四錢　絲通草二錢　澤瀉二錢　肥知母三錢
淡黃芩二錢　天花粉三錢　冬瓜仁二錢

陳皮八分 姜半夏一錢

三診 腹瀉已止。自汗亦少。惟常口乾。咳痰黃厚。夜間尚不能熟睡。上脘飲邪不去。又加心火爍盛。法宜清熱利濕。兼育胃陰。

辰麥冬二錢 辰茯神二錢 益元散三錢包煎
猪茯苓四錢 姜半夏二錢 淡黃芩二錢
陳皮一錢 肥知母二錢 炒白芍一錢五分
淡竹叶二錢 元參三錢 鮮石斛二錢

初診 閘北恆豐路。大中國水電公司許大兄。發熱頭痛。苔薄絳。口乾心煩。睡眠不甯。脈象弦數。感冒時邪。宜辛涼疏解爲主。

鮮藿香二錢 薄荷一錢五分 荆芥一錢五分
六一散三錢包煎 粉葛根一錢 冬瓜仁二錢
大腹皮二錢 連翹一錢五分 淡竹叶二錢
絲通草二錢 陳皮八分

二診 發熱已減。頭痛亦瘥。精神稍健。口仍乾煩心。苔微黃。時邪化熱尚熾。再以清熱和裏二劑而安。

益元散三錢包煎 焦梔子二錢 肥知母二錢
連翹一錢五分 絲通草二錢 天花粉二錢
粉葛根一錢 大腹皮二錢 淡竹叶二錢
猪茯苓三錢 陳皮八分

初診 福煦路多福里張太太。發熱三四天。頭眩脘悶。不飢不食。苔黃膩。脈象洪數。牙齒痛微咳。胃熱本盛。新感時邪。牙齦爲足陽明胃經所絡。宜其疼痛煩燥不甯。治宜辛涼疏解時邪。兼清熱和裏。

冬桑叶一錢五分 連翹一錢五分 荆芥一錢五分
薄荷二錢 細辛三分 肥知母二錢 淡黃芩二錢
香白芷一錢五分 陳皮八分 絲通草二錢
冬瓜仁二錢 仙半夏一錢五分 六一散二錢包煎

二診 發熱漸退。齒痛稍瘥。惟苔仍黃。脈象仍數。內熱尚熾。再以宣通泄熱。

益元散三錢包煎 肥知每二錢 連翹二錢
粉葛根一錢五分 冬桑叶二錢 冬瓜仁二錢
澤瀉二錢 梗通二錢 細辛四分 仙半夏一錢五分

陳皮八分　淡黃芩一錢五分

三診　發熱退盡。齒痛亦止。精神疲倦。苔黃漸退。尚有微咳。再以利濕清熱。以鎮咳。二劑而安。

仙半夏一錢五分　益元散三錢包煎　陳皮八分
猪茯苓四錢　細辛三分　浙貝母二錢　冬瓜仁二錢
絲通草二錢　淡黃芩一錢五分　旋覆花二錢包煎
紫菀一錢五分

▲泄瀉

初診　成都路輔德里査太太。兩脉沉重。舌潤無苔腹痛如雷鳴。泄瀉水分。心悸。頭微眩。稟體濕寒過重，偶感寒邪。飲食不潔。遂致洞泄。以理中化濕。兼消宿食。一劑就平安。

焦白朮三錢　防風二錢　炒白芍一錢五分
陳皮一錢　陽春砂三粒研　乾薑一錢五分
熟附片一錢五分　澤瀉五錢　猪茯苓二錢
浙茯苓二錢　桂枝八分　六神麯二錢
炙甘艸八分

▲痧疹

初診　太沽路倪寶寶。發熱六天。咳嗽喘急。眼似淚狀，鼻流涕。口乾。苔黃燥。煩心不寐。面上及手足。痧粒已見。惟大便三天不下，痧毒頗重。急宜透表兼清營。

荊芥一錢五分　連翹一錢五分　大力子二錢
前胡一錢五分　鮮生地六錢　枳殼一錢
桔梗一錢五分　金銀花三錢　杏仁一錢
肥知母二錢　鮮蘆根二尺

三診　進透達清營之後。痧粒滿身全佈。頭上夾班。發熱喘咳仍重。苔黃。大便仍不下。稟體熱重。故痧疹亦重。急宜清營降大便。

生石膏八錢　鮮生地六錢　肥知母二錢
元參二錢　粉丹皮二錢　金銀花三錢
大力子二錢　連翹一錢五分　錦紋大黃一錢
天花粉二錢　鮮蘆根二尺

三診　苔仍黃膩。痧疹未沒。發熱亦不減。大便仍不下。小便短赤。喘咳亦重。顧稟體實熱過重。前藥少效。再以重劑清營下便。

生大黃二錢　江枳實一錢五分　生石膏一兩
鮮生地六錢　肥知母二錢　浙貝母二錢
紅花一錢五分　大力子二錢　連翹二錢
淡黃芩一錢五分　絲瓜絡一錢五分　天花粉三錢
鮮蘆根二尺

四診　大便已下。飢熱漸減。痧疹漸沒。喘咳亦減。再以清營解毒三劑而安。

生石膏五錢　肥知母二錢　元參三錢
天花粉三錢　紅花一錢五分　枳殼一錢
浙貝母二錢　鮮生地五錢　金銀花三錢
大力子二錢、　麥冬二錢　鮮蘆根二尺

初診　大沽路永慶坊廿號。顧府小兒。痧疹滿佈。身體壯熱微喘咳。口乾煩心不寐。苔黃便溏。痞毒將內陷。急以清營解毒。

肥知母三錢　生石膏一兩　鮮生地八錢
元參三錢　浙貝母二錢　大力子二錢　連翹二錢
紅花一錢五分　枳殼一錢　金銀花三錢
麥冬二錢　鮮蘆根二尺

▲腫脹

初診　成都路輔德里。吳府乳媼。四肢及面上浮腫。捫之成凹象。脈象絃細。苔白膩。胃納不佳。脘悶。乳汁甚稀。疲倦身重乏力。脾腎之陽久虧。消化不良。水精不布。胃之關門不利。聚水而爲脹。羣醫多用利水之劑少效。茲以峻補脾腎之陽。使關門利而浮腫自退。

熟附片二錢　西潞黨三錢　野於朮二錢
乾薑一錢　浙茯苓二錢　炙甘艸一錢
大腹皮二錢　冬瓜仁三錢　姜半夏二錢
陳皮八分　山查肉一錢五分　絲瓜絡二錢

二診　前藥服二劑後。小便驟多。浮腫漸退。胃納稍增。再以前法加減三劑而安。

野於朮三錢　西潞黨三錢　熟附片二錢
薏米仁三錢　炙甘艸四錢　懷山藥四錢
浙茯苓三錢　乾薑一錢　絲通草二錢
陳皮八分　姜半夏二錢　澤瀉二錢

▲咳嗽

初診　福熙路王右，脉象濡緩。苔白膩。咳痰頻頻。頭微眩。脘悶。胃納不開。脾陽久困。濕蘊中脘。為飲邪。濁氣上逆。頭眩耳鳴。治以溫化飲邪以止咳痰。

旋覆花二錢包煎　姜半夏二錢　北細辛四分
陳皮一錢　浙茯苓二錢　冬瓜仁三錢
遠志八分　浙貝母二錢　淡黃芩一錢五分
枳殼八分　瓜蔞仁二錢

▲痢疾

初診　成都路輔德里查君。兩脉緩而有力。苔黃膩。飢微熱。腹微痛。痢下日十餘次。後重疼痛不爽。濕熱內蘊。治以清熱疎滯。

粉葛根二錢　淡黃芩一錢五分　川連六分
廣木香八分　小青皮八分　山查肉二錢
炒白芍二錢　炙甘艸六分　澤瀉二錢
陳皮一錢

二診　痢下減少。苔黃膩漸退。後重疼痛亦瘥。再宗前法加減二劑而愈。

川連六分　淡黃芩一錢五分　小青皮八分
粉葛根二錢　焦梔子二錢　枳殼一錢
廣木香八分　山查肉二錢　炒白芍二錢
炙甘艸六分　陳皮一錢

醫林社會長篇小說

絕處逢生（續）

天涯

有幾位拍馬屁的鄰人。馬上就告訴王福根。「趙鑑堂因為患病回家了。」王福根嚇得魂胆逍遙。立刻就轉身返城裏去了。

趙鑑堂神志不甚清爽。又加音啞說不出。這位送病人來的小夥計。就將趙鑑堂患病經過的情形。原原本本和金錢的母親講了一番。就此告辭。本來一家人很少的家庭。來了一個很厲害的病人。弄得金錢的母親。愁眉百結。走頭無路。幸虧一位老鄰居陳媽媽。來幫助煮茶，照料一切。到了第二天。趙鑑堂的病。還不十分危險。也可以吃半碗薄粥。原來趙鑑堂的病。自從咳嗽起因。後來吐血遺精。骨蒸氣急。成為肺癆病。足足已經有一年多了。前幾月。雖然寫家信來。也提起他自己的病。但是這家信。都是王福根代折代看。王福根知道了。特地不告訴金錢的母親。免得她掛念。等到送回來的前幾天。因爲上海許多名醫。已經回頭。都說趙鑑堂的病。無法醫治。所以急忙送回來。這位老鄰居陳媽媽。極力慫恿。趕快去請城裏張醫生來診治。所以金錢的母親。就雇人去請張醫生來。到了下午一句鐘。張醫生到了。診脈畢。問完起病的情由。張醫生直截痛快的。就說這病難治。完全要看你趙宅的家運。開了一張藥方。就走了。這時候。金錢的母親。心緒更加很愁。弄得手忙脚亂。無法辦理。後來一條心思掛念王福根。就想到和王福根商量商量。所以金錢的母親。吩咐陳媽媽照料一切。我到城裏去配藥和買物件。馬上就回來。金錢的母親。跑到城裏。還未到王家門口。就和王福根遇着了。她就眼裏含着淚珠。告訴王福根。一切的一切。只說怎麼辦呢。怎麼辦呢。又說我昨天晚下到現在。還沒有合眼過。照這樣情形。他的病是不容易好。但要死恐忙也還有幾天咧。我這樣情形。恐怕也要生病。也要死了。王福根說他的藥方讓我看。她就把藥方給他看。王福根點了首說。是了。我有辦法。他們這樣氣急。咳痰這樣多。內火重得不得了。所以張醫生的藥方。是滋陰清火。現在我有法子。你配藥的時候。另外買桂枝乾薑二味藥。加入藥中。因爲這兩味藥性。是很熱的。服了馬上就歸天。那末行了喪葬之後。豈不是我倆可以永遠共同到老麼。金錢的母親一想閑話不錯。就此別了王福根。依法辦理回家了•

金錢的母親回家之後。煎藥煮茶。服侍她的丈夫。表面上仍然殷勤得很。陳媽媽也是古道熱誠。共同陪伴服侍。到了次日。趙鑑堂服了加桂枝乾薑的藥。病勢並不沉重。差不多仍然照常。但是陳媽媽又極力慫恿。再請張醫生診治。所以金錢的母親。又雇人去請張醫生來。到了午後。張醫生診過脈之後。但說病情照昨日差不多。寫了一張和昨日相仿的藥方。就出去跑到台門口。道路上看見一堆藥楂。

瞧了一瞧。只看見藥楂裏。和他的藥方。有不符的藥。所以他俯了頭。仔細再瞧。發見有了桂枝楂。乾薑楂。就拾着一手把。用手帕包起來。放入衣袋裏。所以他又跑。又思想。認爲一定有特別的原因。但是服了桂枝薑乾。似乎沒有妨害。今天咳痰反見稀少。但是不知道這藥什麼藥店裏配錯的。且待明天再說罷。原來趙宅已經和張醫生約定好。明天午後再往診治。

金錢的母親。照樣吩咐陳媽媽在家照料一切。自己赴城裏配藥買另物去。心裏又愁悶。又籌躇。急急忙忙跑到王家門口。喊閽人叫王福根出來。告訴他道。昨天你的法子不靈。他病也不重。仍然照老式。今天又請張醫生診了一次。藥方在這裏。你看呀。王福根把藥方瞧了一瞧說。這張藥方和昨天差不多。你昨天買了幾何桂枝乾薑。她說我買了一百文。王福根道。難怪不靈。一百文只有一些些。你今天去買二角錢。包你痰火塞氣來。就此歸天。金錢的母親聽了王福根的話。依法辦理。回家之後。煎藥袞茶。仍然照常。一點兒看不出什麼異心。陳媽媽尤其是一片婆心。熱誠幫忙。到了次日早晨。趙鑑堂神志覺得稍爲清楚一些。自討粥吃。並不沉重。張醫生旣然和趙宅已經約定。因爲心裏懷疑得很。還未到正午。就起身來診病。跑到趙宅門口。先檢察路上廢棄的藥楂。尤其驚異得很。原來他察出桂枝乾薑的藥楂。尤其來得多。拿了一手把。用手帕包起來。仍然放入衣袋裏。走進房間裏。診脈完畢。他只說病勢差不多。特地好劣不說。執起筆來。看藥方的時候。他就向陳媽媽。討昨日包藥的紙頭。用作草稿紙。原來他恐怕被人疑心。特地不敢問什麼藥舖裏配藥。陳媽媽抽抖裏。拿着一張藥紙。給張醫生。張醫生作草稿。寫了幾筆。再開了藥方。這一天。張醫生在趙宅時間很長久。他想偵察趙宅的情形。但察不出什麼理由。不過見了藥紙之後。什麼藥舖裏配藥。已經知道了。等到臨走的時候。陳媽媽送他到台門口。張醫生認爲她年紀已經很大。舉動非常忠誠。所以就導問她道。這位趙家店主在上海的時候。家裏有什麽人來照料。或者另外有親戚麽。陳媽媽答道。趙奶奶有一個姘夫。時常往來。現在不好進來。至於親戚只有趙鑑堂先生的阿姊。前天來拜望過一次。張醫生問她姓什麽。住在那裏。陳媽媽答他姓吳。她住在城裏。她的丈夫名叫吳吉甫。是城裏某南貨店裏的櫃上先生。張醫生又問你這台門裏另外有人服藥麽。陳媽媽答沒有。這時候。張醫生恐怕被他人看見。不敢再多問。就告別了。

這天張醫生診了趙鑑堂的病。實在很奇怪。弄得莫明其妙。心腸轆轤得很。雖然他告訴病家。只說差不多。實在覺得脉象稍爲起色一點。咳痰也稀少些。神志清爽得多。病機很有轉機的希望。所以這天的藥方。也變更了。他認爲病勢雖然是火熱的現象。但是不應再用清潤藥。被奸人加了辛熱的藥。反而病勢轉機。他用藥有相當的把握。但是病家有奸人作怪。一定是有死無生。所以他决心去研究這個問題。到城裏之後。不回醫寓。先到藥舖裏查明買桂枝乾薑的人。又到某南貨店裏去找尋趙鑑堂的姊夫吳吉甫。

做櫃上先生的人。身不離店。張醫生一找就找到。大家互問姓名之後。張醫生就說我有要事密談。吳吉甫就領到一間密室坐下。張醫生就問道。趙鑑堂是你何稱。他的病你知道麽。他在上海他家裏的事你知道麽。吳吉甫答道。趙鑑堂是我妻舅。他患病回家。內子已經去望過一次。至於他家裏的事。豈有不曉。張醫生又問道。趙鑑堂的夫人。有一個姘夫。你知道麽。吳吉甫答道。這事不甚明白。但播言早經耳聞。我也不便管理。張醫生又道。現在你妻舅的生命。恐怕不死於病。乃死於姘夫之手。你知道麽。這時候。吳吉甫也怒氣冲冠說。我叫內子趕快下鄉去看看他。張醫生說尊夫人去服侍病人。是最好的方法。但是也須要忍耐。事事要留意。至於病症由我竭力療治。雙方也要嚴守秘密。方可以不至誤事。言畢就此告別。

吳吉甫知道金錢的母親。有愛昧情事。已經好久了。所以很相信張醫生的話。急忙跑到家裏。吩咐他妻趕快下鄉。服侍親弟。也照張醫生的話。吩咐她要事事忍耐留意。所以吳夫人立刻動身到娘家。一看親弟病狀。並不十分沉重、心裏又歡喜。知道弟婦離家配藥買物。心裏又懷疑。又憂愁。恐怕弄出什麼花樣景來。原來金錢的母親。因爲第二次法子又不靈。急忙跑到王宅。偏偏王福根不在家。等候了二個多鐘頭。也不回來。一時無法找尋。所以配了藥。買點物就回來。但晨光已經很遲。一見吳夫人在家。只曉得平常的望病。至多住了一夜。明天一定就要回去。所以毫不介意。次日。金錢的母親又假說姊姊在這裏多玩幾天呢。吳夫人老實不客氣答道。我家裏沒有要事。弟弟有病。情願多服侍他幾天去。所以吳夫人就長住在娘家。煎藥煑茶。都件件幫助。並不退後。金錢的母親。也行不出什麼花樣景。

張醫生自從改變了用藥的方法。每天到趙宅來診病。越加當心。用溫化的藥。比較用清潤的藥。來得有效驗。咳痰漸漸地少了。胃納漸漸地多進了。精神和睡眠。也興奮而且安當。所以張醫生對於這病。已進有相當的把握了。

金錢的母親。雖然常常到城裏去。和王福根碰頭。但是因爲吳夫人在家。萬難施行什麼「花樣景」。似乎說不出的痛苦。另外也想不出什麼辦法。過了三星期。趙鑑堂病體漸漸起色。越加有痊愈的希望。張醫生囑他城裏來養病玩玩。自然更加容易痊愈。後來吳夫人就請趙鑑堂到城裏。她的家中來養病。又過了三星期。趙鑑堂病體漸見復原。胃納也很開。喜歡常常跑到張醫生裏來閑談閑談。說起來。總是十二萬分的感激張醫生。但是張醫生常常微笑道。你是絕處逢生。不一定是我的功勞。有一天。他的阿姊吳夫人。認爲阿弟病體復原。對於他家裏的事務。總要有一種相當的解決。所以她把他的妻和王福根姘識的事情。都一概告訴明白。趙鑑堂雖然忿怒得很。但是經許多人的勸解。也忍耐過去。只謀相當的解決。所以趙鑑堂病愈之後。在家裏預備宴客。仍然出門去。告別親戚。正在親戚團聚的時候。趙鑑堂突然提出預備和他的妻離婚的條件並不十分嚴厲。「假使他的妻能夠和王福根斬斷情絲。那末仍然夫妻和好。這一次同伴到上海去。租小房子。假使他的妻不能夠和王福根斬斷情絲。那末請她離開趙宅立刻光身驅逐出去」。許多親戚都認爲條件不錯。都請金鏤的母親。自行解決。這時候。金鏤的母親。忽然淚珠盈眼道。總是我命苦。女流沒有主心。被壞人誘惑。請許多尊長格外寬宥。我也不願意住在鄉下。因爲鄉下已經出名出譽。我情願跟着金鏤的爹。一仝到上海去。度苦生活。言畢。許多親戚。都拍手稱歎。認爲大事已經解決。所以一場戀愛史。從此告結束了。後來趙鑑堂臨行的時候。又去告別張醫生道。老先生常常說我絕處逢生。我初初也莫明其妙。現在我知道我的生命和家業。眞眞是絕處逢生。多謝老先生。有機會再來報恩罷。

——（完）——

夫妻反目的原由

昨天晚上。隔壁王家夫妻倆。鬧了一場。驚擾得我不能睡覺。後來今天早晨。我導問王家奶媽。他們夫妻反目的原由。據說王師母叫王少爺買陳皮梅。到了晚上。王少爺買了陳皮梅回來。王師母嘗嘗陳皮梅。味道很不好。不像從前似的向冠生園裏買來。原來是向他處買來。是假冒的。所以味道不好。王師母忿怒得很。王少爺糊裏糊塗。還要和王師母瞎說。所以鬧得驚天動地。後來王少爺明白市上冒牌的很多。也知道錯誤。嗣後買物件。要注意牌號和商標。買陳皮梅尤其要牢記冠生園裏的生字商標。這時候。王師母也寬恕他。一場夫妻反目的風波就平息了。

本刊代售處

地點	地址	代售處
上海	山東路五馬路口	中醫書局
杭州	延齡路	開明書店
		西湖小說林書局
南京	太平路	花牌樓書店
	太平路	中央書局
蘇州	觀前大街	小說林書社
		交通書局
紹興	大路	敎育館
	大街	育新書局
常州	城內	常州申報分館
鎮江	中山路	中央書局
常熟	大街	醉經閣書局
	寺前大街	常熟書局
松江		世界書局
平湖		綺春閣書局
無錫		文華書局
南通		翰墨林書局
安慶	龍門口	世界書局
皖北	正陽關	世界書局
南昌	中山路	江西書店
開封		龍文書局
漢口	保華街	現代書局
長沙	南陽街	亞光書局
天津	法租界二十六號	天津書局
	河北五馬路北	大生書局
北平	米市大街	江東書局

地點	地址	書局
福州	南街	左海書局
梧州	大中路	文淵書局
瓊州	海口北門馬路	文教書局
雲南	昆明市文明街	寶訓書店
成都	青石橋中街	中國圖書公司
	祠堂街	北新書局
重慶	商業場西二街	振亞書局
萬縣		中華書局
濟南	西門大街	東方書社
太原		晉新書社
西安	西安竹笆市	西北文化書局
廣州	雙門底	共和書局
汕頭	至平路	大東書局
	至平路	文明商務書局
廈門	廟橫街	新民書社
	中山路	樂育書店

本埠各報販均有出售

鈍根鬻書例

老友鈍根道德文章久已知名當世年來潛心佛學精修忍辱波羅蜜故其襟懷恬淡涵養冲和尤爲儕輩所欽服其書法古逸而秀媚飄然有仙氣識者咸謂字如其人百年後當爲無價之寶茲爲代訂潤格不過聊示限制云爾

聯　三尺以內二元　四尺五尺四元　六尺六元　八尺八元　盈丈十元　指定文句者加倍

屏　每條如一聯　壽屏加倍

中堂　視屏條加倍

匾額　每字二元　字大逾一方尺者加倍　二方尺以上再倍

墓誌　五百字以內五十元　多則每百字加五元

册頁　紈摺扇　每面四元　不作小楷

書面題籤　二元　惡劣書籍不題

名刺　二元　須縮製鋅版或雕刻銅版

先惠潤資　半月取件　限日倍潤

▲收件處各大牋扇莊

鈍根寓所五馬路浙江路清和坊四十七號　電話九一七九六

如鈍根不在家可向其義女鄭娥仙女士接洽　暑期在靜安寺路靜安寺　電話三三八五五

天虛我生　獨鶴　瘦鵑　代訂

◉本雜誌投稿簡章◉

(一)本刊以提倡衛生研究醫藥改善國醫之短而發揚其精粹爲宗旨凡海內外中西醫藥家豪惠賜鴻文或畫片不論自撰或譯述具有研究衛生醫藥意味者均所歡迎

(二)投寄之稿務須繕寫清楚以免錯誤並注明自撰或譯述字樣

(三)譯稿請將原文題目原著姓名書報原名日期詳細叙明

(四)投寄之稿本社得酌量增删投稿人倘不願他人增删者請於來稿註明

(五)稿末請註明姓名地址以便通信至登載時如何署名聽投稿者自定

(六)來稿登載與否恕不作覆如未登載之稿須欲寄還者請來稿聲明之

(七)本刊以灌輸醫藥知識提倡社會公衆衛生爲天職編輯者皆盡義務所以對於投稿諸君僅以贈閱本報爲酬

(八)投稿者請逕寄上海南成都路福煦路口輔德里念四號衛生雜誌社

衛生雜誌社編輯部謹啓

衛生雜誌第二期

中華民國二十一年九月出版

主編者 國醫張子英

校正者 國醫胡佛

發行者 衛生雜誌社

印刷者 衛生雜誌社

分發行所 中醫書局 上海山東路

分售處 各省書局及本埠報販

衛生雜誌定價表（費須先惠）

出版	月出一冊	全年十二冊
價目	大洋一角	大洋一元
附	郵費在內	國外加倍
注	郵票代洋以五分一分爲限	

⊙社址⊙ 上海雲南路甯波路口鏽壽里一百零九號 電話九一七一五號

冷熱水瓶

漢錩製造廠出品

註册

商標

原料高 造法精巧
質地堅 各式齊全
熱度久 可待時候
花樣美 價格底廉

秋風起矣，內經曰，「形寒飲冷則傷肺，」用熱水瓶保無慮，

國貨中之傑出爲居家旅行必需之品早經聲馳中外頗受社會歡迎

廠址
上海閘北中華新路寶昌路口

發行所
愛而近路富慶里 電話四二五七八

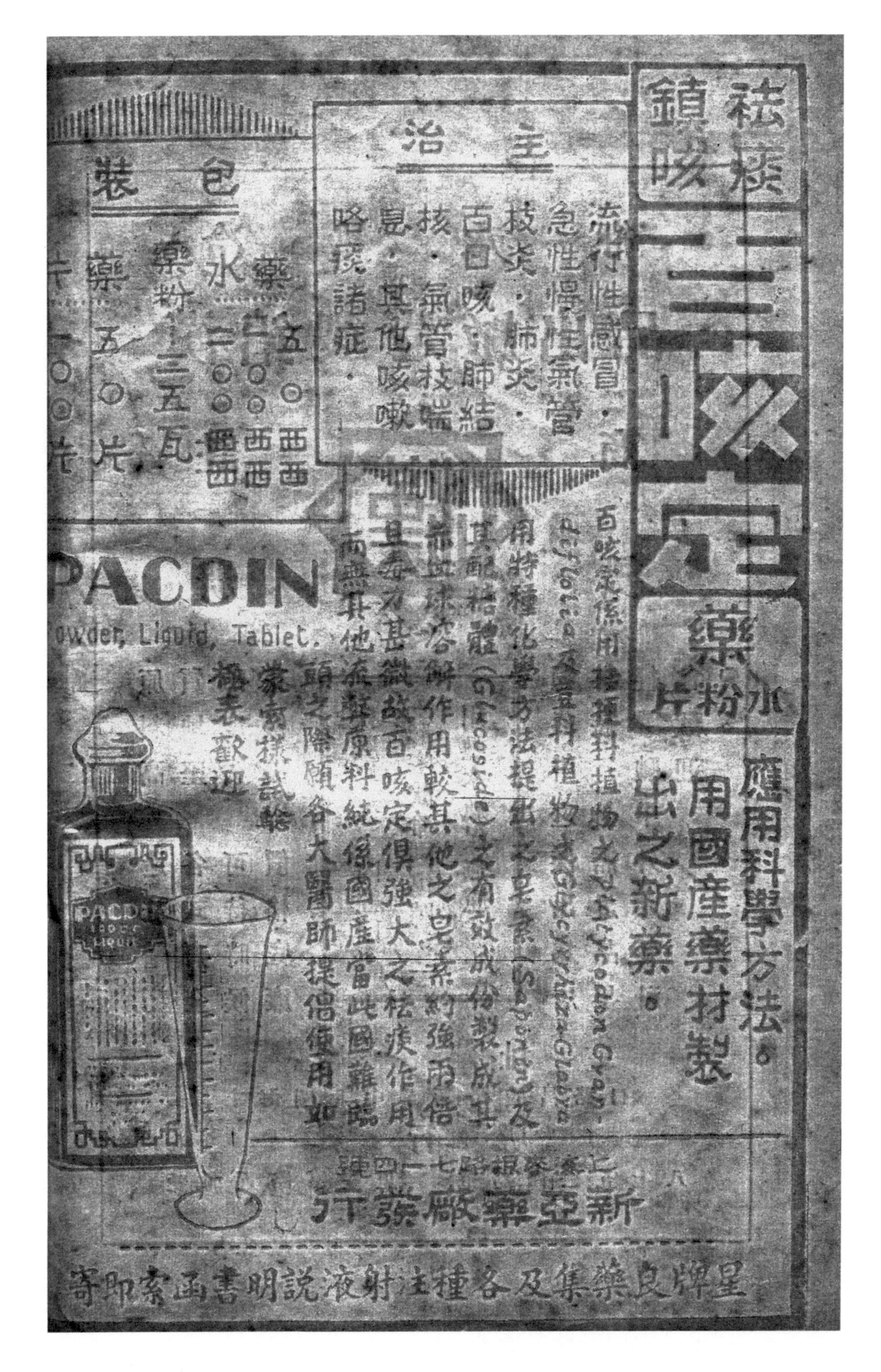
袪痰
鎮咳
百咳定
藥
水
粉
片
應用科學方法。
用國產藥材製
出之新藥。
主治
流行性感冒・急性慢性氣管枝炎・肺炎・百日咳・肺結核・氣管枝喘息・其他咳嗽咯痰諸症・
包裝
PACDIN
Powder, Liquid, Tablet.
新亞藥廠發行
星牌良藥集及各種注射液說明書函索即寄

HEALTH MAGAZINE
衛生雜誌
張子英醫士主編
胡佛醫士校正
第五期皮膚專號
中央研究院
精確之化驗
四川銀耳
本店新由產地運到大批正路銀耳。貨色真實。售價低廉。如不合意。保證退換。並著有銀耳說明書。無論本外埠承索即奉。
補品異彩
上海抛球場
四川商店謹啓
電話九二〇〇三

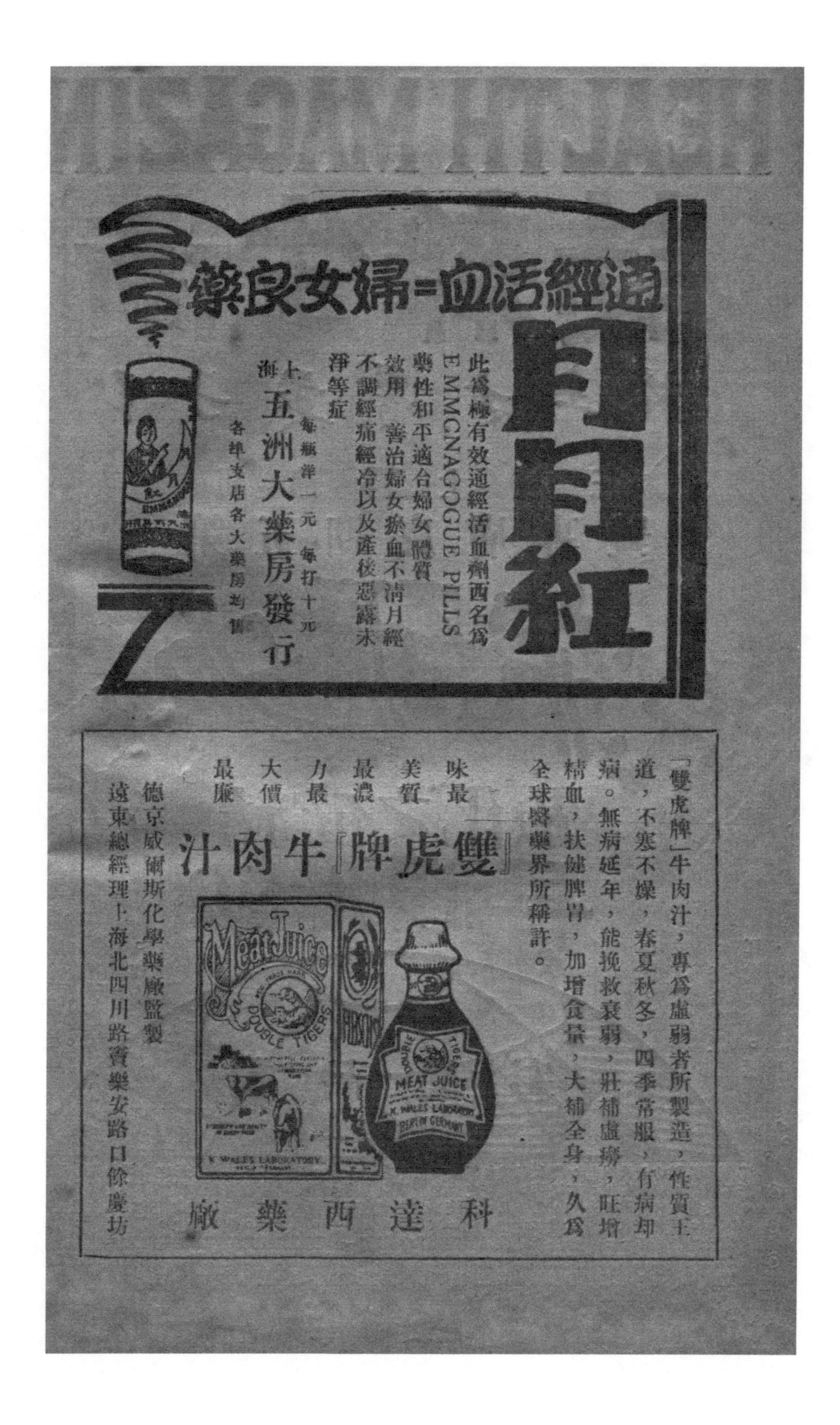
通經活血＝婦女良藥
月月紅
此爲極有效通經活血劑西名爲EMMGNAGOGUE PILLS藥性和平適合婦女體質效用 善治婦女瘀血不清月經不調經痛經冷以及產後惡露未淨等症
每瓶洋一元 每打十元
上海五洲大藥房發行
各埠支店各大藥房均售
「雙虎牌」牛肉汁，專爲虛弱者所製造，性質王道，不寒不燥，春夏秋冬，四季常服，有病却病。無病延年，能挽救衰弱，壯補虛癆，旺增精血，扶健脾胃，加增食量，大補全身，久爲全球醫藥界所稱許。
味最美質最濃力最大價最廉
『雙虎牌』牛肉汁
德京威爾斯化學藥廠監製
遠東總經理上海北四川路寶樂安路口餘慶坊
Meat Juice
DOUBLE TIGERS
MEAT JUICE
K. WALES LABORATORY
BERLIN GERMANY
科達西藥廠

老牌補品

獅力牌牛肉汁

▲德國瑪爾大藥廠出品▼

質地溫良　補力雄偉　用冷榨法提製有生精補血開胃健神之功　培本補元效力如神　男女老幼　日常服用　諸病不侵　永保康甯

▲全國各大藥房經售▼

中國獨家經理　**華達藥行**　上海南京路大陸商場五層樓

完全國貨
參汁
百靈
桂元膏
紅包一元五角 綠包一元
補血 添精 肥體 充腦
各大商號均有出售
電話九一五六九
五馬路廣福里
惠豐貿易公司經理
老年常服 耳目總明
幼年常服 發育健全
青年常服 精壯力强
婦女常服 調經活血
士界常服 記憶力强
農界常服 手足輕捷
工界常服 思想靈敏
商界常服 腦筋充足
(招請男女推銷員數位及外埠分經理)
四時咸宜

編輯者言

編者

到了冬天的時候。最可怕是凜凜的朔風。把嬌嫩的飢膚。吹得乾皺起班，或者甚至於局部紅腫。發生凍瘡。卽使本來很白嫩很艷麗的臉皮。也能夠變爲惡化的。所以研究皮膚的保護。也成了一個問題。又加愛美是全世界人們所同嗜的。對於美容的討論。也是本刊應盡的責任。尤其美容要適合生理衛生的方法去指導。使社會一般人們。得到美容的正當途徑。從事注意和愼防。所以本刊爲服務社會。指導康健計。這期就刊行皮膚專號。凡青年男女們欲求美容的正當方法。請格外注意些罷。

為張子英醫士啟事

杜月笙 徐慶華 呂岳泉 孫吉堂
王曉籟 鄔志豪 陸文韶 王鈍根
王延松 裴雲卿 俞福田 趙冲

古越張君子英幼年夠學精究岐黃壯年與其姻戚遜濟御醫太醫院徐起霖先生遊深得徐太醫祕傳醫術益彰如傷寒溫熱虛損痰嗽瀉痢雜症以及婦女經產小兒驚風痘瘄諸科辯析悉遵內經用藥別出心裁靡不藥到病除是以懸壺滬上數年於茲活人無算現為國難方殷減輕平民負担起見門診祇收四角一百文出診祇收二元赤貧者不計俾達仁術濟世之宏願爰為紹介以告病家之未識先生者

國醫張子英診例

科目　內科傷寒溫熱虛損痰嗽瀉痢等雜病婦女經產小兒急慢驚風瘄痘疳積諸症

診資　門診一元二角（平民祇收四角一百文）出診五元（平民祇收二元）路遠酌加赤貧不計

時間　門診上午九時至下午一時出診下午三時以後急症隨時面商

診所　上海英租界南成都路福煦路口輔德里念四號

本社敦請

湯有爲大律師爲常年法律顧問特此啓事

上海衛生雜誌社

社址上海雲南路甯波路口鏞壽里一百零九號　電話九二五〇二號

湯有爲大律師受任上海衛生雜誌社常年法律顧問啓事

本律師茲受任上海衛生雜誌社聘爲常年法律顧問嗣後關于該社信譽及版權一切法益本律師負依法保障之責此啓

法律事務所　上海海甯路天保里九號電話閘北第一百念號　六馬路一號(廣西路西)電話九二九零一

職務執行區域　上海第一二特區地方法院　江蘇高等法院第二三分院　最高法院　上海地方法院　吳縣地方法院及無錫分院　江蘇高等法院

全國名流薈萃之文藝半月刊

青鶴雜誌

陳贛一先生編纂 出版

文詞博雅 材料豐實 編制新穎 裝璜精緻

本志新舊相參，頗思於吾國固有之聲名文物，稍稍發揮，而世界思想潮流，亦復融會貫通，勤求理論，凡政治，外交社會經濟實業地理，文詞金石書畫目錄諸學，靡不兼收並畜，而孤本未刊本之精粹者，搜羅至十數種之多，期與國人交相討論，誠自有雜誌以來本有之盛，第一期現已出版，用十六開本，裝訂一巨冊，目錄如下，

以上各類專稿均按期刊載，尚有下列各孤本未刊本自第一期起亦次第編印

●嘉業堂藏書提要●姚姬傳先生遺著使湘脅日記●鄭文端公手寫樞廷載筆。圓明園直廬書札。使隴日記●孫仲容先生撰經微室遺文●鄭叔問先生遺著大鶴山人未刊稿●陳廣敷先生遺著霞綺集●同心並蒂蘭花館泉話附歷代古錢眞影●呂貞白先生著呂氏春秋斛補●陳彥通先生著嬰茀樓談薈●夏映庵先生撰窈窕釋迦室隨筆

以上皆孤本未刊本

特約撰述諸先生

丁福保 汪馥炎 周達 胡玉縉 孫雄 陳詩 湯漪 黃孝平 葉玉麟 謝霖

于右任 李拔可 林葆恒 秦更年 孫德謙 陳方恪 程頌萬 楊圻 劉承幹 羅惇㬊

王樹柟 李祖徽 冒廣生 徐沅 孫宣 陳鋆鈒 費保彥 楊增犖 蔣維喬 譚祖任

王蔭泰 吳敬恆 祁景頤 徐新六 袁思亮 梁鴻志 黃節 楊毓璈 錢基博 關賡麟 等

王西神 吳用威 柯紹忞 夏敬觀 傅增湘 梅光羲 黃濬 葉爾愷 錢承緒 一百餘人

呂傳元 吳湘帆 宣哲 夏仁虎 陳衍 章士釗 黃孝紓 葉恭綽 錢須彌

優待定戶簡章

（一）自國曆十一月十五日起。直接向本社總發行所預定全年（二十四冊）者。特價減收大洋五元。另加郵費六角

（二）此種優待辦法。以直接向上海四馬路望平街一六一號半本雜誌總發行所預定為限。代售處不在此例。

（三）特價本埠期限一月。外省兩月。限滿照定價全年二十四冊。七元二角。郵費六角。半年三元六角。郵費三角。不折不扣。外埠郵票代洋。九五折計算。自半分至五分為限。零售每冊大洋三角

（四）本外埠直接向本社批發者。百部以上七折。五十部以上八折。十部至三十部以內九折

上海四馬路望平街一六一號

青鶴雜誌總發行所

預告

本刊服務社會之一班

- 研究醫藥學術
- 灌輸醫藥常識
- 指導康健
- 提倡衞生
- 褒貶醫藥
- 介紹醫藥
- 改進醫藥

本刊進行之規劃

期	月份	專號
第四期	十一月份	續滋補專號
第五期	十二月份	皮膚專號
第六期	一月份	服裝專號
第七期	二月份	屋住專號
第八期	三月份	性病專號
第九期	四月份	兒童專號
第十期	五月份	痧痘專號
第十一期	六月份	時病專號
第十二期	七月份	續時病專號
第十三期	八月份	雜病專號
第十四期	九月份	婦女專號
第十五期	十月份	滋補專號

味精之聲譽

▲國民政府工商部
▲國民政府註册局均給予褒狀物食衛生
▲前內務部化驗證明認爲適合
▲前農商部頒有獎狀
▲上海市政府衛生局給有化驗書題有
品質純良可供食物之用
▲英美法三國政府專利局均給有化驗
證明專利發行執照
▲上海各大化驗室均有化驗證書
▲國內外各大博賽會均給有優等獎憑

味精

食物加味精少許。卽鮮美異常。用味精調味。所費極微。善烹飪者必用味精。味精係用化學方法。從麥麩中提煉精華而成。乃最適合食物衛生之調味粉也。

天廚味精製造廠創製

總發行所上海甯波路四二九號

國內外大商埠食物店均有經售

衛生雜誌第五期皮膚專號目錄

獅牌牛肉汁
真正老牌
謹防冒牌
際此冬令爲進補之候俗云「藥補雖好不如食補」獅牌牛肉汁質料純厚效力强大有藥補食補難得之功能强健體魄
暢旺精神
國民政府註冊
記明獅牌商標
上海可達公司
上海廣東路十四號

怎樣保護皮膚

張子英

人體的皮膚。具有抵禦毒液侵入內部的力量。和調節溫度。促進新陳代謝等功用。所以「保護皮膚」的問題。在研究衛生上。也占着重要。但是要知道保護皮膚。不僅使皮膚不碎傷就能了。尤其要使皮膚活潑潤滑。而且有光澤。在人體生理學上。要使皮膚分泌汗液亢盛。排除皮垢增多。就是促進血液循環和新陳代謝。原來皮膚在生理學上。也具有呼吸作用。不過極微而已。若是患病的人。必定皮膚憔瘁。毫無光澤。或蒼白色而不活潑。這都因爲皮膚血液循環衰弱。沒有分泌力和新陳代謝的緣故。所以初患感冒的人。醫生多用發表藥。促進分泌汗液。和新陳代謝。使感冒的邪。隨着汗液散脫。

從這樣看來。保護皮膚的條件。除了使皮膚不碎傷之外。還要使皮膚潤滑光澤。具有美化的色彩麼。

現在且把保護皮膚的方法。敘述如下。

(一)精神快活　精神快活。毫無愁悶抑鬱。是保護皮膚潤澤美化的第一條件。原來血液循環衰弱的病。太半起因於精神不快活。所以內經有二陽之病發於心脾的語。古人有心曠體胖的說。若能心境快活。精神活潑。那末皮膚自然潤澤光艷。決不致於憔瘁。

(二)適當運動　人體多運動。足以促進血液循環旺盛。於是皮膚的新陳代謝。和分泌汗液。亦隨之旺盛。而色澤光艷。

(三)甘淡食物　人體常多食鹹物。則皮膚每多乾糙。若常食甘淡而且滋養的食物。自然皮膚肥潤而美觀。

(四)常常洗澡　皮膚積垢不去。皮孔填塞。分泌汗液和新陳代謝。也不暢達。自然皮膚色澤惡化。若能勤於洗澡。也足以促進血液循環。使皮膚美化。

(五)睡眠適當　人們連夜失眠。面色就現惡化。原來神經困憊的緣故。若過於多眠。而失却運動。血液循環也發生影響。面色也能惡化。

(六)空氣新鮮　空氣是人們片刻不可缺少的物。不論何時。尤其要吸新鮮。或散步屋外。或多開窗戶。使不潔的炭氣。時常排除和調換。那末也是皮膚美化的條件。

(七)避免風日　凡凜烈的朔風。和酷暑的炎日。時常接觸。都能夠使皮膚惡化。這是人人知道的。不過要避防朔風的侵襲。除了採用化粧品之外。也沒法了。至於炎日。除避忌直射之外。光線也須時常接觸。否則恐怕皮膚成爲蒼白。沒有色澤了。

(八)愼防損傷　凡用竹片毛木和刀針等物的時候。常常要小心。須愼防損傷皮膚。或刺入皮膚。若不幸而皮膚遇有損傷。卽須用『來沙而』消毒。或包扎起來。

以上八條。對於保護皮膚的方法。大約已經差不多了。但是還有傳染梅毒呀。痧疹呀。天花呀。疥癩瘡呀。以及體內積久的蘊熱和濕毒。一旦發洩。等等皮膚病。尙一言難盡。總之須平時講究衛生。才得可以避免。

皮膚病與血液之關係

盛心如

血液者。所以榮養百骸。而皮膚之潤澤與否。卽可以覘其人血液之調暢與否。肌膚不仁。識營氣之衰。肌膚甲錯。知乾血之由。此則因血液中毒而累及於皮膚也。風客於脈。名曰癘風。寒入於血。脈陷爲瘻。此則因皮膚中毒而累及於血液也。是故皮膚與血液之爲病。類互爲因果。皮膚與外界空氣相接觸。欲免除皮膚病者。必當以調節其起居服飾爲第一要義，血液由飲食水穀所滋養。欲免除血液病者。必當以謹愼口腹嗜欲爲第一要義。然皮膚之抗毒素。必由血液中之抗毒素充分强盛。而始達於外。此節中醫之所謂營衛調和是也。營氣者。泌其津液。注之於脈。化以爲血。衛氣者。溫利分肉。肥密腠理。實充皮膚。亦營中以內守衛外而爲固之理耳。故欲考究皮膚之衛生。必先攷究血液之衛生，血液之滋養。既從飲食所資生。皮膚之衛生。復與外界相接觸。吾人當知所調節矣。

以上所述。爲免除皮膚病之根本衛生。玆進而言皮膚病之根本治療。其根本治療。當然以殺虫排毒爲第一要義。從皮膚中毒者。一面由皮膚用局部之外療法消滅其病毒。並可使從皮膚而吸收其排毒性於血液之中。成爲血液藥。一面則內服消毒清血藥。以排泄其血液中之毒素。是以除去內攻毒素爲根本之治療。其從血液中毒而達於外者。則根本從血液中排泄其毒素

。兼用外療法以消滅其局部之毒素。此中因果。主客之觀。決不容顛倒者也。故凡不論任何頑固性之皮膚病。內外兼療。期之日月。無不根本解決。攷西醫之皮膚科學說。類多根據於海波拉氏。（在西歷一千八百四十年左右）以皮膚病爲局部之疾患。因局部之原因而發生。以爲與血液無關。必依局部療法。無怪於頑固性之皮膚病。難期全愈也。其得痊愈者。則因局部之排毒素。由皮膚而吸收於血液之中。得

以漸漸肅清也。洎乎血清學（在西歷一千九百年）發明以來。有因注射血清而愈者。始知與血液有關。然有因血清之毒。而誘發其他病毒。致變生其他疾患。則又徘徊岐路。而束手無策矣。此無他。緣因果主客之觀。未能澈底明瞭。故於病理細菌解剖等學說。雖極分析詳細。而於一切排毒素之對症療法。猶未臻於根本之實際也。（作者按此種語調。並非攻訐西醫。誠以學說彼此各有短長。切望雙方融貫。爲全地球醫學界放一異彩。則中國醫學在最近之將來。必爲全世界之首席。東鄰之皇漢醫學派。卽是榜樣。徒作無意識之謾罵。不猶類於三家村之老嫗耶。）

美容的正當途徑

胡佛

大凡世界上一切的一切。多注重形態。尤其不論男性和女性。容貌艷美者。自然格外受人青眼。所以研究「美容」的問題。已經成爲青年男女們必須注意的事件。於是美容治標的化粧品。也應運勃興。幾乎青年男女們沒有一個不用。但是用化粧品來裝飾容貌。不過治標而已。至於眞正得了美容的程度。我認爲雖然是一個麻面孔。一定也能夠豔美。使旁觀者個個都贊美稱譽。原來假使一位麻面的青年女子。她的皮膚能夠白嫩而且潤澤。那末她麻面的凹處。可比花瓣的有凹處。也自然很艷美。所以美容的目的。必定要使皮膚白嫩潤澤。若皮膚不白嫩不潤澤。雖然是相貌很好。五官齊正。面局合式。也並不十分豔美。反之若皮膚白嫩潤澤。雖然是相貌不好。眼小或鼻坦。也很豔美可觀。

從這樣看來。求美容的目的。必定要使皮膚天生成的白嫩和潤澤麼。現在要把皮膚自然性的白嫩和潤澤。決非搽化粧品可以治療。原來美容的方法。自有正當途徑。寫在下面。

上海公館裏。許多小姐們和太太們的皮膚。既然不受朔風和酷日的侵襲。又加身體很安閑休養。自然很容易使皮膚美化。但是常常看見許多小姐們和太太們。雀班滿臉。或粉刺點點。或皮膚乾皺。這是什麼緣故呢。都因爲缺乏正當美容的途徑。原來許多小姐們和太太們。總是心境裡抑鬱不舒。或因細故。時常忿怒。或因妬忌。釀成憂悶。因爲婦女的虛榮心。尤其重大。隨時隨處適有不遂。都可以構成不快樂和抑鬱。使血液循環發生影響。面容隨之惡化。現在眞正欲求美容的正當途徑。還是要從心境裏着想。

心境裏恬談愉快。不憂不愁。不抑不鬱。時時暢遂自樂。那末日常所食的滋養物。就化成血液和細胞。皮膚裏血液和細胞充滿。自然白嫩而且潤澤了。中醫所謂思慮傷脾。脾主飢肉。憂慮足以使飢肉瘦削。而皮膚現惡化。

所以美容的正當途徑。除開不可受朔風和酷日的侵襲。和常食滋潤腸胃的食物之外。必須要使心境快樂。那末血液循環增進。自然皮膚嫩澤可愛。

預告怕生凍瘡者

楊則徐

冬天到了。天氣冷了。萬惡的凍瘡。也隨着來了。眞討厭。手上。耳孕上。一生了凍瘡。使得人怪難看的。就是脚上生了凍瘡。也是覺得非常不方便。所以任何人。一聽見說是凍瘡。誰也縐起眉頭的怕它。希望凍瘡再也不要光顧他。但是心裏是怕的。而又不曉得預防之法。凍瘡跑上身來。坦然的納他。單是嘴裏喊怕。有什麼用呢。現在我有幾個預防生凍瘡之法。借這皮膚專號的地位。介紹給各位。各位如果能履行我的法子。自然包你不會生凍瘡。

按凍瘡一症。乃由於皮膚受寒。氣血稽留而成。所以預防凍瘡之消極的方法。就是勿使受寒。但是一般的人。大多數的不能夠辦到。那末。再進一步求積極的方法。

若要不生凍瘡。須要使皮膚上所受的溫度。不可遽冷遽熱。每見有一斑人。手上冷了。就到熱水裏去煖一煖。或到火上去烘一烘。使得冷熱互激。而致肉死形損。其有不生凍瘡者几希矣。敝人前兩年。每年須生凍瘡兩三個月。大約是怕冷的原故。但是越怕冷。越會生凍瘡。自從學得預防法之後。近年來迄未生過。可見凍瘡也是一個欺弱怕强者。何況其他呢。哈哈。其法如下。

一、如覺足冷。可至門外跑步若干。使足熱爲度。切勿畏冷而烘火。

二、覺手冷。可蘸燒酒互擦之。亦以發熱爲度。如無燒酒。乾擦亦可。惟不可太用力。用力則易致擦痛。

三、覺耳朵冷時。卽用兩手揉之。揉至耳紅發熱爲度。

四、能飲酒者。每工作前飲上好高粱一杯。以流通血氣更佳。

五、從屋外冷空氣中。遽然跑進有火爐之室中。切勿急靠火爐。

六、早晨洗面時手冷。切勿急入熱水中。宜緩緩入之。最好先將兩手擦熱。然後入之。

七、每日早晨及睡前。須用肥皂。將手洗淨。勿使積留一點宿垢油膩。卽是每次作用力或汚穢之工作後。亦須用上法洗之。

八、每日睡前。用溫水洗足一次。如不能。每隔二三日亦可。蓋有積垢者。亦可誘起凍瘡也。

九、如能一冬勿用脚爐。湯婆子。熱水袋。則更佳。

皮膚毛竅開闔敏捷是康健的表現

張子英

人體之上。種種器官。俱有極神秘之機能。尤其皮膚。更有極神秘之作用。就是調節體溫。人體有時皮膚覺得怕冷。有時皮膚覺得怕熱。卽是皮膚之毛竅。施行開闔機能之緣故。蓋皮膚之毛竅。遇體溫熱則開。而散洩體內之熱。遇體寒冷則闔。而保護體內之熱。有自然作用。所以夏令酷熱。人體毛竅常開。冬季嚴寒。人體毛竅常闔。其由冬季因運動用力。而體溫增加。則毛竅亦開。其由夏季因納涼乘寒。而體反寒冷。則毛竅亦闔。是毛竅之開闔。原無定時。原無定位。隨人體之動靜。外界之感觸。而施行開闔。若毛竅開闔不敏捷。就易患疾病。蓋夏季燔熱。毛竅不開。則捫熱而死。冬季嚴寒。毛竅不閉。則風寒易入爲病。所以虛損家。內熱熾盛。毛竅常開。易受風寒。康健者。毛竅開闔自然。雪天裸體。不受感冒。誠以人體之皮膚毛竅。爲放散體內之熱。與拒絕外界之風寒。有自然之開闔性。如開闔不敏捷。卽是虛弱景象。開闔敏捷。卽是康健之表現。再進一步言之。虛弱者。夏日雖炎熱而無汗。康健者。冬日稍運動。卽汗出如流。此無他。皮膚毛竅之開闔。有敏捷與否之不同也。

皮膚美化和惡化的實驗報告

昌言

皮膚的美化和惡化。從事實上告訴我們。常常隨着人們的環境而變遷。一般相命先生。就從這一點。判斷人們眼前的吉凶。似乎覺得很靈驗很准確。值得他騙飯吃的本領。不過我替他說破來。就不值錢了。原來人們環境很佳。心裏很快樂。不憂愁。不抑鬱。自然皮膚呈美化。可以斷定其眼前生意興隆。運道極好。假使人們環境困苦。憂心積慮。所行不遂。或遽遭虧耗損失等情。自然皮膚呈惡化。可以斷定其眼前生意失敗。運道不佳。所以皮膚的美化和惡化。常常隨着人們的環境而變遷。現在有兩個實驗的報告。寫在下面。便可知道我所說這句話。一點兒不錯了。

（一）我的表兄m君。在甯波路B錢莊裏管賬多年了。他自從交易所裏做投機生意失敗之後。負債很多。一般債權人。時常到他的店裏來催索。因此他店裏的經理先生。忿怒起來。把他的職業停歇了。可憐的m君。從此失業。東荐西託。找不到生意。手頭又很拮据。若去告貸麼。一般友人多白眼視之。心裏又憂鬱。又懊悔。不應該去做交易所裏的投機生意。足足失業了四年。眞所謂囚首垢面。面帶黧黑。不像二十多歲的青年了。後來他有一位師兄。組織了新錢莊。新做經理。m君幸而承他提携。得了司賬的職務。這月新錢莊裏。m君和經理人。因有師兄弟之誼。做事一切很順手。很稱心。他的環境就改善。心裏就快活。不到幾個月。我遇着m君。幾幾乎不認識。原來他的面容和皮膚。就很美化。變爲很白嫩而潤澤的青年了。

(二)我的妹子。是我們兄妹隊裏頂幼小的一位。她在家裏。眞所謂上有父母兄弟。家務不要她管。母親尤其慈愛她。吃着眞所謂要風得風。要雨得雨。實在是人生最快樂的沒有了。所以她二十多歲的年紀。皮膚是白嫩得似雪花一般無二。終日逍遙自樂。但是自從她出嫁之後。她受着許多環境的壓迫。她心裏常常憂悶不快活。原來她的婆婆時常和她爭鬧。她的丈夫又是喜歡嫖賭。常常因爲勸導而夫妻反目。所以她處了這樣環境。不過一年的辰光。她的面容和皮膚。就黃瘦而帶乾皺，差不多較未嫁之先老

要保持牠的艷麗，还靠着你的培植

中国近现代中医药期刊续编・第三辑

了十年。完全惡化了。

從以上兩個實驗的報告。就可以證明皮膚和人們的環境。有密切的關繫。所以若要考究美容。便不得不去改造自己的環境。或者改造環境。是很不容易的一回事。請改造自己的心境。任何重大任何急難的事。不要擺在心裏。坦然處之。能夠常常自找快樂逍遙就是了。

爲臉上疹粒勸告青年男女們

自新

夫妻愛情彌篤。是人們的天性。但愛情濃厚。總不免多動色慾。這是稍有知識的男女們。恐怕都知道多動房事有傷身體的。我也不庸多說了。現在我要勸告青年男女們。就是很微細很隱藏。人人不留意的事。

夫妻愛情彌篤。大約晚上總是同枕熟睡的居多數。同時未熟睡之先。總是夫妻並頭。或雙口吻接。或兩頤緊貼。到了熟睡之後。各人的口氣冲出來。觸着臉上皮膚。就發生疹粒。如接吻而睡。有時口氣觸着咽喉。也能夠發生喉痛。原來腸胃火盛的人們。全仗口裏呼出火氣。熟睡的時候。呼出的火氣。更加重大。也就是呼出的毒素很多。最容易使臉上發生疹粒。再冬天的時候。如被頭蓋面而睡。鼻腔和嘴邊。也容易發生熱疹。甚至於破爛。亦所難免。簡單的治法。就是飲桑葉薄荷湯。或用桑葉薄荷汁熏洗。以上所說的。請青年男女們注意罷。

怎樣稱健而美

才人

從前談中國婦女的才貌。「有無才便是德。」「嬌小玲瓏。」這兩句話。查婦女無才能。任憑男子使喚。當然是天然的德行。婦女軀態嬌小玲瓏。以便男子玩弄。實屬孱弱現象。這種見解。到了現代的潮流。已覺得很陳腐不適宜。對於選擇婦女的軀態。就都要選擇「健而美」爲標準。原來孱弱的婦女。雖美而乏趣味。若强健而又豔美的婦女。自然有特殊的趣味。夫婦之間。有長時間的愉快。和意想不到的歡樂。但是强健的婦女。總是脚脛很粗壯。面龐皮膚很粗糙。不是譏她鄉下婦人。就是說她粗蠻得很。美麗的婦女。總是瘦弱得很。步履像蟻般緩。不是譏她身弱無能。就是說她女流之輩。怯嫩得很。所以要選擇「健而美」的婦女。事實上告訴我們，實在很難。現在要選擇怎樣稱健而美呢。就是肥壯得要皮膚白嫩。筋骨堅實。步履如飛。行動活潑。面皮白嫩而且要有神采。處處表現强健的態度。同時不論舉動行走。都要顯出豔美的姿勢。尤其眼波。更加要有神采。使人人一見而非常羨慕。那末就稱健而美。還請高明者指正罷。

現金徵稿

本刊爲改善內容。增進閱者興趣起見。定於第六期刊行服裝專號。第七期刊行住屋專號。凡關於服裝住屋問題之衛生研究稿件。不論醫藥界專門家婦女界學生等。俱可投稿應徵。長短隨便。祇須含有提倡衛生意味者。一經登出。每篇酌酬現金自一元至十元。酬金標準。計質不計量。來稿字跡須繕寫清楚。並注明通訊地址及姓名蓋章。來稿不登欲寄還者。須預先聲明。來稿寄上海南成都路輔德里念四號本刊編輯處張子英醫士收。

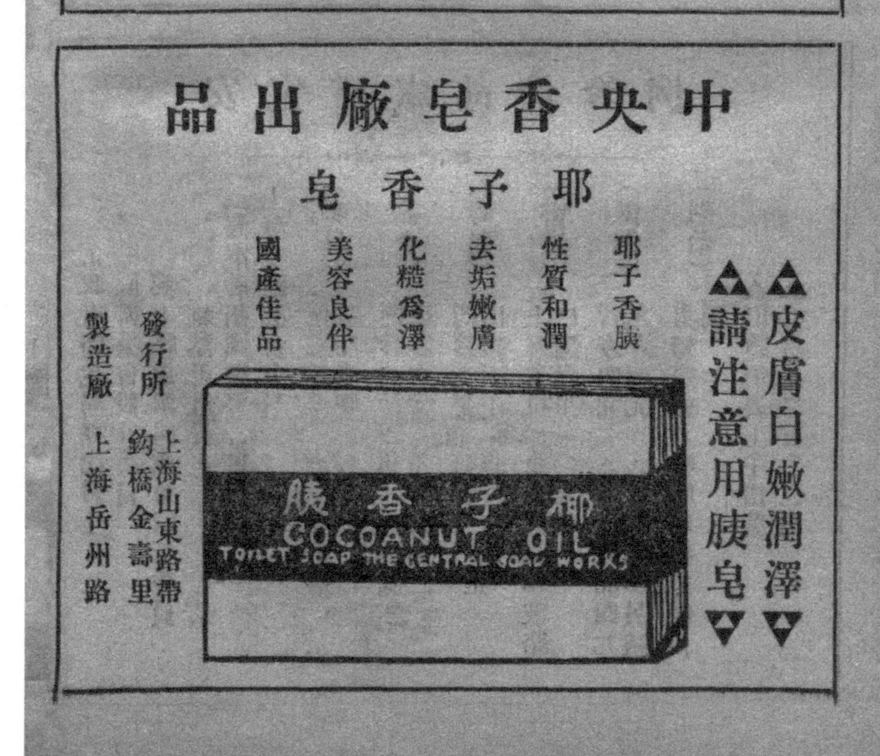
耶子香皂
皮膚白嫩潤澤
請注意用胰皂
耶子香胰
性質和潤
去垢嫩膚
化糙爲澤
美容良伴
國產佳品
椰子香胰
COCOANUT OIL
TOILET SOAP THE GENTRAL SOAD WORKS
發行所 上海山東路帶鉤橋金壽里
製造廠 上海岳州路

永和實業公司出品

■永美霜■ 品質優美裝璜美觀優等國貨價廉物美倘蒙惠顧無任歡迎

總發行所 上海老北門內民珠街

門市部 上海江西路五馬路口

門市部 電話一七六一七

老西門和平路 新開

大同生國藥號

■特設■

接方送藥部 代客煎藥部

參燕補品部 醫藥問津部

電話一九二一號

凍 瘡

當面消退

保險不生

初發凍瘡痛癢將藥水擦三次立刻消退買一瓶免脫潰爛痛苦每瓶四角◎凍瘡已爛者請用凍瘡萬靈膏去腐生新一盒除根永不復發每盒四角上海新新公司後貴州路永和藥局

敬祝各界

新年進步

■請用國貨■

雙斧牌油漆

■出品摘要■

各色厚漆 調合漆 磁漆 嗶呢士漆 木器漆 鉛粉 鉛丹 生胡麻子油 熟胡麻子油

開林油漆有限公司出品

製造廠及總事務所 上海江灣西體育會路

胃病靈藥
開胃靈
上海佛慈大藥廠

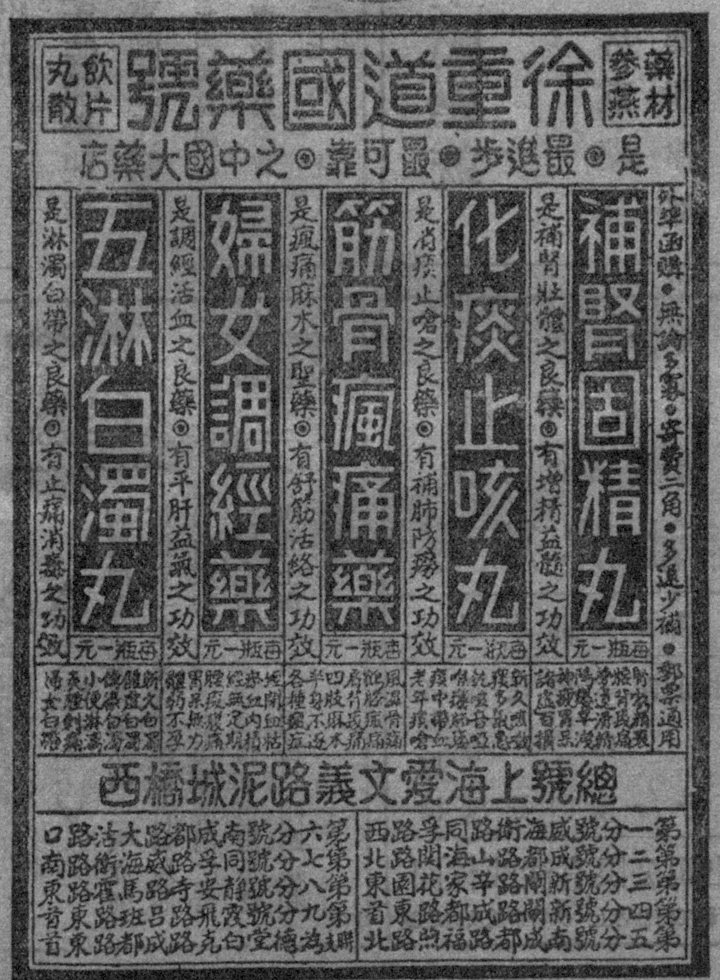
藥材參燕
徐重道國藥號
飲片丸散
是最進步◎最可靠◎之中國大藥店
外埠函購◎無論多寡◎寄費二角◎多退少補◎郵票通用
補腎固精丸
是補腎壯陽之良藥◎有增精益髓之功效
每瓶一元
化痰止咳丸
是消痰止嗆之良藥◎有補肺防癆之功效
每瓶一元
筋骨瘋痛藥
是瘋痛麻木之聖藥◎有舒筋活絡之功效
每瓶一元
婦女調經藥
是調經活血之良藥◎有平肝益氣之功效
每瓶一元
五淋白濁丸
是淋濁白帶之良藥◎有止痛消毒之功效
每瓶一元
總號上海愛文義路泥城橋西
第一分號威海衛路同孚路西
第二分號成都路山海關路北
第三分號新閘路辛家花園東
第四分號新閘路成都路東首
第五分號南成都路福煦路北
第六分號南成都路大沽路口
第七分號同孚路威海衛路南
第八分號靜安寺路馬霍路東
第九分號霞飛路呂班路東首
鴻德堂白克路成都路東首

衛生小問答

張子英

（問）皮膚發癢何故。

（答）衛氣行而不暢。則皮膚神經覺癢而難忍。多濕之人。濕氣由皮膚發洩而不暢。遂亦覺奇癢。

（問）皮膚觸嚴寒時之冷風。發現紅色何故。

（答）皮膚遇極嚴寒之冷風。體溫不及抵抗。局部之血液循環停止。故局部之皮膚發現紅色。

（問）面上多雀班刺點何故。

（答）面上局部多瘀血。或皮膚新陳代謝發生障碍。或搽鉛質花妝品等。都能夠發生雀班與刺點。

（問）皮膚痲木不仁何故。

（答）風濕久客於皮膚。局部之血液循環障碍。皮膚神經呆鈍。所以痲木不仁不知痛覺。

（問）皮膚乾皺何故。

（答）人體營養缺乏。或老年血液虧耗。則皮膚之細胞組織缺乏蛋白質與脂肪。所以皮膚發現乾皺狀態。

（問）皮膚生癬何故。

（答）局部之皮膚傳染微生蟲。盤踞繁殖。或手足關節等處。留濕不去。積久生菌。皆能成癬瘡而奇癢難忍。

（問）皮膚多疹粒。奇癢手不釋抓何故。

（答）肥壯之人。濕熱久蘊。由皮膚發洩而爲疹粒。洩而不暢。所以奇癢。尤其夏季濕土當令。此症尤多。

（問）小兒面色黃瘦。將發何病。

（答）小兒面色黃瘦。是將發積食疳癆等症。

（問）平人面色過於光亮。將發何病。

（答）平人面色過於光亮。尤其印堂透明。是胸有飲邪之兆。將發痰飲症。

（問）平人皮膚過於肥白而胖。有何害處。

（答）平人皮膚過於肥白而胖。難免陽虛多病。必見痰咳。必須飢肉結實。方爲無病。

（問）婦女面黃樵瘦是何故。

（答）婦女面黃樵瘦。必有抑鬱不遂。致心不生血而面色無華。內經所謂二陽之病發於心脾是也。

（問）病後皮膚出白痦何故。

（答）皮膚出白痦。多見於濕溫症。蓋當汗不汗。皮膚反受風寒外襲。其熱鬱遏皮膚。不得外泄。所以皮膚如粟起白痦。

（問）小兒皮膚發現紅疹。何以知為發痲疹。

（答）小兒發熱三四日。咳嗽頰紅。眼眵淚如水狀。鼻常噴嚏。或大便泄瀉等症。兼皮膚發現紅疹。即可斷定其發痲疹。宜愼避風寒。服發食。令其透洩。

（問）皮膚發紅班。何病使然。

（答）傷寒溫熱時疫病。陽邪入裏。胃熱甚而向皮膚發洩。多出紅班。通常稱為白虎湯症。

銀耳有改造皮膚的功效

半僧

這摩登化的時代。一切的一切。都從摩登化的路徑走向去。總算是很榮耀的一回事。尤其摩登婦女。裝飾的。穿着的。都也從摩登化。住在靜安寺路。有一位S摩登女子。她的臉上。偏偏地生成了硬黃色。和班點滿佈似的。很不雅觀。雖然裝飾得十分摩登。她自己常常慚愧。覺得常常被人瞧不起。所以她常常心裏不快活。尤其到跳舞場裏。和遊戲場裏。看見許多摩登女子。桃花般的臉。和白藕般的膚。她更加羨慕得很。自己更加覺得慚愧。有時候。甚至於胃口不開。胸中很煩悶，大便秘結不通了。有一天。她因為有這樣疾病。所以來請B醫生診治。但是B醫生診畢之後。也說不出什麼病症。不過因為氣血衰弱。相火太旺。所以B醫生告訴她。也不必多服藥。最好常吃銀耳。使滋潤腸胃。生津降火。後來她依了B醫生的話。就常常吃銀耳。不料吃了二個月之後。大便常常通順。面色漸漸地白嫩起來。臉上的班點。漸漸地滑滅起來。成了桃花般的臉。和白藕般的膚了。後來B醫生說。銀耳滋潤腸胃。把濁瘀消除。大便通暢，飢膚自然白嫩。還有銀耳滋肝腎。降相火。自然心鏡不煩悶。逍遙快樂。班點不生了。這就是銀耳有改造皮膚的功效。

冬令皮膚之保護

繆曙初

天寒凜烈。溯風怒號。我人處斯嚴寒之冬令。皮膚每見燥裂。於斯時也。若不加以保護。則皮膚易受損傷。年復一年。易呈老態。故我人欲常保其容顏。是非加意研究其保護皮膚之術不可。爰述所知。錄告讀者。

冬令因空氣受寒氣之收縮。空氣中所含之水分，已消耗殆盡。故人之皮膚。不若春夏之滋潤。甚至有起裂紋者。斯則受天時氣候之支配。但人定勝天自能設法以彌補之。況近代科學昌明、對于皮膚之治療。至精且審。毋待再事杞憂。至於皮膚爲病。如癬疥。瘰癧等等。均爲平時不注意保護之弊。而於冬令。則尤爲切要。今欲保護皮膚。宜多洗臉洗浴，蓋冬令空氣中水份已缺。而使人皮膚起燥裂作用。自當多用水洗。以補救之。同時以上等香皂徐擦之。至其雪花膏及香蜜之備用。尤爲保護皮膚之要品、至其質料。咸須選用上等質料。如含鉛質。非惟無益。反致貽害。是以吾人宜注意之。苟能善自用之。自能常駐其容顏也。

國醫出版界最近之偉大貢獻——編輯國醫課本之先聲

全國醫學校教材編輯委員會理事 秦伯未氏主編

國醫講義六種‖出版

第一種 藥物學講義 上編概論……指示藥物運用之方法 下編分論……指示各藥功能之鑑別

第二種 生理學講義 上編概論……指示生理之研究方法 下編分論……指示形臟之生活現象

第三種 診斷學講義 上編概論……指示診斷之要旨 下編分論……指示診法之施用

第四種 內科學講義 上編概論……指示學習內科之關鍵 下編分論……指示各種疾病之證治

第五種 婦科學講義 上編概論……指示學習婦科之關鍵 下編分論……指示各種疾病之證治

第六種 幼科學講義 上編概論……指示學習幼科之關鍵 下編分論……指示各種疾病之證治

編制力求新穎明晰。運用科學方法以整理一切舊籍。取材根據教材編委會所定原則。務使確實效驗人人可學可施。以期適應於一般醫校及私人教授生徒之用。秦氏本當代名醫。亦爲醫校名教授。更爲著作界名宿。此書之出。貢獻於國醫界者非尠。允宜人手一編先覩爲快也。全書凡三十餘萬言。連史紙精印。磁青封面。仿古裝訂；凡八厚册。布函一套。實售洋五元。外埠加郵費五角。零售亦可。計藥物一元。生理五角。診斷八角。內科一元四角。婦科八角。幼科八角。（凡醫校團體購滿二十部者九折。五十部以上八折。惟以總發行處爲限。）

經售處 上海四馬路中大東書局 三馬路中千頃堂書局 山東路十三號中醫書局

總發行處 上海小西門內尚文路第一九四號秦氏醫室

中央研究院科學化驗之新發現

軌物

四川銀耳富有類似亞拉伯膠質
亞拉伯膠質可直接注射體內助長血液

四川銀耳之功效。雖婦孺皆知其滋陰補腎。療肺病。咯血。以及男女虧弱等症。無不治之。但皆為服食後人士經驗所得。去年本埠拋球場四川商店。為求銀耳準確之效能。并銀耳之產地。究以何地為最佳。乃以各處出產之銀耳多種。請求中央研究院胡澤君。作科學上精確之化驗。以為將來採購之依據。除最佳之產地地名。該店保守秘密外。銀耳之功效。并所含之特有補質。經該院化驗結果。由科學社出有四川銀耳之研究一書。茲摘錄其精要於下。俾全國人士。對於四川銀耳之為無上補品。更深一層之認識。并免再年耗鉅萬金錢。以購莫明其妙之舶來補品。此則尤望我全國中西醫學界人士之努力提倡介紹者。

摘錄原著數則於後

(一)銀耳之功效。滋陰潤肺。止咳。生津。清熱。治肺病。痔瘡。咯血。胃炎。婦女白帶。下血。大便秘結。一切虛弱等症。并能預防喉症。

(二)銀耳之成分。採用韋爾氏之有機物分析法。尋出碳。氫。氯。氮。磷。鐵。硫。鈉。等原素。

(三)銀耳之膠質。其水煮溶液中，提出一種樹膠質。經蒸發後。即呈不結晶之半透明固體。此新物遇濕即現粘性。尋出其中有五碳糖。六碳糖。以及磷。酸。其性質與結構。恰與亞拉伯樹膠相類。

(四)實驗後所見。生牛乳加酸。即凝成厚塊難化。倘先攪和亞拉伯樹膠。再行加酸。則凝為細絲或不凝結。故銀耳有助消化。主治胃炎。便結。諸症之效。

(五)銀耳補血液。戰場上流血過多者。注入百分之六之亞拉伯樹膠。以之填補血液。而有良好結果。故銀耳有主治咯血。下血。强身。健腦。

之效。

接亞拉伯樹膠。雖有助消化補血液之功能。但含有其他質性。不能直接入口服風。銀耳既具有亞拉伯樹膠之功能。而無亞拉伯樹膠之缺憾。洵爲不易得之珍物也。蓋人胃納消化力强。大便又能通暢。食量自增。精神益健。百病卽無隙可入。亞拉伯樹膠注入體內、尙可助長血液。今銀耳直接食下。其滋生血液之效。當十倍於注射。故銀耳確爲新舊醫理中之最穩妥補劑。觀此益信矣。至於四川商店。能不惜以鉅價之多量銀耳。作科學上準確之化驗。俾服食銀耳之人士。更多一層選擇之經驗。金錢不致等於虛擲。此種爲顧客利益設想之商店。頗不多見。殊令人贊美者也。

咳嗽證治概說

吳寶穀

咳嗽一證。初起恆基於風寒者較多。殊不知咳嗽一症。視其病症。雖然似屬輕微。而成咳嗽之病原實夥。人多不察。以爲咳嗽爲感受風邪之一種外感病症。無足輕重。每多遷延失治。以致病症加劇。甚則因此而成虛勞之證。醫治爲難。至可慨也。

夫咳嗽之爲病也、無痰而有聲者爲咳。無聲而有痰者爲嗽。有痰而兼有聲者爲咳嗽。此古人已先我而言之矣。更毋庸余之嘵嘵也。然傷於肺氣則爲咳。動於脾濕則因咳而爲嗽。人身肺臟嬌嫩。受邪卽病咳嗽。是其原因不外乎氣不條達之故。經云臟腑皆有咳嗽。但咳嗽爲肺臟之病。何以又謂臟腑皆有咳嗽。是眞令人撲朔迷離。不能索解者也。蓋咳嗽之病。有自外而入者。有自內而發者。自外而入者。則外感於風寒暑濕燥火六淫之侵襲。自內而發者。則內傷於七情饑飽臟腑之所損。感於風寒暑濕等六淫者。其侵襲於人身。皮毛先自受之。肺主皮毛。故外感之病證。莫不先自皮毛而入。欲傳臟府。亦必先從皮毛而始入裏。此乃自外而入者也。傷於七情饑飽之臟府病者。是內有所損。其氣上逆。五臟之邪。上蒸於肺。肺爲人身呼吸出入之道。邪侵於肺。肺受其邪而爲嗽。此乃自內而發者也。大抵傷於風者而嗽。喉間作癢。鼻塞惡風。自汗發熱。其脈浮滑。以防風。前胡。桔梗。半夏。杏仁。疎散風寒。潤肺化痰。治之無不立瘥。感熱而嗽者。痰老而黃。吐之不爽。口渴脈數。宜黃芩。竹茹。杏仁•象貝。桔梗等。清熱袪痰治之。感寒而嗽者。發熱惡寒。無汗鼻塞。脈緊。二陳湯加蘇子。葛根。杏仁。桔梗。治之亦愈。感暑而嗽者。則面赤口渴。心煩。脈洪大。白虎湯治之。感濕而嗽者。身重有汗。小便不利。此多乘熱入水。或驟遇暴雨。濕衣未脫。致有此病。治宜白朮酒主之。其餘因燥因火而嗽者。則俱係熱嗽。以治熱嗽之法加減可已。至於七情饑飽。無非傷及臟府正氣。以致邪氣上逆。而成咳嗽。治宜理氣爲先。四七湯加杏仁。五味子。桑白皮。人參。阿膠。麥冬。枇杷葉。治之。亦有肺虛陰傷之症。或因房勞過度。傷及於腎。或因水涸金枯。肺苦於燥。是則當宜補腎補肺爲治。總之咳嗽一症。言之似屬平常。而一究其虛實。則其病多端。決不如世人所視之簡單。故受病以後。三日不愈。即應求醫。否則危險孰甚。患病諸君。慎毋忽諸。

中西醫學術之趨向

公平

西醫學術與中醫學術。同爲治病痊愈。保障人類之康健而設。本無大分別可言。不過西醫精於醫療器械。處處示人以實質上之觀念。中醫學尚理論必須治療痊愈而始知神秘莫測。且西醫之藥多金石。中醫之藥多草木。西醫採取精華。服食簡單。中醫多用原料。煎汁麻煩。西醫之藥多反應。中醫之藥毫無流弊。以客觀之眼光觀察之。中西醫藥。實在各有長處。各有短處。處此中西醫藥各自竭力掙扎。圖榮存於世界之秋。於是近來中醫力謀改進。如崇尚實質。採用醫療器械。藥料提取精華。使服食簡單等等。所謂力求西醫化。近來西醫亦圖改進。如以冰帽沃熱之不可靠。硫酸治療之有反應。悍烈之金石藥不合於人體等等。所謂力求中醫化。觀夫中西醫學術之趨向。目前並不背道而馳。現在正對面而行。吾恐不久之將來。中西醫學術。必陶冶爲一爐。而世界醫術之進展。蓋更上層樓矣。

煤毒預防及救急法錄

上海市衛生局發出通告云。市民們。天氣冷了。大家都要裝火爐取暖。你們還記得從前常有中煤氣毒而死的慘劇嗎。從前像北平等處。亦常有此等慘劇。後來有了經驗。曉得預防同急救方法。這個害處已經除掉了不少。本局現在特爲向大家解說一下。(一)中毒的原因。煤球或煤塊在未曾燒到極旺的時候。發出一種氣體。名爲一養化炭。這個氣體是無色無臭的。往往不易覺察。若是多聞之後。呼吸就會緊促。面紅頭暈。神思不清。好像喝醉了一樣。中毒過深。就要送命。就是輕的。也要害幾天病。(二)預防方法。在屋中燃燒煤料或炭火。一定要裝煙囪或出氣管。如其沒有煙囪管或出氣管。必須要在屋外空氣充足的地方。燒得極旺之後。方可搬到屋內。加煤炭時。亦要這樣做。又屋內燃有煤炭。必須把沿空的窗門。敞開一二處。使得屋中空氣。與戶外空氣流通交換。夜間睡眠。最好不要再燒煤炭等物。如其仍舊燒着。門窗切不可關得密不通風。總而言之。房內燒東西的時候。一定要使得戶外的空氣。與屋內的空氣。可以充分底流通交換。屋中的人。亦要常到戶外舒散舒散。(三)中毒急救法。不幸而中了煤氣毒的人。快把他移到空氣很暢的地方。把他衣服解鬆。實行人工呼吸法。其法如下。把中毒人的衣服解鬆。使他平臥。而以枕頭等物。把他的背部墊高。使他肺部可以張開。站在他的頭後把中毒人的兩臂。慢慢的由前抬起。伸展過頭。然後慢慢的放下到脅之兩側。輕輕平壓。照此反復行之，至中毒人蘇醒始止。蘇醒之後。仍須延醫調治，纔能回復健康。否則潛伏病根。不可不愼。最好一面急救。一面速請西醫診視。以上所講的。是很平常的知識。因爲有人還不懂。所以常有中煤氣毒死的慘聞。此番通告。望大家隨時留心。不可大意。特此通告。

顧誠敎醫士診例

小兒推拿專家

（科目）專門幼科推拿

（診金）門診八角八十　出診本弄一元　華界一元六角　美租界二元八角　英租界三元六角

（診所）閘北寶山路口頤福里三十五號

（時間）門診上午八時至一時　出診下午二時至五時止

（附例）出診上午掛號（遠則遞加）（深夜加倍）外埠出診另議（貧病不計）

君欲得高尚位置乎？
君欲學專門技能乎？

君欲謀職業乎。苟欲增相當之學識乎。君欲成一有名之人乎。君欲如願以償者。請速報名。函授住讀面授均可。與原有職務毫無妨礙。茲免費招男女生。祗收講義等費。半年畢業。將來希望無窮▲有志在軍政界服務者請入（公文人才養成所）▲有志在報界服務者請入（新聞記者養成所）▲有志在商界服務者請入（商業傳習所）本校已設十餘年索詳章附郵三分

上海霞飛路求是學校校長陶建華啓

譚雲珊書例

楹聯　四尺二元　五尺三元　六尺五元

堂幅　照楹聯加倍

屏幅　照楹聯例

榜書　每尺一元　三尺以上每尺三元

摺紈扇　每柄元半

名片　每件一元

茲爲優待國醫界同仁起見凡由本社介紹屬書上述各件者潤資照例對折收但以百件爲限

收件處衞生雜誌社張子英醫士

雷允上誦芬堂藥店

◁冬令補品▷

六神丸　人參再造丸　四腿虎骨膠　關鹿角膠　陳頭清阿膠　龜鹿二仙膠　龜版膠　鱉甲膠　大山人參

◁地址▷

總號蘇州城內閶門中市大街第一百十九號門牌

電話一九五號

分號上海民國路興聖街口第二百五十一二號門牌

電話八二五八六號

本刊衛生顧問章程

(一)本刊經大衆訂閱者之要求。闢設衛生顧問欄。以便醫藥上疑難問題。及病因症治藥性等。作公開之討論與研究。若依本章程投函詢問。當即照來函解答。

(二)重要問題。除依來信直接通函答覆外。本刊得隨時將答案。披露。以便同志之研究。

(三)疑難之答案。須檢查醫籍。詳細考慮者。至遲須一個月可以答覆。

(四)不答覆之問題如下。(一)來信記述不詳者。(二)詞義不明者。(三)要求立得藥方者。(四)無關醫藥者。(五)委託評論藥方之是非者。(六)本社同志學識所不及者。(七)無覆信郵費者。(八)無衛生顧問劵者。但不答覆者。不答覆之理由。覆信聲明。

(五)來函概用中式紙張。繕寫清楚。附覆信郵費一角三分。並附寄下列衛生顧問劵一個。

(六)來函寄雲南路鏞壽里一百零九號本社收。

衛生顧問劵

衛生顧問

編者

▲周孝清君問。小兒頸項生核如豆核大。摸之頗堅硬。有時夜間煩哭。乳食尚照常。有何法可使其消滅。是否有潰爛之虞。乞求指示治法。

(答)小兒頸項生核。與瘰癧相仝。純陽之體。相火偏旺。熱痰流注頸項之經絡。積爲痰核。治法宜滋陰清相火。兼利氣降痰。如小兒發壯熱。或該核腫大。卽須潰爛。處方如下。

粉丹皮三錢。炒白芍二錢。元參二錢。浙貝母二錢。陳皮一錢。生牡蠣五錢。如有他症再加另藥。此方長期服食。可以漸消。

▲吳寶生君問。鄙人年二十七歲。近來因過事勞乏。新發生一種胃脘飽悶病。胃口不開。毫無滋味。有時雖然覺得甚嘈。但食物依然乏味。胃口不開。請求治法。

(答)尊恙未詳細示明症狀。諒無其他不良病狀。可服佛慈大藥廠出品「開胃靈」。必有效驗。且甚簡單。請向西藥房購買。

▲王東生君問。鄙人每年冬季要生凍瘡。今年雖然天氣溫和。脚跟上已稍腫起。請求如何治法。

(答)閣下每年患凍瘡。可依本刊本期楊則徐君述之凍瘡預防法辦理。

■醫藥雜訊

工部局籌議牛乳消毒辦法

工部局衛生處長。在上次衛生委員會會議時。提出一保證界內牛奶品質之計畫。緣據局中獸醫員之意見。對於界內乙等牛奶。雖已施行種種取締方法。仍不免爲疾病之原。牛體傳染之肺癆。在上海雖不多見。但傷寒與痢疾。或由牛乳傳染。該醫師建議。由工部局建立一新式消毒廠。以便將乙等牛乳實行消毒。約計此廠購地建造與設備。需銀二十五萬兩之譜。但如對於送來消毒之牛乳。每一派脫特取費銀三分。則此廠尙可贏利。而無須以捐稅開支。

故衛生處長周登博士。對於此議。或其他善策。擬請予以考慮。或者可使私人經營此事。代理財政處長稱。對於乙等牛乳消毒之利於衛生。深表同情。惟當此財政緊迫之際。一切臨時費。只能以市政上絕對必要者爲限。消毒廠似不能認爲絕對必要。故對設廠之議。難以贊成。嗣由委員會主席稱。此廠如設。似乎工部局將與甲等牛乳廠爲營業的競爭。事雖有益。似以任由私人辦理爲宜。或者乙等各廠能聯合經營此事。衛生處長答稱。該廠等有無此財力。殊屬疑問。如將現行執照章程加緊。限令乙等牛乳必需消毒。其結果或將該乳廠等驅出界外。更致無法管理。且各廠自行消毒。致乳價增高。於較苦貧之用戶。殊爲不便。而本局須四出派員監察。亦不勝其煩云。繼某委員云。界內牛乳。現已供不應求。渠意或者可將飲用與烹調用分爲兩類。俾消毒之議。可以實行。旋經討論之下。各委員均認牛乳有普行消毒之必要。且係有利之營業。如公衆周知本局之意向。則當有私人願辦此廠。爲詳細考慮起見。應派三人組一小委員會。審議後再行報告。各委員對此問題亦皆再加考慮。以便下次再議。並由衛生處長將乙等各廠主之國籍。及各廠產量。抄送委員會參考。此案經於二十一日提出董事會。董事會贊同所採之辦法。

國醫公會大會記

上海市國醫公會。前日。舉行第三屆會員大會。到者一千二百餘人。由薛文元。丁仲英。謝利恆。郭柏良。傅雍言。爲主席團。賀芸生楊彥和紀錄。徐橘香司儀。按照秩序禮後。首由丁仲英致開會詞。郭柏良報告經濟。次敎育局長潘公展。市黨部代表毛澐。社會局饒强生。衛生局趙蟾等。相繼致訓詞。國醫分館李績川。來賓玉慧觀。等演說。旋經議決各案如下。(一)增加委員額數案。議決。照提案審查委員會之提案通過。(二)國藥業漂製藥品太求美觀。恐減藥效。擬請遵古炮製案。議決。通過。交執委會辦理。(三)通告國醫界。推行免費診治。

以惠貧病案。議決。通過。（四）徵求全市國醫加入本會案。議決。通過。（五）醫士方箋。應有統計案。議決。原則通過交執委會確定妥善辦法執行。（六）擬訂醫士公約。以資共同遵守案。公決。通過。（七）即開始投票選舉。

國醫公會改選揭曉

上海市國醫公會前日假座甯波同鄉會舉行會員大會。討論會務。改選委員。並決議本屆增加委員額數。茲聞該會連夜開票。結果丁仲英。蔣文芳。等二十七人當選爲執行委員。許半龍等九人爲候補執委。謝利恆。傅雍言。等九人爲監察委員。陳漱庵等五人爲候補監委。

永安利止咳藥梨附送贈品

本埠南京路香粉弄對過。永安利餅乾糖果公司。秘製止咳藥梨。功能清肺止咳。順氣化痰。每罐照成本祇售二角五分。近爲酬答主顧起見。特加贈品。凡購止咳藥梨一罐。概贈小茶餅乾一包云。

協和醫院開幕

紅十字會救護第一隊長海宗啓醫師。集合慈善家在英租界愛多亞路籌設上海協和醫院。有頭二三等病房數十間。男女醫師看護二十餘人。昨日正式開幕。到各界男女來賓百餘人。自即日起。對於貧病免收診費。已實行開診云。

社會小說 清官難斷家常事（續）

天涯

和煦的春光。映照着玻璃窗。習習的溫風。催人解脫棉衣。庭間的桃花。和盆上的月季花。都顯出令人可愛可喜的景象來。道路上一般紅男綠女。盤桓着。遨遊這清明節又加植樹節的快活日。這陳家村太史第陳府裏的庭間。又加百花齊開。萬卉爭艷。尤其愉快得很。許多家人都來遊玩。只有曉雲冗坐在房間裏。愁愁悶悶過病體的可憐生活。但是外面許多人。那裏知道她的苦楚呢。只知道她因爲大腹便便。難乎爲情。心裏含羞。所以不敢出來。陳府裏許多家人。除了曉雲的婆婆之外。都這樣揣測。曉雲的婆婆。雖然常常和曉雲說。「病體在身。必須延醫服藥。方能痊愈。」但是曉雲仍然不願意服藥。有一天。陳太太惡意似的要想證明曉雲大腹便便的緣故。特地請了一位醫生來診曉雲的病。這時候。因爲醫生已到陳府。曉雲也無法了。只好任便醫生診察。但是醫生到了陳府。早有陳府裏的僕婦。告訴醫生說。「小姐和孫少爺發生戀愛。肚腹碩大了。」這位醫生。把這句話雖然印着腦際。但是仔細診察。不像受孕。又很知道陳太史家裏的事。很難理會的。所以這位醫生說。這病不敢斷定什麼病。另請高明罷。就此辭退。陳太太一想。這醫生很聰明而且滑稽。明明是胎孕。因爲是小姐們。不敢說出來。後來陳太太又請了一位醫生來診察。原來這位醫生。是陳太太的表侄。尤其奉承陳太太的意思。所以就斷定她是受孕。這時候。曉雲雖然忿惔得很。但也沒法子。只好忍氣吞聲過去。陳太太就把這位醫生診斷過的話。寫信去告訴陳太史。叫他回家。

這位兩袖清風。政聲四播的陳太史。得了陳太太的家信。催促回家。正在心裏躊躇而且掛念的時候。忽然接着上諭。去巡撫江浙兩省。着立刻起程。陳太史因此得了這個機遇。可以返家一行。就此吩咐侍役。預備行李起程。（未完）

本刊代售處

上海	山東路五馬路口	中醫書局
杭州	延齡路	開明書店
		西湖小說林書局
南京	太平路	花牌樓書店
	太平路	中央書局
蘇州	觀前大街	小說林書社
		交通書局
紹興	大路	教育館
	大街	育新書局
常州	城內	常州申報分館
鎮江	中山路	中央書局
常熟	大街	醉經閣書局
	寺前大街	常熟書局
松江		世界書局
平湖		綺春閣書局
無錫		文華書局
南通		翰墨林書局
安慶	龍門口	世界書局
皖北	正陽關	世界書局
南昌	中山路	江西書店
開封		龍文書局
漢口	保華街	現代書局
長沙	南陽街	亞光書局
天津	法租界二十六號	天津書局
	河北五馬路北	大生書局
北平	米市大街	江東書局

福州　南街　左海書局
梧州　大中路　文淵書局
瓊州　海口北門馬路　文敎書局
雲南　昆明市文明街　寶訓書店
成都　青石橋中街　中國圖書公司
祠堂街　北新書局
重慶　商業場西二街　振亞書局
萬縣　中華書局
濟南　西門大街　東方書社
太原　晉新書社
西安　西安竹笆市　西北文化書局
廣州　雙門底　共和書局
汕頭　至平路　太東書局
至平路　文明商務書局
廈門　廟橫街　新民書社
中山路　樂育書店

本埠各報販均有出售

The "MAGAZINE" also directs sufferer and consumer the way of obtaining doctors and medicines. Especially, those experimental chemicals will be recommended. So the sufferers and consumers will keep our publications as the best guidance. Chemical dealers will also keep our publications with all efforts, since these publications are full of medical and chemical studies. In short the "MAGAZINE" will effect the public in a continuity since so much related to the society is the "MAGAZINE", and so important is the problem of health, evidently of two kinds of medinine, the one which is advertised in one publications will of course be purchased in the larger quantity.

Advertising Rates

Position	Space	Rate For Each Issue
Front Cover (Outer)		Mex. $ 30.00
Back Cover (Outer)	Full Page	Mex $ 30.00
Front Cover (Inner)	Full Page	Mex. $ 20.00
Back Covey (Inner)	Full Page	Mex. $ 20.00
First Page Opposite Inside of Front Cover and Back Cover	Full Page Half Page Quarter Page	Mex. $ 16.00 Mex. $ 10.00 Mex. $ 6.00
Ordinary Pages	Full Page Half Page Quarter Page	Mex. $ 12.00 Mex. $ 8.00 Mex. $ 5.00

登衛生雜誌廣告之利益

▲至少有二十萬人注意
▲有長時間的效力
▲能使購買者一致信用

本刊以不偏不倚之立場。秉最公正之態度。予中西醫藥以相當之評論。優者褒之。發揚之。使購買者益堅其信仰之心。次者勉勵之。改進之。期日臻於至善。劣者警戒之。揭破之。以啓其覺心。而免社會之受患。並聯絡當代中西名醫。藥業巨子。抒其所見。發爲文章。藉供醫藥界之借鑑。衞生家之津梁。本刊每月出版一冊。定價一角。由各省書局暨南洋各商店本埠各報販擔任推銷。每期印行二萬冊。假定平均每冊得十人傳觀。則本刊閱者至少可得二十萬人。即至少有二十萬人能見本刊所登之廣告。

本刊指示病家及消費者。以選擇醫藥之途徑。對於實驗藥品更加極力介紹。則病家及消費者。亦將奉本刊爲醫藥之南針。必加意保存。又本刊記載研究醫藥學術之結晶。則業醫藥者。亦奉本刊爲珍寶。勢必更加保存。決不如新聞紙之明日黃花。是本刊廣告實有長時間之效力。

本刊與社會。既如上述。關係綦重。況且衞生問題。人人宜研究。有人人不可離開之勢。則同一效用同一精美之甲乙二種醫藥中。荷甲種能向本刊登載廣告。則購買者將一致信用。傾向於甲方。

衞生雜誌廣告例

地位	面積	價目
封面	大半頁	大洋三十元
底面	全面	大洋三十元
封面裏	全面	大洋廿元
底面裏	全面	大洋廿元
封面第二頁	全面	大洋十六元
	半面	十元
	四分之一面	六元
底面第二頁	全面	大洋十六元
	半面	十元
	四分之一面	六元
普通	全面	十二元
	半面	八元
	四分之一面	五元

一封面底面裏外均用二色套版印不另取資
一代製銅版鋅版費另加
一代繪圖樣費另加
一惠登廣告者贈本刊一冊

◉本雜誌投稿簡章◉

（一）本刊以提倡衛生研究醫藥改善國醫之短而發揚其精粹爲宗旨凡海內外中西醫藥家蒙惠賜鴻文或畫片不論自撰或譯述具有研究衛生醫藥意味者均所歡迎

（二）投寄之稿務須繕寫清楚以免錯誤並注明自撰或譯述字樣

（三）譯稿請將原文題目原著姓名書報原名日期詳細叙明

（四）投寄之稿本社得酌量增删投稿人倘不願他人增删者請於來稿註明

（五）稿末請註明姓名地址以便通信至登載時如何署名聽投稿者自定

（六）來稿登載與否恕不作覆如未登載之稿須欲寄還者請來稿聲明之

（七）本刊以灌輸醫藥知識提倡社會公衆衛生爲天職編輯者皆盡義務所以對於投稿諸君僅以贈閱本報爲酬但徵求之稿另有現金酬勞

（八）投稿者請逕寄上海南成部路福煦路口輔德里二十四號衛生雜誌編輯處收

衛生雜誌社編輯部謹啓

衛生雜誌第五期

中華民國二十一年十二月出版

主編者 國醫張子英

校正者 國醫胡佛

發行者 衛生雜誌社

印刷者 衛生雜誌社

分發行所 中醫書局 上海山東路

分售處 各省書局及本埠報販

衛生雜誌定價表 （費須先惠）

出版	月出一冊	全年十二冊
價目	大洋一角	大洋一元
附注	郵費在內	國外加倍
	郵票代洋以一分五分爲限	

◉社址◉ 上海雲南路甯波路口鏞壽里一百零九號 電話九二五〇二號

金獅牌熱水瓶
趙金記機器廠出品
熱度長久
熱度
比象
高強
瓶膽
完全國貨
AURUMLION
完全國貨
金獅牌
註冊商標
趙金記出品
廠址
歐嘉路歐嘉里四二四號
電話五一七九〇號
發行所
老北門大街金華號

祛痰鎮咳
百咳定
藥
水粉片
應用科學方法。用國產藥材製出之新藥。
主治
流行性感冒・急性慢性氣管枝炎・肺炎・百日咳・肺結核・氣管枝喘息・其他咳嗽咯痰諸症・
包裝
藥水……五〇西西 一〇〇西西 二〇〇西西
藥粉……二五瓦
藥片……五〇片
百咳定係用桔梗科植物之Platycodon Grandiflora及荳科植物之Glycyrrhiza Glabra用特種化學方法提出之皂素(Saponin)及其配糖體(Glucoside)之有效成份製成其赤血球溶解作用較其他之皂素約強兩倍且毒力甚微故百咳定倶強大之祛痰作用而無其他流弊原料純係國產當此國難臨頭之際願各大醫師提倡使用如蒙索樣試驗極表歡迎
PACDIN
wder, Liquid, Tablet.
PACDIN
LIQUID
上海麥根路七一四號
新亞藥廠發行
星牌良藥集及各種注射液說明書函索即寄

HEALTH MAGAZINE
衛生雜誌
張子英醫士主編
胡佛醫士校正
第六期服裝專號
血中寶
血中寶之功能
補血養顏
延年益腦
強壯身體
健胃發育
滋陰養血
種子調經
男女老幼强種聖藥
各大公司藥房均售
大罇二元
小罇一元
總批發上海二天堂分行
電話第二八七二號

講究衛生的家庭

請用

老牌國貨　亞浦耳電器

▲電火爐　▲電燈泡

▲電風扇　▲小電珠

▲馬達等

總廠上海遼陽路六十六號

中國　亞浦耳電器廠　電話總機50336

分廠上海鄱陽路二六一號

杜月笙 徐廣華 呂岳泉 孫吉堂
王曉籟 鄔志豪 陸文韶 王鈍根
王延松 裴雲卿 俞福田 趙 冲

爲張子英醫士啓事

古越張君子英幼年劬學精究岐黃壯年與其姻戚遜淸御醫太醫院徐起霖先生遊深得徐太醫祕傳醫術益彰如傷寒溫熱虛損痰嗽瀉痢雜症以及婦女經產小兒驚風痘瘄諸科辯析悉遵內經用藥別出心裁靡不藥到病除是以懸壺滬上數年於茲活人無算現爲國難方殷減輕平民負担起見門診祇收四角一百文出診祇收二元赤貧者不計俾達仁術濟世之宏願爰爲紹介以告病家之未識先生者

國醫張子英診例

科目　內科傷寒溫熱虛損痰嗽瀉痢等雜病婦女經產小兒急慢驚風瘄痘疳積諸症

診資　門診一元二角（平民祇收四角一百文）出診五元（平民祇收二元）路遠酌加赤貧不計

時間　門診上午九時至下午一時出診下午三時以後急症隨時面商

診所　上海英租界南成都路福煦路口輔德里念四號

衛生雜誌第六期服裝專號目錄

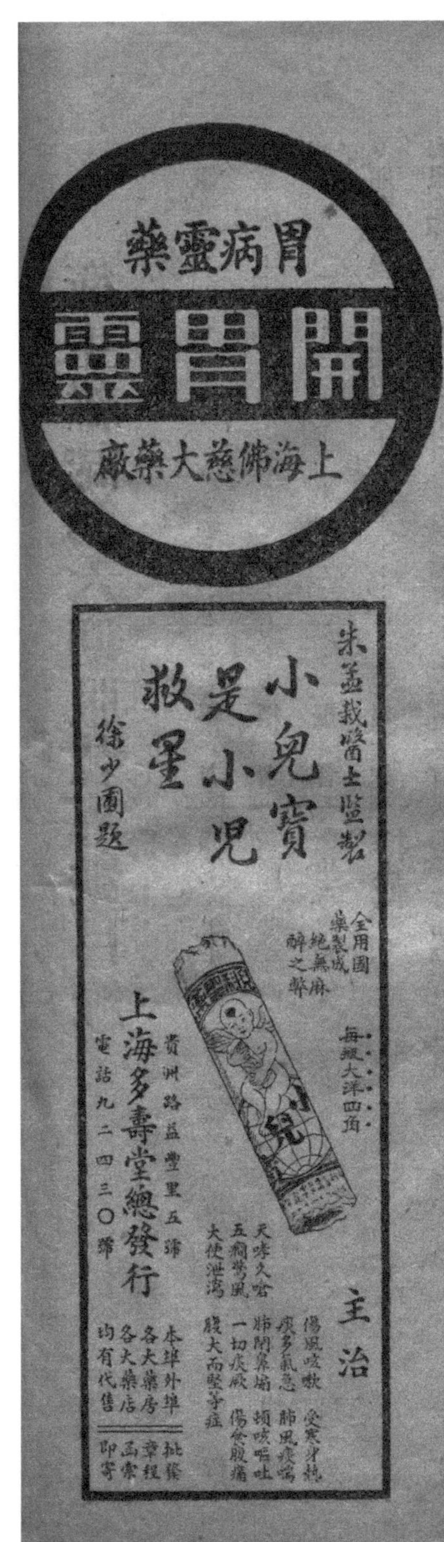

君欲得高尙位置乎？
君欲學專門技能乎？

君欲謀職業乎。苟欲增相當之學識乎。君欲成一有名之人乎。君欲如願以償者。請速報名。函授任讀面授均可。與原有職務毫無妨礙。茲免費招男女生。祇收講義等費。半年畢業。將來希望無窮▲有志在軍政界服務者請入（公文人才養成所）▲有志在報界服務者請入（新聞記者養成所）▲有志在商界服務者請入（商業傳習所）本校已設十餘年索詳章附郵三分上海霞飛路求是學校校長陶建華啓

雷允上誦芬堂藥店

◁冬令補品▷

六神丸
人參再造丸
四腿虎骨膠
關鹿角膠
陳頭清阿膠
龜鹿二仙膠
龜版膠
鱉甲膠
大山人參

◁地址▷

總號蘇州城內閶門中市大街第一百十九號門牌

電話一九五號

分號上海民國路興聖街口第二百五十一二號門牌

電話八二五八六號

編輯者言

編者

光陰很迅速。本刊創辦已經半年。本刊與社會相見。已經五期了。內容方面。雖然不敢自誇•但力求實際。不尙空論。尤其應着時勢。順着潮流去糾正和改進。庶幾本刊的服務社會。指導康健。希望收點些許的效力。這是本社同人的苦心孤詣。原來中國社會的人們。只知道盲從瞎仿。已經被歐風迷醉得麻木不仁。不知痛癢了。臉上雪花膏搽了像無錫大阿福般厚。頭裏烏髮蓬松得像惡鬼一樣。衣服奇形怪狀。尤其單薄得很。甚至於這嚴寒的冬令。只着短脚單袴的也很多。這種現象。不知道女性奇形怪狀到怎步呢。我實在莫明其妙。但是我默察這種奇形怪狀女性裝飾的形象。難免影響到身體健康方面。所以要樣地糾正社會盲從和瞎仿的不良風氣。特地把第五期本刊專載關於皮膚美化的正當途徑。第六期本刊專載關於服裝的生理衞生研究。使人們明白服裝爲衞生康健而設。是第一意義。爲美觀文明而設。爲第二意義。庶幾促進社會康健教育。喚醒摩登婦女盲從瞎仿的迷夢。那末也是本刊服務社會的天職。

本刊對於醫藥學術研究方面。也盡量願意露佈。很希望海內名醫碩學者。把自已研究有心得的醫藥學術。發表意見。供大衆的討論。原來學術無止境。越研究越加深邃。吾國醫藥學術的寶藏。還未啓發盡淨咧。

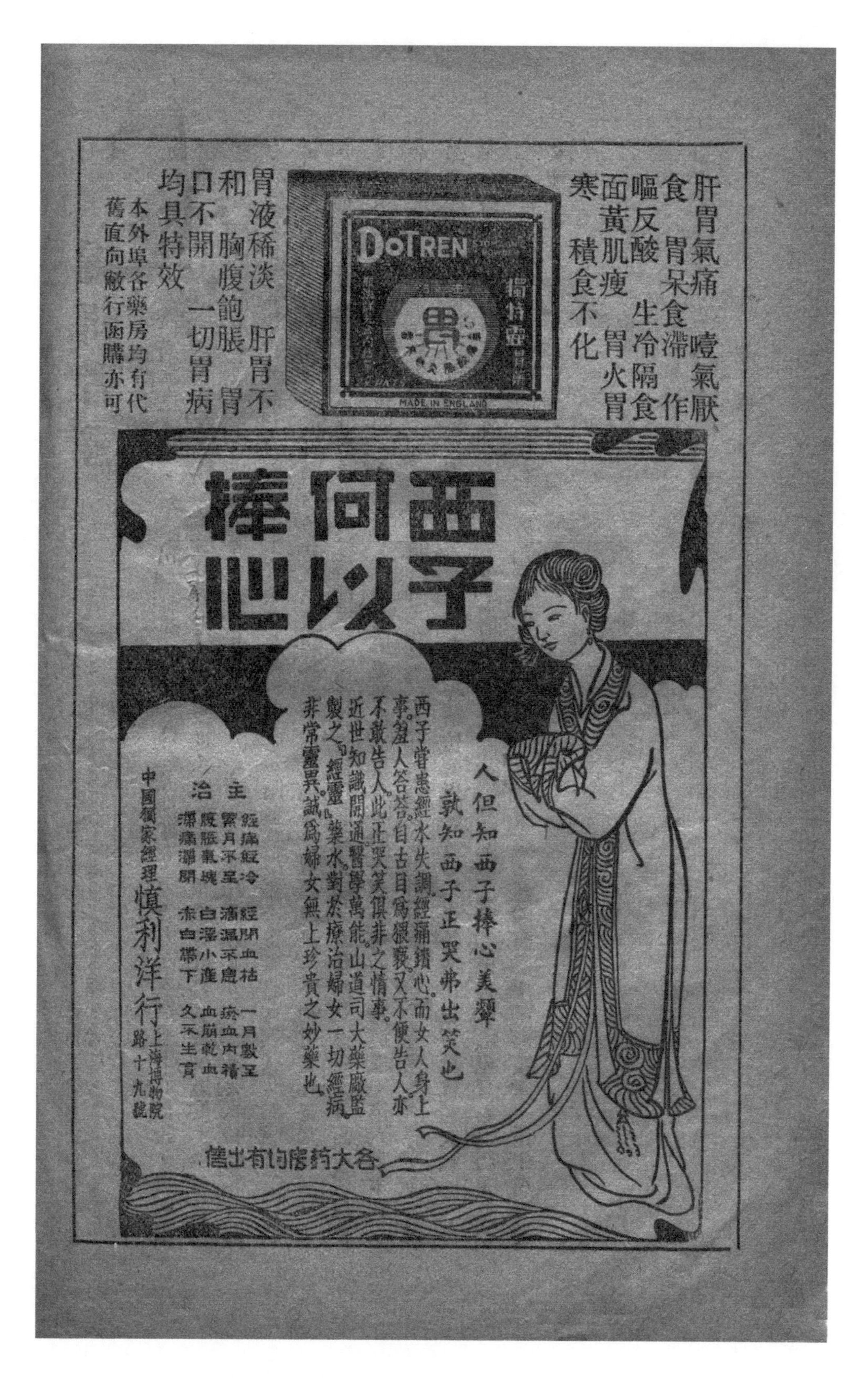
肝胃氣痛 噎氣厭
食 胃呆食滯 作
嘔反酸 生冷隔食
面黃肌瘦 胃火胃
寒 積食不化
DOTREN
獨特靈
胃
MADE IN ENGLAND
胃液稀淡 肝胃不
和 胸腹飽脹 胃
口不開 一切胃病
均具特效
本外埠各藥房均有代
售直向敝行函購亦可
西子何以捧心
人但知西子捧心美顰
孰知西子正哭弗出笑也
西子嘗患經水失調。經痛猶心。而女人身上事。羞人答答。自古目爲猥褻。又不便告人。亦不敢告人。此正哭笑俱非之情事。近世知識開通。醫學萬能。山道司大藥廠監製之『經靈』藥水。對於療治婦女一切經病。非常靈異。誠爲婦女無上珍貴之妙藥也。
主治
經痛經冷 經閉血枯 一月數至
累月不至 滴漏不盡 瘀血內積
腹脹氣塊 白淫小產 血崩乾血
滯痛滯閉 赤白帶下 久不生育
中國獨家經理 慎利洋行 上海博物院路十九號
各大藥房均有出售

衣服和人體的關係很大

張子英

裸體運動難以實現

衣服和人體的關係。是因爲人們要保護體溫。和求文明美觀起見。所以製造衣服來掩護身體上的皮膚。但是衣服爲生活上必需的物質。冬季嚴寒的時候。假使人們沒有着衣服。難免要凍死。所以衣服和人體的關係。竟和食物並駕齊驅。一樣的重要。人體生命。全仗食物營養和維持。已經明白了。但不知衣服。對於人體的重要。在那裏呢。常常看見浴堂裏的侍役。 不論寒暑。整天整日的過裸體生活。沒有着衣服。也沒有妨害。似乎衣服對於人體。並不十分重要。現代所崇倡的裸體運動。難免要實現麽。人類裸體生活的實現。只要氣候溫度。無論什麽時候。無論什麽地方。都在攝氏二十七度至二十八度（華氏八十至八十三度）之間。就毫無妨害。可以實現。但是無論春夏秋冬晝夜。氣候溫度一樣的地方。恐怕找尋不出。因此惟有用人工調節氣候溫度的方法。

至於人工調節氣候溫度。如燃燒火爐。熱水汀電風扇等。都限於一處地方。若行走到他處。就不生效力。所以裸體運動難以實現。唯一的辦法。就是穿着衣服。使調節和保護體內溫度。無論什麽時候。無論什麽地方。都可以自由增減。

衣服能夠保護體溫。在乎空氣層的作用。原來空氣是不良於引導溫氣的物質。週身的衣服。把空氣隔爲空氣層。那末體溫不易放散。所以衣服愈多。就是空氣層愈多。保護體溫的力量愈大。人體也就覺得愈加溫暖了。

但是衣服除了搆成空氣層。保護體溫之外、在酷暑的天氣。也可以造成皮膚外面的蔭影。使避免暑熱的侵襲和刺激。

不過衣服的調節體溫。也須視衣服質料的性質。而有强弱的分別。不一定是因爲重襲而空氣層增多。就算溫暖了。

人們是萬物之靈。究屬和獸類不同。所以除了保護體溫之外。也利用衣服來裝飾身體。使美觀和文明。異乎衆牲。從這樣看來。衣服和人體的關係。爲保護體溫。預防凍死實是實際的。爲文明美觀。迴異衆牲。是虛榮的。那末我們對於服裝的研究。也有準確的把握了。

衣服怎樣選料

昌言

衣服保護體溫的强弱。在乎衣服質料包含空氣之多少。原來分量很輕的質料。富於彈力和氣孔。包含空氣特多。所以保護體溫很强。如毛織物就是。次之如棉織物。質料也輕。很有彈力和氣孔。其他如綢縐等。質料稍重。而氣孔不富。所以保護體溫較弱。但衣服質料之需氣孔包含空氣。不欲其過於稀疎。恐怕易於放散體溫。而覺寒冷。夏令暑熱之際。就利用麻葛之纖維組織稀疎。易於通氣和放散體溫。所以覺得很涼快。

現在把衣服的質料研究起來。實在都有所長所短。換一句話。就是毛織物有毛織物的長處和短處。棉織物有棉織物的長處和短處。綢縐有綢縐的長處和

	體質	氣孔	含空氣	洗滌	體溫	吸收濕分
毛織物	輕鬆	豐富	豐富	不耐久	保護	吸收力强 蒸發力鈍
棉織物	輕鬆	尚多	多	耐洗不變	保護	吸收力强 蒸發力不鈍
綢縐	重	緊細通氣性少	少	耐洗	不通風少放散	吸收力弱 蒸發力强
蔴葛	輕	疎稀	不含	耐洗	通風放散	極易蒸發

短處。蔴葛有蔴葛的長處和短處。須適合氣候和身體而選擇服用。現在我把衣服質料的優劣。寫在上面。

照以上的表看起來。冬季衣服的選料。以棉織物和毛織物最爲適宜。夏季衣服的選料。蔴葛最爲適宜。而綢縐無論冬夏都覺得不十分適宜。只好作爲華麗的面子。或者作爲出客的禮服而已。

內衣易汚卽是康健之表現

胡佛

人體除肺臟施行呼吸之外。從無數皮膚毛竅中。亦施行呼吸。不過爲量極微而已。而且分泌汗液。無時或息。不過肉眼不見其痕跡。但有時劇烈運動或氣溫太高之時。分泌極旺盛。亦可見汗珠或濕痕。其排泄之汗液成分。內有鹽類燐酸鈉炭酸氣化鉀等質。大抵血液中水分增多。汗液分泌亦多。血液循環增進。則汗液分泌亦多。所以康健之人。遇運動或氣溫增高時。汗液分泌卽盛。蓋汗液之調節體溫也。反之。身體虧弱者。血液循環不活潑。調節體溫不敏捷。卽汗液分泌不旺盛。而汗液之分泌體外。每由內衣吸收之。致成皮垢。所以皮垢多者。內衣易汚。卽是血液循環敏活。新陳代謝亢進。實爲康健之表現。所以吾人選擇內衣。必須選擇毛織物或棉織物。富於吸收濕分者爲相宜。但豪富之人。多以綢類爲內衣。於衞生上甚不適宜也。

從服裝上談到衞生問題

繆曙初

我們居住在大自然的空氣中。不時和天地間的氣化接觸。如何能夠保持一生沒有病痛呢。但是古語說。『無病卽成仙』。從這上面看來。生病是人們至大的苦痛。我們要求到一生沒有一些病痛。果然是辦不到。但是祇要少生病。那就是我們無上的幸福了。可是要求少生病。則非力求衞生不可。衞生的範圍很廣。也不能在這裏細談。姑就從服裝上面來談談衞生。

近來的男士們。和女士們處在這二十世紀的潮流之下。誰也不喜歡考究服裝呢。尤其是在這洋氣十足的上海。五光十色。千奇百異的服裝。是衆目照彰的。也用不着作者來描寫。

服裝果然精美了。美麗而悅目了。可是對于是否適合于衛生。誰也不管。試就拿女士們的裝束來講。以前盛行着束胸。小馬甲（背心）的勢力。在女界中十分膨漲。後來都知道束胸的害處。實在有障碍肺部的運動。不合于衛生而解放了。可是現在的旗袍狹窄得非凡。雖然要表示着自已曲線的美感。不過對于肺部的生長。是阻碍了。衛生上康健上和發育上。都受到深切的影響。希望女士們再來一次解放。男士們的服裝上呢。也有很多不適於衛生的地方。上海的先生們都歡喜穿着洋裝。可是洋裝的背心。束緊了胸部。也一樣地有害于肺部的發育。一到了嚴冬深寒的天氣。領結地方。冷氣直侵胸部。在電車上和馬路中。遇到大冷的天氣。時常發現着洋裝的摩登男士猥縮了。因爲歡喜愛美。所以疏忽了服裝對于衛生和康健上的要點。希望要考究華美的先生們和士女們。要得到常年健康的幸福。就請你們注意服裝上的衛生吧。

帽和腦的關係

恨我

人體的腦子。是神經器官的總機關。也就是全身的指揮官。一切思想動作。都由牠統轄。所以腦子的衛生。尤其要講究。嚴寒的時候。風寒侵襲腦部。易患感冒頭痛。炎暑的時候。酷日射入腦部。易患暑熱。所以冬季和夏季。我們必須用帽來保護腦子。但是戴帽子。不可過久。必須時時脫帽。以通皮膚之空氣。否則腦部過熱。血液上升。就有血充腦之患。尤其夏季。雖然戴極輕便的草帽。亦不宜久戴。遇遮蔭的地方。應該脫帽乘涼。使頭部裏空氣充分流通。從這樣說起來。人類是衣冠人物。帽子決不可省。但是戴帽子和腦神經。很有關係。也應該明白。

兒童服裝研究

張子英

小兒臟腑飢肉嬌嫩。時時有發育之勢。服裝最宜寬舒。不宜緊包。尤其小兒頭部。血管極富。是排除汗濁之處所。更加不宜緊包。所以小兒衣服。以和尙式斜領爲相宜。使頸部露出通風。蒸發皮膚裏汗濁。小兒不宜縛褲帶。可用褲帶掛於小兒肩上。使小兒褲子又不易脫落。使腹部很寬舒。不致阻礙發育。小兒褲脚宜短。又宜露膝。使下部不致過熱。小兒不宜縛脚帶。以免足部循環障礙。三歲以下小兒。宜時時戴帽。以避風寒。但三歲以上。不戴帽無妨。小兒腹部。宜格外溫暖。尤其肚臍眼不可露出。以免寒氣侵入。最好着肚抖。小兒尿布。宜柔軟乾燥。時時晒之於日光。以殺細菌。小兒衣服之過多過少。須時時留意。但小兒頭部有微汗時。不可誤認小兒衣服太厚。原來小兒頭部。時時有微汗。乃是發育之象。不足憂慮。小兒必須着襪子。不但使足部溫暖。尤其能蔽塵埃。以免傳染毒菌。

蓬頭、露臂、滿褲、深襪、高跟鞋、
姐保風姿不慢襲、自憐亦堪自笑、

鞋的衛生研究

才人

吾國舊式的布底鞋。既然輕便又富於吸收脚底濕分。最合衛生。近來歐風東漸。盛行皮鞋。對於吸收脚底濕分的效力不大。又加很重。勞人脚骨力。不足以稱衛生。現在吾國橡膠事業很發達。橡膠製成的跑鞋球鞋套鞋等。輕便舒適。尙稱衛生。對於吸收脚底濕分。還缺乏改良。我的意見。裏爿多襯吸收水分的布層。或鞋面加細空。使其通風利濕。也屬改良的法子。請大衆酌量辦理。至於目下盛行的女性高跟鞋。我認爲不合衛生。彷彿纏脚一般。應該有改善的必要。

最合衛生的雨衣

痴呆

世界上最合衛生的雨衣。要算我國農夫所着的蓑衣。用棕製成。空氣非常流通。雨水難以侵入。對於人體皮膚上的蒸發氣。也可以排出。若說橡皮雨衣。皮革雨衣。綢布油衣。都有閉塞氣孔。令人不舒服之虞。很不合衛生。

襪子的衛生談

自新

襪子對於人體的用途。不但使溫暖足部。尤其遮避地上的塵埃沙土。和吸收脚底裏分泌出的汗液。所以襪子的選料。應該要富於吸收水分。和耐洗滌。原來襪子應該時常要換。而且人體足部。應該尤其要溫暖。使血液下行。不致於逆上。但是現在的摩登男女。不講衛生。嚴寒的冬季。也喜歡穿絲襪。雖然凍瘡潰爛。也不顧慮。實在可笑又可憐。

被褥的衛生研究

胡佛

人們日間勞動思慮。血液多注於頭腦和四肢。到了晚間休息的時候。欲使血液回復到軀幹裏。當然唯一的條件。被褥必須溫暖。原來人體之血液。遇寒則止。遇熱則行。但是求被褥的溫暖。若用過厚過重的被。即反覺疲勞。恐不能熟睡。所以臥具的條件。應當用厚褥薄被爲相宜、若還不夠暖。再加一條薄被。原來兩條薄被、實溫暖於一條極厚的被。然而二十歲左右的青年。被褥不宜過於溫暖。蓋恐引起淫慾。發生遺精等病。或者蓋被的時候。把兩足露出被外。也可以避免因過熱而遺精之患。但被褥很容易受污穢。最好另敷白布。時時洗換。對於棉花胎。尤宜時時晒之於日光。使殺除細菌。和乾燥污穢的濕氣。且人體熟睡的時候。呼吸作用和胃腸作用。更加旺盛。所以胸腹裏。必須格外溫暖。使血液聚集。行使作用。因此睡覺時。窗戶不宜緊閉。有通風之必要。而被頭雖極嚴寒的時候。亦不宜掮頭而睡。

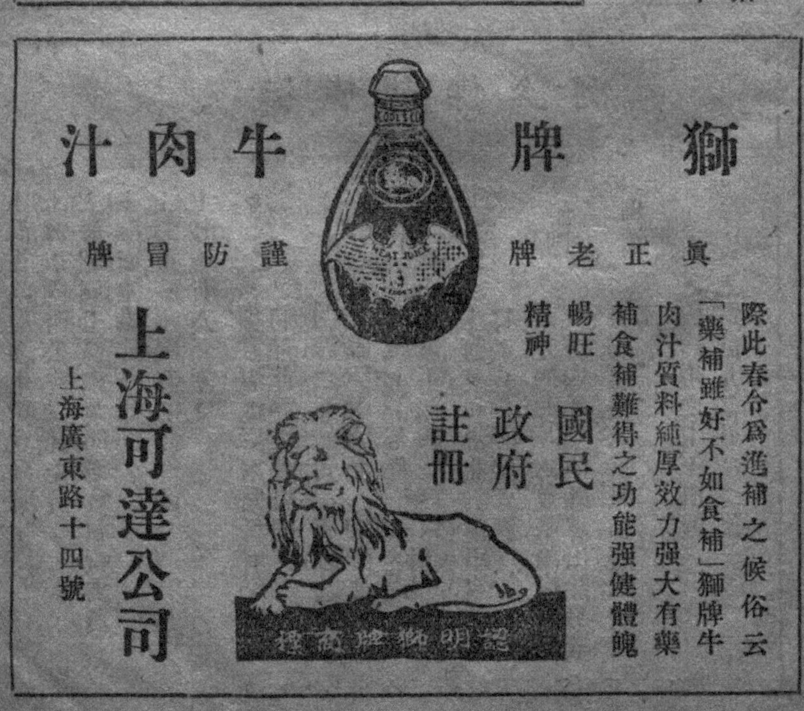

商業月刊目次

第二卷第二期

總代發行 上海四馬路作者書社

代定處 上海博物院路念號環球書報雜誌社
上海西門外安瀾路商業書報社
上海華龍路生活書局

每冊二角 每年二元 國外四元

尚有細目不及備載

衛生小問答

張子英

（問）冬季着衣雖多而仍怕冷何故。

（答）稟體元陽衰微。或血液素虧。循環障害。皆令體溫減低。時時怕冷。

（問）有時身體發冷一陣。發熱一陣何故。

（答）體內素有伏熱。外邪侵入兩邪相爭。陽勝則熱。陰勝則寒。名爲瘧疾。但伏熱過深。亦令身體發冷。經所謂熱深厥亦深。熱微厥亦微是也。

（問）身體怕冷。用何法簡易治之。

（答）身體怕冷。則血液循環障害。時時用熱水洗澡。使新陳代謝亢進。自然全身溫暖。最爲穩妥無弊。

（問）圍爐取暖之人。反患感冒何故。

（答）圍爐取暖之人。驟然出外遇寒冷。必易感冒。蓋圍爐之際。體溫加熱。人體自然作用爲放散體溫起見。毛竅全開。若驟然出外。風寒最易侵入。所以時患感冒。

（問）圍爐取暖之人。常患喉痛何故。

（答）圍爐取暖之際。炭氣與火氣沖入呼吸氣與喉頭。爲直接致病之由。陰虛之人。體溫加熱。津液愈爍乾而不上潤。極易患喉痛。所以圍爐之人。最好常飲屈臣氏鮮橘露。可以滋潤肺胃生津除燥。

（問）摩登婦女雖嚴寒不戴帽子有害否。

（答）人體之頭髮。原爲天然護腦之物。壯盛者雖嚴寒不戴帽。果屬無害。况且摩登婦女。頭髮盤曲甚長。足以撫蔽全腦。更屬無害。但吾國婦女。或迷醉跳舞場。或恣情色慾。身體虧弱者多。抵抗力薄弱。若嚴寒時。不戴帽。風寒甚易侵入。

（問）婦女束胸有何害處。

（答）婦女束胸。則發育不健全。蓋氣血循環受影響故也。

（問）男子短褲露膝。對於衛生上有益否。

（答）男子陰部過熱。每致易患遺精等病。若男子短褲露膝。使前陰通風。既無陰部過熱之害，且易於放散火毒。

（問）襪子不着有害否。

（答）寒冷之際。若襪子不着。又加少運動。則血液循環不達足部。上焦有充血之處。每致易患逆氣。足部則定患凍瘡。所以嚴寒之際。宜着毛絨襪。

（問）婦女產後衣服宜厚否。

（答）婦女產後。血室空虛。非但衣服宜厚。且飲食亦宜溫暖。

（問）小兒衣服宜厚否。

（答）小兒爲純陽之體。衣服不宜過厚。俗謂若要小兒長大。常帶三分飢與寒。

（問）小兒宜戴帽否。

（答）小兒易受風寒。宜戴帽以避風寒。

（問）小兒被褥宜厚否。

（答）小兒被褥不宜過厚。蓋小兒平常之際。陽氣發育時時有微汗出來。若被褥或衣服稍厚。則汗液多出。易生積熱。

（問）小兒睡覺宜緊貼母體否。

（答）小兒睡覺。不宜貼緊母體。以免過熱。但一般爲母者。每使小兒吃乳時。即母子一仝熟睡。每致母體解胸受寒。或小兒緊貼母體。過於受熱。

電光牌

雪恥面巾贈品

如欲不忘國恥
請用國恥面巾
爲引顧客興趣
打打俱有贈品

三星棉織廠股份公司

總發行所 上海南京路石路西

鵝牌

衛生絨衫

▲質地柔軟
▲纖微鬆長
▲保護體溫
▲最合衞生
▲春寒料峭
▲毫不覺冷

五和織造廠出品

發行所 廣東路山東路口

廠址 華德路華盛路口

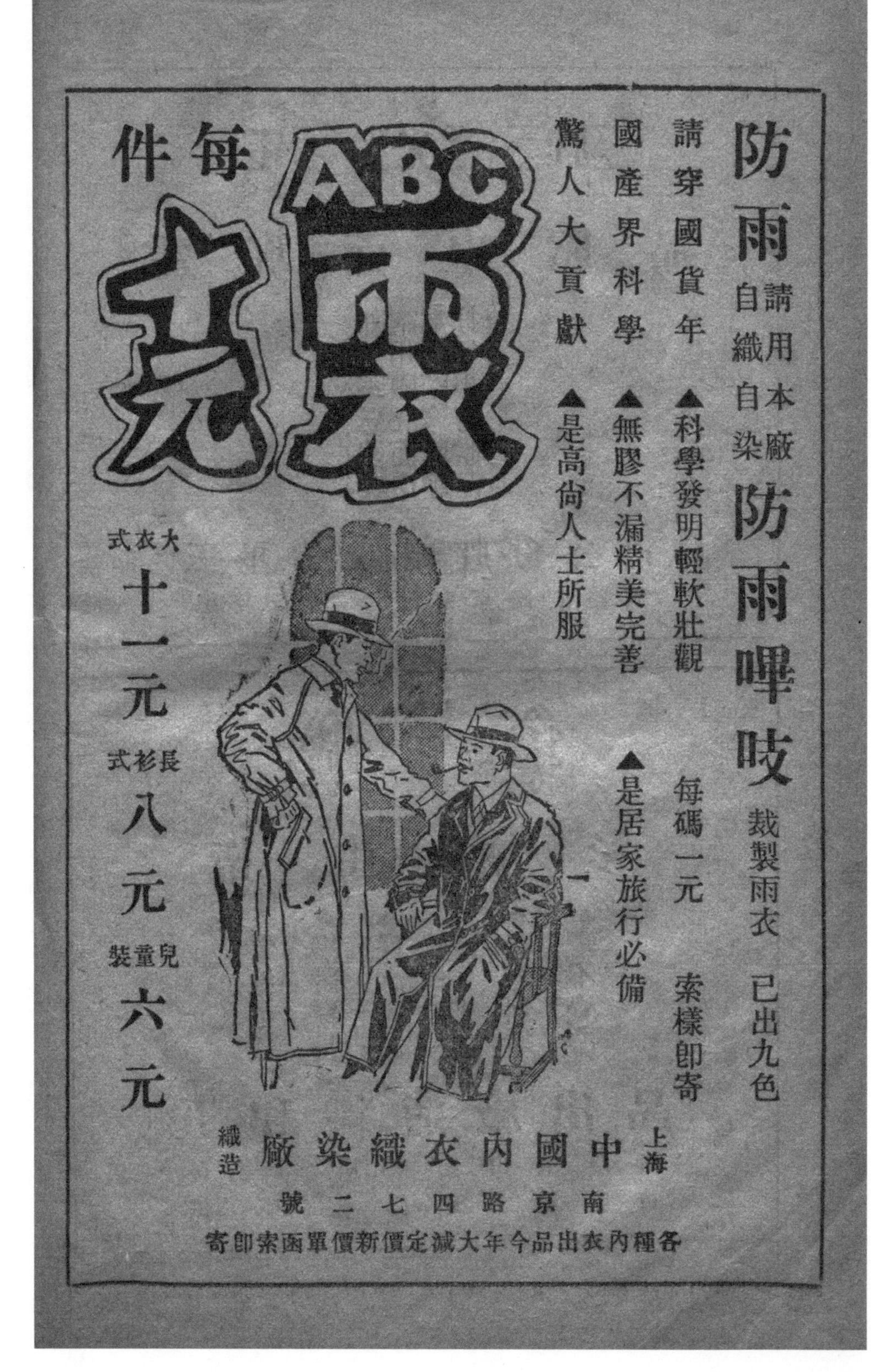
防雨
請用本廠自織自染
防雨嗶吱
裁製雨衣
已出九色
請穿國貨年
每碼一元
索樣卽寄
國產界科學
驚人大貢獻
▲科學發明輕軟壯觀
▲無膠不漏精美完善
▲是高尚人士所服
▲是居家旅行必備
ABC
雨衣
每件
十元
大衣式
十一元
長衫式
八元
兒童裝
六元
上海
中國內衣織染廠
織造
南京路四七二號
各種內衣出品今年大減定價新價單函索卽寄

春季時病預防

張子英

到了春天的時候。萬事俱棄舊換新。有興奮的氣象。所謂一年之計在於春。全年事業都從春季做起。但是人體的疾病。每每也到了春季。有相當的進展。或舊病逢春氣萌動而痊愈。或宿恙遇春氣發動而復發。原來春季爲少陽司令。少陽主生發。所以人體素有宿恙有復發之虞。久病難痊。感生發之氣。有復原之希望。但是後者大抵屬於虛弱症或傷寒邪退後元氣未復之人。前者大抵屬於梅毒性蘊熱咳逆肝氣等病。俱因感時氣的生發而患是病。並非新發現的時病。因此作時病預防的討論。

照以上所論。感春季時氣的生發。凡素有梅毒性者。易發生下疳橫痃淋濁等症。素有蘊熱者。（如嗜食肥甘圍坐火爐等人）易發生喉痛牙痛咳痰上氣等症。素有肝氣者。易發生痞塊（肝氣橫逆）頭痛胸脅痛等症。小兒有胎毒或蘊熱者。易染天花痧子。

預防的方法。素有梅毒性者。預先內服清血解毒藥。如金銀花夏枯草鮮生地等品。素有蘊熱者。預先服滋潤退熱藥。如地力生梨淡竹叶梔子黃芩等品。素有肝氣者。預先服牡蠣石決明海蜇皮等品。小兒有胎毒或蘊熱者。預先服熟地力湯黃連乳。並避忌和患天花或痧子者同遊。

但以上所說的。並非春季眞正的時病。不過春季所常見的流行病。如因春季應該天氣逐漸和暖。而天氣驟然嚴寒若三冬。人們感受這個寒氣。便發生頭痛惡寒發熱等症。就稱寒疫。如因春季天氣應該溫和。而忽然天氣暴熱若夏令。人們感受這個熱氣。便發生頭痛煩渴燥結等症。就稱溫疫。以上所說的寒疫溫疫。都是非其時而有不正的氣所發生的時病。還有因爲人們稟體和臟腑。有虛實的不同。和燥濕的異様。所以發生的病症。也有不同。如頭痛發熱不惡寒而脉浮緩者。就患風溫。頭痛發熱不惡寒而脉緩濇苔滯膩者。就患濕溫。但是風溫和濕溫。必患者先有蘊熱或濕熱。又乘毛竅疏開的時候。感冒外邪。因此誘起病症。預防的方法。就是飲食寒襖。格外當心。愼防受感冒。有內熱者。預服淸熱的藥品。那末春季時病預防的方法。就畢了。

三十年來女性服裝沿革史

靜好樓主

天下事物之變遷。殆莫有更甚於女性之服裝者。三十年前。（一九〇〇）衣服長而且大。滾極闊之底肩與袖口。下叉及腰際。更挖有極精緻之如意頭。且有於底肩上飾以珠寶翠玉等物爲點綴。以示其富有焉。如是則一衣之成。費綢逾丈。費緞。滾條如意頭）。二三尺。費工五六日。若有用袖頭者。則繡工之費事。將以月計而不能以日計矣。至於百揀裙紅菱鞋之所費。不言而可喻。

其後。（一九一〇）稍事改良。狹其滾邊。去其如意。窄其腰身。短其長度。廢其珠寶翠玉等飾物。而領則用硬料作元寶式。故於頸項之轉動。殊覺不便也。時裙之揀者。亦改爲二十四揀或十二揀。而放足之風。適於是起。鞋亦更其紅菱式而作天足式。於工於料。似省便較多。

其中十年。（一九一〇之一九二〇）爲我國推翻淸廷之後。又値女子敎育猛進之時。故衣服悉具革命化。與女學生化。領已改低。袖已改高。未過臂肱。裙亦改短。未過膝上爲無揀之套裙。楮衽一掃而淸。動作如是。十分便利。所用衣料。綢布兼取。（惟洋貨亦已甚多。足上已易其布襪而穿洋襪矣。）工料甚省。且不失大方。

再後。（一九二四年）則短衣長裙。衣之下擺。作大圓角狀。內襯以色彩之小背心。初則在袖口內緣以花邊。繼則花邊更爲流行。舉凡領上。領圈。衣襟。袖口。下擺。莫不緣之。此等花邊。有爲繡者。有爲絨者。有爲羅甸者。有爲水鑽者。往往邊價之貴。竟倍蓰於衣料。裙則長度沒踝。下裙或繡花飾。或用花邊、或垂鬚頭。或懸珠串。甚或綴以金屬之鈴。玉步珊珊。其聲鏘鏘然。更足惹人目逆而送之矣。

以上乃短衣時期。此後（一九二五年）則漸入旗袍時期。初則有一二好奇者。試以男子之長袍。招搖過市。別有風致。於是見而效尤。略加增損。遂成旗袍。（雖旗衫係淸時服式。然今日之旗袍。祇有其名矣。）同時因短衣猶未淘汰。儉省者多於短衣之外。更罩以長背心。謔者謂爲婢學夫人。

自康健美曲線美等名目如潮而起。於是旗袍悉依體態而裁製。腰細臀高。胸坦臂露。肉色之襪。高跟之鞋。其外則斗蓬大衣。應運而生。同時更將三千煩惱絲。付之并州一剪。

旗袍之長度至短時。（約一九二九年）祇二尺七八。合攏其下叉。足穿長統絲襪。襪跟繡以彩色之圖案。似極顯其腿部美與足部美者。亦有一時盛行翻口襪與裸足者。然爲時甚暫。或以爲此乃創於女運動家云。

最近乃盛行長旗袍。其長度竟至四尺餘。衣擺曳地。叉開甚高。約二尺左右。內穿極鮮艷極單薄之長脚管褲。與長旗袍似相得益彰者。頭上青絲。則無不燙一燙之値。廉者一二金。貴至四五十金。

此後之束裝如何。未有事實之證明前。誰敢下一肯定之預測。雖裸體運動之呼聲。甚囂塵上。然亦未必能實現於最近之將來乎。

康健乃成功之母

周修荃譯

有健康之身體
始有健全事業

假使你預備將你在其他方面得到的經驗和學識。放到另一件事業上去做。或冀其成功。那末你該知道。另一件事業是怎樣的。最主要的。你得反問問你自己。『能做什麼』。或者『自己的經驗學術』。健康。是否能勝任愉快』。這樣反問了以後。再得想一想。以我自己所具備的一切。配不配在這件事業上求成功。如其備了這些的話。當然不成問題。否則。在別人反問你時。你將怎樣答覆呢。

其次。這是一個很重要的問題。差不多在中國人却並不注重這一點。就是。身體的康健問題。當你是一個年青的少年。自然你會很誇口的說。『我時常都是康健的』。不錯。在沒有結婚的少男少女。果然較諸已婚的人們比較來得强健些。不過。已有了健康的人們。不要加以斵傷。還得好好自愛。因爲爲有了健全的身體。才有健全的事業。所以。不僅要在事業方面一心一德的用功夫。還須在自己身體方面注意呢。

因此。有很多人。對於事業的成功。和身體的康健。認爲二者的重要。還是下者重於上者。好比我們這樣說。『你偶經荒山。驟見惡狼。或將來傷你的一刹那間。那時是何等的危險可怕。可是。假使你是有康健的身體。强大的臂力。自然是毫無問題。否則。我們可以想像得之』。就是任何事業。也是如此。倘若一旦發生巨大變化。困苦圍着全身。我們假使有康健的身體。精明的智力。自可應付裕似。不然。必爲困難克服無疑。

所以。人的一生生命中。自己的事業固然重要。然而。比事業還要重要的。還是莫過於自己身體的健康。

我們再看。無論一件甚麼事情。在健康時做來得勝呢。還是在有病時好。縱使你有飛天的本領。傾全力以赴之。恐那時莫想再施吧。所謂『英雄獨怕病來磨』呵。

這裏。我來講一個故事。有一次。安迪生這樣說。『無論什麼事。都沒有他這樣重要的。就是要有健康的身體。有了健康的身體。才有健全的事業。因爲。有了康健的身體。始足以和困難奮鬥。從困難中奮鬥出來的事業。才叫做成功。我的老友恩棐。——Herny C. Friek——他出身很低微。很貧苦。後來。不到三十歲時。竟一躍爲擁有一萬萬二千五百萬的大富翁。當他正是三十歲的那年春。忽然臥病不起。在氣僅一息的時候。他的秘書向他說。

『先生。你已經成功後西歸了。一切有我照料。你可無罣念長眠吧』。

『不。並不。我並不有如你所說的成功。我雖然擁有偌大的家私。可是。並不能說成功。所謂成功。是要能和困難搏戰。有健全的身體。這樣才不致半途夭折。所以。我是並沒有成功。』

他——恩萊淒然回答了。也就嗚呼哀哉了。所以。有一條不易的定律。是『有康健的身體。始有健全的事業』。

好比。我們賽球吧。長跑吧。甲乙兩隊角逐於曠場中。如其身體康健的一隊。爲了他有長力。一定可以得到最後勝利的左券。所以。在這裏又可得到一個結論。凡身體康健的人。他的機會。命運。幸福。都比較任何人來得光明。

就是現在當選爲美國大總統的羅斯福氏。當他在一九二四年爲了民主黨和共和黨競選。是以到各處去游說。不知如何。汽車偶一不愼。從山上翻下來。於是把他的腿跌壞了。終於成了癱瘓之症。那時。他明知道。『沒有康健的身體。一定不會貫澈他的初衷。』因此。力求名診醫治。並且。到西山的溫泉去沐浴。把他的腿浸在泉水裏。同時。在曠野舉行柔軟體操。終於恢復了康健。成爲今日名震遐邇的偉大人物。這樣看來。我們有了偉大的事業。還須有健全的身體。所以我說『康健乃成功之母。』譯自 How to Choose and Get a Better Job.

●醫藥雜訊

滬市健康教育委會成立

上海市教育局自局長潘公展履任以來。提倡青年兒童以及民衆之身心健康。不遺餘力。並定本年度中心計劃爲健康教育。復獲衛生局局長李廷安多方襄助。健康教育得能逐漸推進兒童牙科診療所及普通診療所。已設有五處。皆免費醫治。嚴格檢查與缺點矯正。亦見諸事實。至關於衛生科教師及學校。行政人員健康知能之訓練。曾舉行訓練班及公開演講。惟茲事體大。非羣策羣力不爲功。市教局乃根據市政府核准之規則。組織健康教育委員會。已於一日下午成立。茲將成立情形分誌於次。

▲委員一覽 潘局長。李局長。專家沈嗣良。陳詠聲。科長周斐成（兼常務委員）吳利國。（兼常務委員）陳白。胡昌才。督學馬崇淦。（兼體育組常務）專員周尙。（兼衛生組常務）主席孫競齊。（兼衛生組常務）科員陸並謙。（兼體育組常務）李萬育。（兼體育組常務）王克永。視察員陳宇澤。

▲主席致詞 是日由該會當然委員李局長潘局長輪流主席。先由李局長致詞。略謂公民健康教育十分重要，而尤以青年兒童爲最。新中國之希望。卽繫乎青年兒童身心之健康。教育衛生兩局。聯合組織本會。目的不外於增進學生身心之康强。中國健康教育。注意者甚尠。上海號稱教育發達之區。宜有此種組織。爲全國倡。本會聯合兩局。足徵合作精神。又添聘專家共同研究實施。尤見互助之熱忱。惟本會使命綦大。仔肩甚重。但願本着少說話多做事。從事實際工作。以達目的。旋由潘局長致辭，語多報告過去實施工作。及將來希望。與本會之職責。

▲討論一般 討論問題歷三小時之久。皆注重實際工作。玆約略言之。一、推請大會常委及體育衛生兩組常務。起草辦事細則。二、推定委員。擬訂中小學男女學生各項運動標準。以免妨礙衛生。三、除中心計劃實施辦法規定外。再添辦（甲）家庭清潔運動（乙）民衆清潔運動（丙）民衆健康教育講會。四、推定委員組織出版委員會。編印健康教育小冊。五、請體育衛生兩組。擬訂考查各校施行健康教育考查辦法。六、定期舉行全市中等學校聯合運動會。七、由教局搜集各校體育科教材。再由體育組審核。八、請大會常委籌辦中小學健康教育討論會。九、如何督促全市中小學自行舉辦運動會。請教局規定辦法辦理。十、全市中小學體格檢查如何實施。交衛生組討論。十一、推定委員起草籌備本市健康教育展覽會。十二、推定委員規定中小學最低限度健康設備。十三、請教局擬具中小學課外健康指導辦法。十四、規定二月底召集本會第二次全體會議。

衛生局謀預防春季傳染病

際此冬盡春來。氣候轉變。各種流行性之傳染病。又將漸漸發生。上海市衛生局有鑒於斯。爲預謀防止起見。業經製就一種傳染病報告單。分發各醫生診所。及各醫院。如遇有赤痢霍亂白喉猩紅熱天花流行性。腦脊髓膜炎等傳染病時。隨時報告。以便稽考統計。設法防止云。

紅會救護隊全體北上救護

一行共四十五人

滿載重要藥品等

中國紅十字總會理事長王培元。率領醫生護士職員差役共四十五人。一律身穿制服。備帶旗幟重要藥品及行李担架等雜物數十件。由中國搬場公司裝運至北車站。於前日上午七時。由鐵道部特備免費二等車一輛。暨裝載藥品等鐵蓬車一輛。由京滬路經津浦路赴津集中。再行分頭出發至熱邊秦皇島及山海關一帶。救護傷兵。並組織掩埋隊。收殮屍體。擬於平津兩地等設後方醫院。所謂總會事務。由該會委員聞蘭亭主持。此次出發之醫生護士及各員役等。事前均立志願書與保單。概遵中央所頒紅十字會條例辦理。聞該會並不在外募捐云。

中國醫學院消息

▲上海市國醫公會。設立之中國醫學院。已於昨日(一日)寒假期滿。即於老靶子路該院禮堂舉行開學典禮。開會如儀。首由院長薛文元報告院務概況。主持處朱鶴皋報告經濟狀況。繼由教務長蔣文芳暨各教授相繼致訓詞。禮成後續開院務會議。定於六日起正式上課。並聞該院以本學期爲二十一年度第二學期。故不招生。但各地慕名要求插班者。爲數頗多。現已擴充教室以便容納。除於昨前二日考取插班生十餘名外。並定於五日下午續考插班生一次云。

▲購奶粉可得贈品　江西路北京路口惠民奶粉公

司。於二月三日起大贈品一月。凡購保嬰奶粉。均贈華囡囡動物口琴等玩具。大者價值兩元之巨。顧客電話通知。幷可專差送達。故連日購者紛至。有戶限爲穿之勢云。

市府查禁毒質戒烟藥品

本市最近有將麻醉藥品。假名戒烟藥銷售。貽毒社會。爲害至烈。迭經市府令飭所屬嚴行查禁。茲悉市府業准禁烟委員會咨請依法查禁。已令飭衛生局化驗含有毒質各種戒烟藥。會同市公安局查禁。茲擬定辦法。一、由公安局。分令各區所查禁。二、衛生局通令各藥房不准銷售此項戒烟藥。三、會銜佈告。四、會銜呈請市府。聞對於租界方面。擬向工部局商酌辦理云。

國醫公會執監會紀

上海市國醫公會。前日在該會會所。舉行第三屆第一次執監聯席會議。出席者蔣文芳傅雍言任農軒丁仲英景芸芳黃寶忠沈韶生等三十餘人。公推郭柏良夏重光爲主席。丁仲英報告。繆暑初紀錄。行禮如儀後。次卽討論議案。一、會員沈愛餘函請委任藥物調查員案。議決除函國藥公會外。並請檢舉發售僞藥之藥舖再行核辦。一、執委沈心九函辭本屆財政科主任案議決挽留。並推黃寶忠沈建侯兩君前去慰留。一、徐小圃黃樸堂朱鶴皋朱南山朱小南諸君函辭本屆委員案。議決一律挽留。一發行國醫旬刊案。議決通過。並請執委楊彥和先生與財政科主任會商後辦理。並決定試辦三個月。一、郭柏良先生提議航空救國。應由本會通告全國醫界捐募國醫號飛機案。議決通過。交各醫團聯席會核議。一、賀芸生先生提議。國醫學院更改名稱。應據理力爭案。議決交各醫團聯席會核議。一、組織上海市國醫藥團體聯合辦事處案。議決通過。並推定常委丁仲英薛文元郭柏良及執委沈韶笙爲本會全權代表云。

本刊衛生顧問章程

(一)本刊經大衆訂閱者之要求。闢設衛生顧問欄。以便醫藥上疑難問題。及病因症治藥性等。作公開之討論與研究。若依本章程投函詢問。當即照來函解答。

(二)重要問題。除依來信直接通函答覆外。本刊得隨時將答案。披露。以便同志之研究。

(三)疑難之答案。須檢查醫籍。詳細考慮者。至遲須一個月可以答覆。

(四)不答覆之問題如下。(一)來信記述不詳者。(二)詞義不明者。(三)要求立得藥方者。(四)無關醫藥者。(五)委託評論藥方之是非者。(六)本社同志學識所不及者。(七)無覆信郵費者。(八)無衛生顧問劵者。但不答覆者之理由。覆信聲明。

(五)來函概用中式紙張。繕寫清楚。附覆信郵費一角三分。並附寄下列衛生顧問劵一個。

(六)來函寄雲南路鏞壽里一百零九號本社收。

衛生顧問

編者

▲王坤生君問。小兒才四歲。初初因感冒風寒。身發熱。到夜間格外熱點、又加煩燥啼哭。經某兒科醫生診治。以辛涼之劑。如冬桑葉連翹蟬衣大豆卷之類。疎表清熱。身熱日間稍退。夜間仍然大熱啼哭。至今已二星期之久。服退熱藥。毫無效驗。請教有否最妙治法。盼迅速答覆。照章附奉顧問劵及郵票一角三分。希察收。

（答）小兒有表邪或熱邪。一二劑卽易退去。若服退熱藥毫無效驗。則此熱定然虛熱無疑。可以大胆服參芪甘草等補劑。則夜間之熱卽能減去。可以安靜熟睡。附方於后。加減請高明裁酌。

西潞黨一錢。生黃芪一錢。焦白朮一錢五分。生甘草五分。浙茯苓一錢五分。肥知母一錢五分。粉葛根一錢。陳皮六分。炒白芍一錢五分。

▲趙福均君問。婦人年三十餘。月事已有五月餘不來。現狀甚佳。毫無痛苦、惟舌苔帶膩濁。有時稍有頭眩。不知是否受孕。或有何病將發作。請求答覆。指示辦法。郵票顧問劵一幷附上。務希賜覆爲感。

（答）婦人月經已停五月餘。若係受孕。則肚腹漸大。胎氣活動等象。俱可覺察。今現狀甚佳。毫無痛苦。祇有舌苔常濁膩。有時覺頭眩。須察脈理爲憑。如左右脈俱不滑。或兼濇象。定然血瘀。或肝陽素熾。心脾有鬱。飲食精微不生新血。而且舌苔濁膩。時有頭眩。明明是脾陽下陷。濕熱上逆之象。將來喘咳痰血等症。恐難避免。治法驟難處方。大抵如逍遙丸歸脾丸六君子丸等。加行血去瘀之品。可以護效。

▲章達夫君問。五歲小兒。食物易嘈。非常能食。食量大於成人。但體甚瘦。近來覺肚腹稍大且硬。是否已成疳積勞。請求辦法。或簡易治法。

（答）小兒食量甚大。而身體甚瘦。兼覺肚腹大而且硬。確成疳積勞。簡單的治法。可向徐重道國藥號購服肥兒疳積餅。頗有效驗。

介紹適合衛生的國貨服裝

承椿

▲鵝牌衛生絨衫　鵝牌衛生絨衫。是五和織造廠的出品。質地柔軟。纖微鬆長。能包含空氣。保護體溫。而且堅固耐洗。用作冬季內衣。是很適合衛生。

▲ABC內衣　ABC商標的內衣襯衫。是中國內衣織造廠的出品。用國貨棉紗。精工織造。質料堅韌耐洗。富於保溫性。和柔潤皮膚性。是最適合衛生的襯衫。

▲和合牌絨衫褲　和合牌衛生絨衫褲。是興祥棉織廠的出品。用上等原料監工精織。所以質料柔軟舒適。經久耐着。尤其保護體溫的力量很强。確屬適合衛生的國貨服裝。

▲墨菊牌襪子　墨菊牌襪子。是中華第一針織廠的出品。用上等原料織成絲襪蔴紗襪絲光線襪。襪筒均特長。織造緊緻。有避免塵埃侵飢膚的效力。有保護足部溫暖。使血液循環亢進的功能。

▲三輪牌毛背心和浴衣　三輪牌毛絨背心和浴衣。是聯華毛織廠的出品。該廠用國產原料。織成毛絨背心毛絨園巾浴衣。質料堅固。經久耐着。富於保護體溫性。近來提倡海水浴。是强健身體的運動。用該廠浴衣。尤其適合衛生。

▲大中國純毛襪　大中國毛織廠出品的純毛毯和純毛襪。毛質很柔軟。底根很光潔。顏色很鮮明。對於保護體溫。有特殊的力量。允稱適合衛生的毛織品。

▲仁豐廠色布　仁豐機器染織廠出品的陰丹士林布。中興藍布。海昌藍布。冲直貢呢。縐紋呢。嗶嘰府綢等。原料均選上乘。經久耐洗耐着。用爲保護體溫之服裝。最適合衛生。

▲上海印染廠印花布　上海印染廠出品的印花布。印花毛絲布。印花色丁。印花羽綢。印花嗶嘰。印花直貢。染色素綢和斜紋等。俱用上等國產原料印染。顏色鮮豔。花樣新穎。身骨堅牢。用爲冬季服

裝。可以保護體溫。用爲夏季服裝。涼快舒適。均很衞生。

社會小說 清官難斷家常事（續）

天涯

庭間的榴樹。吐出很豔麗的榴花。牆前的蒲草。噴出很芬芳的香氣。習習的溫風。徐徐送熱。火傘般紅日。漸漸可畏。正是這艾綠蒲香。節近端午的時候。只看見遙遙無窮的長江裏。一隻巨舟遠遠地揚帆而來。原來這隻巨舟。就是官船。這隻官船就是陳太史來巡撫江浙兩省的船。順便遄返他的家裏來。

陳太史的官船。還未到陳府門口。早有許多家人和親友等候迎迓。原來陳太史早經着飛馬報通報陳太太。所以漢清也一仝站着迎迓。但是陳太史因爲有公務在身。不便長久留住家裏。他已經得到陳太太的詳細報告。家裏的事務。很明白了。最忿怒的。就是曉雲和漢清發生愛昧的事情。認爲大損家聲。可恥得很。決非嚴厲懲辦曉雲和漢清不可。所以他就吩咐侍役。預備用刑的器具。立刻親自審訊。先審漢清。漢清雖然見了刑具。嚇得魂胆飄搖。但是究竟心中沒虧心事。半夜裏拷門不吃驚。所以漢清口若懸河。滔滔不絕似的供了。和曉雲完全是親戚的情感關係。並無肉慾關係。但是陳太史不相信。必須漢清老實供出。否則就要用刑。可憐的漢清。怎樣供呢。所以因爲漢清始終不承認。陳太史就此用刑具痛打。正在痛打的時候。忽然陳太史的母親出來。把刑具執住。喝罵陳太史糊塗糊塗。這時候。陳太史沒法子。就停打了。命曉雲出來。陳太史看見曉雲大腹便便似的出來。已經忿得怒髮沖冠。鬍鬚矗起。就喝令老實供來，但是曉雲淚珠點點似的。只說她到漢清的書房裏去。從初到現在。都是遊玩性質。並無肉慾關係。肚腹碩大。實在是患病。但是陳太史不相信。必須曉雲老實供出來。曉雲只有以淚洗面。怎樣供呢。所以因爲曉雲始終不承認。陳太史就此也用刑具痛打。正在開始痛打的時候。忽然陳太史的母親出來。把刑具執住。喝罵陳太史糊塗糊塗。這時候。雖然陳太史停止痛打。乃陳夫人忽然出來道。親眼看見曉雲在漢淸的書房裏。替漢淸揮扇呀。拭汗呀。捉膝密談呀。她的大肚皮。已經請醫生診斷過。是受孕。還有什麼可賴呢。不料陳太史的母親。大呼寃枉寃枉。曉雲天天晚上和我同床睡覺。難道我不知道麼。這時候。陳太史弄得沒法。只說親官難斷家常事。叫我怎麼辦呢。後來一位陳太史的紹興師爺道。別的事情不要說。小姐肚腹這樣大。究竟還是受胎。還是疾病。必須辨個明白。可以請三四位名醫來評診之後。就可解決了。這種辦法。陳太史的母親。和陳夫人陳太史。都很表贊成。所以陳太史就吩咐侍役。分頭請四位有名的醫生到來評診。四位醫生先後到了陳府、診曉雲的脈。個個都說結氣成鼓脹。原來是鬱結之氣。不能舒展。已經病入膏肓。醫治感覺困難。後來這場風化案子。雖然已告段落。陳太史也離家去巡撫了。不料未及半月之久。曉雲眞正香消玉殞。一命嗚呼。漢淸哀悼得很。就此離開了陳府。自謀生計去了。（完）

本刊代售處

上海	山東路五馬路口	中醫書局
杭州	延齡路	開明書店
		西湖小說林書局
南京	太平路	花牌樓書店
	太平路	中央書局
蘇州	觀前大街	小說林書社
		交通書局
紹興	大路	教育館
	大街	育新書局
常州	城內	常州申報分館
鎮江	中山路	中央書局
常熟	大街	醉經閣書局
	寺前大街	常熟書局
松江		世界書局
平湖		綺春閣書局
無錫		文華書局
南通		翰墨林書局
安慶	龍門口	世界書局
皖北	正陽關	世界書局
南昌	中山路	江西書店
開封		龍文書局
漢口	保華街	現代書局
長沙	南陽街	亞光書局
天津	法租界二十六號	天津書局
	河北五馬路北	大生書局
北平	米市大街	江東書局

福州	南街	左海書局
梧州	大中路	文淵書局
瓊州	海口北門馬路	文敎書局
雲南	昆明市文明街	寶訓書店
成都	青石橋中街	中國圖書公司
	祠堂街	北新書局
重慶	商業場西二街	振亞書局
萬縣		中華書局
濟南	西門大街	東方書社
太原		晉新書社
西安	西安竹笆市	西北文化書局
廣州	雙門底	共和書局
汕頭	至平路	大東書局
	至平路	文明商務書局
廈門	廟橫街	新民書社
	中山路	樂育書店

本埠各報販均有出售

登衛生雜誌廣告之利益

▲至少有二十萬人注意

▲有長時間的效力

▲能使購買者一致信用

本刊以不偏不倚之立場。秉最公正之態度。予中西醫藥以相當之評論。優者褒之。發揚之。使購買者益堅其信仰之心。次者勉勵之。改進之。期日臻於至善。劣者警戒之。揭破之。以啟其覺心。而免社會之受患。並聯絡當代中西名醫。藥業巨子。抒其所見。發為文章。藉供醫藥界之借鑑。衛生家之津梁。本刊每月出版一冊。定價一角。由各省書局暨南洋各商店本埠各報販擔任推銷。每期印行二萬冊。假定平均每冊得十人傳觀。則本刊閱者至少可得二十萬人。即至少有二十萬人能見本刊所登之廣告。

本刊指示病家及消費者。以選擇醫藥之途徑。對於實驗藥品更加極力介紹。則病家及消費者。亦將奉本刊為醫藥之南針。必加意保存。又本刊記載研究醫藥學術之結晶。則業醫藥者。亦奉本刊為珍寶。勢必更加保存。決不如新聞紙之明日黃花。是本刊廣告實有長時間之效力。

本刊與社會。既如上述。關係綦重。況且衛生問題。人人宜研究。有人人不可離開之勢。則同一效用同一精美之甲乙二種醫藥中。苟甲種能向本刊登載廣告。則購買者將一致信用傾向於甲方。

衛生雜誌廣告例

地位	面積	價目
封面	大半頁	大洋三十元
底面	全面	大洋三十元
封面裏	全面	大洋廿元
底面裏	全面	大洋廿元
封面第二頁	全面	大洋十六元
	半面	十元
	四分之一面	六元
底面第二頁	全面	大洋十六元
	半面	十元
	四分之一面	六元
普通	全面	十二元
	半面	八元
	四分之一面	五元

一封面底面裏外均用二色套版印不另取資

一代製銅版鋅版費另加

一代繪圖樣費另加

一惠登廣告者贈本刊一冊

◉本雜誌投稿簡章◉

(一)本刊以提倡衛生研究醫藥改善國醫之短而發揚其精粹爲宗旨凡海內外中西醫藥家蒙惠賜鴻文或畫片不論自撰或譯述具有研究衛生醫藥意味者均所歡迎

(二)投寄之稿務須繕寫清楚以免錯誤並注明自撰或譯述字樣

(三)譯稿請將原文題目原著姓名書報原名日期詳細叙明

(四)投寄之稿本社得酌量增删投稿人倘不願他人增删者請於來稿註明

(五)稿末請註明姓名地址以便通信至登載時如何署名聽投稿者自定

(六)來稿登載與否恕不作覆如未登載之稿須欲寄還者請來稿聲明之

(七)本刊以灌輸醫藥知識提倡社會公衆衛生爲天職編輯者皆盡義務所以對於投稿諸君僅以贈閱本報爲酬但徵求之稿另有現金酬勞

(八)投稿者請逕寄上海南成部路福煦路口輔德里二十四號衛生雜誌編輯處收

衛生雜誌社編輯部謹啓

衛生雜誌第六期

中華民國二十一年十二月出版

主編者 國醫張子英

校正者 國醫胡佛

發行者 衛生雜誌社

印刷者 衛生雜誌社 上海山東路

分發行所 中醫書局

分售處 各省書局及本埠報販

衛生雜誌定價表 (費須先惠)

出版	月出一冊	全年十二冊
價目	大洋一角	大洋一元
附	郵費在內	國外加倍
注	郵票代洋以一分五分爲限	

⊙社址⊙ 上海雲南路寗波路口鏞壽里一百零九號 電話九二五〇二號

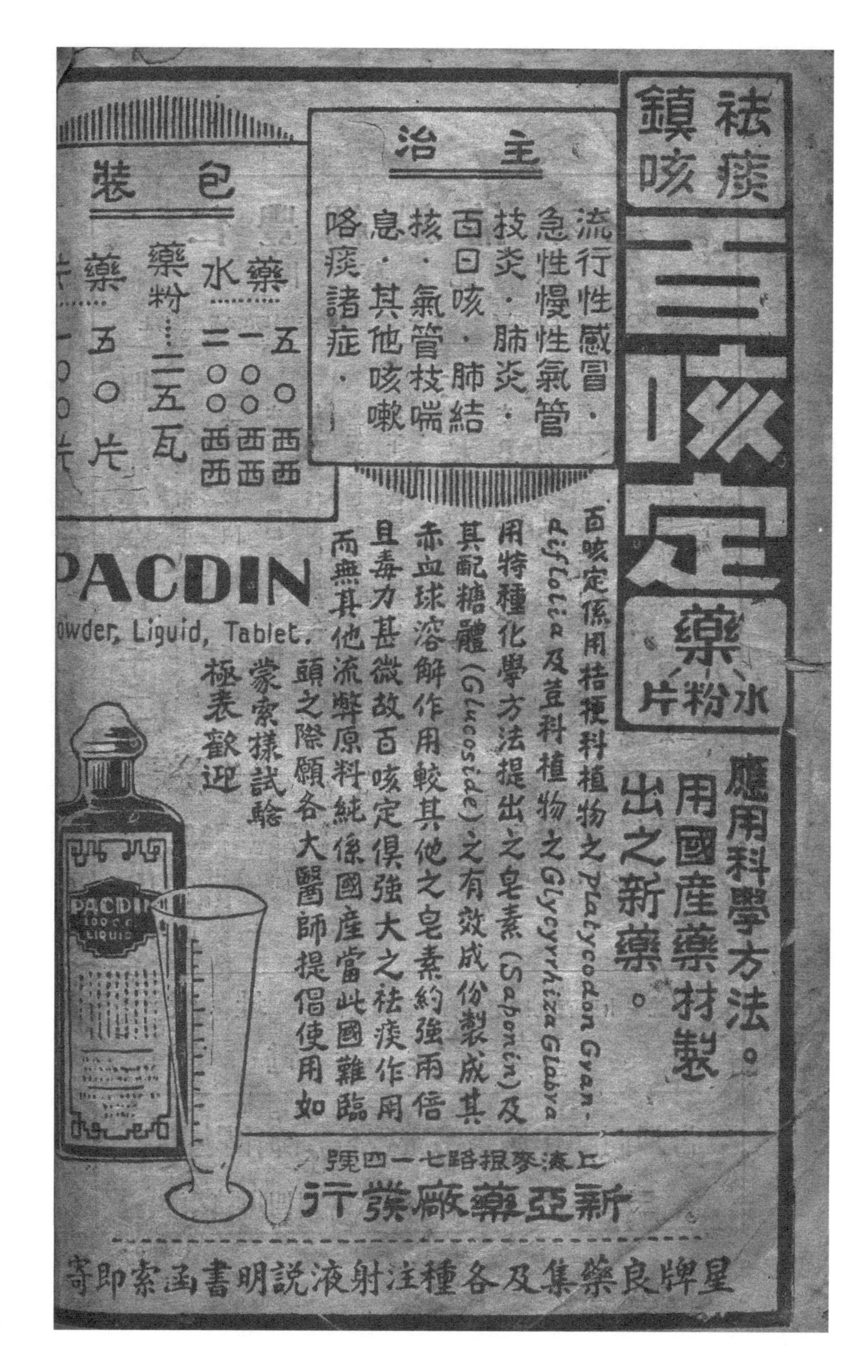

祛痰
鎮咳
百咳定
藥
水粉片
應用科學方法。
用國產藥材製
出之新藥。
主治
流行性感冒・急性慢性氣管枝炎・肺炎・百日咳・肺結核・氣管枝喘息・其他咳嗽咯痰諸症・
包裝
藥水 五〇西西 一〇〇西西 二〇〇西西
藥粉 二五瓦
藥片 五〇片 一〇〇片
百咳定係用桔梗科植物之Platycodon Grandiflora及荳科植物之Glycyrrhiza Glabra用特種化學方法提出之皂素(Saponin)及其配糖體(Glucoside)之有效成份製成其赤血球溶解作用較其他之皂素約強兩倍且毒力甚微故百咳定俱強大之祛痰作用而無其他流弊原料純係國產當此國難臨頭之際願各大醫師提倡使用如蒙索樣試驗極表歡迎
PACDIN
owder, Liguid, Tablet.
上海麥根路七一四號
新亞藥廠發行
星牌良藥集及各種注射液說明書函索即寄

HEALTH MAGAZINE
衛生雜誌
張子英醫士主編
胡佛醫士校正
第八期性病專號
中央研究院
精確之化驗
血川銀耳
批正路銀耳。貨色眞實。售價低廉。如不合意。保證退換。並著有銀耳說明書。無論本外埠承索卽奉。
補品異彩
四川商店謹啓
電話 九二〇〇三

本社贊助人

王曉籟　徐賡華
王延松　王鈍根
潘公展　孫籌成
徐乾麟　胡仲持
許世英　張士俊
鄭洪年　金柏生
袁履登　顧文生
鄔志豪　俞福田
陸文韶　趙　冲

本社理事

秦伯未醫士
郭柏良醫士
蔣文芳醫士
包天白醫士
張汝偉醫士
盛心如醫士
朱鶴皋醫士
嚴倉山醫士
朱孟栽醫士
沈仲圭醫士

本社社長　胡　佛醫士
本社編輯主任　張子英醫士　沈仲圭醫士　潘國賢醫士
本社發行主任　許世正　趙錫香
本社廣告主任　張承椿　陳伯民　朱景輝
本社宣傳主任　黃欽齋　沈伯祿
本社推廣主任　繆曙初　陳錫安
本社撰述員全國各大名醫

杜月笙　徐賡華　呂岳泉　孫吉堂
王曉籟　鄔志豪　陸文韶　王鈍根
王延松　婁雲卿　俞福田　趙　冲

爲張子英醫士啓事

古越張君子英幼年夠學精究岐黃壯年與其姻戚遜清御醫太醫院徐起霖先生遊深得徐太醫祕傳醫術益彰如傷寒溫熱虛損痰嗽瀉痢雜症以及婦女經產小兒驚風痘瘄諸科辯析悉遵內經用藥別出心裁靡不藥到病除是以懸壺滬上數年於茲活人無算現爲國難方殷減輕平民負担起見門診祗收四角一百文出診祗收二元赤貧者不計俾達仁術濟世之宏願爰爲紹介以告病家之未識先生者

國醫張子英診例

科目　內科傷寒溫熱虛損痰嗽瀉痢等雜病婦女經產小兒急慢驚風瘄痘疳積諸症

診資　門診一元二角（平民祗收四角一百文）出診五元（平民祗收二元）路遠酌加赤貧不計

時間　門診上午九時至下午一時出診下午一時以後急症隨時面商

診所　上海英租界南成都路輻照路口輔德里念四號

藥材 參燕
徐重道國藥號
飲片 丸散
是◎最進步◎最可靠◎之中國大藥店
補腎固精丸
是補腎壯體之良藥◎有增精益髓之功效
每瓶一元
化痰止咳丸
是消痰止嗆之良藥◎有補肺防癆之功效
每瓶一元
筋骨瘋痛藥
是瘋痛麻木之聖藥◎有舒筋活絡之功效
每瓶一元
婦女調經藥
是調經活血之良藥◎有平肝益氣之功效
每瓶一元
五淋白濁丸
是淋濁白帶之良藥◎有止痛消毒之功效
每瓶一元
總號上海愛文義路泥城橋西
徐重道痧藥水
最為靈驗
與眾不同

海關化驗註册各處可由郵寄

神功十滴水

十八週紀念　大廉價贈品

神功十滴水即承曾氏治疫藥水自民國四年行銷以來每年必救命數十萬久蒙各埠慈善家所稱頌無論四時瘟疫霍亂吐瀉子午癟螺抽筋吊脚腹痛絞腸及七十二種危險急痧服之均能起死回生立即轉危爲安本藥濟世爲懷特此**廉價發售**批發原價中瓶每百瓶六元減售四元小瓶每百三元減售二元外埠郵費木箱照價加二購千瓶者送百瓶並加**贈美術品**大書畫家吳昌碩　王一亭　朱古微　伊立勳四大家合作無量壽佛並加題長跋之立輔精印凡剪此報直接向本廠購滿百瓶以上者均得奉贈一幀以副盛意而表成績（如函購者須說明見本刊）

鴉片魁星

百補矮瓜精

國民政府註册　中央衛生試驗所證明無毒

海關化驗准予運寄　國貨展覽會優等獎

此精風行海內迄今十餘年戒絕多年老癮無算功效久著有口皆碑原料採用吉林倭瓜籐漿佐以珍貴補品提煉成精藥性和平並無絲毫毒質服後精神爽健辦事敏捷有補氣血滋陰助陽之功具滌蕩烟積開胃潤腸之力連服半月安然戒絕確實保證永不反癮加料大瓶大洋二元二角半小瓶每元十二瓶郵寄加一批發優待（加旅行欲求便利另有百補矮瓜丸）（功用完全相同每瓶售洋一元）▲上海新開路醫園弄普達藥廠發行▲分設無錫城內推官牌樓北首▲分處先施永安藥部北四川路會豐商店五馬路大陸藥房鄭家木橋大華藥房西新橋齊華堂二馬路正威藥房及各埠大藥房

欲求精美印刷者請至

東華印刷公司

本公司承印中西文件銀行簿册股票商標五彩石印凹凸版兼製銅版鋅版橡皮圖章一應俱全特聘上等技師出品精美價格從廉交貨迅速定期不悞如蒙　賜顧無任歡迎電話來信或通知敝公司卽派員前來接洽可也

上海北四川路白保羅路和平坊六十九號

電話四五三一九號

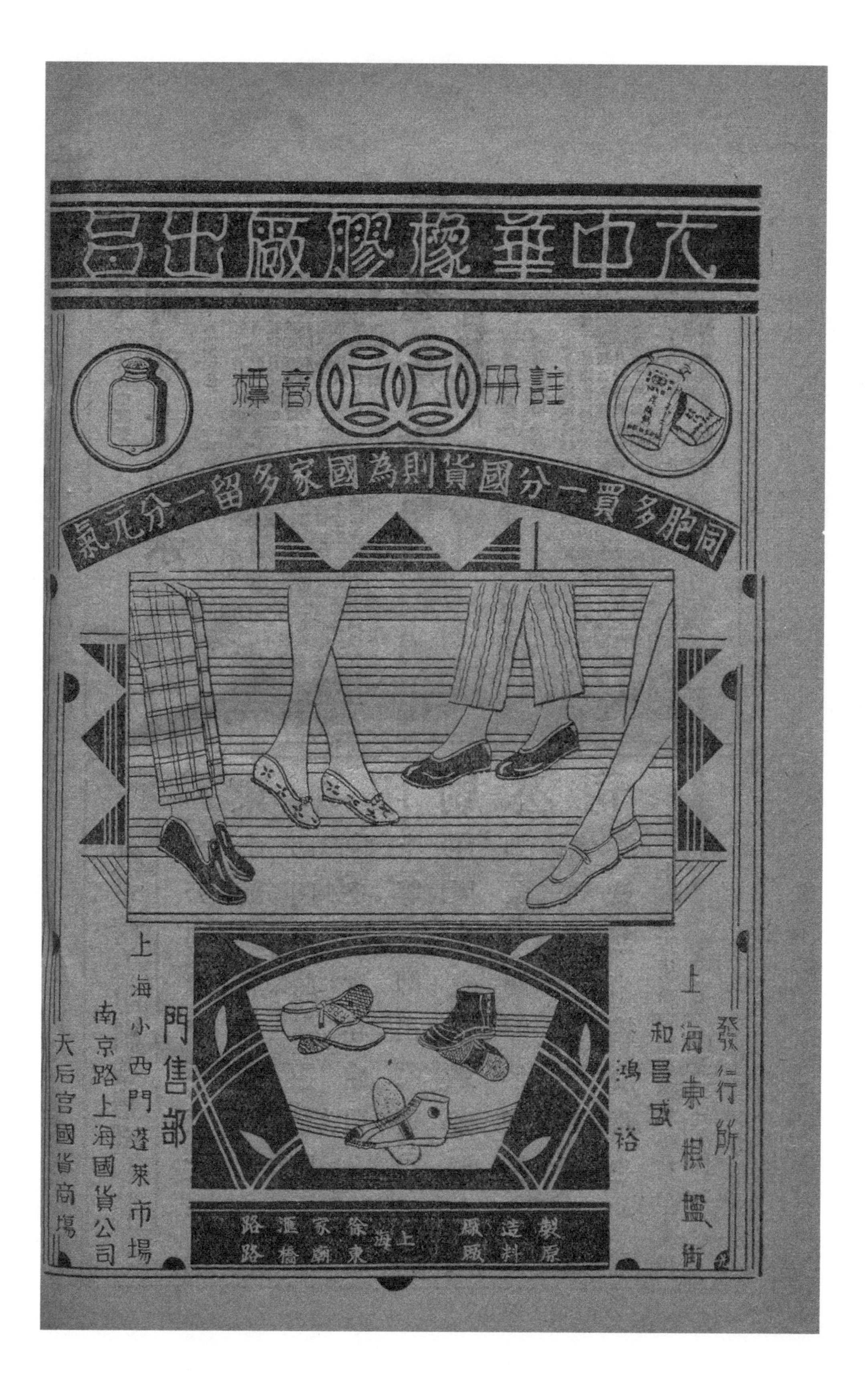
大中華橡膠廠出品
註冊商標
同胞多買一分國貨則為國家多留一分元氣
發行所
上海東棋盤街
和昌盛
鴻裕
門售部
上海小西門蓬萊市場
南京路上海國貨公司
天后宮國貨商場
製造廠
原料廠
上海
徐家滙路
東廟橋路

衛生雜誌第八期性病專號目錄

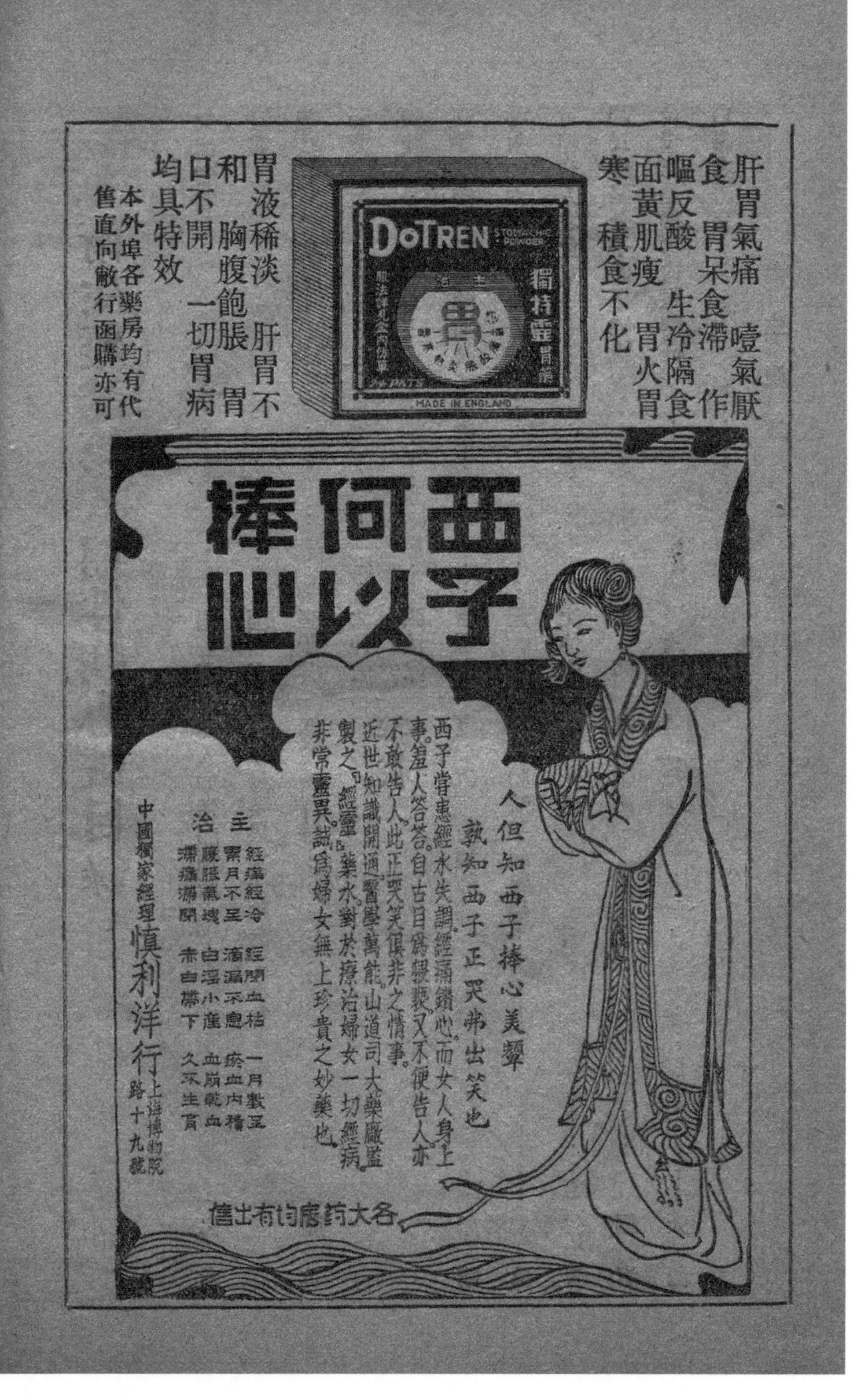
肝胃氣痛 噯氣厭食 胃呆食滯 作嘔反酸 生冷隔食 面黃肌瘦 胃火胃寒 積食不化
DoTREN STOMACHIC POWDER
獨特靈
MADE IN ENGLAND
胃液稀淡 肝胃不和 胸腹飽脹 胃口不開 一切胃病 均具特效
本外埠各藥房均有代售 直向敝行函購亦可
西子何以捧心
人但知西子捧心美顰
孰知西子正哭弗出笑也
西子嘗患經水失調，經痛鑽心。而女人身上事。豈人答答。自古目爲褻褻。又不便告人。亦不敢告人。此正哭笑俱非之情事。
近世知識開通。醫學萬能。山道司大藥廠監製之『經靈』藥水。對於療治婦女一切經病。非常靈異。誠爲婦女無上珍貴之妙藥也。
主治
經痛經冷 累月不至 腰脹氣塊 滯痛滯閉
經閉血枯 滴漏不息 白淫小產 赤白帶下
一月數至 瘀血内積 血崩乾血 久不生育
中國獨家經理 慎利洋行 上海博物院路十九號
各大药房均有出售

編輯者言

編者

據外國某統計家說。中國青年人。無論男性和女性。十人之中竟有八人患性病。因爲青年時候患了性病。斵傷了身體。所以一蹶不振。未老先衰。一生成爲孱弱。如志氣頹唐。事業失敗。行爲卑鄙等現象。就根基於此。進一步言。今日吾國社會的窳敗。國勢的衰弱。任强鄰侵侮。也由於青年人多性病。缺乏研究學術。科學落伍的緣故。所以撲滅性病。煅煉青年體魄。實在是康健教育家。目前最切要的問題。查市上治性病的藥品這樣多。性病藥品的營業這樣盛。就可以知道吾國患性病者的普遍。和明瞭吾國患性病者需要救濟之切。本社秉服務社會。指導康健的誠意。特地把整個的性病問題。來討論一下。所以本期刊行性病專號。使患性病者有所遵循。未患性病者有所預防。請青年男女們。格外注意些罷。

君欲得高尚位置乎？

君欲學專門技能乎？

君欲謀職業乎。苟欲增相當之學識乎。君欲成一有名之人乎。君欲如願以償者。請速報名。函授住讀面授均可。與原有職務毫無妨礙。茲免費招男女生。祇收講義等費。半年畢業。將來希望無窮▲有志在軍政界服務者請入（公文人才養成所）▲有志在報界服務者請入（新聞記者養成所）▲有志在商界服務者請入（商業傳習所）本校已設十餘年索詳章附郵三分上海霞飛路求是學校校長陶建華啓

雲華軒牙醫局

周森懋牙醫生

拔牙用上等藥水絲毫不覺痛苦亦無出血之患

鑲牙專鑲足赤金牙滿口磁牙當日可以吃食

電補治療迅速永不再發永不復痛

牙痛立刻可以止痛手術完善

技術精良 取費優待

診所北浙江路龍福里口第一百六十七號門牌

本埠先施永安五洲華英堂濟華中美等均售

奉送淋病療養說明書函索坿郵票三分即寄

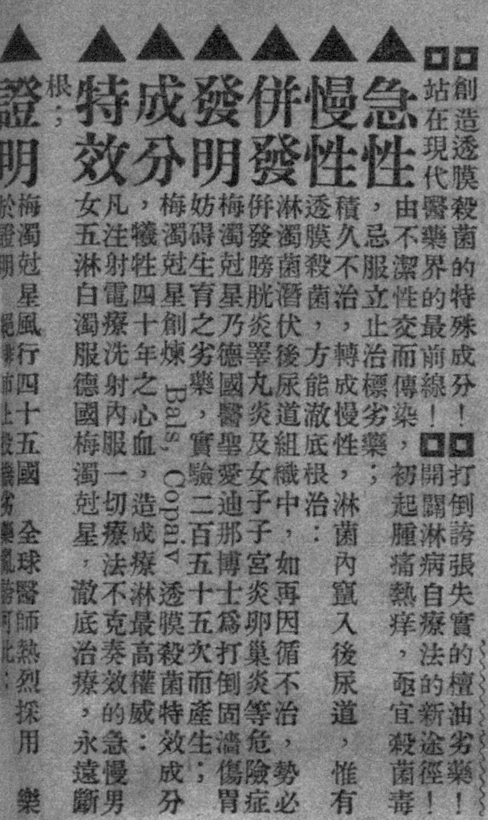

▣創造透膜殺菌的特殊成分！
▣站在現代醫藥界的最前線！
▣打倒誇張失實的檀油劣藥！
▣開闢淋病自療法的新途徑！

由不潔性交而傳染，初起腫痛熱痒，亟宜殺菌毒！，忌服立止治標劣藥；積久不治，轉成慢性，淋菌內竄入後尿道，惟有透膜殺菌，方能澈底根治：

▲急性 ▲慢性 淋濁菌潛伏後尿道組織中，如再因循不治，勢必併發膀胱炎睪丸炎及女子子宮炎卵巢炎等危險症

▲併發 ▲發明 梅濁尅星乃德國醫聖愛迪那博士為打倒固濇傷胃妨碍生育之劣藥，實驗二百五十五次而產生；

▲成分 梅濁尅星創煉 Bals, Copaiv 透膜殺菌特效成分，犧牲四十年之心血，造成療淋最高權威：

▲特效 凡注射電療洗射內服一切療法不克奏效的急慢男女五淋白濁服德國梅濁尅星，澈底治療，永遠斷根；

▲證明 梅濁尅星風行四十五國 全球醫師熱烈採用 樂於證明 絕非市上投機劣藥亂誇可比；

新開 **大同生國藥號**

老西門和平路

▣特設▣

接方送藥部　代客煎藥部

參燕補品部　醫藥問津部

電話一九二一號

家庭唯一刊物 **婦女旬刊**

提倡家庭教育　發展女子技能　研究兒童培養

力謀人生幸福　每旬日出一期　售大洋計五分

全年一元八角　海外共收四元　已出版十六年

風行全國各埠

杭州直骨牌弄門牌第十九號

怎樣撲滅性病

張子英

吾國性病的普遍。可稱全世界首屈一指。所以男女青年時代。已經顯露了孱弱的狀態。一切社會的窳敗。事業的頽唐。就胚胎於此。我們要救我國社會和國家。當然要有康健的民族。但是要培植康健的民族。必須撲滅普遍性的性病。原來性病毒害社會。實在害怕得很。小之足以廢時失業。大之足以傷身滅種。整個的社會國家。也受到相當的影響。現在怎樣撲滅我國的性病呢。和大衆來商量商量吧。社會上性病的禍害。決非少數性病醫師可以撲滅的。原來性病的大多數發源地。當然是娼妓室裏。所以禁止娼妓。是撲滅性病的第一條件。但是吾國社會。有許多都市。竟靠着花捐爲維持社會安甯的經費之一部份。不啻獎勵娼妓。培植性病，竟美其名曰寓禁於徵。眞是矛盾極了。不過完全剷除娼妓。也不是文明國家絕對的辦法。原來性慾的衝動。是人們的天性。若青年沒有洩慾火的地方。恐怕社會上姦淫的案件。還要多咧。所以娼妓是絕對不能禁絕的。不過政府裏，應該製定一種嚴格檢驗妓女的法律制度。對於傳染梅毒的妓女。雖然已經治愈。也須經過若干日期。再經醫師檢驗之後。然後可以營業。還有都市裏的醫師。對於青年男女患性病的病人。無論已愈或在治療的時候一概按月須造表報告衛生局。若尙未痊愈的時候。絕對不准結婚。但是這種辦法。完全須官民合作。然後可以徹底解決。還有性病的媒介物。如淫書淫畫淫戲。應該嚴厲的取締和禁止。關於宣傳性病厲害的圖畫、標本、或小冊。都應該陳列於通衢大道。或公衆閱報室車站等公共場所。也可以撲滅性慾的熱烈衝動。此外提倡康健教育。灌輸社會衛生知識等等。使青年男女都知道節慾和預防性病。那末都是撲滅性病的根本辦法。請高明者。再發表意見吧。

陽萎概說

沈仲圭

名稱　一名陰萎。亦名陰莖勃起障礙。即當交媾時。陰莖之擴大不足。硬度減低。或全無奮亢力。因之不能插入女子膣中之謂也。

原因 (一)一時性陽萎 如精神過勞。機能久廢。(如獨身主義。佛教信徒。因生殖器官。久廢不用。致勃起力減弱或缺如。)飲酒過量。睡眠缺乏。精神感應(如老人與少女交媾。自慮持久力不足)等。

(二)持續性陽萎

A由於生殖器之畸形者。如陰莖彎曲、陰莖短小、包皮狹小等。

B因於他種疾患而發者 如糖尿病、肥胖病、脊髓癆、腎臟炎、慢性淋疾、攝護腺炎等。

C由於藥物飲料中毒者 如常服臭素。及烟癖酒癖過深之人。

D因腦或性神經衰弱者 如房事過度。腦力過用。或手淫、遺精等。(按因神經衰弱而成陽萎。爲臨床上習見之事實。

症狀 局部爲陽物軟弱無力。全身則現虛弱症狀。

治療 A赤脚大仙種子丸(全當歸肉蓯蓉蓮蕊鬚杜仲菟絲子淫羊藿潼蒺藜茯苓破故紙牛膝各八兩枸杞四兩猺桂心二兩綫魚鰾二斤大天雄二枚(每枚重一兩四五錢)每藥一斤。用煉密十二兩。開水四兩。和丸。如梧子大。

B景岳右歸丸(熟地八兩杜仲山藥萸肉杞子菟絲子各四兩鹿角膠全當歸各三錢附子肉桂各二兩密丸)治陽衰無子。

C傅青主方(熟地一兩山萸四錢遠志巴戟天肉蓯蓉杜仲各一錢肉桂茯神各二錢白朮五錢人蔘三錢水煎服)始陽萎不舉。

D準繩龜鹿二仙膠(龜版五斤鹿角十斤枸杞子一斤十四兩人參十五兩熬膠)大補精髓。

【附記一】上列四方。概括言之。以補陽(附子天雄)滋陰(山萸熟地杞子巴戟天菟絲子杜仲龜板潼蒺藜魚鰾膠）補命門。淫羊藿蓯蓉破故紙肉桂鹿膠）兼以固精（蓮鬚山藥山萸潼蒺藜）補脾（白朮山藥黨參）養心（遠志茯神）爲目的。對於神經衰弱之陽萎。（惟陽萎兼有遺精者。宜愼用。）陰莖短小之陽萎。皆可選用。

攝生 （一）食滋養之食料（如牛肉汁、鷄肉汁、魚肉、鷄卵。而以羊腎或羊肉和米煑粥爲尤佳。）

（二）爲規律之運動（如球術、拳術、郊行、乘馬皆可。惟須有一定之時間。持續之恆心。及勿使太過爲要。）

（三）保精神之安靜

（四）杜淫猥之言行

（五）行局部之冷浴（以冷水灌注生殖器及脊柱。然後以毛巾拭乾。

【附記二】患陽萎者。每焦灼憂悒。若攖沉疴。此大誤也。攷陽萎非死證。充其量。不過喪失床笫之歡耳。夫床笫之歡。爲使神經感覺愉快之一種方式。並非舍此方式。卽無愉快可得。如伴愛人。小語於綠蔭之下。徜徉於山水之間。如與嬌妻。謌唱於明月之夜。舞蹈於氍毹之上。此種精神之戀愛。實人生無上之幸福。且床笫之歡。爲時至促。苟且伐之。則自戕其身。奉勸陽萎之病人。宜達觀。毋憂悒。須知達觀則精神怡悅。病亦易愈。憂悒則氣血鬱結。藥物將不能爲力也。

預後 苟非重篤之症。皆有治愈希望。

談談性

張汝偉

凡物皆有性。性者人之本能也。隨人體以俱生。在昔聖賢。如孔孟俱曰性善。荀子獨曰性惡。告子則曰性猶桮棬也。猶杞柳也。能善亦能惡。在乎習之如何耳。後賢如王陽明氏之謂良知良能。亦卽指性之育于心也。佛氏之明心見性。降龍伏虎等云。亦言性之能超凡入聖也。人之與性。關係之大可知矣。世風日下。不知眞性之謂何。祗因孔子之吾未見好德如好色者也。孟子曰。食色性也。二句。遂將性與情並論。幷于性下加一慾字。用以號召青年。甚有專以性爲病治者。實則性字。不當如此解。惟有修養。可以涵育其性。如泰山崩于前而不驚。麋鹿興于左而不喜。不爲威惕。不爲利誘。所謂定于一者是也。若以因慾而發生之病。謂之性。是不揣其本。而齊其末。可慨也夫。退一步言。卽從性慾二字論。慾果因性而動。性字從心從生。心中之所感。爲之性。太極中分。互相倚伏。陰陽交媾之理寓也。心爲陰中之陽。腎爲陽中之陰。心藏神而腎藏精。精之動。必心之神下降而始出。所以遺精家。精頻出則神遂弱。健忘慌惚。所由來也。飽暖之人。多思淫慾。祗因閒居終日。無所用心。而腎精感之。發生慾念。若其人急急以謀生。或孜孜以求學者。心無二用。陽幷不能舉。精亦何自出矣。偉根據此原素。治遺精者。必先寡慾以清心。自然性不從衺。治性者。聖賢正心誠意之學也。非可用曲線美。模特兒以導淫也。非可用壯陽丸。固精丹。可以治性也。偉見近世人性。有汨沒之虞。爰作矯正之語。幸毋視爲頭腦冬烘。而譏之曰泥古不化。庶幾人人能得全其眞性，國家亦有復興之日矣。質之閱者。以爲然否。

剷除花柳病與檢驗娼妓之商榷

潘國賢

花柳病在社會上爲害之烈。無庸諱言。補救之策。決非一衛生行政機關所能單獨担任。惟花柳病所以能在社會上蔓延者。除社會問題外。人民對於花柳病智識之缺乏。及正當治療機關之不敷。實爲二大原因。常人對於花柳病以爲無足輕重。不知此種疾病爲害之烈。非特於其本身爲終身之痼疾。抑且有危害其家屬子孫之可能性。卽幸而有相當之智識。但因智識之不澈底。第知其有害而不知預防之法。故一人傳十。十人傳百。無由終止。在社會方面

。則以患花柳爲可恥。故患者往往秘而不宣。或暗自訪醫。遂至江湖醫生。得以乘隙而人。故抬價格

包醫包治一針斷根等花樣。層出不窮。按花柳病非不能斷根者也。惟治療須自數月至數年方可有治愈之可能。江湖術士之所稱一針斷根。無非使疾病路退蘊藏於體內耳。及其死灰復燃。爲害之烈。何止千百倍於初病之期。欲剷除花柳病。在衞生當局應担負之責任爲

一用宣傳及公開演講等方法。人人瞭解花柳之害。並防止之。

二設立免費花柳診療所。使患此病者。有直接受正當而有効之醫治機會。其必需免費者。亦卽藉以能使無力求醫者亦有治療之機會。換言之。亦所以間接抵制江湖術士之辦法也。

此外尙有檢驗娼妓。亦一重要問題。惟其功効究有幾何。殊宜一加考慮。

A檢驗範圍不外登記之娼妓。其他若私娼及性道德觀念缺乏之者。皆不在焉。欲藉檢驗此少數公娼而達剷除花柳。是否有効。

B被檢驗者僅女性。好作冶遊之男子。則並無限制。但散布花柳病之可能性。二性具有同等効力。則此種偏面檢驗。究有若干効力。

C檢驗期多則一星期一次。少則一月一次。在兩次檢驗之間。娼妓之被染機會有幾何。散布之機會又幾何。僅憑一次之檢驗而謂無散布之可能。豈可認爲可靠。

D檢驗之手續繁多。且有一時不易辨別者。非有精密之化驗不爲功。試問能按此實行者。又有幾處。

綜上所述。檢驗娼妓未必爲一種有効方案。行之者亦無非盲從。以爲西洋有行之者。卽足以効法。未加考慮耳。惟宜傳及免費診療二者。望我衛生當局急起圖之。

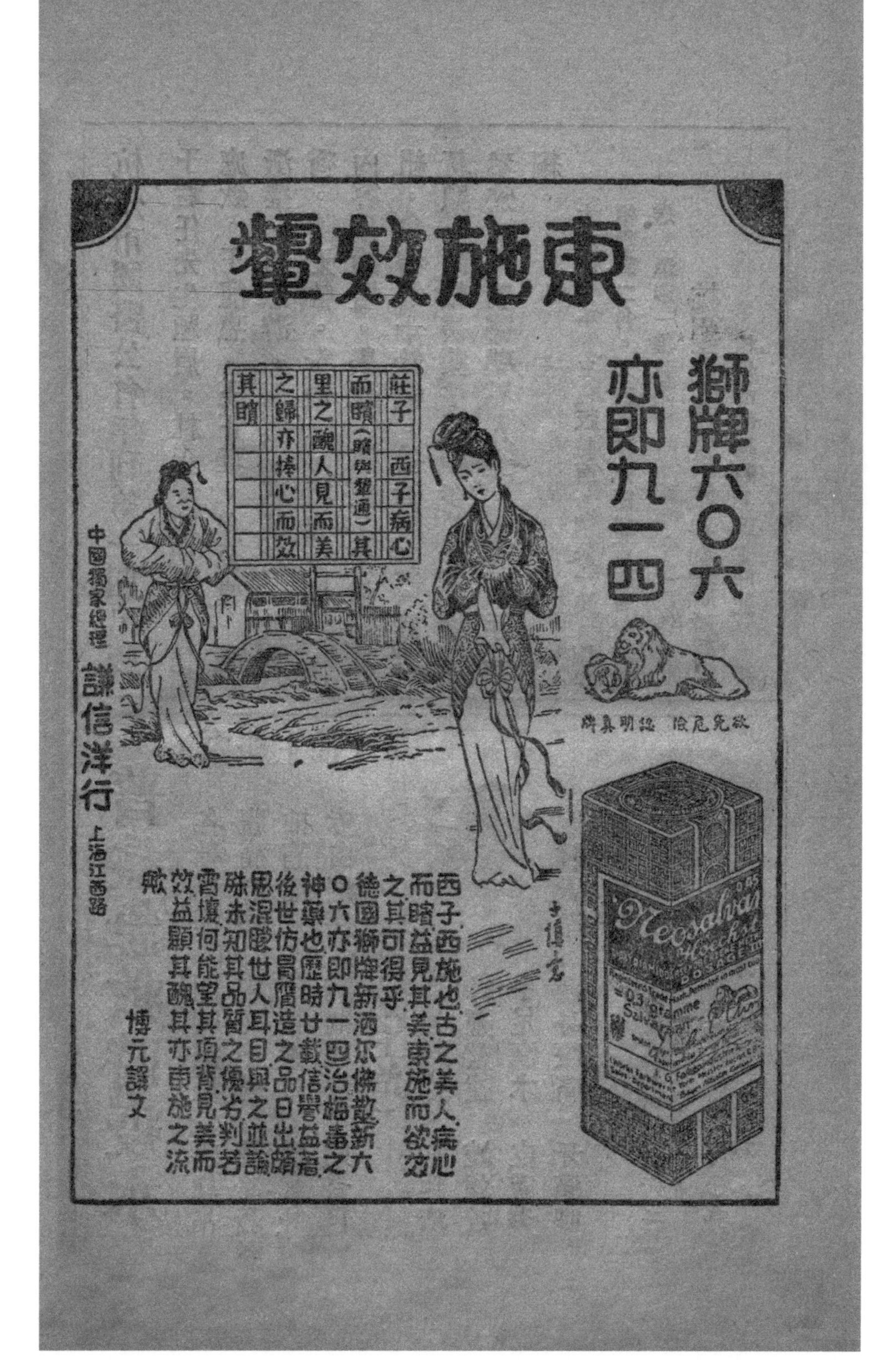
東施效顰
獅牌六〇六
亦即九一四
莊子 西子病心而矉（矉與顰通）其里之醜人見而美之歸亦捧心而效其矉
欲免危險 認明真牌
西子西施也古之美人病心而矉益見其美東施而欲效之其可得乎
德國獅牌新洒爾佛散新六〇六亦即九一四治梅毒之神藥也歷時廿載信譽益着後世仿冒贋造之品日出競思混賤世人耳目與之並論殊未知其品質之優劣判若霄壤何能望其項背見美而效益顯其醜其亦東施之流歟
博元譔文
中國獨家總理
謙信洋行
上海江西路

注射新六〇六Neosalvarsan的治療效率

蕭熙

1. 怎樣對付這個大惡魔

人類的大惡魔。有姊妹三個。就是。癌症。結核症及梅毒。這三個惡魔之中。要算梅毒爲最普遍。它的足跡。佈滿了全世界。它會從公共用具上。跳進我們的懷裏來。它和我們的朋友。發生了關係。却還要拉了我們去和它談戀愛。它有時叫些香艷艷的姐兒們。替它介紹給我們。它簡直是一個淫婦。沒有理性的色情狂。那永不會止足的性的衝動。在不斷地促成它的瘋狂和獰惡。它將腐蝕了這個世界。有多少的人們因它而墮落。它害死了整千整萬的英雄才子。給予人們以消極的人生觀。西方的叔本華的悲觀哲學。據說就是受了它的影響而產生的。好一個刻毒的蕩婦。一個凶狠的魔王。看吧。我們有我們的手段。天家快拿出砒類藥物來。拿出我們比六〇六更有效的新六〇六來。看這妖怪逃到那裏去。看它怕不怕這個有效的手段的對付。

2. 立止梅毒的效率

誰給S性菌玩弄過了的人。誰就有患梅毒的危險。因爲梅毒的組織。全是S菌這班東西。然而。朋友。你不要怕，萬一梅毒侵犯到了你的時候。你知道趕緊去找正式醫師施行砒類注射。那你的病或者就可以立刻歇止。不致於蔓延開來。而且。只要發覺得早。醫治得快，說不定永不會再發呢。路易傳及將那兩博士就說。梅毒在潛伏期內。用重量九一四(新六〇六)在靜脈連續注射。能於一定時期內。使梅毒完全斷根。但要請正式醫師時常檢驗血液。直到沒有S菌的發現才可放心。千萬不要誤信了江湖醫生的廣告的欺騙。像什麼一針就能夠根治梅毒一類的話。我會見到有很多的患者。瘋狂地着了這類騙術的迷。不是沒有希望的病體因此糟塌了的顚不少。要知道梅毒打一針暫時雖然見效。不久毒氣仍然有再發的危險。所以非經過正式醫師的連續注射。決計不能得到病根的全部總退却。這是值得大家注意的一點。

3.先行根治的效率

在梅毒症狀未發現的當兒。——就是檢查上有梅毒的嫌疑。或血液已有S菌的混入等。我們可以施行靜脈注射。並且。能夠收到先行根治的效用。從前方業侯教授 Fournier。就有這樣的報告。他嘗於梅毒之在潛伏期內時。行輕量新六〇六注射數次。梅毒便根本的治愈了。再不會有復發之虞。據教授的統計。謂有女子四十個人用上面根治的方法。於她們受毒後未發現時。舉行靜脈注射。竟能使她們都保持着固有的健康。沒有被梅毒的魔法所收服。不過有五個女子。梅毒的症候。按着各期次第發現。這就爲的是不肯接受先行治療的緣故。如此看來梅毒先行靜脈注射治療。確有不可思議的效率。

4.對於梅毒第一期之效率

梅毒初期。就是下疳發現的時候。下疳瘡的形狀。是圓的。顏色鮮紅。一般性不至於蔓延。（指局部的瘡疹）也沒有痛楚的感覺。瘡部頗爲堅硬。不像軟性下疳那樣潰爛的疼痛難忍。每星期注射一次。到了相當的時期。可以暫爲停止。一二月後。再行注射。慢慢的就能和梅毒脫離關係。

5.對於梅毒第二期之效率

染傳了梅毒而不去治療。便易造成這個魔王吃人的絕好機會。便有第二期的全身發紅疹。或口鼻咽喉肛門等部。粘膜生瘢的變症發現。這須施以長期的注射。才可以把病魔摔到孫行者一個觔斗的一萬八千里以外去。

6.對於梅毒第三期之效率

怪難爲情的。患了梅的人。怎麼可以直捷爽快地說自已是染着梅毒。怎麼就可以往花柳醫院裏去住上幾天。不怕人家的恥笑麼。其實。這完全是你的誤會。生了病請醫生治療。正是你將和病魔宣告脫離的表示。有什麼不好意思呢。朋友。如其你受了毒之後。一直不延醫診療。死活只保守着祕密。那末。死神便要將你抓去。將你交給梅毒的魔鬼去宰割。從第一期而至第二期。第二期而至第三期。於是。結核。瘡瘍。潰爛。弄得你感受不可名狀的痛苦。到這時候。你將忍不住要去找醫生了，還好。有效的治療方法不是沒有的。那個砒類的注射。就是你的生命的泉水。是你的興奮已死的生命的旨酒。

7.對於特種情形下之梅毒的效率

這一種梅毒的治療。是用九一四輕量注射。——就是孕婦染有梅毒的療法。姙娠婦人有了梅毒。不僅對於自身有不妥。胎兒亦將受着很大的影響。或者孕而墮胎。或胎兒下地後。多至夭殤。即幸而不死。也成爲瘦弱多病的有遺傳性梅毒的可能。所以有梅毒的孕婦。須行長期的注射。這種注射有神聖的效率。能治愈孕婦和保全未來國家之主人翁的胎兒。

8.對於各部梅毒之效率

對於各部的梅毒。更具有奇特的效力。神經梅毒。腎臟梅毒。心臟梅毒。以及眼部等梅毒。都能收到很良好的效果。

9.結束的話

新六〇六對於梅毒的效力。比六〇六更要來得大。凡傳染梅毒後。不待症狀之發現。便求治于有價値的醫師。即時開始注射。實在容易根除。也可免去第一期症候的發現。但在下疳發作的十日或十五日以內。華氏反應尚呈現陰性。對於這期的功效。也仍不失其偉大。

10附帶的幾句

我既然說九一四有這等的效率。諸位却不要誤會我的說話是在叫大家去放膽玩弄淫婦。我不過從許多的梅毒治療藥中。將這個比較有效的砒類藥物。提出來給大家看看。在藥學上的所謂特效藥也者。都不過認爲有效罷了。譬如像瘧疾特效藥的金鷄納。未必每一個瘧疾病人就都能治得好。我們對於梅毒的防禦。千萬不要因有特效藥便馬馬虎虎起來。但我們於此亦不必就蔑視了這個梅毒特效藥。它確是有那個神聖的效率的存在。

遺精病人之食單

沈仲圭

血氣方剛之青年。處於繁華之都會。耳目之感覺。身體之接觸。在在有衝動性慾。誘起綺夢之可能。故遺精病之發生。往往十中七八。幾成爲普遍之性病。根本治療。厥惟遏止邪念。高尚志向。爲正本清源之計。藥物治療。如臭化鉀、臭化鈉、露密拿爾、Luminal 克癲納 Gardenal 之平腦是也。理學治療。如冷水灌注陰部。摩擦脊柱。或於早晨爲五分鐘之冷水浴是也。病中調攝。則謹守個人衞生。並注意被褥勿過溫暖。晚餐毋令太飽。清潔龜頭之脂質。厲行適當之運動是也。今本素問『精不足者。補之以味』之旨。擇滋養各品。列成食單。俾遺久體虛。須行營養療法之患者。得有依據云。

早食

四川銀耳　先置冷水中。漲大其體積。然後和冰糖煑食。

【圭按】據胡澤君之化驗報告。謂四川銀耳中所

含之膠質，類似亞拉伯樹膠。有補血、强身、健腦、開胃、潤腸之効。蓋爲一種易於吸收之滋養品也。

【編者按】上海出售銀耳店家。以大馬路拋球場四川商店所售者，爲最眞確。功效亦最偉大。

中食

1.清燉甲魚　可加火腿同煑。

【圭按】鱉肉富於脂肪。營養之價甚高。故小泉榮次郎云。『富滋養。病後身神疲勞者最宜』。

2.山藥燒肉　生山藥、鮮猪肉切塊。照普通紅燒肉法煑爛即成。

【圭按】猪肉含脂肪頗富。爲亞於牛肉之貴重肉類。本草稱其性凉。功專滋陰救液。山藥含多量之澱粉及 Diastase。(澱粉消化素)有强壯身體。扶助消化之作用。

3.菠菜豆腐　以菠菜豆腐爲原料。烹成美味之蔬餚【圭按】豆腐爲植物性蛋白之代表。營養價之高。他種植物。難與頡頏。故德培濟博士嘗告

友曰。『汝至亞東後。可一試亞東之食物。如君胃腸常患不健。則尤以食中國之豆腐爲佳』。菠薐含有機性鐵質及ＡＢＣＥ四種維他命。具補血强身之功。

4.紅燒蘿蔔　蘿蔔切塊。以普通烹調術燒之。

【圭按】蘿蔔內含 Diastase 。(澱粉消化素)能消化一切澱粉食物。實爲有益無損之消化劑。惟 Diastase 專含於本品之液汁中及外皮中。料理時。勿將皮棄去爲要。

下午四時茶點

薏苡茶　薏苡仁。煮湯飲。

【圭按】薏苡仁爲最富滋養最易消化之穀類。蛋白含量之豐。他穀罕能匹敵。脂肪亦富。並有利尿健胃之效。

桃棗圓　紅棗肉三份。胡桃仁二份。先將胡桃搗爛。入棗再杵。爲圓。仍如胡桃大

【圭按】桃棗二物。皆强壯藥。有滋養之効。而大棗更治貧血陰萎等症。

晚食　蓮肉雞頭粥　蓮子芡實和粳米煮成粥。

【圭按】以上二物。功能滋養。性則固濇。自昔醫人。用以固精止洩。惟友人陸淵雷先生則謂『有安神之効。治有夢遺精。』不知確否。

睡前二時飲料

桑椹茶　桑椹一匙化水一杯。

【圭按】精囊位於直腸膀胱之間。大便結滯。小便充盈。皆足刺戟精囊。誘發夢遺。故夜半排尿。晨興如廁。實遺精病者最要之攝生。本品含葡萄糖及蘋果酸。既健胃。又潤腸。乃習慣性便秘之良藥也。

本文參考書

晉陵下工　新本草綱目
黃勞逸　新中藥
殷師竹　日用新本草
龔厚生　化學的健康增進法
董蘭伊　强健身心法
梁閏放　濟生醫院月刊第二十期

二二，四，二五，於上海中國醫學院

國民中堅分子的保健談

玄　郎

一個國家之能强盛。決不是單靠一二個天生驕子就可以弄得好。必須要多數的國民。有健全的體格與豐富的智識，然後才可。我國向稱爲「東亞病夫」。且大多數是沒有受過教育。所以現在已到這個亡國的地步了。弱點既被人家看透。東北四省已被日本奪去。作者提筆時。正是灤東早陷。遵化玉田均已放棄。平津漸成包圍形勢。空氣十分緊張。有錢的已搬家。無錢的也想逃命。偌大一個國家。被日本矮鬼弄得國破家亡。無處可歸。尋根究底。是懦弱無能。咎由自取。還有許多人想望國聯來替我們出氣。這簡直是夢中囈語。所以願做亡國奴則已。如是不願的話。那沒非從人民的體格與智識兩力面着想不可。因之現在校中求學的青年。對於國家的責任。總算是最重大的了。

我國學齡兒童儘多。能夠有機會入學的有多少。能夠升學的又有多少。將全國仔細一查。能升中學大學的。恐怕是千百分之一二吧。這千百分之一二的青年。總算得到升學的機會。也應當格外努力求學了。然而事實則不然。這些青年中免不了少數是白痴的。此外還有專門搗亂的。有專門追求異性的。又有患神經病的。有低能兒。正眞是求學用功的。實在少數的少數了。加之年來學風的腐敗。現在暫且不去說他。我們拿白痴的。專門追求異性的。神經病的。與低能兒這幾種來講罷。

一、白痴的　這因爲是先天關係。如父母與祖父母輩染有宿疾梅毒。能使兒女白痴。

二、專門追求異性　這些青年。性的問題看得太重了。固然。一個人是不得不結婚。其實你只要有道德有學問。怕難得相當的異性嗎。往往有許多青年。名爲求學。行爲方面太放蕩了。弄得不可收拾的也很多。可笑亦可惜。

三、神經病的　患者也多自遺傳而來。由手淫而得的。亦復不少。至於神經衰弱者。常常頭痛、失眠、健忘、亦多是手淫的緣故。

四、低能兒 也多有梅毒性的遺傳。與三數歲卽犯手淫的。（幼童犯手淫的很多此問題頗耐人尋趣）後來變了個低能兒。

照這樣看來。直接的或間接的由於性的病態有許多關係。國人對於此。就不得不注意一下。我以爲要免除上面幾種病態。可有下面幾種辦法。

A無論男女。在結婚之前。須經過完全的體格健康檢查

患花柳病者。若未經完全治愈而結婚。有絕大之危險。因其未愈之花柳病。不僅可以傳染於其妻或夫。並且遺傳到所生的子女。而使子女易患精神病。故開業醫生對於所醫的病人。如有患花柳病。皆應盡心勸導。使明此病之危害。趕速治療。非全愈後不應結婚。

患淋病者。應在治愈一年以後。尿道無濃或分泌物排出者始可結婚。

患結核病者。不論肺結核。或其他結核症。在該症之進行時期。絕對不可結婚。愈後亦當彼此說明。方可結婚。因結核病於結婚後。有反復之可能性。所以彼此應先預告。

嗜酒者及有痲醉性癖者。當勸阻結婚。癲癇者。應禁止結婚。

有精神病遺傳性家族之子女。結婚所生之子女。亦易發生精神病。又有血友病（血液稀薄無凝固性）遺傳性家族之女子。所生男孩亦不凝固。易因些微外傷流血而死。

除上述之外可以遺傳的疾病甚多。凡開業醫生如能隨機應變勸導病人盡力治療。或停止結婚。實於衞生問題大有助力。

血族結婚。亦可使遺傳疾病之增進不當鼓勵。並應限制之。我國向有「同姓爲婚。其生不蕃」之古語。亦卽限制血族結婚之微意。現行民法中亦有禁止直系血親結婚之規定。

男女結婚之前。對於彼此體格。查明確無疾病足以貽害者。發給健康證明書後。方准結婚。（這

當然要政府的力量去做）

B兒童手淫的防範。與性智識的灌輸

手淫不限于兒童。即少年與壯年亦常有之。惟兒童爲最危險。兒童富有好奇心。或偶一接觸其生殖器。覺有快感。因之不時把玩。貽害無窮。青年與壯年。多因性慾不遂而手淫。此爲男女通患。甚至年屆花甲有不得免者。此事甚乖。如三四歲小兒犯此。監護人須强迫制止。萬不得已時。并可束縛其手，略加體罰。此正無可如何故也。如遇年齡稍長。則可灌輸性智識。曉以利害。并可想種種方法以利導之。至爲重要。

C平時施以體健檢查或特別檢查

此法於家庭學校均可實行。尤以學校爲要。平時檢查可定期行之。或一月一次。或二月一次。稱其體重。度其肺量。聽覺視力均須一一檢查而記入檢查表中。按表核對。是否逐月增健。如或體健不增。甚且退減。則須察其疾病所在而治療之。並得詢其所隱而忠告之。特別檢查者。對於某者（家庭中如幼姪或次兒女。校中如張生或李生）有顯明之不健現象。隨時得檢查之。或就醫或以告誡。

D提倡高尚娛樂禁止淫書淫畫淫詞。

娛樂爲必不可缺少之事。如非正當。則易引入邪妄之途沉淪難返。淫書淫畫淫詞等。凡非正當之品。盡宜燬棄。娼門歌館。無非罪惡淵藪。應當竭力避免。陶冶性情之音樂。與夫登山玩水。馳馬郊行。奕旗品茗。獵鳥射謎。俱有裨益身心。力當提倡。

E注意運動

運動可以發達肌肉。强健筋骨。在我病夫之國。尤宜提倡。賽跑跳高角力游泳舞劍揮刀無有不可。有許多青年。讀書固然用功。可是運動太不注意。於是身體不健。不數年賚志長眠。於國家社會何補。近賢陶知行氏主張腦手並用。實有見地。

信手寫來。文已滿篇。忽然憶及衛生雜誌主編張子英先生轉告我本期的衛生雜誌是「性病專號」。這篇內容未免太不着題。幸而有許是涉及性的範圍。想當無妨吧。

廿二年五月十八於上海

金銀花是梅毒內服聖藥

潘國賢

關於中西醫藥治療梅毒的效率。已載於零外的篇什。諸君看了以後。大概可以明白。現在又來研究一樣梅毒的聖藥。提起了這味藥品，想諸君大都能夠知道他的名。就是金銀花。諸君切勿要以爲這蔓艸類的東西並不介意。其實他對於這萬惡梅毒。能顯其偉大的功効。

考金銀花（葉及莖與花同）的藥性。是除熱、解毒、治癰疽、疥癬、楊梅惡瘡等、他有驅黴的効力。內服於梅毒性關節疼痛。淋濁等病均効。患者可以採他的花葉或莖。煎成濃汁，不時代茶。既省金錢。又很効驗何不一試。

市上白濁丸充斥，大都係固濇傷胃流弊百出之檀香油製劑，服之逼淋菌內竄，深入生殖器內部，以致引起膀胱炎，睪丸炎，腎臟，攝護腺炎等症，絕嗣傷生，綣身不治，故患白濁者，無論新老急慢，五淋白濁等，必須購服德國白濁專藥梅濁冠星，方能透膜殺菌，澈底根治，上海柯爾登洋行獨

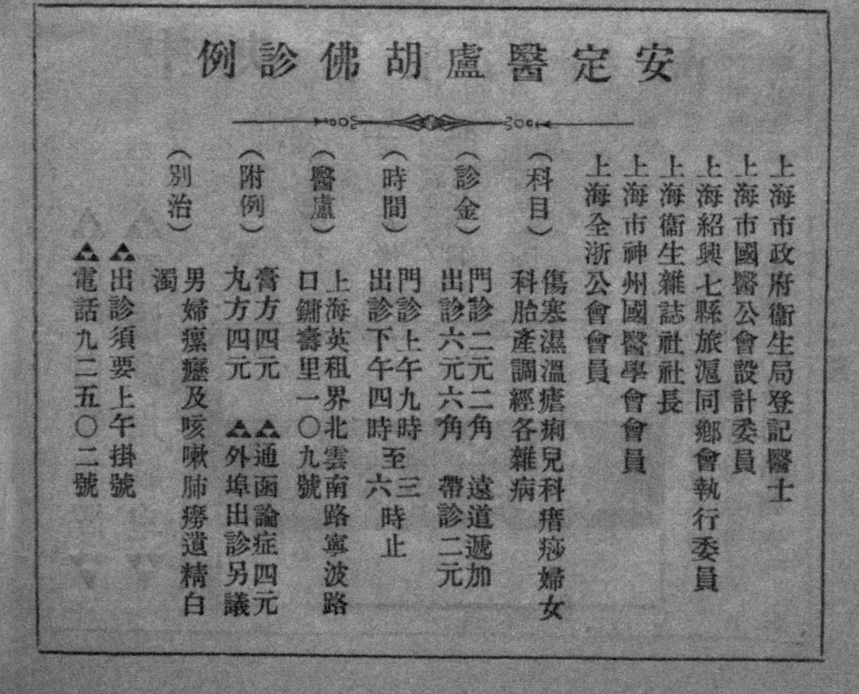

安定醫盧胡佛診例

上海市政府衛生局登記醫士
上海市國醫公會設計委員
上海紹興七縣旅滬同鄉會執行委員
上海衛生雜誌社社長
上海市神州國醫學會會員
上海全浙公會會員

（科目）傷寒濕溫瘧痢兒科痔瘡婦女科胎產調經各雜病

（診金）門診二元二角　遠道遞加　出診六元六角　帶診二元

（時間）門診上午九時至三時止　出診下午四時至六時止

（醫廬）上海英租界北雲南路寧波路口鏞壽里一〇九號

（附例）膏方四元　丸方四元　△通函論症四元　△外埠出診另議

（別治）男婦瘰癧及咳嗽肺癆遺精白濁

△出診須要上午掛號
△電話九二五〇二號

白帶之研究

蕭熙

白帶一症。爲婦人最普通之疾患。其症乃子宮內膜發炎。所以有炎性之滲出物也。月事不調。小便淋漓。實其最主要之徵候。有由於母體之遺傳者。蓋得諸二五妙合之初。至年事漸長。身體發育。帶症乃亦隨之而生。其得之後天者。則因閨閣之傳染。不潔之性交。或淫慾過盛。房事弗節。或傷食飲冷。嗜酒損肝。或思慮傷脾。運行失常。或操勞過度。氣血虧耗。致令衝任不調。帶脈失其約束。清濁混淆。下注於胞宮，斯炎症之所由起。排泄穢物之所由來也。又有因行經之時。血液排除未淨。濁積於中。致帶見於外。此則臨床所習見。不若前數種爲難治矣。關於帶症之方劑。極繁賾不易言。言之。亦屬於專家之事。非一般所需要者。爰就平日研究所得。製一白帶王道方。以供我諸姑姊妹。隨時採取服食。强種强國之基。或卽奠於是乎。

黃芩(錢半)。白朮(二錢)。砂仁(六分)。枳殼(八分)。厚朴(八分)。蓮肉(二錢)。艾絨(八分)茯苓(三錢)。山藥(二錢)。苧蔴根(三錢)。車前子(錢半)。生耆(錢半)。人參(八分)。當歸(二錢)。白芍(錢半)。肉桂(八分)。糯米(一撮)。

此方依照最新名詞。(江蘇省監獄近有公共藥方之名)定名爲白帶公共藥方。至取材方面，曾參考數十首方劑。無論胎前產後•寒熱虛實之帶症。並宜此方。靈效無比。

個人的性病預防

海角

吾國性病的普遍。已達極點。所以衛生家應時時預防。自行戒避。因此作個人的性病預防。寫在下面。

(一)洗浴宜勤。 凡人們身體內分泌的排泄物。如汗液大便小便等。都是排除體內汚物的作用。身體强健的人們。排泄尤其旺盛。如出汗很多。皮垢很盛。就是體內分泌作用健全的預兆。

但積穢不去。氣血鬱滯。皮膚裏容易發生細菌。成爲癰腫瘡癢諸病。尤其生殖器。是排泄物的大出口地。是分泌污液的大本營。所以許多人們的生殖器。每每發生鹹臭的穢氣。觸鼻難受。假使時常洗浴。把生殖器裏的黃白色積穢物。如數洗除。那末穢氣既然除盡。許多癰腫瘡癢也不致於發生。（這種黃白色積穢物。男性以包皮陽莖者尤多。最好把陽莖包皮割去。女性多積聚於內陰唇。洗浴時須如數揩除乾淨。）

（二）謹防傳染。凡被褥樸倚公共廁所等。俱要隨時留意。是否潔淨。否則難免患生殖器病者遺下毒菌。容易傳染。如和異姓接吻或交媾。傳染尤其迅速。

（三）避忌交媾。不正當時候的交媾。最易傷身。尤其容易發生性病。今約略寫在下面。

（一）酒後。（酒後興濃。强力交媾。易於擦傷陽莖表皮。而且精液暴泄則脫陽。）（二）遠道奔走。（遠道奔跑至數十里後而交媾。則神經衰弱。發生危險重症。醫書裏說。行百里之後而交媾。其人必死。又先交媾之後，而後遠道奔馳。亦發生同樣疾病。）（三）婦人行經。（凡婦人行經時。强行交媾。男子小便滯澀如淋痛。婦人血崩白帶子宮炎諸症就作。）（四）婦人產後。）婦人產後八星期以前。强行交媾。女性發生子宮轉位。子宮炎。貧血腰彎等症。（五）疾病時候。（身患疾病而行交媾。小則病狀增加。大則傳染受害。尤其濕熱病。濕熱下注。成爲淋濁。膀胱炎等症。）所以男女交媾。也許有相當的節制。最好是男女一齊有興的時候行交媾。方可得到美滿的愉快。

（四）制止手淫。手淫是耗傷精血。易於釀成陽痿。凡一分慾念不可想到。常常用冷水洗生殖器。使陽莖不可勃舉。

（五）不可手搔。生殖器裏皮膚。分泌汗液尤其旺盛。所以常常發癢。不可手搔。因爲越搔越癢。

可用蛇床子和枯礬煎湯常洗。汗液和濕氣過盛的時候。用撲粉撲乾。

(六)疏肝理脾。生殖器裏種種疾痛。大都因為肝氣不達。相火下陷。脾陽不振。濕熱下注之故。所以疏肝理脾。為調理生殖器唯一的方法。可以常服於朮丹皮白芍等品。

(七)多食厚味。內經曰。精不足者補之以味。凡患陽痿精稀薄的人們。宜多食厚味之品。如雞蛋牛羊肉胡桃栗子熟地黃阿膠杞子等物。

(八)不可過勞。古人謂「勞則思逸。逸則思淫。」原來過於勞動。易於耗傷精血。所以農人終日勤勞。不思色慾。富人終日安逸。常思色慾。實緣生殖器裏環境使之然也。凡生殖器的自然性。精滿而相火忘動。則思色。精乏而相火不動。則不思色。所以清心寡慾。實為延年益壽之秘法。

男子陽痿與女子陰痿之小言

繆曙初

陽痿症致病的原因。大都當初受了色情的引誘和衝動，因此沉溺於慾海斲喪者。實居多數。天賦我生。理宜葆精嗇神。有了康健的身體。才是人生的幸福。假使孜孜情慾。未婚者恣行手淫。已婚者房事過度。精關因以不固。遺精繼之頻仍。那裏再能充實涵養呢。所以痿疲得未老先衰了。陽痿一症。實為遺精之果。那末患遺精病的朋友們。若能及早從藥物上之調養。還有回頭是岸的希望。

陰痿病症。較為濕晦。所以我人亦漠不注意。其實陰痿的病。遺害之大。也不亞於陽痿哩。女子生殖器中最重要的部份。當然是子宮了。也是受孕的地方。所以子宮對于生理上。有極大的關係。子宮有子宮頸。就是精虫和卵子結合的介紹處所。所以子宮頸不健全的女子。也就是患陰痿病的女子。很難得胎孕呢。其子宮頸不健全的原因。大都亦為淫情所衝動。或因體質虧弱。所以男子陽痿。不能生育。女子陰痿。也不能得孕的。陽痿陰痿之貽害社會。也有關我整個民族的康健。當此國家危急存亡之秋。安得不加注意呢。清心寡慾。願讀者諸君共勉吧。

衛生小問答

張子英

【問】有時小便短而又黃。何故。

【答】小便清長。是肺氣清肅。今小便短而又黃。是肺氣清肅不下行。又心與小腸相表裏。心移熱於小腸。小便亦黃。當清心肺之熱。

【問】壯年之人。每月一二次遺精。而無他疾何故。

【答】壯年之人。每月有一二次遺精。是爲精溢。乃是血氣旺盛。無足憂慮，所以毫無他疾。

【問】陽物易舉何故。

【答】壯盛男子。相火熾盛。性神經易於感動。所以見美貌女性。或見淫畫淫書。陽物易於勃舉，早晨常服淡鹽湯。可以抑制相火。

【問】陰囊奇癢何故。

【答】陰囊奇癢。由於濕熱下注於下部。積久發生細菌。可用白礬蛇床子煎湯常洗。或採敷皮膚藥膏。亦可治愈。

【問】撒尿刺痛。而小便又短澁何故。

【答】撒尿刺痛。而小便又短澁。已成淋病。由於染傳梅毒。或由於心肝兩經之積熱。須請醫生診治。

【問】陰囊旁邊。小腹下面。有痰核。是否將發橫痃。

【答】陰囊旁邊。小腹下面。林巴腺核腫大。若腐爛出濃。卽名橫痃。却是梅毒性。但平常之人。因疲勞而多走路途。亦能使林巴腺核腫大。初起時疾。卽須設法發散爲妙。

【問】白濁病。何故不易斷根。

【答】白濁病。根本由於脾元先虧。濕熱下注。一經染傳。細菌有繁殖之機會。所以殺菌之外。不補脾元。不易斷根。

【問】白濁病須愼忌勞動引走何故。

【答】脾主四肢。又主飢肉。勞動引走。多傷脾元。

濕熱更加下注。所以白濁病須愼避勞動引走。

【問】男女交媾之後。陽精點滴淋漓。斷續潤下何故。

【答】男子斲傷腎元。陽精不濃厚。或不合交媾程度。或陽莖不硬舉。而勉强行交媾。皆令陽精不直射。而點滴淋漓斷續潤下。使人不快感。

【問】陽萎不舉何故。

【答】腎元虛衰。陰精虧乏。或過於疲勞。或過事房慾。皆令陽萎不舉。

【問】遺精之人。時常怕冷何故。

【答】遺精之人。精血耗傷。不足以溫煖四肢。所以較常人格外怕冷。

【問】夜多小便何故。

【答】腎氣衰弱之人。日間小便極少。夜間小便獨多。宜補腎元爲主。使日間小便多。則夜間小便自少。

【問】小兒尿床何故。

【答】小兒腎氣不足。收攝乏力。所以每多尿床。

【問】小便頻數何故。

【答】小便頻數。亦是脾腎二經之病。通常服縮泉丸頗效。

【問】婦女十人九帶何故。

【答】婦女白帶。亦是濕熱下注之故。尤其肥盛之人更多。宜健脾燥濕。兼理相火。

【問】婦女陰戶癢痛何故。

【答】婦女陰戶癢痛。總是濕熱下注。鬱久生火生痛。治宜散火燥濕。或用外洗法。

本刊衛生顧問章程

(一)本刊經大衆訂閱者之要求。闢設衛生顧問欄。以便醫藥上疑難問題。及病因症治藥性等。作公開之討論與研究。若依本章程投函詢問。當即照來函解答。

(二)重要問題。除依來信直接通函答覆外。本刊得隨時將答案。披露。以便同志之研究。

(三)疑難之答案。須檢查醫籍。詳細考慮者。至遲須一個月可以答覆。

(四)不答覆之問題如下。(一)來信記述不詳者。(二)詞義不明者。(三)要求立得藥方者。(四)無關醫藥者。(五)委託評論藥方之是非者。(六)本社同志學識所不及者。(七)無覆信郵費者。(八)無衛生顧問劵者。但不答覆之理由。覆信聲明。

(五)來函概用中式紙張。繕寫清楚。附覆信郵費一角三分。並附寄下列衛生顧問劵一個。

(六)來函寄南成都路輔德里念四號本社收。

▲特載

夏令傳染病預防法

李廷安講

本月六日晚上七時青年普益社舉行學術演講。請上海市衛生局局長李廷安博士。演講『夏令傳染病預防法。』簡切明瞭。淋漓盡致。因走筆而爲之記。

（以下李先生的話）

夏天最容易法生的傳染病有三種。

一種是霍亂。又稱虎烈拉。或稱虎疫。俗稱癟螺痧。或絞腸痧。此病非常兇險。生了之後。快則四五點鐘。多則一二天。便可一命嗚呼。據科學上研究所得。生霍亂病的緣故。完全是由於在不知不覺中。將像弧形的霍亂病菌。帶到胃腸裏。這種病菌。便在胃腸裏生生不已的發育。使人上吐下瀉。氣息奄奄。而致於死。

一種腸熱病。俗名傷寒。也是很兇險的傳染病。也是由於不知不覺中。將像桿形的傷寒病菌。帶到胃腸裏。這種病菌。便在胃腸裏發育。使人初覺疲倦。胃口不良。繼而身體發熱。逐日增高。精神昏亂。囈語恍惚。迨小腸被病菌蝕破。則便血或現腹膜炎病而死。惟拖延時日。則可達二星期以上，

一種是痢疾。又分爲赤痢白痢兩種。都是由於不知不覺中。將像桿形的白痢病菌。或致赤痢的阿米巴變形蟲。帶入胃腸。這種病菌或變形蟲。亦在胃腸裏。滋長生育。使人大便不暢。而瀉赤色或白色之濃汁。兼有腹痛等症狀。雖施以適當醫療。概可治愈。但於身體之虧傷。爲害也是很大。仍不應輕視。

照以上所講的霍亂。傷寒痢疾等病。用科學方法歸納起來。統稱之爲胃腸系傳染病。再把從此傳染病發生的緣故而論。都是由於將病菌帶人胃腸而起。再追究何以會將這種病菌帶入胃腸呢。是因爲病菌極細，非我們僅憑眼睛就可看得見的。要用幾百倍的顯微鏡。才看得出。所以接觸到嘴裏的一切東西。如其帶有某種病菌。卽可使我人生某種傳染病。

正如俗語所說•種瓜得瓜。種豆得豆的譬喻一樣。又俗語常說。病從口入。這是預防胃腸系傳染病很好的一句警告。但是事實上。吾人不能不吃東西。不能不喝飲料。不能不用杯盤碗筷。及其他食具。不免有以手或其他物件接觸於嘴之時。所以吾人旣知此種疾病的兇險。及其傳染機會之容易。故不得不處處留意。實行左列最低限度之預防方法。

(一)不可喝生水。因爲生水中最易混有病菌。河水井水。尤其是病菌及其他病原蟲的集中處。所以生水。及生水製造的汽水。酸梅湯。冰淇淋。菓子汁等物。萬不可吃喝。即生水灑過的東西。亦宜謝絕。水菓以去皮或用冷開水洗過爲要。

(二)處置糞便。凡糞便及洗滌便桶之水。不可任意亂倒。因爲病人糞便內有病菌。亂倒之後。或轉輾流入河井之內。或被蒼蠅附集。再將病菌帶開蔓延。爲害匪輕。糞便及洗滌便桶之水。最好用藥水消毒。然後傾倒。

(三)防蠅滅蠅。食物及食具。須隔絕蒼蠅駐足。以免繩脚之病菌附着。而傳入人口。並共同滅蠅。以杜傳染之途。

(四)食前洗手。因手持各物。不免染汚而帶病菌。故食時手持食具或竟有直接觸嘴之時。應將手洗淨。以防夾帶病菌入口。

以上所說。都是對於我人日常生活所不免的事情上之預防。祇須個個知道了去實行。是很簡單的。此外還有一件很便利的方法。霍亂與傷寒兩病。都好打預防針。打了某種傳染病的預防針。便可幫助身體內增加抵抗某種傳染病的力量。如其內部已增加了抗疫力。而外部又實行前述的種種預防方法。即可不致傳染霍亂。傷寒。痢疾等病了。上海市衞生局每年夏秋兩季。免費打防疫針。又宣傳防疫常識。就是要使全體市民。個個有自衞健康的智識與能力。現在已開始免費注射霍亂預防針了。儘量歡迎人人打針。並希望人人實行上面的預防方法。

時病和蚊子的關係

胡佛

光陰荏苒。忽忽已經到夏季的時侯了。流行性的時病。如腦膜炎腦脊髓膜炎瘧疾霍亂(即虎列拉)等症。也應運繁多。若研究以上許多時病的來源。雖然是非常複雜。一言難盡。但是簡單地說起來。是染傳來吧。染傳病菌的範圍也很廣。不論飲食居住衣服呼吸等。都有染傳病菌之可能性。稍知衞生者。都知道避防。不過到了夏季的時疾。最可怕是不知不覺中。而有染傳病菌的危險。就是蚊子。原來蚊子在光明的日間。幾幾乎不見牠的踪跡。到了夜間。人們深入睡鄉的時侯。牠飛出來。吃人身體上的血液。就把病菌染傳到人們身體裏。在熟睡的人們。差不多毫不感覺。到了病症發生的時侯。也莫名其妙。唉。蚊子染傳病菌。是很厲害。已爲世界所公認。避防的方法。除了清潔和廢棄蓄水。不使蚊子繁殖之外。最積極的方法。還是臨睡的時候。燃燒蚊蟲香。使牠遠避。不來吮人血液。原來蚊蟲香。大抵用除蟲菊粉一類的原料製成。蚊子遇着這個嗅氣。就遠避不敢接近了。所以夏季燃蚊蟲香。直接是避防蚊子吮血。簡接是預防病菌染傳。衞生家請格外注意吧。

醫藥介紹

▲梅濁尅星　查吾國社會上藥品廣告。不論什麼地方都隨時可以看見。尤其白濁丸廣告。更加來得多。就此可以知道吾國患性病者的普遍。和吾國需要淋濁特效藥的急切。但是市上所出售的白濁丸。大抵是檀香油一類性質的製劑。因此強止淋濁。把尿道固濇。反使淋菌內陷。漸漸地成爲慢性白濁。無痊愈的期間。惟有德國威爾鄧藥廠出品的「梅濁尅星」。據巴黎公立醫院花柳病科主任梅立德(Dr. G. T. Malitt)博士報告。(錄巴黎晚報醫藥副刊所載)治淋濁的成績。確實很顯著。據博士說。淋濁的治法。和梅毒不同。梅毒非打針不可。淋濁以內服爲宜。使藥力可以直達尿道。「梅濁尅星」利尿鎭痛殺菌的功效。確實和艾利氏的六零六有同樣的奇妙云。(蒼霖)

▲普益急救時疫水　市上痧藥水。種類頗多。大抵足以治療各種急痧時疫腹痛霍亂吐瀉等症。不過質料有優劣之殊。所以治療亦有效與不效之異。白克路人和里普益製藥公司。出品普益急救時疫水。質地純良色素澄清。確有急救各種時疫之功效。鄉村僻地。醫藥不及。家家備藏。足以起死囘生。若蒐購施送。尤其功德無量。(子英)

▲肺形草　肺癆一症。中外醫界認為難治之痼疾。殊鮮特效藥。乃天濟醫室邵靜卿醫士發明之肺形草。確有根治肺癆之特效。早經患者時時切實證明。無須贅述。所以風行海內。已成為患肺癆病者之恩物。乃市上仿造陰戤魚目混珠者。層見疊出。使患者誤服而受精神上之痛苦。金錢上之損失。實為可惜。所以患者必須認明肺形商標之肺形草。始為無誤。(子英)

▲百咳定　市上祛痰鎮咳的咳嗽藥很多。不過依我的臨床實驗。認為新亞藥廠出品的百咳定。赤血球溶解作用。比較他種皂素。尤其強大。所以百咳定祛痰的功效很大。對於流行性感冒。急性慢性氣管枝炎。肺炎。百日咳。肺結核。咯痰等症。均有奇效。(藹白)

▲醫藥通訊

國醫公會執監會紀

上海市國醫公會。於四月二十九日下午八時在靶子路會所。舉行臨時執監聯席會議。出席委員有郭柏良賀芸生陸士諤許半龍任農軒沈心九蔣文芳等三十餘人。公推薛文元戴達夫為主席。繆曙初紀錄。行禮如儀後。(甲)報告。一、呈請衛生局轉呈市政府。撤消國醫分館醫方抽費呈文。已于二十六日發出。一、續請解釋國醫館地位。行政院市政府暨社會局呈文。亦于廿八日分別送出。一、監委主席謝利恆請假函乙件。一、社會局為救國捐款應統一組織訓令乙件。、一同春堂國藥號函一件。一、戴主席報告風聞南京中央國醫館、函請市府弔銷郭常委執照。業已請周召南先生。轉請市府設法抄錄原文。一、夏重光先生報告。丁常委拒絕蓋章。違背決議。實屬妨礙會務。(乙)討論。一、若因反對國醫館醫方抽費。以致吊銷執照。應如何辦理案。議決一致援助。一、函請丁常委服從本會決議。並明白表示態度案。議決通過。一、際茲會務緊急。爲求工作迅速起見。應由執監兩會推出負責委員。組織特種委員會案。議決通過。並推蔣文芳賀芸生陸士諤楊彥和夏重光等五人爲委員。並假陸士諤診所。爲集會地點。每逢星期一三五爲集會日期。一、本會經費困難。應募集特捐案。議決通過。

國醫團體反對醫方抽捐

上海市國醫公會國醫學會及中華國醫學會等。爲國醫分館强制國醫每張藥方抽捐一分充作經常費事。聯合具呈衛生局文云。呈爲奉令協助上海市國醫分館徵收醫方費。極難執行。臚陳理由。懇予轉呈市政府令行該分館撤銷事。竊奉

鈞局本月十九日訓令。並附上海市國醫分館醫方繳費施行細則一份。令爲協助等因。奉此竊是案前經該分館來函。並附是項細則。囑爲分發會員。當經屬公會照辦之後。即據各會會員。紛紛來函表示異議。經由屬會等開會討論。僉以國醫分館經費。由國醫界量力捐助。自可樂於贊成。惟欲依據醫方按張抽費。跡近苛稅雜捐。且挨戶稽查。尤爲紛擾。辦法上不能執行之理由一也。查考國醫館性質。係由發起人召集籌備會。通過章程選舉理事。館長呈請行政院備案。而分館亦有董事會等設置。核與民法第一編第二章第二節第二款各條之規定相符。其爲公益社團毫無疑義。故其議決各案。依照一般社團之通例。不能拘束函入該館之國醫。此醫方收費不能强制一般國醫奉行之理由二也。經由屬公會函復之後。乃據該分館訓令。謂該館係行政機關。嗣後來往文件。應用批令呈文。業由屬公會於本月十七日備文。呈請行政院暨　市政府予以解釋。尚未奉批。姑不論該館是否行政機關。此種類似稅捐增

加人民財政負担之案件。按照國民政府十八年七月十日公佈治權行使之規律案。第一節之規定。卽使該分館確爲行政機關。亦不得擅自擬訂公佈施行。此根本上不能强制抽費之理由三也。「再就其所擬之施行細則言之。」第六條規定。凡經本分館蓋章之方箋。藥店卽憑此章證。認爲正當國醫。照方配藥。否則以違章論云云。按照鈞局所頒上海市管理醫士暫行章程。在本市開業之國醫。一經照章報名。應考審查及格。發給開業執照之後。卽已取得正當國醫之資格。而爲官廳所認可。是項章程。奉行以來。將近十載。發出執照不在少數。今乃不以執照爲憑。而以能否每張方箋納費一分爲準。則鈞局前發執照。不將等於廢紙。反使未經官廳認可之醫生。繳費之後。卽取得正當國醫之資格。尤有紊亂行政系統之嫌。細則第九條。病家自開單方。無醫士姓名圖章者。不在此限。反可通行無阻。不啻助長亂方仙方單方。及不負責之醫方。盡量流行。對於民命前途。杞憂實甚陸離怪誕。此細則本身上不便執行之理由四也，奉令前因。理合臚列不能協助之理由。聯署備文。呈請鈞局懇予轉呈　市政令知該分館。迅將是項醫方抽費細則。予以撤銷。另照社團籌集經常費常例。妥爲擬訂。俾便協助。實爲公便。謹呈。

國醫團體招待新聞界

上海市國醫公會國醫學會中華國醫學會。昨爲反對國醫分館抽方箋捐充經常費事。設宴大觀樓。招待新聞記者。新聞界到者。約三十餘人。由薛文元郭柏良陸士諤賀芸生施濟羣戴達夫等招待。席間由醫團公推代表蔣文芳君發表意見。略謂上海國醫分館章程。以改進中國醫藥爲宗旨進行。本會等當予贊助。成立以來。雖覺毫無建樹。但因缺少鉅款。亦爲本會等所深諒。該館前館長馮炳南君。有鑒於此。提議募集鉅款。專供建設之用。如果實行。本會等必樂予贊助。但欲抽捐充經常費。絕難贊同。良以該館內部。模仿行政組織。月費千金。估計一分收入。僅足供現在之經常開支。斷無餘資供建設之用也。該館爲文化團體。一望其章程。及備案手續。卽可明瞭。惜該館負責人員。除館長陸仲安君。奔走首都。北平有年。董事長蔡濟平君。歷任本市工巡捐局稅務。當明政治組織外。其他諸人。均以醫爲業。是以發生自稱行政機關。揑造國府決議等怪劇。至於醫生之正當與否。以曾否納費一分爲標準。更不論診金之多寡。每張均捐一分。亦欠妥當。且其一分捐。據其細則所載。謂經董事會通過。以充經常費之用。而問諸該館各董事。多半不知。正擬請各董事自動修改間。而該館突發通告停止董事會開會。有非收不可之勢。但本會等各會員。異常反對。紛紛來函請求抗議。是以一面呈請官廳制止外。並招待諸君。公諸輿論。俾明眞相云。

衛生局預防時疫之設施

■籌組霍亂預防注射隊

■定下月一日實行開辦

（中央社）市衛生局鑒於霍亂等時疫。爲夏秋流行疾病。危害堪虞。玆爲保持市民健康防止傳染起見。特籌組霍亂預防注射隊。定五月一日實行開辦。並因市區人口增密。除積極籌辦市立醫院外。並將接管中國公立醫院。玆將其各項詳情。分誌如次。

■籌辦市立醫院　市立醫院經費早經市府批准。其地址決定在中心區。院址八十七畝餘。亦經市府圈定。市長吳鐵城鑒於市立醫院之設立。實屬刻不容緩。故已決定於年內先撥款四十萬元。所以衛生局方面。已將醫院房屋樣式及內部佈置計畫。分別擬就。預定明年三月動工興建云。

■接管公立醫院　閘北同濟路中國公立醫院。係粵人陳炳謙等所創辦。頗有相當歷史。因經淞滬戰事。房屋被燬幾半。嗣後雖經極力籌畫終未復舊觀。該局方面，亟思於閘北區內。創辦一隔離醫院。爲市民謀福利。而該院亦有讓歸市衛生局接管之意。故衛生局頗願接收。惟該院每年開支。需款六萬元左右。而收入僅有濬浦局碼頭捐款下一萬元。故接管後之常年經費。尚須加以籌畫也。

▣ 預防霍亂疾病　該局爲預防霍亂。組織霍亂預防注射隊。勸告市民注射防疫。其布告云。爲佈告事。查霍亂爲夏秋流行疾病、危害堪虞。茲爲保持市民健康。防止流行起見。特組織霍亂預防注射隊。四出注射。早經本局歷年推行在案。市民之信仰者固不乏人。而一般迷惑之徒。不願接受注射者亦甚多。茲定於五月一日起實行開辦預防注射。並廣設分處。以期普遍。凡我市民。皆當接受注射。增加體內抵抗能力。以保個人健康。而策社會安甯。無論個人團體。如欲注射者。或逕往分處。或自行來局。三十人以上團體。可函請本局派員注射。一概免費。仰各知照云云。

國產藥材調查概況

農村醫藥改進社。最近發表該社調查各地藥產概況。謂我國農業出產品之藥材一項。每年產額甚鉅。除供給醫用之外。尚有餘多輸運出口。單以山西省所產之甘草。晉省與財部徵收之出口稅。每年可收二百餘萬元。其他如當歸、麻黃、桔梗、大黃、杏仁、等藥。輸出亦頗可觀。近年以來。各省苛捐與起。捐稅名目繁多。如藥地稅、藥材稅、特稅、附稅、保衞團捐、教育附捐 警察畝捐、淸鄉費、戶籍費等。不暇細述。尤以素稱產藥區之雲南、貴州、四川、陝西、甘肅、各省之農民。負担更甚。（四川之稅、已徵收至民國四十一年）。在此捐稅重壓與軍閥逼種鴉片雙重勢力威迫之下。藥田遂多變會烟田。甚有棄種荒蕪者。以致近年川陝藥材出產。一落千丈。國產藥業前途。漸瀕於沒落之危境。此事實非醫藥界本身所能解決。必待政府作有效之救濟。農業始有復興希望。根本辦法。一、取消各種苛捐雜稅。二、嚴厲禁種罌粟。三、提倡種植國藥。四、保護收穫與運輸事宜。五、注意水利交通事項。

法租界捕房通告實行檢驗妓女

法租界當局近因對於界內各妓院。為避免傳染梅毒起見。傳諭各妓女。一律由醫生檢驗。各情略誌前報。茲於昨日由法捕房發出通告及關於妓院內僱妓衞生章程。派探分送各妓院通告照錄如下。

(一)妓院內之寄宿娼妓。以後必須按時驗病。目的為避免梅毒或別種傳染病之蔓延。

(二)法工部局委派醫生按時檢驗並由捕房檢查。

(三)給每妓特種冊子。上貼妓女照相。登錄末次驗病結果及其日期。此冊客人皆可索閱。如此彼能確定妓院內之妓女衞生現狀。

(四)不准妓院主人傭用院外婦女。無照或其執照已被捕房撤去之妓女。

(五)客人應拒絕一切婦女不能出示其必備之捕房執照。且能報告捕房凡該妓反對呈出執照。

關於妓院內僱妓衞生章程

(一)禁止妓院主人僱用或容留身患傳染疾病之妓女。

(二)警務處總監得隨時命醫生驗視院內妓女。

(三)凡妓女一經驗出患有傳染病者。捕房得立刻吊銷其執照。並得處罰院主。每一病妓五元至五十元之罰金。如有累犯不悛者。捕房得將妓院封閉。妓院內婦女必須驗病。實為預防梅毒之蔓延。故院主有益注意其院內居留。各妓對於身體上應具充分之衞生。若使狎客在彼處染疾。則有損該院之名譽。妓女患恙時。亦應立告其主人。因除規定驗病日期外。彼等遇有疑難亦可請示醫生防範衞生。其法至簡。常以消毒或止爛藥品洗滌。即能阻禦多種病症之傳染。惟院主務須催促其妓女殷勤清洗。並不得使形似染疾或不潔之妓女遲疑驗病云。

社會小說 失戀恨

天涯

古老人有句話。「有情人總成眷屬」。我現在對於這句話。有點懷疑。我有一段故事來證明。寫在下面。

杭州西湖裏。是有天然的湖山。天然的風景。確實是遊玩最幽雅的場所。所以一般老老小小的男女。絡繹不絕似的。行走在全湖的邊沿。尤其青年男女。春情萌動。不得遂志的時候。若時時到湖邊裏去跑跑。總可以遇着前世有緣。很賞識的情人。因此達到有情人總成眷屬的目的。實在不在少數。

一個南潯望族的青年。姓劉。名叫春生。他在杭垣某中學裏讀書。已經有二年多了。遇着休假日。他常常到西湖邊沿來玩玩。有時疲倦了。就在草地上休息。還有一位杭垣某女中校裏的女學生。姓鮑名叫芳青。她是古越名門小姐。每逢夕陽西墜的時候。也時時來西湖邊沿遊玩。她時時和劉春生遇見。他倆初初幾次遇見。未曾接談。有一次。劉春生坐在草地上。鮑芳青坐在露天櫈裏。他倆的距離。不過一丈多點。劉春生看見鮑芳青吸捲烟。特地也來吸烟。跑到鮑芳青面前。說一句「謝謝你討一個火呀。」這時候。鮑芳青微笑着。把自己的捲烟送給劉春生點火。雖然兩情遣綣。但是旁邊遊客很多。他倆還沒有接談。後來有一次。劉春生和鮑芳青遇見在山麓裏。這地方。恰巧沒有旁人。他倆就互問尊姓大名和住址了。

他倆自從問過姓名住址之後。就開始往來通訊。和約期同伴看電影等等。過從甚密。不久的期間。相偕白頭的口頭婚約。已經訂妥了。

拱辰橋是杭州的萬惡社會。也就是梅毒的製造場所。青年男子。最易誤入陷井。有一天。劉春生因爲徇友人之約。就在拱辰橋某妓院裏遊玩。初初不過打牌。後來受了妓女的魔力。竟宿了一夜。過了三天之後。小便刺痛。發生下疳。委實是染傳了梅毒。這時候。劉春生很羞慚。不敢告人。秘密地到某醫院裏去診治。不料有一次。劉春生正在醫院密室裏洗射出來。外面坐着一位鮑芳青。劉春生驚愕極了。認爲一定被某同學告訴她了。所以劉春生不敢狡賴。把實情告訴鮑芳青。這時候。鮑芳青就用好言勸慰。並不責他。但說我稍有喉痛。也來醫院診治。所以劉春生很懊悔。自怨自恨。不應把實情告訴她。

自從鮑芳青知道劉春生因狎妓而患花柳病之後。鮑芳青雖然很嚴厲又痛又癢的責問信寫給劉春生。劉春生也有答辦的回音給她。而且十二分的道歉。誰知道一載情絲。忽而斷絕。從此以後。既無鮑芳青的音訊。又不見她的踪跡。劉春生曾到某女中校裏去訪問。據校中人回答。鮑生巳辭學。所以劉春生也知道她明明是迴避。必定離開杭州了。劉春生從此懷了失戀恨。認爲那天拱辰橋一夜之宿。眞是畢生莫大之奇恨。古人謂一失足成千古恨。眞不我欺。眞不我欺。時時長呼嗟嘆着。

本刊代售處

上海	山東路五馬路口	中醫書局
杭州	延齡路	開明書店
		西湖小說林書局
南京	太平路	花牌樓書店
	太平路	中央書局
蘇州	觀前大街	小說林書社
		交通書局
紹興	大路	教育館
	大街	育新書局
常州	城內	常州申報分館
鎮江	中山路	中央書局
常熟	大街	醉經閣書局
	寺前大街	常熟書局
松江		世界書局
平湖		綺春閣書局
無錫		文華書局
南通		翰墨林書局
安慶	龍門口	世界書局
皖北	正陽關	世界書局
南昌	中山路	江西書店
開封		龍文書局
漢口	保華街	現代書局
長沙	南陽街	亞光書局
天津	法租界二十六號	天津書局
	河北五馬路北	大生書局
北平	米市大街	江東書局

福州	南街	左海書局
梧州	大中路	文淵書局
瓊州	海口北門馬路	文敎書局
雲南	昆明市文明街	寶訓書店
成都	青石橋中街	中國圖書公司
	祠堂街	北新書局
重慶	商業場西二街	振亞書局
萬縣		中華書局
濟南	西門大街	東方書社
太原		晉新書社
西安	西安竹笆市	西北文化書局
廣州	雙門底	共和書局
汕頭	至平路	大東書局
	至平路	文明商務書局
廈門	廟橫街	新民書社
	中山路	樂育書店
浦東	南匯北門	湯嘉記書局

登衛生雜誌廣告之利益

▲至少有二十萬人注意

▲有長時間的效力

▲能使購買者一致信用

本刊以不偏不倚之立場。秉最公正之態度。予中西醫藥以相當之評論。優者褒之。發揚之。使購買者益堅其信仰之心。次者勉勵之。改進之。期日臻於至善。劣者警戒之。揭破之。以啓其覺心。而免社會之受愚。並聯絡當代中西名醫。藥業巨子。抒其所見。發為文章。藉供醫藥界之借鑑。衛生家之津梁。本刊每月出版一冊。定價一角。由各省書局暨南洋各商店本埠各書局擔任推銷。每期印行二萬冊。假定平均每冊得十人傳觀。則本刊閱者至少可得二十萬人。卽至少有二十萬人能見本刊所登之廣告。

本刊指示病家及消費者。以選擇醫藥之途徑。對於實驗藥品更加極力介紹。則病家及消費者。亦將奉本刊為醫藥之南針。必加意保存。又本刊記載研究醫藥學術之結晶。則業醫藥者。亦奉本刊為珍寶。勢必更加保存。決不如新聞紙之明日黃花。是本刊廣告實有長時間之效力。

本刊與社會。既如上述。關係基重。況且衞生問題。人人宜研究。有人人不可離開之勢。則同一效用同一精美之甲乙二種醫藥中。苟甲種能向本刊登載廣告。則購買者將一致信用傾向於甲方。

衛生雜誌廣告例

地位	面積	價目
封面	大半頁	大洋三十元
底面	全面	大洋三十元
封面裏	全面	大洋廿元
底面裏	全面	大洋廿元
封面第二頁	全面	大洋十六元
	半面	十元
	四分之一	六元
底面第二頁	全面	大洋十六元
	半面	十元
	四分之一	六元
普通	全面	十二元
	半面	八元
	四分之一	五元

一封面底面裏外均用二色套版印不另取資

一代製銅版鋅版費另加

一代繪圖樣費另加

一惠登廣告者贈本刊一冊

◉本雜誌投稿簡章◉

（一）本刊以提倡衛生研究醫藥改善國醫之短而發揚其精粹爲宗旨凡海內外中西醫藥家蒙惠賜鴻文或畫片不論自撰或譯述具有研究衛生醫藥意味者均所歡迎

（二）投寄之稿務須繕寫清楚以免錯誤並注明自撰或譯述字様

（三）譯稿請將原文題目原著姓名書報原名日期詳細敘明

（四）投寄之稿本社得酌量增删投稿人倘不願他人增删者請於來稿註明

（五）稿末請註明姓名地址以便通信至登載時如何署名聽投稿者自定

（六）來稿登載與否恕不作覆如未登載之稿須欲寄還者請來稿聲明之

（七）本刊以灌輸醫藥知識提倡社會公衆衛生爲天職編輯者皆盡義務所以對於投稿諸君僅以贈閱本報爲酬但徵求之稿另有現金酬勞

（八）投稿者請逕寄上海南成都路福煦路口輔德里二十四號衛生雜誌編輯處收

衛生雜誌社編輯部謹啓

衛生雜誌第八期

中華民國二十二年五月出版

主編者　國醫張子英

校正者　國醫胡佛

發行者　衛生雜誌社

印刷者　衛生雜誌社　上海山東路

分發行所　中醫書局

分售處　各省書局

衛生雜誌定價表（費須先惠）

出版	月出一冊	全年十二冊
價目	大洋一角	大洋一元
附注	郵費在內	國外加倍
	郵票代洋以一分五分爲限	

◉社址◉　上海雲南路甯波路口鏞壽里一百零九號　電話九二五〇二號

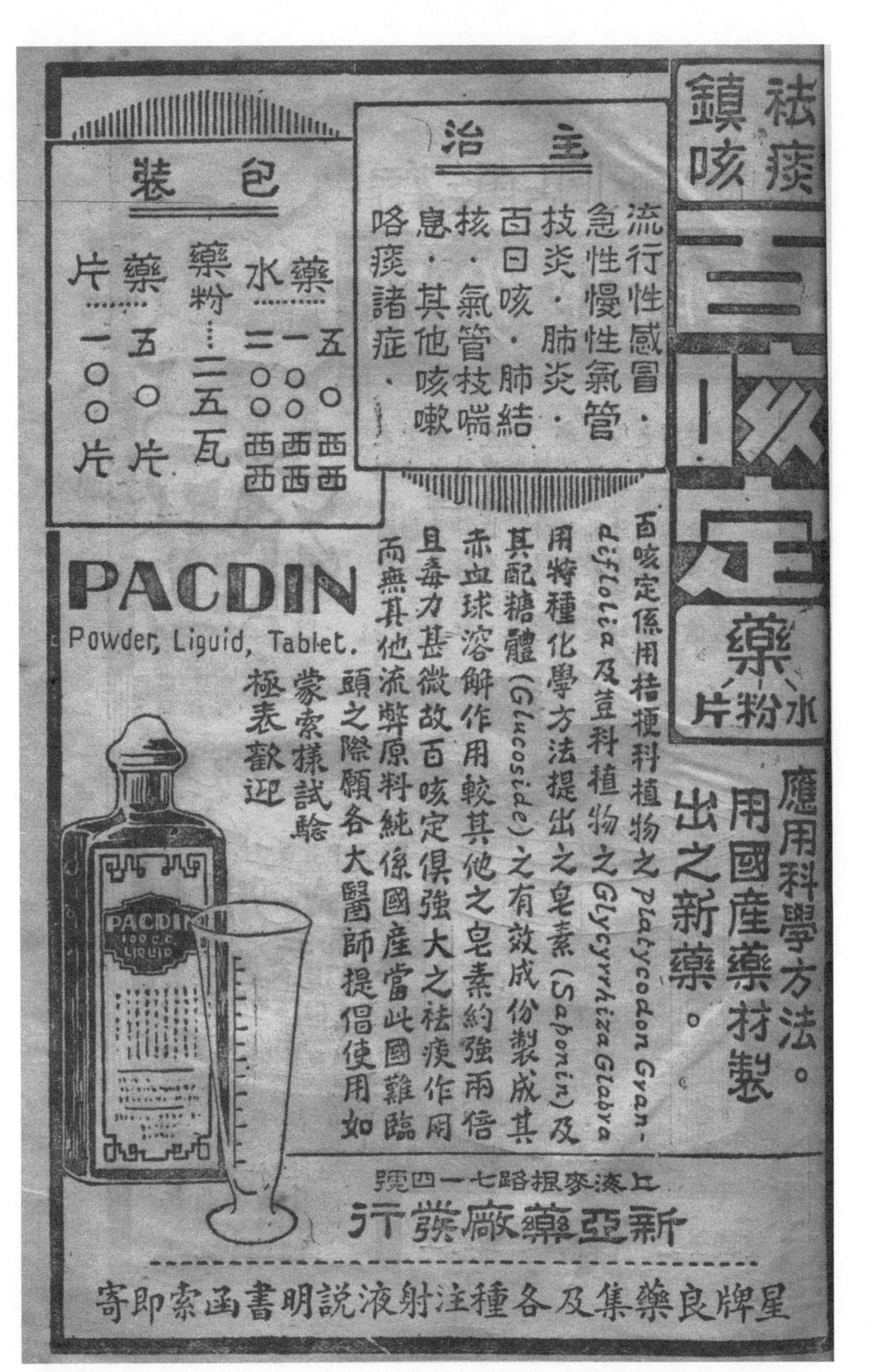
祛痰
鎮咳
百咳定
藥
水 粉 片
應用科學方法。
用國產藥材製
出之新藥。
主治
流行性感冒・急性慢性氣管枝炎・肺炎・百日咳・肺結核・氣管枝喘息・其他咳嗽咯痰諸症・
包裝
藥水……五〇西西 一〇〇西西 二〇〇西西
藥粉……二五瓦
藥片……五〇片 一〇〇片
百咳定係用桔梗科植物之Platycodon Grandiflora及荳科植物之Glycyrrhiza Glabra用特種化學方法提出之皂素(Saponin)及其配糖體(Glucoside)之有效成份製成其赤血球溶解作用較其他之皂素約強兩倍且毒力甚微故百咳定俱強大之祛痰作用而無其他流弊原料純係國產當此國難臨頭之際願各大醫師提倡使用如蒙索樣試驗極表歡迎
PACDIN
Powder, Liguid, Tablet.
PACDIN 100 C.C. LIQUID
上海麥根路七一四號
新亞藥廠發行
星牌良藥集及各種注射液說明書函索即寄

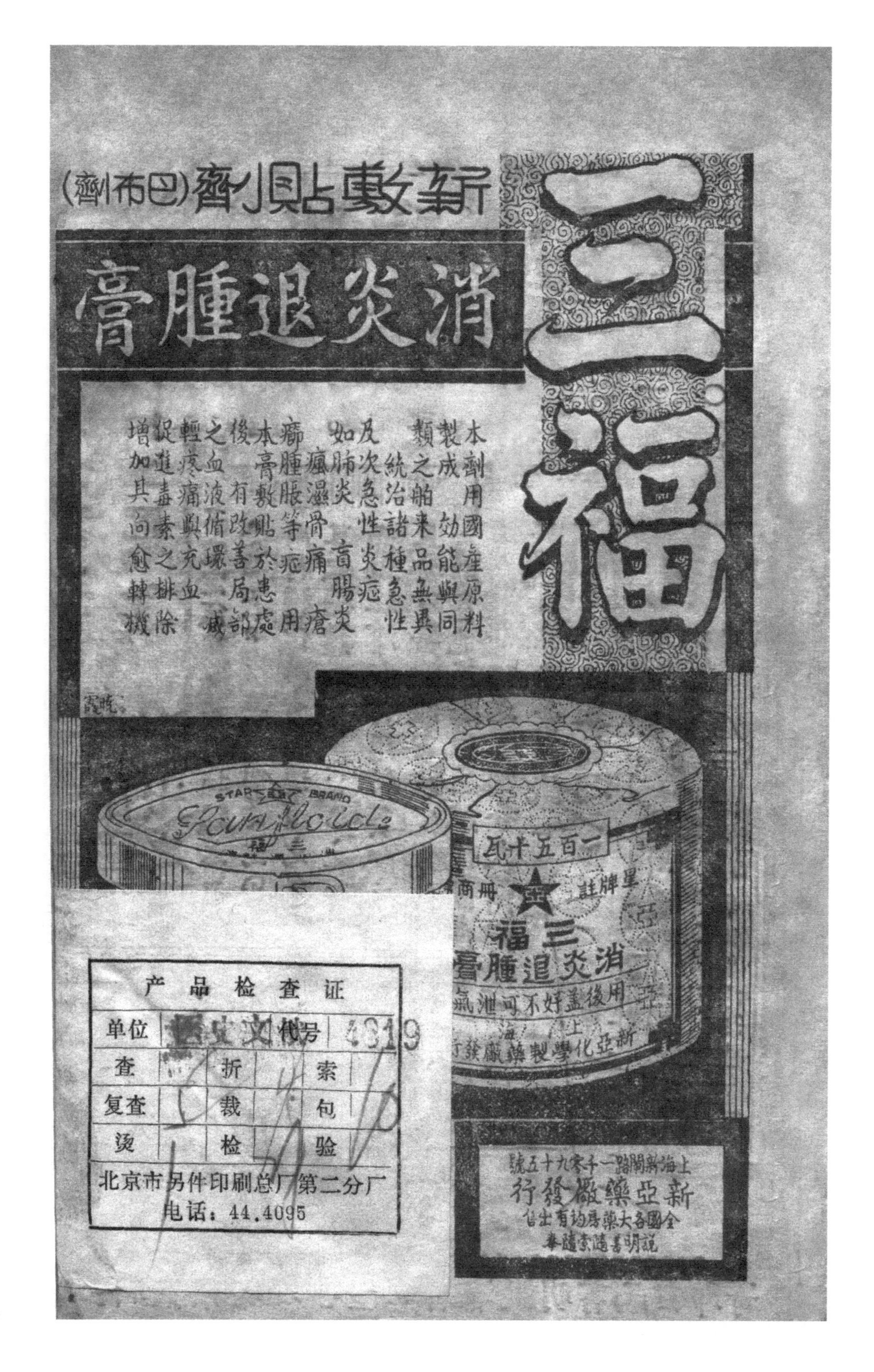

新敷貼劑（巴布劑）
消炎退腫膏
三福
本劑用國產原料
製成　劾能與同
類之舶来品無異
統治諸種急性
及次急性炎症
如肺炎　盲腸炎
瘋濕骨痛　瘡
癤腫服等症　用
本膏敷貼於患處
後　有致善局部
之血液循環　減
輕疼痛與充血
促進毒素之排除
增加具向愈之轉機
STAR BRAND
三福
一百五十瓦
星牌註冊商
三福
消炎退腫膏
用後蓋好不可泄氣
上海
新亞化學製藥廠發行
上海新閘路一千九百五十號
新亞藥廠發行
全國各大藥房均有出售
說明書隨索隨奉
产品检查证
单位
代号
查
折
索
复查
裁
包
烫
检
验
北京市另件印刷总厂第二分厂
电话：44.4095

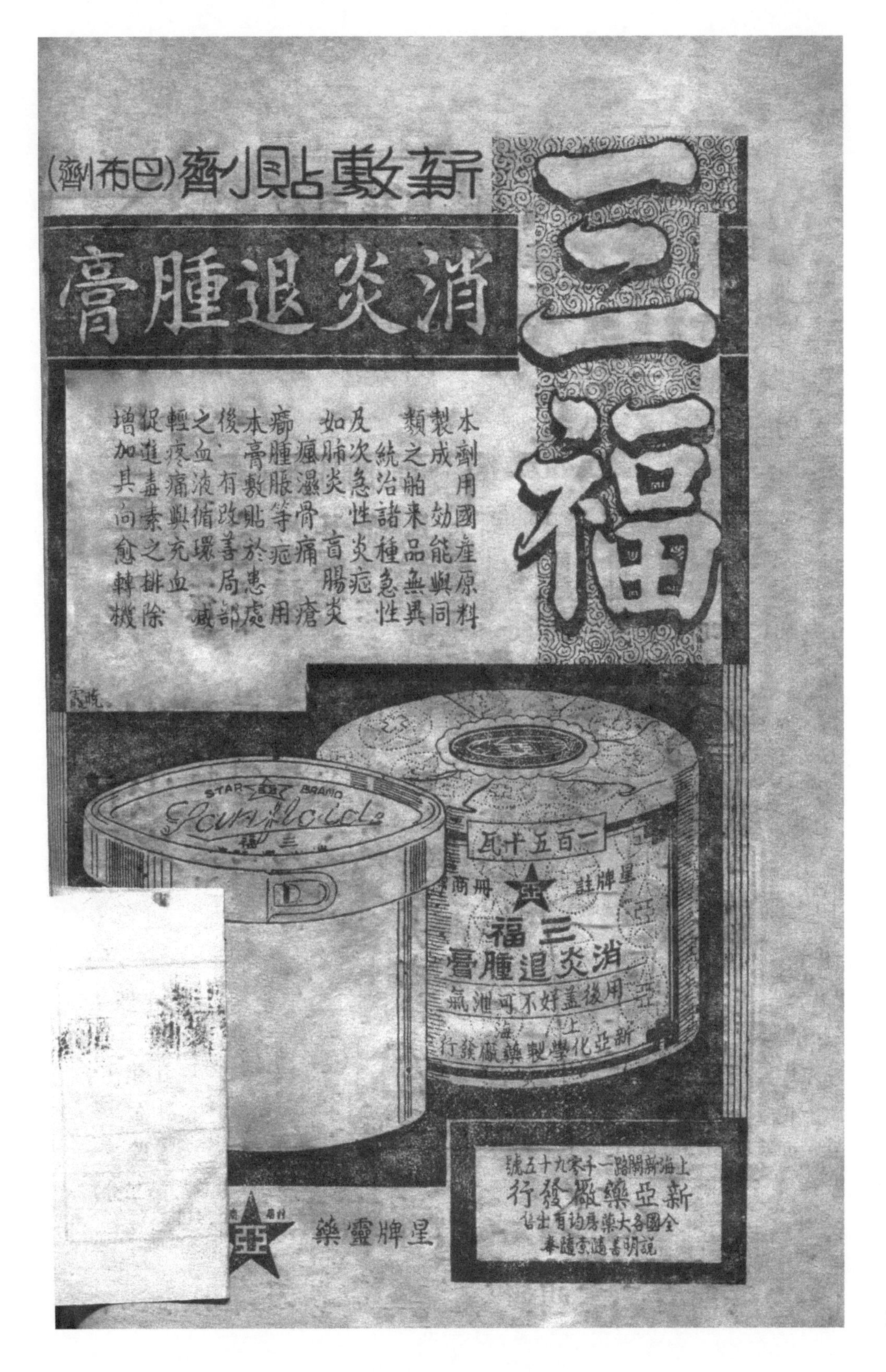
新敷貼劑(巴布劑)
三福
消炎退腫膏
本劑用國產原料
製成効能與同
類之舶来品無異
統治諸種急性
及次急性炎症
如肺炎盲腸炎
瘋濕骨痛瘡
癤腫脹等症用
本膏敷貼於患處
後有改善局部
之血液循環減
輕疼痛與充血
促進毒素之排除
增加其向愈轉機
STAR BRAND
三福
一百五十瓦
星牌註冊商標
三福
消炎退腫膏
用後蓋好不可泄氣
上海
新亞化學製藥廠發行
星牌靈藥
上海新閘路一千九百五十號
新亞藥廠發行

HEALTH MAGAZINE
衛生雜誌
第十三期
中華郵政特准掛號認爲新聞紙類
內政部登記證警字第二八二九號
社址上海愷自邇路嵩山路口瑞康里
SINE LABORATORY SHANGHAI
長命
信誼
賜保命
注射劑
維他
賜保命
補丸
SINE LABORATORY
20 RUE MASSENET
SHANGHAI
德國霞飛博士監製
兩種長命藥
專治諸虛百損等症
神經衰弱 肌肉衰弱 鴉片烟癮
血虧氣虧 軟骨病 耳鳴目眩
腰酸背痛 消化不良 經痛歇經
記憶薄弱 夢遺滑精 生育艱難
藥到病除！反弱為強！
無病服之！百歲長命！
用以戒烟 尤見奇功 藥中絕無毒質及麻醉劑 為根本治療烟癮之王道聖藥
詳細說明 函索即寄
信誼化學製藥廠
上海法租界馬斯南路廿號

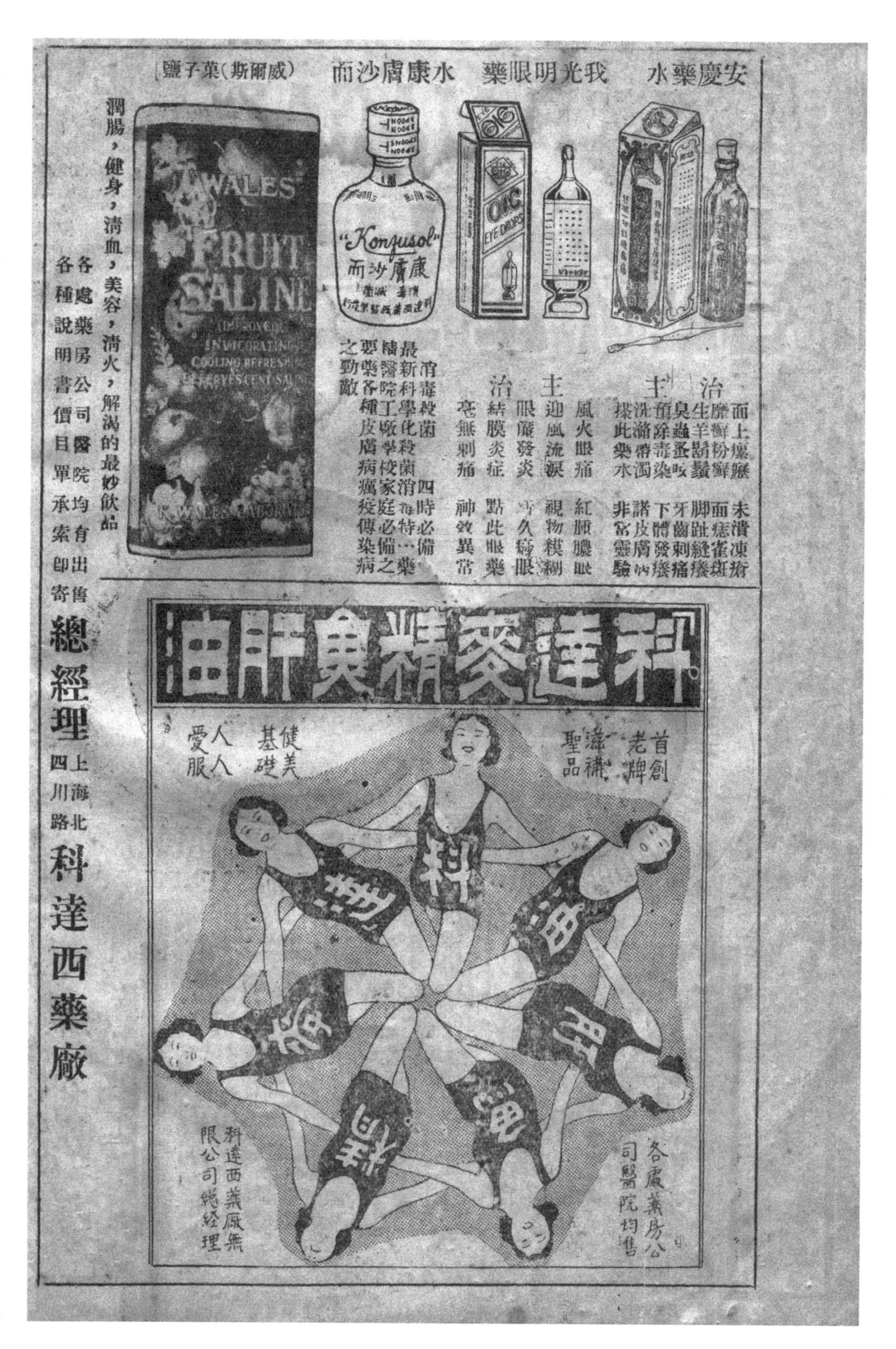

安慶藥水
主治
面上瘰癧
癖癬粉癬
生羊鬍鬚
臭蟲蚤咬
預除毒染
洗滌帶濁
搽此藥水
未潰凍瘡
面痣雀斑
脚趾縫癢
牙齒刺痛
下體發癢
諸皮膚病
非常靈驗
我光明眼藥
主治
風火眼痛
迎風流淚
眼瞼發炎
結膜炎症
毫無刺痛
紅腫膿眼
視物模糊
常久爛眼
點此眼藥
神效異常
OKC
EYE DROPS
康膚沙而水
"Konzusol"
康膚沙而
消毒殺菌
四時必備
最新科學化殺菌消毒特一藥
精醫院工廠學校家庭必備之
要藥各種皮膚病癘疫傳染病
之勁敵
威爾斯（菓子鹽）
WALES
FRUIT
SALINE
(IMPROVED)
INVIGORATING
COOLING REFRESHING
EFFERVESCENT SALINE
潤腸，健身，清血，美容，清火，解渴的最妙飲品
各處藥房公司醫院均有出售
各種說明書價目單承索即寄
總經理
上海北四川路
科達西藥廠
科達麥精魚肝油
首創老牌滋補聖品
健美基礎人人愛服
科
達
麥
精
魚
肝
油
各處藥房公司醫院均售
科達西藥廠無限公司總經理

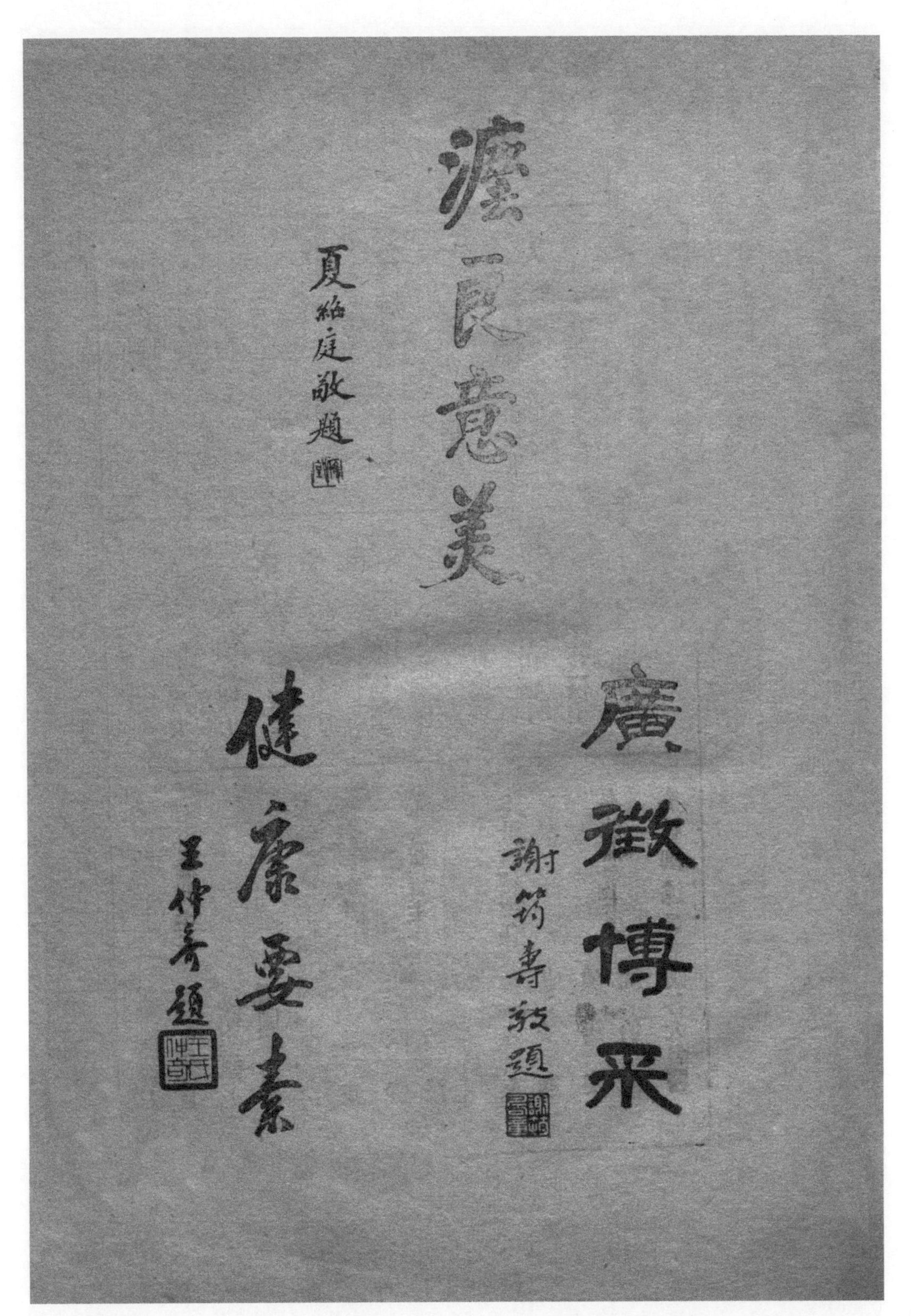
瘳民意美
夏紹庭敬題
廣徵博采
謝筠壽敬題
健康要素
王仲奇題

本社贊助人

王曉籟　徐慶華
王延松　王鈍根
潘公展　孫籌成
徐乾麟　胡仲持
許世英　張士俊
鄭洪年　金柏生
袁履登　顧文生
鄔志豪　俞福田
陸文韶　趙冲

本社理事

秦伯未醫士
郭柏良醫士
蔣文芳醫士
包天白醫士
張汝偉醫士
盛心如醫士
朱鶴皋醫士
嚴倉山醫士
朱孟栽醫士
沈仲圭醫士

本社社長　胡佛醫士
本社編輯主任　張子英醫士　沈仲圭醫士　潘國賢醫士
本社總務主任　繆曙初
本社發行主任　許世正
本社廣告主任　張承椿　陳伯民　朱景輝
本社宣傳主任　張森葆　茅子鋼
本社推廣主任　陳錫安　沈伯祿
本社撰述員全國各大名醫

本社 張子英診所 遷移通告

本社及本診所因業務發展原址不敷辦公現已遷移於法租界愷自爾路嵩山路口瑞康里二六二號照常辦事

各界來函或移玉請逕至新址爲荷

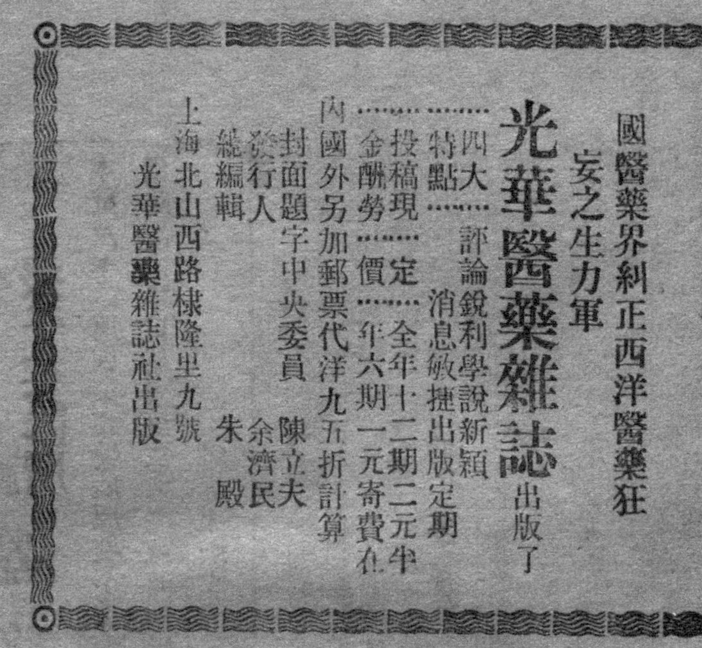
國醫藥界糾正西洋醫藥狂
妄之生力軍
光華醫藥雜誌
出版了
四大特點……評論銳利學說新穎 消息敏捷出版定期
投稿現金酬勞……定價……全年十二期二元半年六期一元寄費在內國外另加郵票代洋九五折計算
封面題字中央委員 陳立夫
發行人 余濟民
總編輯 朱殿
上海北山西路棣隆里九號
光華醫藥雜誌社出版

金鐘牌煉乳

舉行一週紀念

贈送玫瑰香皂

化洋五角五分……可得……

金鐘牌煉乳一聽

固本玫瑰皂一塊

金鐘牌煉乳有八個優點

1 乳酪豐富

2 質料純潔

3 醫師證明

4 定價低廉

5 擔保新鮮

6 消毒嚴密

7 手續完備

8 裝璜美觀

●各界注意●

貴客如向各南貨糖果號購買金鐘牌煉乳，可將印有金鐘之招貼剝下，持向後列各處換取贈品，一例有效

（本年底贈品截止）

五洲大藥房 總店 四馬路棋盤街口

五洲大藥房 第一支店 北河南路天后宮橋

五洲大藥房 第二支店 北四川路靶子路口

五洲大藥房 第三支店 南市東門路中

五洲大藥房 分銷處 西門蓬萊市場

鄭重聲明

金鐘牌煉乳爲丹麥國，依濱生廠特製出品，發行之初，曾經諸大名醫實地試驗，並來函證明該乳補力偉大，質料純潔，認爲哺飼嬰孩及滋補老年之最佳妙品，凡曾購飲者，莫不信其爲優等煉乳，茲爲舉行一週紀念，敝藥房特備上等化粧品，贈送購買金鐘牌煉乳之顧客，以酬盛意，各界惠顧，請認明金鐘商標，庶不致誤。

金鐘牌煉乳中國總經理上海**五洲大藥房**謹啓

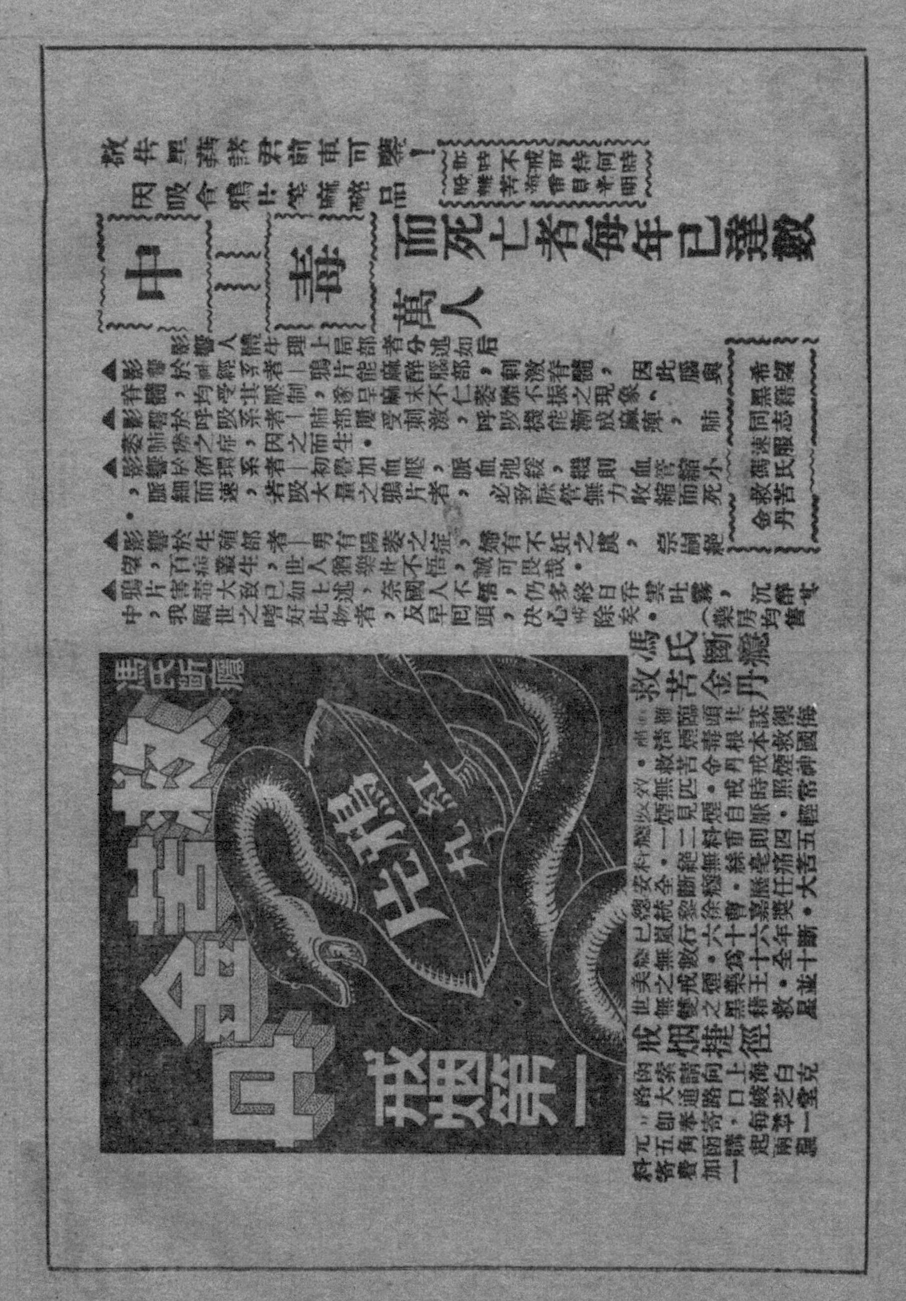
馮氏斷癮
救苦金丹
戒烟第一
鴉片
紅丸
敬告黑藉諸君前車可鑒！
因吸食鴉片等麻醉品
而死亡者每年已達數萬人
此時不戒更待何時
脫離苦海重見光明
中毒
▲影響人體生理上局部者分述如后
▲影響於神經系者—鴉片能麻醉腦部，刺激脊髓，因此腦與脊髓，均受其壓制，遂呈麻木不仁萎靡不振之現象、
▲影響於呼吸系者—肺部屢受刺激，呼吸機能漸成麻痺，肺萎肺癆之症，因之而生。
▲影響於循環系者—初疊加血壓，脈血弛緩，繼則血管縮小，脈細而速，若吸大量之鴉片者，必致脈管無力收縮而死。
▲影響於生殖部者—男有陽萎之症，婦有不妊之虞，宗嗣絕望，百症叢生，世人猶樂此不悟，誠可畏哉。
▲鴉片害毒大致已如上述，奈國人不悟，仍多終日吞雲吐霧，沉醉其中，我願世之嗜好此物者，及早回頭，決心戒除矣。
希望黑籍同志速服馮氏救苦金丹
馮氏斷癮救苦金丹（藥房均售）
戒烟捷徑

HEPATRAT
PRO INJECTIONE
漢伯脫萘
專治貧血症
本品為最有偉效之肝臟製劑專治一切惡性貧血及其他嚴重性之貧血疾患・鉛・鉍及砒中毒症功能增加紅血球及血色素並促進新陳代謝機能
SOLE AGENTS
KUNST & ALBERS
特生靈
痢疾特效藥
為治癒及預防阿米巴痢疾之無上聖劑功效偉大妥速
包裝丸劑
二十五・五十，五百・二千五百粒
粉劑
十瓦裝 百瓦裝
Dysentulin!
中國總經理 德商孔士洋行 上海四川路一一〇號

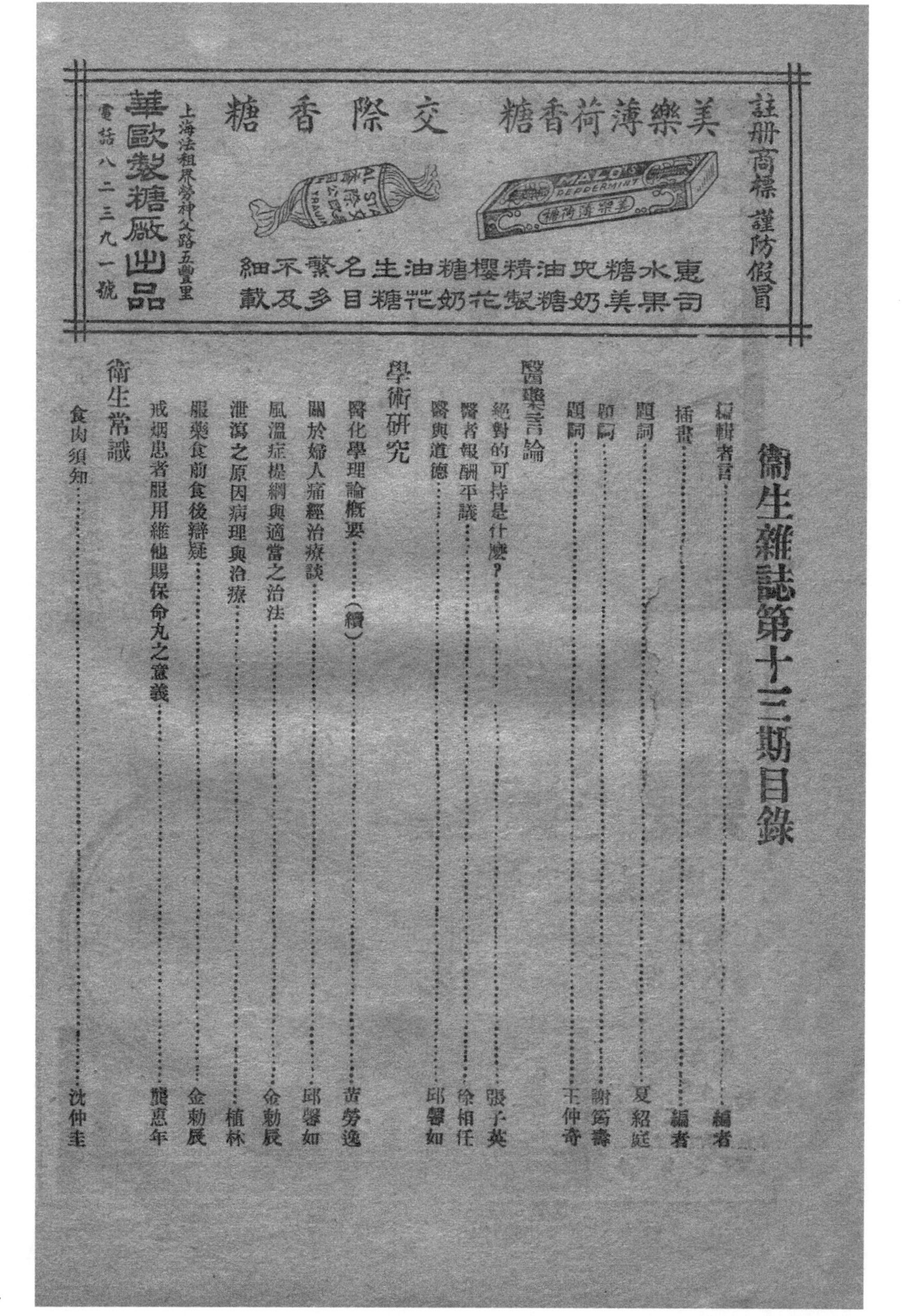

衛生雜誌第十三期目錄

爲張子英醫士啓事

杜月笙　徐廣華　呂岳泉　孫吉堂
王曉籟　鄔志豪　陸文韶　王鋪根
王延松　裴雲卿　俞福田　趙　冲

古越張君子英幼年夠學精究岐黃壯年與其姻戚遜清御醫太醫院徐起霖先生遊深得徐太醫祕傳醫術益彰如傷寒溫熱虛損痰嗽瀉痢雜症以及婦女經產小兒驚風痘瘄諸科辯析悉遵內經用藥別出心裁靡不藥到病除是以懸壺滬上數年於茲活人無算現爲國難方殷減輕平民負担起見門診祇收四角一百文出診祇收二元赤貧者不計俾達仁術濟世之宏願爰爲介紹以告病家之未識先生者

國醫張子英診例

科目　內科傷寒溫熱虛損痰嗽瀉痢等雜病婦女經產小兒急慢驚風瘄痘疳積諸症

診資　門診一元二角（平民祇收四角一百文）出診五元（平民祇收二元）路遠酌加赤貧不計

時間　門診上午九時至下午一時出診下午一時以後急症隨時面商

診所　上海法租界愷自邇路嵩山路口瑞康里二六二

編輯者言

編者

本刊對民衆方面。以提倡康健教育。灌輸衛生常識爲宗旨。使人人都知道衛生的重要。和人人都明瞭普通衛生常識。對醫界方面。無論中醫西醫。關於討論學術。和研究醫藥的稿件。俱所歡迎。作公開的研究。要知道研究衛生問題。和康健教育的使命。是非常重大。但是這個重任。應該由醫界同志來担任。所以本刊爲謀進展計。特籌備組織上海衛生教育會。已經呈請主管機關備案。但是會員方面。愈多愈妙。暫時不收會費。凡屬本刊定戶之醫界同志。俱爲基本會員。等到籌備已有相當頭緒。再行刊印會章。召集創立大會。選舉執監委員。這是我預先報告。希望中西醫界同志。踴躍訂閱本刊。就是加入上海衛生教育會爲會員一般。

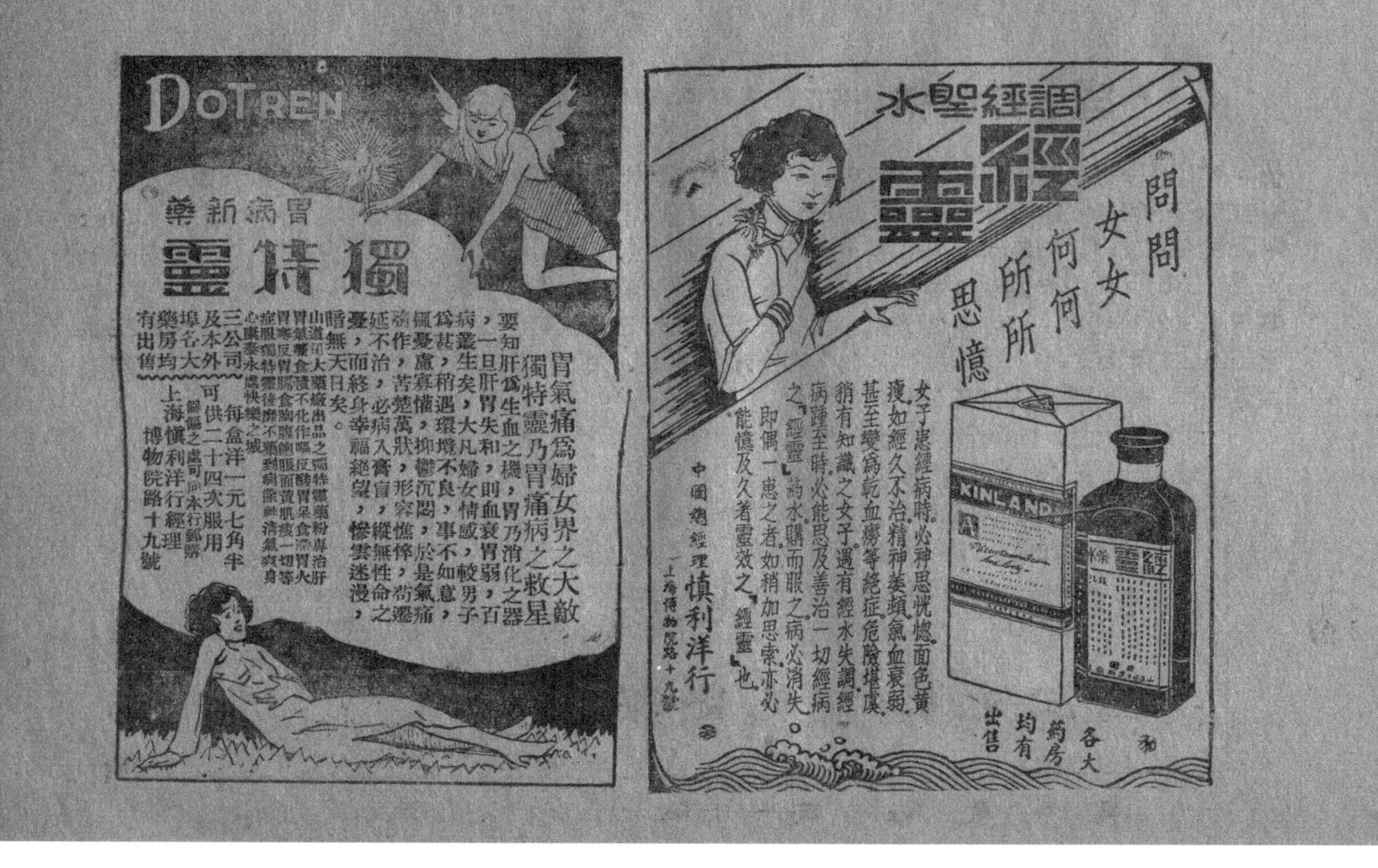
DOTREN
胃病新藥
獨特靈
胃氣痛爲婦女界之大敵
獨特靈乃胃痛病之救星
每盒洋一元七角半
可供二十四次服用
上海慎利洋行經理
博物院路十九號
調經聖水
經靈
問女何所思
問女何所憶
女子患經病時，必神思恍惚，面色黃瘦，如經久不治，精神萎頓，氣血衰弱，甚至變爲乾血癆等絕症，危險堪虞。稍有知識之女子，遇有經水失調，經病踵至時，必能思及善治一切經病之『經靈』藥水，購而服之，病必消失。即偶一患之者，如稍加思索，亦必能憶及久著靈效之『經靈』也。
中國總經理 慎利洋行
上海博物院路十九號
各大藥房均有出售
KINLAND

醫藥言論

絕對的可持是什麼

張子英

現在世界上人類的生存競爭。已達極點。無論什麼事情。非竭力去奮鬥不可。不奮鬥。就落伍了。有許多人是依持着父母遺下來的遺產。有許多人是依持着富貴親戚的接濟。有許多人是依持着朋友的幫忙。總之許多人都認爲只要有靠山。就可以高枕無憂。其實這句話。錯誤得謑。依我看來。無論親戚朋友父母兄弟姊妹等。都靠不住。有時候。竟然不能幫助毫厘。所謂愛莫能助就是了。所以絕對的可持。依我說起來。還是靠着自己。但是自己的本領有限。技術又有限。精神又有限。怎樣可以靠得住呢。原來自己的奮鬥力量是無窮的。所謂有志者事竟成。不過奮鬥要有康健的身體。才可以戰勝艱難。否則。心裏雖然有志奮鬥。身體不康健。萬事舉肘。早經屈服於艱難環境之下。那裏靠得住呢。「有志者事竟成」這句話。也無形消滅了。

泰西格言裏說。「康健乃成功之母」。就是說世間上絕對的可持。屬於康健的身體。有了康健的身體。未成的事業。可以成功。未伸的志願。可以如願。未報的怨仇。可以報仇。總之康健是事業上第一條生命線。有康健的身體。始有活潑的精神。有活潑的精神。始有偉大的事業。所以人類絕對的可持。是康健的身體。

醫者酬報平議

任徐相

儒之從政。醫之行道。皆以救世濟人爲其責任者也。以道德言。固不應計較報酬。亦不必計較報酬。然國家設官。不能以其有財產有道德。而謂官之祿養可免、祿之大者可減。則醫者亦以學自活者耳。非能不耕而食。不織而衣。其道德觀乎官而上之也。今若不問其生活。專責其道德。則業醫者勢非皆素封不可矣。余嘗主張從政行道。可以一介不取。惟素封者優爲之。然求之當世。乃絕無而僅有者、以不得事理之平。不能通於天下也。事理之原理原則。以勞力與代價爲正比例。勞力少者代價當然少、勞力多者代價當然多。醫者勞心之苦。恆數倍於勞力。加以年來生活程度日高。勞心代價。甯不當隨之而俱高。然吾儕業醫終與其他勞心家情勢不同。代價一高。則貧病必多。向隅之憾。非良心所忍出。若居簡行簡。過於自抑。則富豪之家。必將疑其學術不精。而不敢過問。終日勤勤與貧苦相周旋。無一富豪者過其門。則生活何自而足。以負重大責任之醫學。而所得不過如此。不亦灰後來學醫者之心乎。貧者力固不足、富者力自有餘。今之富者。視昔有加矣。君必洋房。坐必汽車。食必珍饈。衣必華麗。千金一擲。不以爲意。奚獨於救命治病之區區診金而靳之乎。吾意醫之報酬。自爲計則不能少取。爲貧病計。則不宜多取。權衡於二者之間。而務得其平。則主固定診例。不如主活動診例。爲可挹彼注茲稱物平施也。如以門診自一二毫層累至十數元可也、以出診則自一二元層累至數十百元亦可也。隨來者之貧富。爲自願之酬報。則少取之不爲廉。多取之不爲貪矣。雖然。情理平矣。良心安矣。而社會之心理則又不然。將不以爲道德。而反以爲竹槓。不以爲誠實。而反以爲滑頭矣。人生信用所關。生活命運隨之。世俗少見多怪。違衆立異。不足以救人。適以自困耳。此吾所以抱此宏願。而惴惴焉惟恐不得其當。雖社會頗有信用。而迄不敢一試焉。道德與生活衝突。至於如此之極。雖欲獨爲君子。豈可得哉。

醫與道德

邱馨如

嗚呼。醫者、司生殺之權。負萬民之責。所繫不綦重哉。苟非德術兼全。富有學識。不可以言醫。古人有言曰。不爲良相。則爲良醫。蓋良相治世以濟民。良醫治疾以救民。本無軒輊之別。若徒依術之精。捨道德於不顧。直等於星相巫卜。安足以良相相提而並議乎茲觀世之挾小技能以謀生者。不諒人之疾苦。不顧人之安危。視人命如土芥。任意罔爲圖治。以冀圖僥倖於萬一。實比比皆然。夫術之精者。以金錢眩於目。以利慾薰於心。大言欺世。罔爲作名。巧計萬端。徒知鷄鳴而起。孳孳爲利。或貧富而岐視。或貴賤而趨避。或親疎而異施。或貧別而眞僞。不特背醫生之天職。抑且喪盡其良心。雖醫術遠勝於扁盧。有回生起死之妙技。吾不取也。惟崇尚道德之士。心懷惻隱之志。利世救人之病。勝於自疾。認眞負責。加意施治。一視同仁。貴賤貧富親疎毫無異等。不以病難而生厭惡。不以輕微而生忽略。若此其良心可對天地。其行誼足以範後世。不特能起天下之沉痾。適足爲市醫之棒喝。庶謂之良醫。諺曰。不宜。夫醫學本爲技術之一種。諺云。爲人子者。不可以不知醫。醫豈易知之乎。知其淺。而不知其深。猶未知也。知其偏。而不知全。猶未知也。然醫學之精造。最難貫徹。初視之似與道德爲殊途。思之實輔車之相依。誠不可須臾離也。奈世道日非。人心不古。醫德既隳。醫學日衰。無怪其日趨退化。願我同志。共挽狂瀾於既倒。急救絕學於將危。建千古偉大之業。冀吾道之核振。爰述此篇。以供共勉。

學術研究

醫化學理論概要（續）

杭州黃勞逸著

編者按。此編續稿尚未寄到。所以不及排入。容下期再行續登。閱者祈諒之。

關於婦人痛經治療談

長典 邱馨如

經者。常也。一月一行。循乎常道。斯爲調。書以趨前爲熱。退後爲寒。將行痛爲疼滯。既行而腹痛。爲氣虛血少。其理近似。然亦不可盡拘也。但痛經一症。往往有之。世人皆謂瘀血積滯而痛。多用通經去瘀之味。然此藥味恐未必均獲有效果。何哉。吾謂瘀痛用此藥。正是對症良方。否則適增其害。雖然此病。由於瘀積爲多。然瘀積之外。更有因氣虛肝鬱。與及血虛脾槁之不同。醫者宜分別施治。庶得獲效。不然。徒用通經去瘀之藥。亦非解決根本之治。何能達於最要之結果耶。蓋氣爲血之帥。氣行則血調暢。而不滯瘀。痛從何而生。所以治此症。必須以調氣爲先。藥以、香附、川一金、元胡、降眞、天仙藤、之屬。肝爲將軍。器主藏血。肝氣不鬱。血能收藏。即不積瘀。故病不作。治宜暢肝開鬱爲先。藥以、香附、神麯、川一金、黑梔子、川芎、木香、丹皮、丹參、青皮、烏藥、之類。血屬陰。性主靜。血旺則經調。或血分虛損。則經欠調。阻滯而作疾。治當補血養營。法以婦脾湯。或養營湯、之屬。但脾主運動。統血之機。脾虛則血積不行。而痛經之症亦作。故脾虛經痛者。必兼白帶、等證。治宜、金櫻子、白果、芡實、蓮子、白朮、山藥、木香、砂仁、柏子仁、甘草、之類。審證用藥。自能獲效女神。豈僅通經去之法。即能建功哉。課餘之時。選作一篇。請同志者。加以研究耳。

風溫症提綱與適當之治法

金勳辰

風溫爲病。多在春多。春月風邪用事。多初氣暖多風。風爲陽邪。陽邪從陽。必傷衞氣。肺爲衞生。故風溫在表。惡風爲或有之症。而熱渴咳嗽。爲必有之症也。銀翹桑菊之屬。確有桴鼓之應。且風溫爲燥熱之邪。燥令從金化熱。熱歸陽明。是肺胃爲溫邪必犯之地。然燥則傷陰。熱則傷津。泄熱和陰又爲風溫病一定之治法也。若用辛溫誤治。必致熱邪極盛。三焦相火相煽。內竄心胞。逼亂神明。昏瞶不如人。不語如尸厥。至此時期。莫如薛生白先生之治法。最爲適當。緣以此候。熱極似水。一派烟霧塵天。蒙住心胸。不知不識。其心神爲熱邪蒸圍。並非閉塞。有形無形。治法大異。茲補薛法於後以供審擇。

用極明雄黃一兩。研極細。入銅勺內。又提淨牙硝六錢。微火鎔化。撥勻如水。時急濾清者於碗。粗滓不用。凝定此丹藏家秘製也。凡遇前症。先用陳雨水十碗。內取出一碗。煎木通一錢。通草三錢。傾入九碗冷水內。又取犀角磨入三錢。或旋摩旋與亦可。每碗約二三厘。再將製雄桃二三厘。入碗冷與服。時時進之。能於三日內進之盡。必有清痰。吐出數碗而愈。十救七八。蓋此症死期最緩。而醫人無他法用。每每付之天命。牛黃清心而已。可勝長嘆。

泄瀉之原因病理與治療

植林

(原因)經云。長夏善病洞泄寒中。緣夏令暑濕交蒸。人因感受酷熱之炎。每藉瓜菓以消之。乘涼飲冷以避之。乃暑雖去而濕停留。又有瓜菓冷物滯積於中。消化機能薄弱。中陽失運、久之水不四佈。乃下行而泄。故洞泄寒中多發於長夏也。

(病理)食物之入胃也。賴脾膵之消化。胃壁之蠕動。血管之吸收。庶能融和腑臟。佈散精華。倘脾陽不足。胃中寒冷。血行滯緩。吸收無種。則水分停留。不得四佈。至直走大腸而下泄。故小溲短少。便瀉稀糞。腹部疼痛。甚或肢冷作痲。此屬虛而寒之泄瀉也。若感受暑濕。協熱下利。及飽啖黏膩。運化失常。而發生泄瀉。乃腸壁得熱邪激刺。或食積醱酵。致吸收障礙。水分長驅直瀉。於是排泄器與泌尿器合而爲一矣。故瀉澀腸鳴。腹痛身熱。便泄穢濁。腥臭異常。此屬實凡熱之泄瀉病理也。

(治療)治本病之唯一方法。首在利尿。所謂利小便以實大便也。因寒者。用辛溫之劑。以刺激血管。興奮神經。如五苓理中等。因虛者。宜用補濇。以吸收水分。鼓勵腸膜收斂腸管。如耆者苓朮桂附升柴訶子粟殼等。因熱者。用苦堅清利之品。以緩其蠕動。而使恢復吸收工作。如芩連苡芍瀉滑秦皮車前之類。屬實者。消導破積。以祛除其醞釀之食滯。而排泄其老廢物。如保和之類。倘係熱極旁流。腹中拒按。苔膩脈實者。不妨處大承氣以推蕩之。使腸胃機能恢復。即通因通用之意也。

服藥食前食後辯疑

金勳辰

汪訒菴醫方集解。謂胃乃人身分金之爐。未有藥不入胃而能即至於六經者也。若上膈之藥。食後服之。胃中先爲別食所壅塞。須待前食化完。方能及後藥。是欲速而反緩矣。此理似是而實有未盡然。蓋由胃而傳者。已化之氣味。食後服之。取其未化之氣味。先行薰蒸。較爲得力。尤其散劑如辛夷散治鼻淵。止嗽散治久嗽。余每依法囑病家食後及臨臥服之。屢易奏功。設如膈下虫症。非但宜食前。且宜隔宵禁食。翌朝空心服下。又易見效多矣。古人服藥節度。有食前食後之分。確有所見。醫家切勿因汪君之疑而起疑。則幸甚矣。

戒烟患者服用維他賜保命丸之意義

龍惠年

不佞從事於戒煙療法之注意。殆已十年。雖以環境及設備之不吾許。不敢謂有若何研究之心得。然自曩昔承辦上海市公所設立之戒烟所以來。亦有千餘之症例。不問其或爲吸烟。吞烟。或吸紅丸金丹。或注射嗎啡亮卡因。或服用嗎啡亮卡因。甚之飲鹽頭水。吞鹽咽渣丸等。更不問因其病上癮。或嬉戲習嗜。其一般之慓性中毒症狀。不外乎因便祕而起之胃腸障礙。因此障礙而營養不良。又以其先興奮後麻醉之作用。致遲眠晏起。或臥與無定時。而睡眠不足，而神經衰弱。而心臟衰弱。與夫血液之中毒而貧血羸瘦等。統計實占多數。在戒除時則現所謂禁斷症狀。如疲軟酸楚。失眠走陰。陽萎遺精。多尿泄瀉。心悸亢進。精神不安等。無論如何處置。僅能減輕其症狀。欲求絕對免除。則非經較長之時間。悉心療治不可。洎信誼長命牌維他賜保命丸。出而問世。不佞輒試與戒烟患者服用。竟能短縮其戒烟之時期。而照常工作。於不知不覺間。戒絕其嗜好。恢復其健康。蓋是丸能中和循環於血液中之由細胞廢物而成之毒素。及各種膺嫌類因其具分解代謝的氮化作用。而現此特殊的效能。積久例多。誠予吾人以滿意矣。

全國男女學生一律熱烈歡迎國貨双錢牌橡膠鞋類出品
雙錢牌
各種鞋樣
大中華橡膠廠出品

本刊衛生顧問章程

（一）本刊經大衆詢問者之要求。闢設衛生顧問欄。以便醫藥上疑難問題。及病因症治藥性等。作公開之討論與研究。若依本章程投函詢問。當即照來函解答。

（二）重要問題。除依來信直接通函答覆外。本刊得隨時將答案披露。以便同志之研究。

（三）疑難之答案。須檢查醫籍。詳細考慮者。至遲須一星期可以答覆。

（四）不答覆之範圍如下。（一）來信記述不詳者。（二）詞義不明者。（三）要求立得藥方者。（四）無關醫藥者。（五）委託評論藥方之是非者。（六）本社同志學識所不及者。（七）無覆信郵費者。（八）無衛生顧問劵者。但不答覆者。不答之理由。覆信聲明。

（五）來函概用中式紙張。繕寫清楚。附覆信郵費一角三分。並附寄下列衛生顧問劵一個。

（六）來函寄愷自爾路嵩山路口瑞康里二六二號

衛生顧問劵

衛生常識

食肉須知

沈仲圭

一、解題

肉的種類。也多着呢。宋末區適之撰的三字經說。『馬牛羊、鷄犬豕、此六畜、人所食。』可見那時民間供食用的獸肉。有以上五種。——歐洲德奧等國。也以螺馬爲常食。不過現在社會所吃的肉。以牛羊猪爲大宗。三種之中。尤以猪肉的銷路最廣。所以本文所述。以爲猪限。其他獸肉。概不羼入。

二、猪肉的功用

猪肉含脂肪最富。蛋白質次之。脂肪是發生體溫的原料。蛋白是修補細胞的原料。所以猪肉在人身營養上。佔居重要位置。至於牠的治病功効。據王夢隱說。『液乾難產。津枯血奪。火灼燥渴。乾嗽便祕。並以猪肉煑湯。吹去油飲。』又鄒潤安說。『不但養胃。其補腎水有專能。』此外還有用猪肉清湯拌炒米粉。以白蜜代糖。——或用肉湯拌麥粒。或用肉湯冲打鬆的鷄卵黃。——治熱性病及消耗症的。此法價廉物美。事簡功宏。病家大可製食。

三、兩種煑法

煑肉有兩種方法。(一)紅燒。先把煑肉切成大塊。用沸水猛火煑五分鐘。然後以攝氏七十至八十度之溫度。煑至適可時。加醬油再煑。以輭爛爲度。(二)清湯。把猪肉切成小塊。用多量冷水緩火漸漸煑熟。照第一法燒成者。牠的精華在肉。宜於壯年胃強之人。照第二法燒成者。牠的精華在湯。宜於老年胃弱之人。

四、愼防寄生蟲

猪肉中常有兩種奇生虫住着。就是旋毛虫和有鈎條虫。倘不煑透。貿然食下。仔虫在腸中發育起來。那可怕的寄生虫病。就緊纏在你身上了。現在把這兩種蟲寄生人體後發生的病狀。附錄於下。使讀者知其危害。不至疏忽。

(旋毛蟲病)初起嘔吐發熱。食思缺乏。胃部壓重。如霍亂狀之下痢。次則腹圍內部有穿刺性劇痛。或風寒濕痺狀筋痛。眼瞼浮腫。呼吸困難。失眠出汗。煩渴心悸。

(有鈎條蟲病)食慾缺乏或亢進。曖氣惡心。腹部壓重。大便時閉時瀉。肛門奇養。頭痛眩暈。視覺障礙。

五、適宜的配合料

我們吃肉。常以蔬果豆類爲配合料。如鮮筍、筍乾、栗子、油豆腐、之類、但頂適宜的。要算山藥和萊菔了。因爲猪肉所含的脂脂。有百分之三七。消化時間。比較的延長。若以含澱粉消化素的山藥或萊菔爲配合料。那末對於消化。自有裨益。——雖然澱粉消化素。不能消化脂肪的。——

六、優劣鑑別

腐敗之肉。固然有害。不新鮮的。味亦大遜。所以一個家庭的主婦。對於肉的優劣。不可沒有鑑別的常識。玆將簡單易行者錄下。

1，肉呈瀴色或青色者。不佳。

2，以手壓之。有特殊顏色之水汁滲出者。不佳。

七、義烏猪

肉中滋養料的豐歉。大都以猪的生活食料等不同。而生差異。吾浙所產的猪肉。以義烏爲最。那兒製造的火腿。名聞全國。就因義烏猪的食料。以麥爲主之故。並非另有妙法。

無力服補者之替代品

支金石

中秋巳過。轉瞬初冬。一般富商巨賈。有買鹿茸者。有買人參者。有買海狗者。有買燕窩者。有請醫士開滋補膏方煎服膏滋者。凡經濟寬裕之人。一交冬令。莫不爭先服補。惟貧苦者不能也。僕心竊憐之。因此轉注意於各種食物之營養。以謀貧人之服補問題。得相當之解决。今得西人化驗之牡牛雞肉豆腐油豆腐豆腐皮五種食物。所含之蛋白質。分析表抄列於下（僕無化驗學識）

牡牛含蛋白質二一〇　雞肉含蛋白質一八〇

豆腐含蛋白質六〇　油豆腐含蛋白質二一六

豆腐皮含蛋白質五一六

由此觀之。貧苦之人。雖無力購買參茸等補品。而每日吃豆乳或豆腐豆腐皮。亦未始不可壯體力強筋骨。試看長齋茹素之僧尼。及豆腐店之店主等。多數面團團。腹便便。肥胖過人。即可知豆乳豆腐等確有延年益壽之功能、幸勿以價値之低賤而輕視之。

梅毒眼病之治療

張浮霖

目爲五官之一。職司視覺。倘不健全。便失人生幸福。乃近時雙眼無疾者頗鮮。大都患有砂眼。而尤以梅毒爲最惡。故瞳子日漸增多也。蓋處此淫濁社會。在在有觸染黴菌之可能。如用具間接傳播。妓院直接感受。皆爲花柳病之原因。亦即損目之刀斧也。今將該病症狀與治療。發表如下。

(症狀)兩目猝然疼痛。上下胞腫大。羞明作癢。粘眵頻流。且有腥氣。全身症狀。發熱惡寒。或則頭部疼痛。男子必有下疳淋濁。女子亦必白帶。局部生瘡。診察上。脈現細數。苔黃舌赤。溲黃而渾。大便燥結。

(治療)初起即當速服泄熱解毒導濕蕩滌之劑。不可或緩。若稍遲延。便有失明之危險。方藥如生地銀花黃連生軍石膏龍胆連翹丹皮土茯苓竹葉諸品。痛甚者加琥珀羚羊角。大便秘者。加洋蘆薈芒硝。善後清解餘毒。用肥知母川黃柏梔芩苓瀉决明木賊甘草木通等類。外以冷開水或硼酸水洗滌。再點藥粉。愈後應注意衛眼常識。戒除狎遊。俾免復發。

煎藥服藥淺說

馮紹蘧

患疾至苦也。莫不冀其速愈。是恆情也。予謂凡人疾病。除險症危候。難以藥救者外。餘均可藥治者也。然而不愈者何。人事爲之也。誤於醫者一。誤於藥肆者亦一。忽於病家者又一也。關於上之二者另作他論而述之。茲將病家最須注意之煎藥服藥法。錄之於后。以告閱者。幸勿河漢鄙言無論內傷外感。其受患之處。不外人身之三焦與表裏而已。然煎法服法。有關於三焦表裏者實大。失之毫釐。差以千里。豈可忽乎哉。

(一)煎法

凡表劑肺劑。不可久煎。蓋取其清輕之氣。以疏解其邪耳。若失之久煎。變清輕爲重濁。失其疏散之性。尚有效乎。反之。裏劑補劑。又非久煎不可。蓋取其滋膩重濁。藉以滋補臟腑也。又裏劑而兼表劑者。宜先煎裏劑之藥。然後復入表藥而煎之。此又法外之法也。若藥有細毛者。必須去其細毛。有丸有散者。必須包而煎。有輕浮者。必須重縋入水。又非經手續不可。如飴糖諸末(末藥末也)鷄子黃等。迨藥傾杯時。如可調入。又如藥劑中。有麻黃者。必先煎麻黃去沫。然後加入餘藥合煎。凡此種種。一不如法。失之多矣。

(二)服法

上焦之劑。飲必食後。下焦之劑。飲必食前。中焦之劑。必食後隔一二時飲之。蓋欲置藥於病所也。然未可拘爲定法。遇危候急症。又非急與不可。發散之劑。欲去風寒出之於外。必熱服而取暖。使藥氣易行。而從汗解。通利之劑。欲其祛積滯而達之於外。必空腹頓服。使藥氣鼓勵。推其垢濁。而從大便解。熱性之劑。必冷服。冷心之劑。必熱服。庶無阻隔嘔吐之弊。亦姑則誘之之法也。又吐劑下劑。中病卽止。不必盡劑。毋惑時醫方必二服之說。玆不揣鄙陋。略陳一二。以供病家之參考云爾。

脚氣病之原因及治法

繆曙初

我人日常生活。飲食。起居與脚氣病亦有莫大之關係。如食腐敗肉類。及腐爛水果等。其中皆有一種脚氣毒菌。或久居卑濕之地。或負重遠行。或衝冒雨雪。寒濕內襲。侵及經絡肌肉。遂患脚氣。其體氣虛虧者。一經感受風寒暑濕之邪氣。亦易致病。因之移步艱難。脚脛浮腫。腿足頑麻。或攣急作痛。時常嘔吐。精神恍惚。其種種惡現像。不一而足。竟有死在旦夕者。能不懼乎。但與其病後求醫。不若未雨綢繆。願我讀者。加意注意也。至其簡單治法。以疏解爲主。如氣滯者。用檳蘇散。濕勝而腫者。用勝濕湯。桑白皮散。風勝而麻者。用無灰酒燉團魚。食之最效。寒熱往來者。用敗毒散加蒼朮。病時勞慾一切。均宜戒絕。惟瘦人患此者易治。肥人患此者。則難治也。

大衄血之急救法

植林

猝然衄血不止。急用手巾浸冷水。蓋覆頭部。再以燒酒二斤盛盆內。將病者之兩足放入其中。立時可生效力。

咳病驗方一束

植林

一、薑汁一匙銀杏汁一盃萊菔汁一盅燉熱頻服

二、甜杏仁、生花生米、各三錢。共研爲末開水調服。

三、款冬花炙麻黃。各一錢。煎服。

四、川貝末二錢。白及末一錢。密丸。滾水送服。(此以下皆治久欬)

五、雪梨一個。挖去中核。納入川貝末於內。飯鍋蒸熟。每晚服食一枚。

六．豬肺一具。松子仁ㄚ冰各一兩同煑熟食隨飲

婦女血崩時候的常識

才人

婦女忽然血崩。或因胎漏。或因月經不調。或因子宮受病。種種原因不一。非請醫師診療不可。但倉卒之間。遇着血崩。必使人事不省。或忽然昏倒。這時候。不可手忙脚亂。必須將病人枕頭減低。頭部用熱手巾溫貼。手足用熱水袋或熱水瓶溫烘着。又給她飲熱酒。使體內血液流動快利。可以恢復知覺。一方面再請婦科專家來診治。方可復原。原來血崩的原因。不外乎子宮充血而破裂。所出的血。全是人身各部聚集來的。所以病人非睡倒不可。把血液流到頭部及四肢。昏倒和人事不省。也就是腦貧血的現狀。溫暖頭部和四肢。是血崩的簡單急救法。

肺癰特效方

張澤霖

頃得中國醫學院教授王潤民君之令姪吟竹報告。謂有老農。傳一肺癰秘方據述效應非常。因君近注意臨床實驗。特請一試。以觀究竟云云。適有北鄉胡舍徐姓來邀診病。該病者之比鄰吳某。患肺癰數月。曾經醫治。迄無稍效。以距姜鎮較遠。且困於經濟。不獲就診。今聞徐宅請余。亦來求治。當即將王君所述之方。使服三劑。一星期後。見其欣然來余診所申謝。謂巳霍然。余雖得此一例。初尚疑爲幸中。續驗數次。皆有良好結果。始認斯方爲肺癰新治療劑也。爰公開如下：

（藥品）蘇梗桔梗佩蘭葉各二錢。白芨錢五。共研極細末。（一服量）（服法）用夜合樹皮八錢。搗爛調上藥。納入大活鯽魚（除去腸垢洗淨留鱗）腹中。以線縫口。煑取濃湯約一碗。臨臥時飲下。

衛生小問答

張子英

（問）寒熱病發作停止後。何以能食。

（答）瘧疾停止。邪舍入裏。加以胃熱善能消水穀。故能食而甚飢。但以淡滋味爲宜。否則任意恣食。積滯愈深。而瘧邪更加固結不解。

（問）瘧疾何以不藥而愈何故。

（答）瘧疾因傷於飲食寒冷者居多。可以慎飲食起居。而消息

治之。

（問）驟然患痛風何故。

（答）風寒濕三氣驟然感至。而局部之陽氣不通爲痺。即患痛風。治須通陽氣爲主。

（問）胃氣痛進食即嘔吐何故。

（答）進食即嘔吐必其人消化力減退。而胃氣上逆。必以降胃逆。消補兼行爲主。

（問）咳嗽而喉癢者何故。

（答）咳嗽喉癢。或有水雞聲者。皆因濁陰上逆。治宜疎解兼降飲邪。小青龍湯主之。

（問）頸項患瘰癧何故。

（答）相火上炎。痰涎凝結經絡所致。所以又稱痰核。宜滋陰以清相火。戒忿怒。扶中焦爲主。

（問）熱病忌食物何故。

（答）傷寒熱病。胃熱熾盛。消化力全無。若恣意食物。則水穀助桀爲虐。而腐爛化熱。病益加重。

（問）痢疾亦須忌口何故。

（答）痢疾之戒食與傷寒有異。

醫林叢談

診餘瑣談

張汝偉

（一）余臨證以來。已二十餘年。其中所治之症。除一半不醫不藥。亦可全愈者外。其中有百分之一。犯絕症。無論中西。竟無法治者也。但其中亦有病因極重。診治未謬。一診之後。從未續診。及後調查。云即服此一劑。病即霍然者。又有其病起極甚。診治數次。已經向愈。忽又轉變他症。輾轉數次。而始得告痊者。此中或因藥雖不謬。未能鍥合。或因飲食起居不慎。以致諸復者。又有病勢輕微。方亦自覺妥洽。一二診後。以爲必愈。竟有轉重而危者。大都此人心虛膽怯。經他醫恐嚇而成者。或標病確是無妨。體質實已虛弱。或因惱怒。或犯房勞。其變更多。再醫生診病。必須四診俱到。又運之以心靈。參參以活法。庶可無誤。若自己煩惱之後。或遇半懂病家。每欲刻意求深。想入非非。其方非雜亂而無章。即拘執而不化。無論有效與否。均不可爲常法。所以醫生。須當從修養入手。躁與傲。急與忌。均須切戒者也。吾輩爲醫。際此時代。固然以求生活。然亦當思人能生活。我乃生活。人有病而來。求我解其苦而適其生。我當盡吾之力。以遂其生。而我之生活。乃無憾於心也。有種病如失營失戀之人。都因心理而起。則書方之餘。更當設法勸譬。則成效尤著。但出言須落落大方。否則人將謂蓄意譏諷矣。此種事。老年人與婦女居多。治靑年病。須帶三分恐嚇。非有意欺他。實腦筋太新之人。萬事不信。凡無信仰心者。方藥雖妙。無效也。質之同道諸君。以爲然否。

(二)代脈在五十至外無妨。五十至內而代者。以年計其亡。十至以內而見代者。其死亡期。尅日以計矣。經文所載。然亦未必。余治嶽州張君。年已古稀。三至一代。病愈而脈仍代者。康强猶昔。並告余云。代已十餘年矣。又治天津於君。年亦六秩外。每病必代。在三四至之間。然病稍愈。則代卽除矣。及病再發。而代脈先見。如是五六年。亦無妨礙。又診鄞縣余君。患狐病。脈亦三至一停。調治半載。頗見痊可。一日。忽然仆中。頭如旋轉。目視昏黑。汗出如漿。經用大溫補後。病愈而脈代亦除矣。然診常熟黃君。三至一代。余云。今夜必亡。當時諸醫與余立爭。倘有三日之延。然至當夜二句鐘。果然逝世。可見治病之難。實難以言語形容也。以余所得。同一代脈。在辨其脈之神耳。但神字可以意會。難以言傳。若欲合乎科學。則又難能之事也。中西學理。尙未能溝通者。卽在此幾微間乎。

改良吃食店和衛生的關係

自新

從衛生方面說起來。無論飲食居住衣著等。都有講究衛生的必要。但是依我說起來。飲食上的衛生。尤其緊要。因爲飲食裏。直接傳染病菌到人體。尤其容易。從這一點。我感想到吾國吃食店。太不講究衛生了。(以上吃食店專指小飯館粥店麵館等而言)原來吾國吃食店。像飯店粥店麵店等。把一切食物。或已經烹煮的熟菜。大抵陳列在門口。又加店門洞開。使吸受馬路上飛揚起來含着病菌的塵埃。這是第一點不衛生。應該要改良。還有食物裏。不用蓋罩。常常被蚊蠅停着。尤其夏季、蚊蠅充斥的時候。更加不衛生。也應該要改良。又常常看見許多飯店粥店麵館店等。雖極冷的時候。沒有用玻璃門。總是大門洞門。使凜風侵入。食物還未入口。而已寒冷如冰。這也是不衛生之一。此外腐臭的肉類。汚爛的菜蔬。和洗滌不清潔等事。已非吾人所眼見。「所謂眼不見爲淨」應該要請老闆督促夥友。稍存道德心。講究衛生。以上種種問題。吾國都市和鄉鎮裏的小飯館粥店麵館店等。應該都要改良。那末不但老闆自己良心上可以安慰。就是營業。也能夠生意興隆起來了。

慨近年來童損之多原因

漝修

今夫求木之長者。必固其根本。欲流之遠者必濬其泉源。思身之強者。必淡其色慾。若根不固。而求木之長。源不深望流之遠。慾不淡而思身之強。余雖下愚。知其不可。而況于明哲乎。觀之近世。沉於色慾者。比比皆是。其所傳子孫每多羸弱。附近鄉家有勞傷便血者。有腹膨形瘦者。大都以年甫十七八之男子居多。此果何病乎。諺謂之童損是也。凡此之類。迨半每致夭亡。譬諸無根之草。難以久存也。欲強種者。當從寡慾始。庶幾童損之症。或可減少於將來也。

長生祕訣

長生很容易。並不是叫鍊丹吃丸。只要你能注意平日的衛生。就可長生。下面就是長生的祕訣。

一、衣服以舒適最宜。不必華麗。宜常常換洗。

二、勿過量飲食。烟酒絕對戒除。不宜濫用辛味。

三、房屋容氣。要使之流通。寒暖適度。

四、勿逸坐。勿過勞。每日有一定之休息。

五、牙齒之保護。要特別留心。

六、每日須大便一次。運動一二鐘頭。

七、勿煩躁。勿憂慮。宜快樂。宜達觀。

八、作事要有次序。睡眠必有充足。

九、須固定自己的人生觀念。勿自取煩腦

十、房事不可過度。色慾要能節制。

十一、無論何事。須避極端。

十二、心中時爲滿足之想。

十三、宜常常沐浴。浴湯勿過冷或過熱。

十四、偶患疾痛。不可輕視。應加以調養。
十五、外出時。留意天時之急變。
十六、失意時。勿悲觀。得意時勿放縱。
十七、每日生活要有規律。不可作無謂之應酬。
十八、凡事須顧公益。才能精神舒暢。

滬市教局

健康教育實施辦法

滬市自民十七衛生教育兩局合辦衛生教育後。成績卓著。上年度教局又以健康教育為中心計劃。舉凡民教機關。中小學校。無不戮力同心。努力進行。本年度教局中心計劃。雖屬公民訓練。而該項訓練中公民衛生復極注意。其他各項健康教育。除照上年度繼續進行外。更添出吳淞等三實驗區。分別辦理。茲將上海市衛生局教育局廿二年度健康教育實施辦法內容。詳載於次。以資各地參攷。一。本辦法依上年度健康教育中心計劃。實施辦法。並參酌本年度公民訓練中心計劃實施方案。訂定之。二。本年度健康教育。除繼續辦理五年度各項工作外。復推進目前急切需要之各種事業。三。推廣工作實施範圍。為滬南。閘北。高橋。吳淞。江灣。等五區之市立中小學及幼稚園。所有五區市立學校學生計七十處。約三萬人。（本市公私立中小學及幼稚園擬參加者。另訂辦法規定之。四。本年度工作實施步驟擬訂如下。（一）衛生教育。甲。訓練師資。（一）滬南閘北高橋等區。已分別舉辦學校衛生人員訓練班。本年度擬於吳淞江灣等區。繼續舉辦學校衛生人員訓練班。以增加健康教育之效率。其辦法與上年度同。（二）兩局派員訓練本市市立學校師範生。乙。訓練學生。本年度當由已受訓練之教職員。在兩局指導之下。集中注意力於公民體格之訓練。並切實進行下列各項事業。一。兩局視察員。切實注意各校衛生科教材教學法。二。學校訓練中學及小學高年級學生。實施衛生工作。如沙眼治療。身長。體重。測量。及急救技術等。丙。各校應提倡健康課外活動。訂定詳細辦法。呈報教育局。丁。由教育局製定表格調查各校教職員及學生疾病缺席及死亡等統計。戊。各校應於公民訓練委員會內設立健康股。由校長衛生教員體育校員校醫等組織之。己。本年度內各學校及市立社會教育機關。應作健康教育之對外宣傳。至少須擇下列各事二種以上之活動。呈報教育局。二。民衆衛生演講。二。家庭衛生演講。三。育嬰常識演講。四。嬰兒比賽。五。清潔拒毒防疫等運動。六。衛生教育影片映演。七。學生家長談話會。八。母姊會。九。各種衛生狀況之調查。十。級際校際運動會。十一。其他。庚。製表調查私立學校校醫情況。辛。舉辦教職員體格檢查。及鼓勵缺點矯正。壬。籌設健康教育勸導員。癸。籌辦學生健康互助事業。(二)預防工作。甲。檢查體格。本年度除檢查所有各校新添學生外。並復查三年前曾經檢查之各校學生。其辦法與上年度同。乙清潔檢查。此項業務。上年度已有詳細辦法、通知各校施行在案。惟據視察所得。尚有學校未能切實舉行。自難期達相當目的。本年度擬由兩局人員。切實查察並督促各校。丙。每月測量體重。此爲上年度未克普遍施行之一。本年度擬由受過訓練之教員主持之。並由高年級學生。輔助進行。兩局人員。切實指導。每月按期測量一次。藉知學生體重之增減。俾能早期預防或有之疾病。公斤秤由衛生局供給。

丁。預防接種。除檢查體格接種牛痘外。其他一切接種。在由衛生局防疫股負完全責任。戊。檢驗糞便。由衛生局試驗所辦理。預計每月檢驗五百學生。以便治療各種寄生蟲疾病。巳。結核病試驗。由兩局委託紅十字會小兒科辦理結核病試驗。俾便預防及治療。庚。缺點矯治。一。牙齒矯正。原有兒童牙科診所三處。由牙科醫師一人。護士二人主持。但以牙病學生衆多。不克普遍治療。屢經各校請求。均以經費維艱。礙難照准。本年度擬將兒童牙科診所。設法擴充。二。砂眼治療。本市學生之患砂眼者。竟達百分之五十有多。上年度對砂眼之矯治。在兩局指導之下。低年級學生由教員上藥。高年級學生由高年級學生自行辦理。應用藥品。由衛生局供給。砂眼最重者。由衛生局送醫院治療之。認眞辦理者固多。玩忽者亦屬不少。無怪成効有限。故對砂眼治療。有極謀改善之必要。本年度擬通令各校負責衛生教員申說利害。切實施行。並奬勵高年級學生。襄助治療。同時衛生局擬添聘人員。宣傳砂眼之預防。並指導襄助督察各校之砂眼治療工作。期於最短期內。低降本市學生砂眼缺點之高度。三。視力矯正。本市學生視力不良者居百分之二十強。有礙於學業之進步殊深。上年度之配鏡者。已逾三十人。多數學生。以經濟困難。雖經減價。仍苦無力配製。本年度起。籌備免費配鏡。切實督促學生配帶。庶幾視力不良。學生盡得矯正。四。扁桃腺割治。扁桃腺腫大及腺機增殖病。每致營養不良。精神遲鈍。本市學生患此疾者。居百分之二十强。歷由紅十字會醫師診治。本年度擬由衛生局耳鼻喉科醫師。免費割除之。(在衛生局籌備未週之前。仍由紅十字會醫治)同時多派員實行家庭訪問。向學生家長盡量解釋割除之利害。以免家長顧慮。五。營養矯治。上年度對營養不良之醫治。已有夏令營養班之芻議。嘗經切實調察。初乏適宜地點。復以管理需人。且以兩局等限於經濟。以致欲行又止。本年度仍本此精神。於可能範圍內。勸導學生家長。正確明瞭食物之營養質量。食沙「次數」。等並謀舉辦夏令營養班。爲吾國營養不良之兒童開一曙光。六。皮膚心肺醫療。由各校之衛生教員。負責遣送。各病生至該校鄰近之學校診所。或衛生局設立之各診所醫治之。其需臥牀常期治療者。由兩局介紹至紅十字會各院。或上海市立醫院。減價或免費治療之。七。醫務工作。(甲)急救贈藥。由受過訓練之教員主持。並訓導高年級學生協助。衛生局派員抽查各校應付急症情形。及對學生之訓練。相機指導之。訓練之衛生局。可贈各校急救藥品全份一次。其繼續需用者。得向藥品社購置之。乙。普通治療。普通簡單外傷曾受訓練之教員。應用急救藥品處理之。其他疾病。由學校診所醫治之。惟以診所不多。學校星散。不少學生未能實受診所之益。治療雖非重要。然已患病之各生。自當予以充分救濟。俾免病勢擴大。或染及他人。是以本年度除原有閘北二學校診所外。擬再增設診所兩處。共四處。計滬南兩處。閘北兩處。四。環境衛生視導。視導環境衛生。所以偵知學校之環境。是否合於衛生。其不合衛生者。應設法改善。務期適合衛生。兩局已有兩次擴大之環境衛生視導。各校廚房廁所。及其他輕而易舉。各項改善者。已屬不少。其仍露舊態者。大都因經費支絀。無法改造者。本年度擬由兩局視導員隨時注意。並切實指導。可一方面之改善。擬每二年舉行擴大環境衛生視導一次。以資改善。

狐臭之根本療法

自新

患狐臭之人。涉足人羣。或解脫衣服之際。皆被人憎惡。縻不掩鼻。蓋臭氣飛揚。非但別人厭憎。即自己亦覺不快。實爲人生最難堪之疾病。現代潮流。注重交際。但患狐臭之仕女。對於交際場中。不無妨礙。所以治療狐臭病。研究者甚衆。考其病源。大抵因腋下汗腺分泌液有特殊變化發生之故。而治療藥品。往往未能奏效者。因其藥力未達腋下臭腺之故。現在天樂堂祕製之狐臭靈藥。名曰『狐香』其藥性藥力。實有直達腋下臭腺之效。具改造腋下汗腺分泌性質之功。現代中西名醫。認爲不能根治之狐臭病。惟有用『狐香』可以根本治療。患狐臭者。幸祈試用之。

醫藥雜訊

醫師公會秋季大會記

上海市醫師公會昨假西藏路一品香大廳召集秋季會員大會。計到會員徐乃禮余雲岫蔡禹門龐京周等一百三十餘人。市黨部代表毛霞軒。衛生局代表趙鎔輝。法律顧問瞿紹伊。由徐乃禮主席。討論提案。(一件)郛人驥提議本會應公布會員姓名於報章案。(議決)原則通過。其辦法交新執行委員會酌量辦理。(一件)朱企洛等提議請修改會章第二章第三條會員資格案。(一件)陳榮章提議寬限會員資格案。以上二案。合併討論。『凡領有中央政府醫師執照者。並在本市主管機關駐册者。皆得爲本會會員。』(議決)原則通過。修正條文。交新執行委員會全權辦理。(一件)陳榮章提議本會應增加相當權威案。(議決)原則通過。交新執委會酌辦。(一件)姜振勛提議請函地方當局速在南市閘北記立驗屍所以重公安及公衆衛生案。(議決)通過。(一件)執委會提議調査本會會員醫藥費用案。(結果)由原提案人撤消。又改選職員。(結果)徐乃禮宋國賓朱仰高姜振勛金問淇吳憶初尤彭熙周君常葉植生朱企洛牛惠生俞松筠張森玉陳榮章陳方之十五人當選爲執行委員。朱增宗湯蠡舟吳紀舜王完白四人當選候補行委員。龐京局余雲岫汪企張蔡禹門夏愼初五人當選爲監察委員。謝筠壽劉之綱二人當選爲候補監察委員。選擧畢散會。

中國預防癆病協會
吳市長等發起組織

查癆病禍人爲害最烈。吳市長鑒於各國組織預防癆病團體。收效宏大。爰有組織預防癆病協會之發起業巳邀約本市中外各界人士四百餘人。於前日下午四時。在霞飛路一八八一號市府招待處。開成立大會。將來造福社會。定無限量。茲特錄其緣起如下。痨病禍人。由來久矣。尤以我國爲最烈。查國人死於斯疾者。年約百二十餘萬。患者達千萬以上。且類皆爲壯年生產份子。影響於社會經濟者至大且鉅。五十年前歐美諸邦之痨病猖獗情形。與我國不相上下。然因預防得法。使其死亡率一落千丈。例如英國在一八七五年痨病死亡率爲十萬之三百弱。今已降至七十左右。其明證也。今我國痨病死亡率據調查所得。超過英國四倍以上。而十四以下之兒童受其傳染者。竟有百分之四十。(廿約翰氏報告)若不積極預防。民生則堪設想。本市各界領袖及醫界諸君。對於痨病之爲害。認識較切。預防方法咨謀已久。爰倡議組織全國預防痨病協會。積極進行。與鐵城夙願。不謀而合。因茲事體大、非羣策羣力。作有步驟之規劃。籌健全之組織。難期收效。用爲邀海內賢者。共促其成。倘亦關懷民瘼諸公。樂於贊助者歟。吳鐵城謹識。

國醫學會昨開會員大會

上海市國醫公會於昨日下午二時。假西藏路甯波同鄉會舉行第十二屆會員大會。到黨政機關學術團體代表暨該會會員等共計三百餘人。主席團主席陸士諤致詞畢。繼由市黨部代表毛雲。衛生局趙鈺輝。教育局呂海瀾。上海市國醫公會蔣文芳。神州國醫學會程迪仁。中華國醫學會郭伯良。佛慈大藥廠包天白等相繼演說。討論議案。本會章程加入左列各條。(一)會員有左列事情之一者得由監察委員會通過開除或暫停其會籍。(一)在褫奪公權期內者。(二)常年費屢催不繳滿二年者。(三)不遵守會章及不奉行一切議決案者。(四)在業務上與學說上有不道德行爲者。(五)有精神病者。(一)會員有正當理由或特別事故者得由本人或其家屬具函聲明。經執監聯席會通過。准其出會。(一)凡有開除或暫停會籍及自動出會者。得由本會登報或本會出版之刊物上公告取消其應享之權利。並不退還所繳之各費。(決議)通過。常委會請追認基金保管委員案。(議決)通過、常委員請討論分區會員會須否繼續進行案。(議決)由下屆執監另組委員會辦理之。議畢散會。

協和製藥廠開幕

近來吾國新醫藥廠。如雨後春筍。繼續興辦。實爲挽回利權之好消息。本埠由王裕昌王琨兩藥師監製之協和化學製藥廠

•出品各種特效注射液藥片等。巳籌備完竣。正式開幕。製造廠及發行所設在法租界貝勒路居仁里云。

▲國華大藥廠開幕。本埠藥商胡芷濱君。夙以改良國藥爲巳任。因目擊西藥之充斥市場。國藥漸趨沉淪。遂決心將其手創之胡九錫國藥號改組爲國華大藥廠。籌備以來。業已半載。業巳開始營業。事務處設於中華路延慶里云。

餘興小說

心病還須心藥醫

天涯

蘇州閶門外。王家村地方。有一個鄉紳。姓王。名叫玉寶。他很有辦事精神。又加仗義疏財。時時接濟貧人。排難解紛、常常替村里裏一般人講事。所以全村裏都敬佩他。但是他自己家裏很儉僕。治家很嚴厲。單生一子。名叫小玉。年才二十四歲。娶室後。即行分居。令他自立。小玉辦事也很幹練。在交易所裏營業。頗有名譽。但是時運不齊。屢遭損失。負債累累。小玉因此抑鬱不樂。面黃樵瘦。釀成疾病。光陰一天一天的過去。小玉病體更加沉重。服藥又無效驗。有一天。他的父親也焦急起來了。請了一位名醫替他診治。醫生診了脈道。這病是心脾裏來的。不知道病人受過什麼刺激。有什麼抑鬱不舒的事情麼。請和我直說。小玉的父親。就告訴他交易所裏每遭損失。負債累累。心裏時常不快活。另外沒有事情。醫生點首道。一點不錯。心病還須心藥醫。◦◦藥也無效。小玉的父親問道。你有什麼辦法呢。醫生道。我現在有一個計劃。包你這個病痊愈。聽我道來。現值上海衛生雜誌社徵求定戶期內。訂閱一份。贈送航空獎券一條。可得頭獎五萬元。你好好勸導病人。自己調養。隨便看看衛生雜誌。到了開獎的日期。你假說巳中頭獎五萬元。存入某銀行等語。那末他心裏開懷。病體就爲痊愈起來了。小玉的父親就照醫生的話辦理。後來小玉的病。果然漸漸痊愈。他說心病還須心藥醫的話。眞是一點不錯。

本刊代售處

上海	山東路五馬路口	中醫書局
	四馬路	現代，大東，泰東，華通，錦文堂，新中國，作者書社，光華，曉星，
杭州	延齡路	開明書店
		西湖小說林書局
南京	太平路	花牌樓書店
	太平路	中央書局
蘇州	觀前大街	小說林書社
		交通書局
寧波		明星書局
紹興	大路	教育館
	大街	育新書局
常州	城內	常州中報分館
鎮江	中山路	中央書局
常熟	大東	醉經閣書局
常熟	寺前大街	常熟書局
松江		世界書局
平湖		綺春閣書局
無錫		樂羣書局
	推官牌樓北首	誠昌貿易所
南通		翰墨林書局
安慶	龍門口	世界書局
皖北	正陽關	世界書局
九江		中華書局
南昌	中山路	江西書店
開封		龍文書局
漢口	保華街	現代書局
	特三區湖北街	金城圖書公司
長沙	南陽街	亞光書局
天津	法租界二十六號	天津書局
	河北五馬路北	大生書局
北平	米市大街	江東書局

城市	地址	書店
福州	南街	左海書局
梧州	大中路	文淵書局
瓊州	海口北門馬路	文款書局
雲南	昆明市文明街	寶訓書店
成都	青石橋中街	中國圖書公司
	祠堂街	北新書局
寧夏	商業場西二街	振亞書局
萬縣		中華書局
濟南	西門大街	東方書社
青島		荒島書店
西安	西安竹笆市	西北文化書局
蘭州	鞔門底	共和書局
		大東書局
汕頭	至平路	大東書局
	至平路	文明商務書局
廈門	廟橫街	新民書社
	中山路	樂育書店
浦東	南匯北門	遇嘉記書局

登衛生雜誌廣告之利益

- 至少有二十萬人注意
- 有長時間的效力
- 能使購買者一致信用

本刊以不偏不倚之立場。秉最公正之態度。予中西醫藥以相當之評論。優者褒之。發揚之。使購買者益堅其信仰之心。次者勉勵之。改進之。期日臻於至善。劣者警戒之。揭破之。以啓其覺心。而免社會之受愚。並聯絡當代中西名醫。藥業亘子。抒其所見。發為文章。藉供醫藥界之借鑑。衛生家之津梁。本刊每月出版一册。定價一角。由各省書局暨南洋各商店本埠各書局担任推銷。每期印行二萬册。假定平均每册得十人傳觀。則本刊閱者至少可得二十萬人。即至少有二十萬人能見本刊所登之廣告。

本刊指示病家及消費者。以選擇醫藥之途徑。對於實驗藥品更加極力介紹。則病家及消費者。亦將奉本刊為醫藥之南針。必加意保存。又本刊記載研究醫藥學術之結晶。則業醫藥者。亦奉本刊為珍貴。勢必更加保存。決不如新聞紙之明日黃花。是本刊廣告實有長時間之效力。本刊與社會。既如上述。關係綦重。況且衛生問題。人人宜研究。有人人不可離開之勢。則同一效用同一精美之甲乙二種醫藥中，苟甲種能向本刊登載廣告。則購買者將一致信用傾向於甲方。

衛生雜誌廣告例

地位	面積	價目
封面	大半面	大洋四十元
底面	全面	大洋四十元
封面裏	全面	大洋廿八元
底面裏	全面	大洋廿八元
封面第二頁	全面	大洋廿四元
	半面	十二元
	四分之一	八元
底面第二頁	全面	大洋廿四元
	半面	十二元
	四分之一	八元
普通	全面	廿元
	半面	十二元
	四分之一	八元

- 一封面底面裏外均用二色套版印不另取費
- 一代製銅版鋅版費另加
- 一代繪圖樣費另加
- 一惠登廣告者贈本刊一册

本雜誌投稿簡章

(一)本刊以提倡衛生研究醫藥改善國醫之短而發揚其精粹爲宗旨凡海內外中西醫藥家槖惠賜鴻文或畫片不論自撰或譯述具有研究衛生醫藥意味者均所歡迎

(二)投寄之稿務須繕寫清楚以免錯誤並注明自撰或譯述字樣

(三)譯稿請將原文題目原著姓名書報原名日期詳細敘明

(四)投寄之稿本社得酌量增删投稿人如不願他人增删者請於來稿註明

(五)稿末請註明姓名地址以便通信至登載時如何署名聽投稿者自定

(六)來稿登載與否恕不作覆如未登載之稿須欲寄還者請來稿聲明之

(七)本刊以灌輸醫藥知識提倡社會公衆衛生爲天職編輯者皆盡義務所以對於投稿諸君僅以贈閱本報爲酬但徵求之稿另有現金酬勞

(八)投稿者請逕寄上海愷自爾路嵩山路口瑞康里二六二號衛生雜誌編輯處收

衛生雜誌編輯部謹啓

衛生雜誌第十三期
中華民國二十二年十一月出版

主編者 國醫張子英
校正者 國醫胡佛
發行者 衛生雜誌社
印刷者 衛生雜誌社
分所行發 中醫書局
現代書局
分售處 各省書局

衛生雜誌定價表 (費須先惠)

出版	月出一册	全年十二册
價目	大洋一角	大洋一元
附註	郵費在內	國外加倍
	郵票代洋以一分五分爲限	

○社址○ 上海愷自爾路嵩山路口瑞康里二六二號

「梅濁尅星」獨佔優勢

因德國「梅濁尅星」確有勝過種種治療方法之特效

梅濁尅星的殺菌力；勝過透熱電療，梅濁尅星的鎮痛力；勝過插入

梅濁尅最的消炎力；勝過注入色素，油梃。

梅濁尅星的清濁力；勝過注射針藥，梅濁尅星的利尿力，勝過內服

梅濁…星的淨毒力；勝過局部洗滌，各藥，

其能勝過種種治療方法之理由何在？

淋病不能斷根，是因淋菌深伏尿道，為黏膜所保護，藥力不能滲透黏膜，故終難斷根，表面雖愈，不時復發，德國「梅濁…星」，具有滲透黏膜之特性，故能澈底撲滅潛伏之淋菌…而達完全根治之目的也！

（一）藥性純正和平絕無障害胃腸，臟腎礙及生育等副作用！

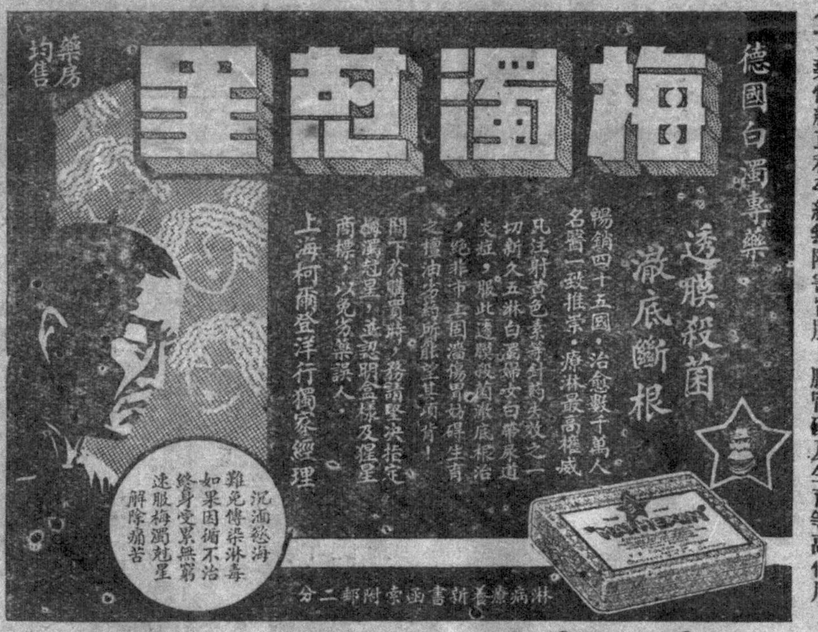

（二）殺菌力特大！為任何藥物所難及！（三）取分高貴！善治醫藥罔效之老白濁！（四）無手術注射之麻煩與痛苦！而功效之靈速過之！君於購買貞正德國出品白濁對症專藥梅濁尅星時，務希堅決指定及認明盒樣（參見以前所登廣告）及猩免劣藥混目欺人

增進體內各細胞機能之生活力！保護細胞以免各種疾病之襲擊！延老各細胞之無限制的新生力！亢進各細胞的代謝產物之排洩！

壽爾康之成分

市上號稱返老還童之一切內分泌物製劑，其功效較著而名譽較佳者，所含內分泌物至多百分之三十三，而壽爾康中乃含有「盼好而蒙」百分之六十六，「盼好而蒙」PANHORMON即安特諾醫聖所發明，亦即安氏數十年來苦心研究之收穫，本劑以「盼好而蒙」爲主，以各種名貴滋補藥物爲輔，融多數名藥爲一爐，已老者服之可以囘少，未老者服之可以防老，試開藥物史上未有之紀錄！

壽爾康之製法

本劑係德國最著名之威彌鄧大藥廠監製，廠方自置廣大牧場，畜以牛羊猿猴之屬，由獸醫考察，遴選強壯之獸取普通附體內之分泌物，及各飼滋補食品，日日饋之，俟其日益壯健，至相當時間後乃由有經驗之獸醫，使用靈敏手術，採取其新鮮之內分泌物，再經紫光電提煉消毒，淘汰不良雜質，製成結晶體，名曰「盼好而蒙」，手續繁重，採選艱難，功效極宏：

壽爾康功能

本劑功能補充體內活力之缺乏，滋養內分泌腺之健全，促進新陳代謝之機能，增加抵抗病菌之力量，乃亢進全身各機能之完美滋補品，與一般含有毒性之壯陽藥物，惹起假性興奮，藉取一時微效之催春劑藥物絕不相同！

主治

補腦補血：滋陰益髓
調經種子：保腎固精
防止衰老：抵抗疾病
轉弱爲強：廣嗣延齡

功效

神經衰弱：腎虧遺精
未老早衰：腰酸背痛
種子維艱：病後產後
月經不調：赤白帶下

壽爾康說明書
函索即寄外埠
函購寄費免加

分男用女用兩種每盒五元每料三十元男女同價：
中央衛生試驗所化驗：

上海南京路九四至五十六號
柯爾登洋行

HEALTH MAGAZINE

衛生雜誌

第十四期（附滋補特刊）

內政部登記證警字第二八二九號

社址上海愷自邇路嵩山路口瑞康里

古今醫理如出一轍

古稱陰液陰血。即今稱內分泌液。

補陰液陰血聖品。[illegible]是補內分泌液聖品。

四川銀耳

素稱補陰液陰血無上聖品。乃現經科學化驗證明含有亞拉伯膠質甚富。確為補內分泌液聖品。

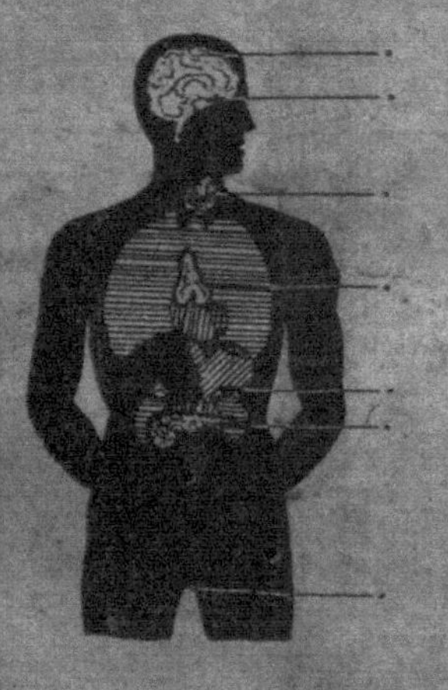

本店在四川萬源縣。銀耳最佳產地。谿有銀耳山場多處。前年本店以所售之銀耳。竟有如此偉大功效。未悉究含有何種補質。乃請求中國科學社化驗。結果。內含其多量最補血液最助消化之亞拉伯膠質。凡身體虛弱。陰虧。腎虧。肺病。咳血。胃炎。痔瘡。一切虛弱症。皆因內分泌液缺乏之故。本店銀耳成分。既然富含亞拉伯膠質。所以能有補益內分泌液之功效。但四川銀耳。產地共有數處。以地土氣候之不同。功效自有極大差別。凡購食者不可不慎加選擇焉。

功能

滋陰補腎　補氣養神　療肺補血　功能繁多　不及備載

主治

陰虧咯血　久咳肺炎　便血痔瘡　白帶一切　虛弱等症

上海抛球場

四川商店謹啓

銀耳說明書函索即寄

電話　九二〇〇三

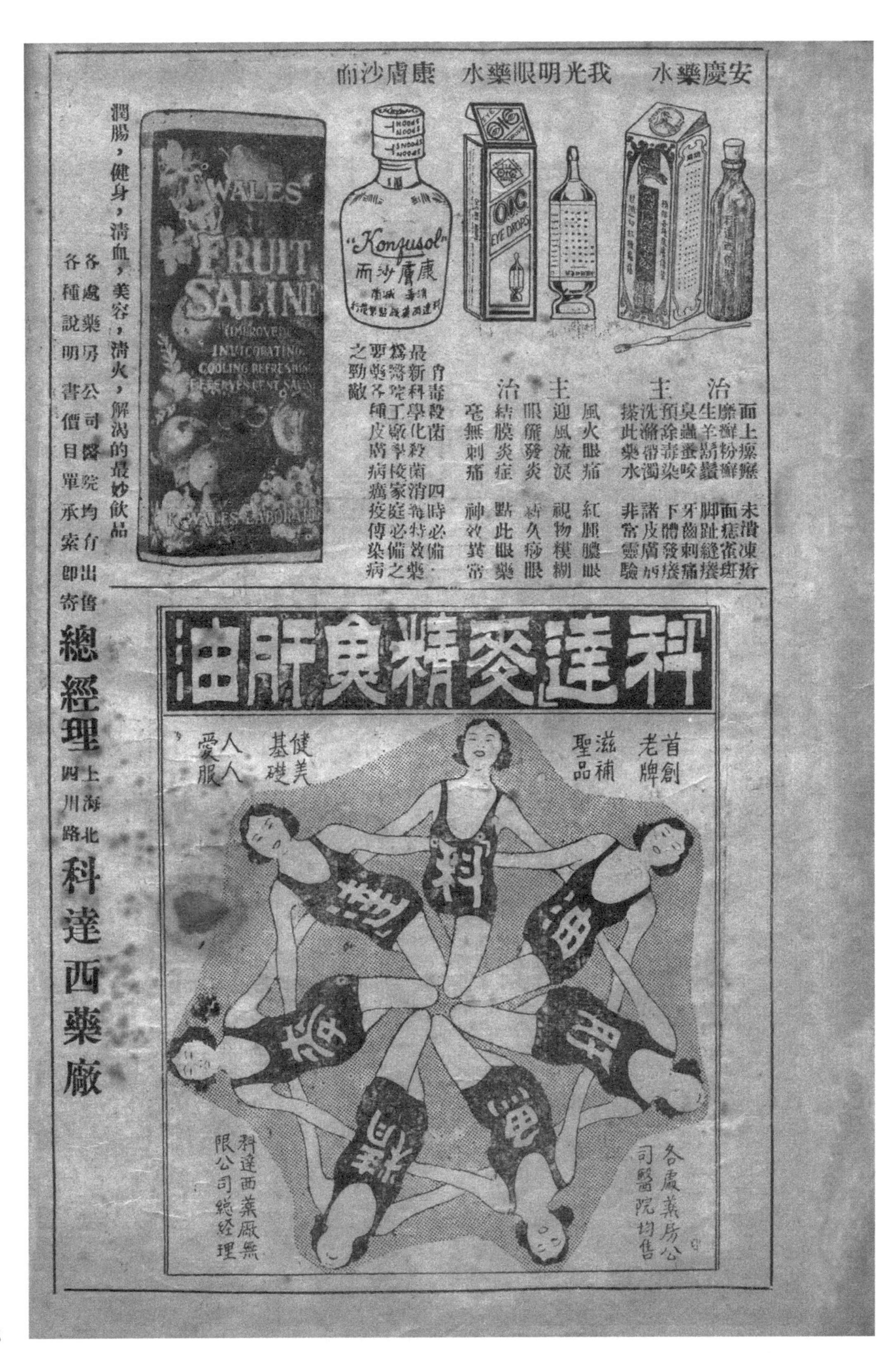
安慶藥水
我光明眼藥水
康膚沙而
主治
面上瘰癧
磨癬粉癬
生羊鬍鬚
臭蟲蚤咬
預涂毒染
洗滌帶濁
搽此藥水
未潰凍瘡
面痣雀斑
脚趾縫癢
牙齒刺痛
下體發癢
諸皮膚病
非常靈驗
主治
風火眼痛
迎風流淚
眼簾發炎
結膜炎症
毫無刺痛
紅腫朧眼
視物模糊
積久痧眼
點此眼藥
神效異常
"Konzusol"
康膚沙而
消毒殺菌
四時必備
最新科學化殺菌消毒特效藥
為醫院工廠學校家庭必備之要藥
各種皮膚病癘疫傳染病之勁敵
潤腸，健身，清血，美容，清火，解渴的最妙飲品
各處藥房公司醫院均有出售
各種說明書價目單承索即寄
總經理
上海北四川路
科達西藥廠
科達麥精魚肝油
首創老牌
滋補聖品
健美基礎
人人愛服
科達西藥廠無限公司總經理
各處藥房公司醫院均售

本社贊助人

王曉籟　徐賡華
王延松　王鈍根
潘公展　孫籌成
徐乾麟　胡仲持
許世英　張士俊
鄭洪年　金柏生
袁履登　顧文生
鄔志豪　俞福田
陸文韶　趙　冲

本社理事

秦伯未醫士
郭柏良醫士
蔣文芳醫士
包天白醫士
張汝偉醫士
盛心如醫士
朱鶴皋醫士
嚴倉山醫士
朱孟栽醫士
沈仲圭醫士

本社社長　胡　佛醫士
本社編輯主任　張子英醫士　沈仲圭醫士　潘國賢醫士
本社總務主任　繆　曙　初
本社發行主任　許　世　正
本社廣告主任　張　承　椿　陳　伯　民　朱　景　煇
本社宣傳主任　張　森　葆　茅　子　鋼
本社推廣主任　陳　錫　安　沈　伯　祿
本社撰述員全國各大名醫

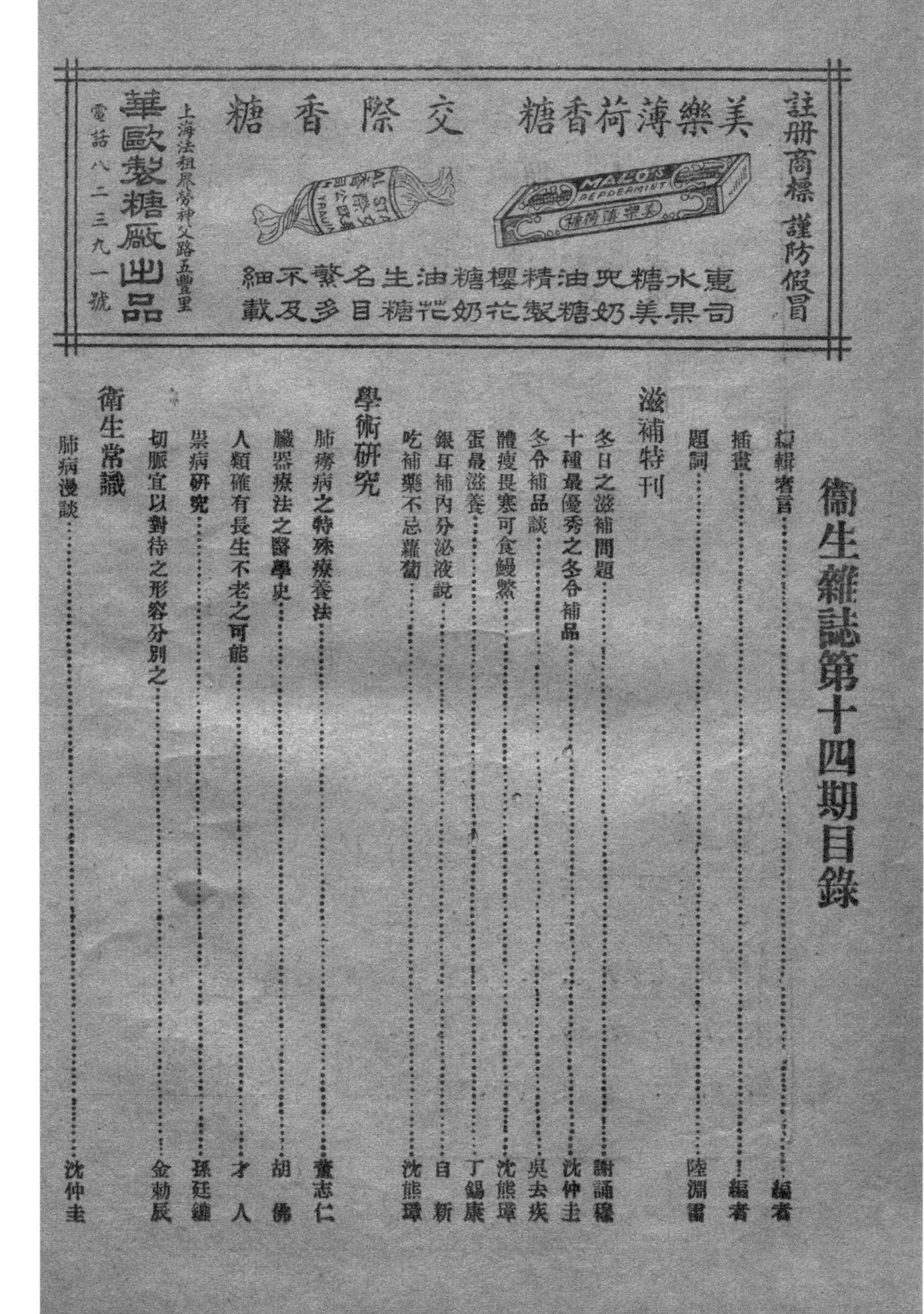

衛生雜誌第十四期目錄

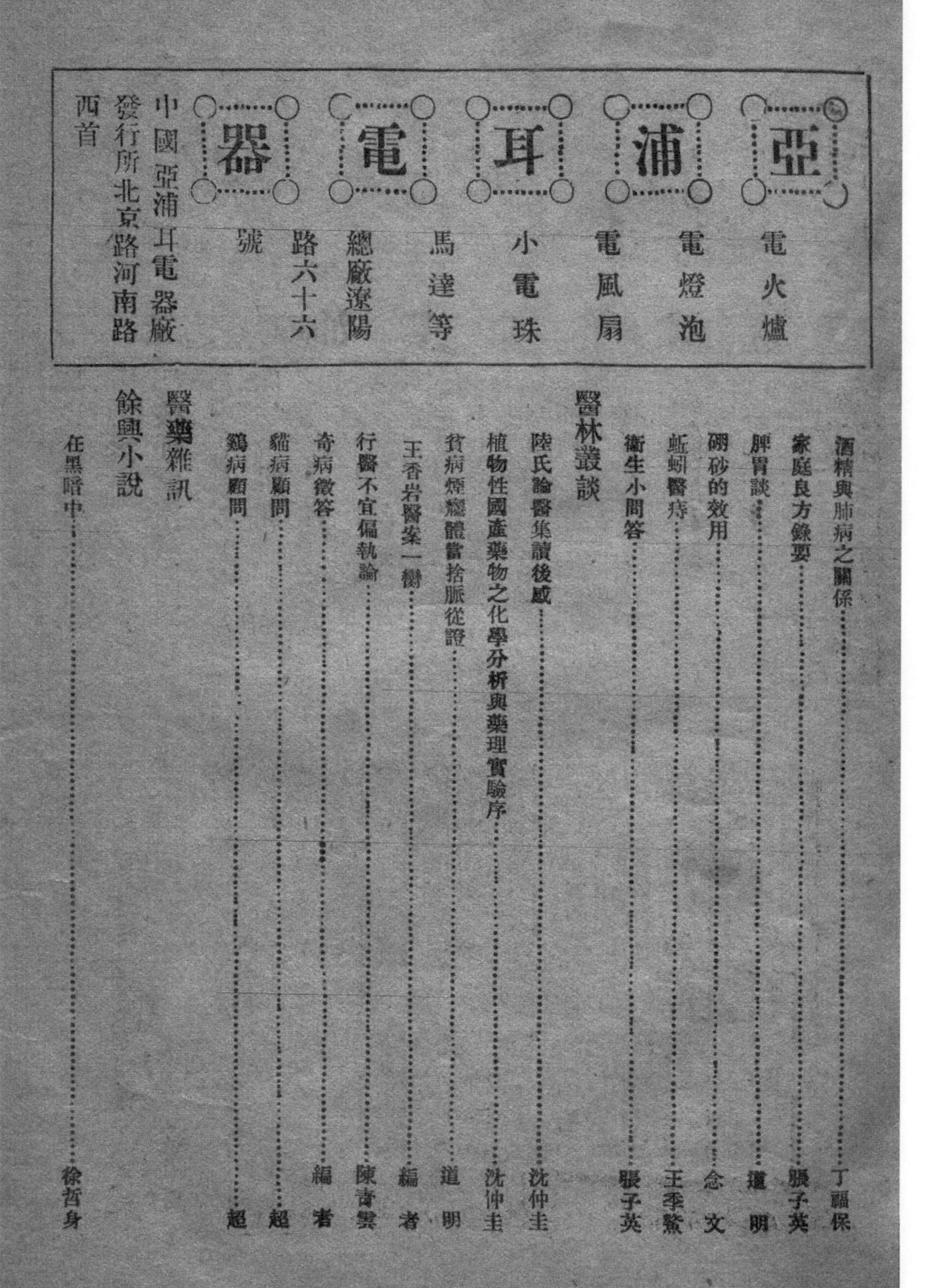

金鐘牌煉乳

是奶油豐富的煉乳

嬰孩沒有母乳可飲

而飲煉乳，已是可憐！

嬰孩而飲沒有奶油

的煉乳，更是可憐！

你能夠辨別

煉乳的優劣麽？

金鐘牌煉乳

是不給當與你上的。

牠的滋養非常豐富！

牠的質料十分潔淨！

的確是滋補老年的要品！

哺飼嬰孩的補劑！

金鐘牌煉乳

每聽五角五分

製造者：丹麥，依濱生廠

總經理：上海，五洲藥房

各大南貨糖果號均有出售

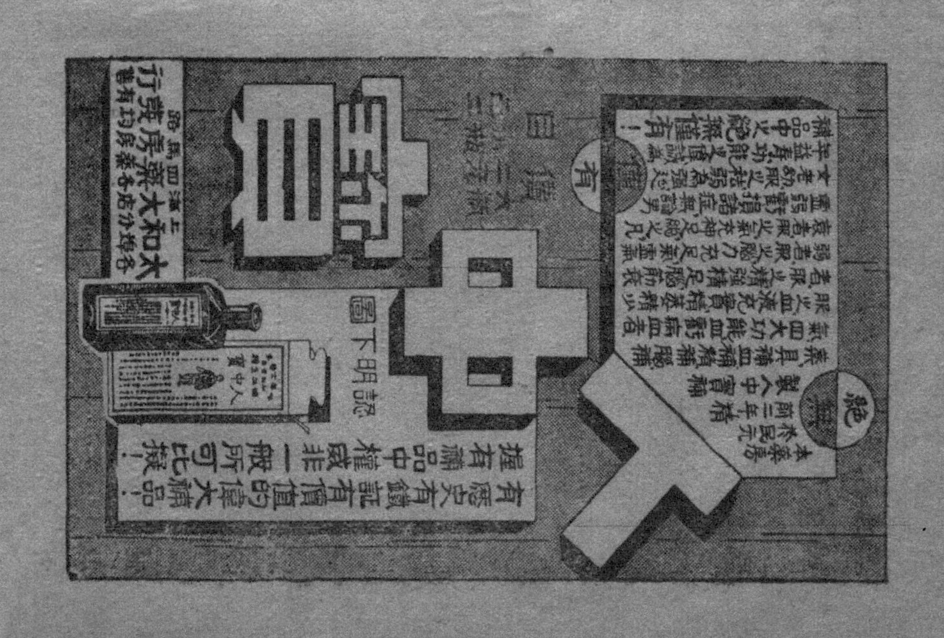

編輯者言

編者

光陰荏苒。本刊出版以來。忽忽已一年餘矣。草創伊始。簡陋之處甚多。幸荷海内名宿。源源賜稿。博得閱者之同情心。此目前本刊定戶之踴躍。銷行之廣大之原由也。但本刊定戶雖衆。銷行雖多。不敢塞責。益自奮勉。所以聘請前上海中醫專門學校及中國醫學院教授沈仲圭先生。主持編輯。又請滬上名小說家徐哲身先生撰述小說。以助餘興而解煩悶耳。

現值冬令之際。國人習慣。每於此時進服補品。但進補對於人體。亦有相當標準。否則欲補益之。適足以害病。所以本期特闢滋補特刊。聊以貢獻社會民衆。以進補諸問題也。

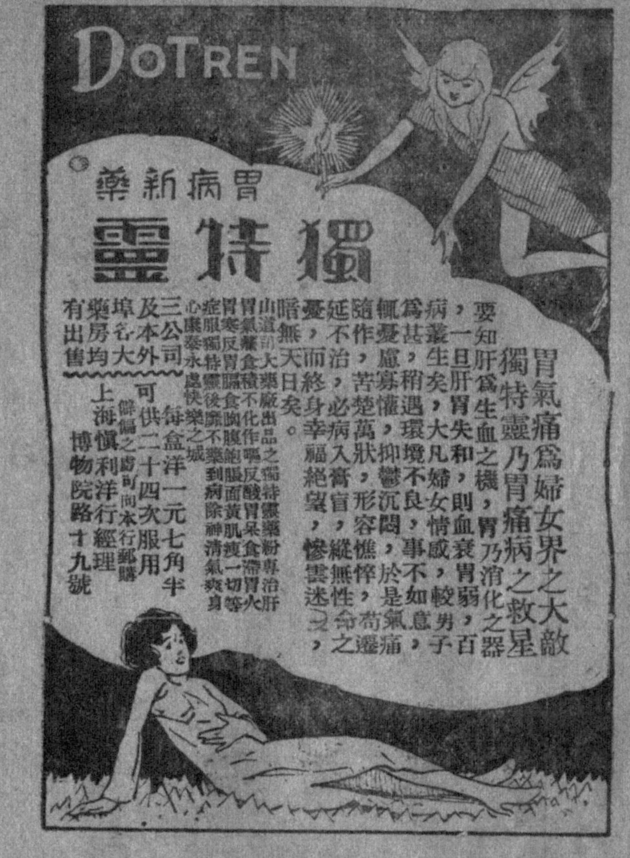
DOTREN
胃病新藥
獨特靈
胃氣痛為婦女界之大敵
獨特靈乃胃痛病之救星
三公司及本外埠各大藥房均有出售
每盒洋一元七角半
可供二十四次服用
上海慎利洋行經理
博物院路十九號

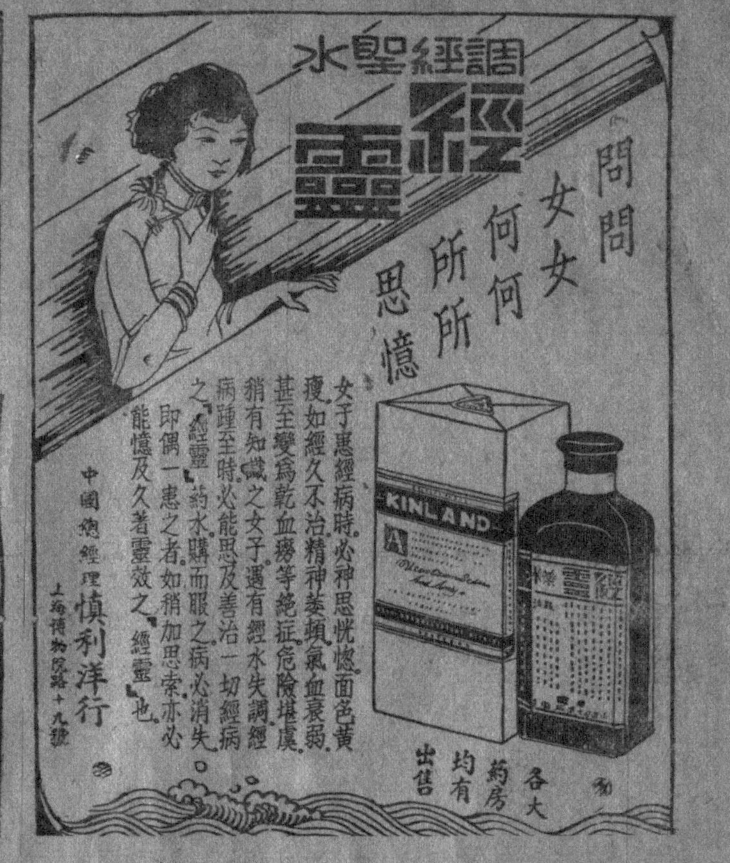
調經聖水
經靈
問女何所思
問女何所憶
女子患經病時，必神思恍惚，面色黃
瘦，如經久不治，精神萎頓，氣血衰弱，
甚至變為乾血癆等絕症，危險堪虞。
稍有知識之女子，遇有經水失調，經
病踵至時，必能思及善治一切經病
之『經靈』藥水，購而服之，病必消失。
即偶一患之者，如稍加思索，亦必
能憶及久著靈效之『經靈』也。
中國總經理 慎利洋行
上海博物院路十九號
KINLAND
各大藥房均有出售

滋補特刊

冬日之滋補問題

謝誦穆

一、導言

二、滋補之史的根據

三、滋補之摩登化

四、餘瀋

導言

當你輕輕的翻開報紙底時候。滋補藥品的廣告。很迅速地飛入你的眼簾。使你也感覺到滋補的時期。已來到江南了。提起滋補。使我回憶到農村的印象。

自從到民間去的口號喊出了以後。被上海人所鄙視的鄉下。已變成時髦得不可一世的農村。在文學家的筆尖上。樸陋的農村。含有車載斗量的詩意。使都市裏的讀者。會悠然而神往。實際上。都市自都市。農村自農村。農村的美麗。只不過是文學家腦海裏的蜃樓。只不過是文學家鋼筆尖和藍墨水渲染而成的一幅風景畫。

我幼年時代的農村。雖然沒有像摩登詩人們形容過火的那樣美麗。但是和現代的農村比起來。的確有不勝今昔之感了。在農村裏。農夫們雄健的體格。誠摯的態度。引起我無限的豔羨。朝日初升。他們鉄一般的臂膊。已在一望無際的田野裏起伏。夕陽西下。牧童橫臥在牛背上。吹起無腔的短笛。炊煙也爲之繚繞了。冬天的晚上。他們在茅櫚裏自得其樂的聚談。從眞命天子坐龍庭談起。說到小八子發橫財爲止。這種太古遺風的集會。時常有我的蹤跡。從淩亂無序的談話中。可以知道他們的補品。是冰糖和參鬚。他們積了一年的辛苦。所得到的安慰。僅此而已。

在這裏。我們可以知道滋補觀念的普遍。

『然則滋補之問題。又豈可忽乎哉。此鄙人之所以有冬日之滋補問題之作也。』

二、滋補之史的根據

關於滋補之史的根據。的確是一部十七史。不知從何說起。尤其在這短促的時間。要說出所謂史之根據。那眞比駱駝跑過針孔。要難上十倍。寫到這裏。不禁有垂頭喪氣之感。不過我們如其把滋補的範圍擴大。用擴大的眼光。去搜羅滋補的史料。或許有幾句夾七夾九。古魯幾里的閒話可說。這樣一想。談話的資料來了。

若干萬年以前。洪荒太古時代。男男女女。老老小小。五光十色的初民。一絲不掛的。在大自然裏游行。飢則食。渴則飲。所謂補品。是萬萬談不到。

到了神農。纔教民播五穀。我們現在之所以能夠知道吃飯。完全是他老人家的功勞。這應當請征東傳上的尉遲元帥。替神農在功勞簿上。打一條比竹槓粗一點的紅槓。

話又說回來了。開玩笑的地方。儘不妨開玩笑。應該說正經話的地方。無論如何。總要扳起一副八八九十四正正十三經的面孔。我們知道。在药物學裏。有一部神農本草經。列藥三百六十品。他的名例裏說。

『上藥一百二十種為君。養命以應天。無毒。多服久服。不傷人。欲輕身益氣。不老延年者。本上經。

中藥一百二十種為臣。主養性以應人。無毒有毒。斟酌其宜。欲遏病補虛羸者本中經。』

所謂遏病補虛羸。這不是補藥嗎。至於輕身益氣。不老延年。那是秦漢時代方士的口氣。并不是神農的手筆。讀者試想。在神農時代。連文字都沒有發明。怎會有這樣詳詳細細源源本本的書籍呢。所以古人從多方面的考證。知道本草經是後漢以前的結晶品。但是後漢以前。何以會產生那樣的作品呢。那就不得不歸功於秦始皇和漢武帝，

秦始皇是一個長生的企慕者。同漢武帝是難兄難弟。因為他們倆講求輕身益氣。不老延年。所以一般方士。乘機而起。神農本草經就是受方士影響而產生的作品。或許是方士所作。也未可知哩。

在秦漢以前。對於長生的思想。早巳萌芽。戰國策楚策說。

『有獻不死之藥於荊王者。謁者操以入』——楚策四

所謂不死之藥。當然是長生不老的藥。在山海經海內西經裏也說。

開明東有巫彭。巫抵。巫陽。巫履。巫凡。巫相。夾窫之尸。皆操不死之藥以距之。

巫彭巫抵巫陽巫履巫凡巫相。據郭璞說。都是神醫。山海經這部書。夾雜得很。這裏所引的海內西經。大概是秦漢時代的作品。

不死之藥。自從秦漢兩位皇帝提倡以後。流風餘韻。形成了

道家丹鼎服食道一派。

心印經說。『上藥三品。神與氣精。恍恍惚惚。杳杳冥冥。存無守有。頃刻而成。迴風混合。百日功靈。』

參同契說。『胡粉投火中。色壞還爲鉛。冰雪得溫湯。解釋成太玄。金以砂爲主。稟和於水銀。變化由其眞。終始自相因。欲作服食。宜以同類者……

心印經和參同契。是丹鼎服食派一部分的代表。從三國到唐代。服食盛行。郝懿行晉宋掌故云。

寒食散一名五石散。世說言語篇。何平叔云。服五石散。非唯治病。亦覺神明開朗。劉孝標注。引秦丞相寒食散論曰。寒食散之方。雖出漢代。而用之者寡。靡有傳焉。魏尚書何晏。首獲神效。由是大行於世。服者相尋也。』

寒食散是當時頂刮刮的服食品。比現在九福公司的百齡機。或者人造自來血還要時髦。甚至張仲景先生也有寒食散論解寒食藥。仲景令王仲宣吃五石湯。五石湯或許是五石散。五石散就是寒食散。倒也說不定。然而寒食散之風行一時。也可想而知了。

西晉葛洪。做了一本抱朴子。內篇卷之十一仙藥篇。

抱朴子曰。『神農四經曰。上藥令人身安命延。昇爲天神。遨游上下。使役萬靈。體生毛羽。行廚立。又曰。五芝及餌丹砂玉札曾青雄黃雌黃雲母太乙禹餘糧。各可單服之。皆令人飛行長生。又曰中藥養性。下藥除病。能令毒蟲不加。猛獸不犯。惡氣不行。衆妖併辟。又孝經援神契曰。椒薑禦濕。菖蒲益聰。巨勝延年。威喜辟兵。皆上聖之至言。方術之實錄也。明文炳然。而世人終於不信。可歎息者也。』

葛洪對於服食。是這樣底推崇。可以做西晉人思想的代表。六朝時代的士夫。都和葛洪有同一的觀念。到了唐朝的憲宗。還篤信服食。服食歷史之悠久。的確成爲『今古奇觀』了。樹高千丈。葉落歸根。總之。由長生不死之藥。成爲服食一派的風氣。而現代的滋補藥呢。就是古代服食的遺風。

三、滋補之摩登化

人們的耳朵。對摩登兩個字。有一種不可以言語形容。妙不可以天廚廠味精之美感。於是乎拍照相。有摩登照相館。戴帽子。有摩登帽公司。這都是實有其事。並不是撒千古之大誑。我有一位朋友。他計劃開一爿摩登烟紙店，店裏的夥計。一概用荳蔻年華的摩登女郎。兌換銅板。與衆不同，別家四百八。摩登煙紙店倒有四百四。買包香烟。特別便宜。別家金鼠牌要賣一百五。摩登煙紙店至多不過二百。在交易的時候。有無邊的巧笑。他這種計劃。已博得一人以上的同意。在不久的將來。新申兩報晨報時事新報大晚報夜報金鋼鑽報。都會有該店的廣告披露。

健康正路

陸淵雷題

照這樣下去。將來的一切。當然都應該稱摩登。開房間。要到摩登大飯店。肚皮餓。要到摩登大菜社。看電影。要到摩登大戲院。十二月裏開電風扇。要用摩登牌。螺螄殼裏做道場。要請摩登小道士。甚至於大小便的撒法。也有一九三四的摩登式。於是上海市。要改稱摩登市。大中華民國。要改稱摩登國。無往而非摩。無往而非登。不由你不摩。不由你不登。登而摩之。摩而登之。

但是我所主張的摩登。却和以上的摩登不同。中國人差不多都誤解了摩登的意義。我們要曉得。時代是刻刻在飛駛。無論那一種學術。如不抓住時代的核心。就有落伍的危險。冀能了解摩登的意義者。決不會被時代所遺棄。

我希望國醫的滋補品。用最新的提煉法來製造。原料的種植。藥品的精製。處方的配合。保藏裝璜的堅美。服用的便利。都要用最新式的方法來改進。這樣。纔夠得上摩登的資格。纔是眞正積極的摩登。於是滋補品之摩登化。宣告成功。

四、餘滴

鄙人費了一牛一虎之力。大翻線裝書做成這樣一篇陰陽怪氣的論文。給醉心滋補者抓到了史之根據。可以大膽放心的滋補。在小說裏。有什麼風月寶鑑。拙作洋洋數千言。也可以算做滋補寶鑑吧。

十種最優秀之冬令補品

沈仲圭

吾國人有冬令服補藥之習慣。參燕鹿茸。雜糅並進。富庶之家。比比皆然。其實補爲療法之一種。所以彌補身體之不足也。如身心果屬衰弱。進補無論乎冬夏。苟體力充實。毋庸補益。濫服反生流弊。是以「冬令服補藥」之說。在學理上。殊無存在之價值。無如此風相沿已久。革除非易。苦口婆心之忠言。每不見信於羣衆。無已，惟有擇市間通行之成藥與藥用食物。述其功用，詳其宜忌。以爲喜餌補品者。作一忠實介紹。惟匆匆走筆。舛誤必多。讀者諒之。

(甲)滋補之成藥

一、銀耳

銀耳產四川。其治療作用。因含類似亞拉伯樹膠。補血之力甚大。如(一)肺病欬血。(二)胃弱消化遲緩。(三)女子慢性白帶。(四)男子遺精。皆有奇效。

二、自來血

自來血爲鐵劑之一種。其功効亦與其他鐵劑相仿。大抵鐵劑之功用。爲增加赤血球與血紅素。並使體內養化作用旺盛。凡神經衰弱。血薄面黃。心力虛弱。血虛經秘等症。皆可用之。惟服後宜忌食富於單寗酸之物。如藕、柿、茶葉、之類。又鐵質有收斂作用。服者每致便祕。最好同時多喫水果蔬菜以調劑之。

三、彌太通

本品含四種主要成分。即維他命B、磷、鈣、士的年、是也。爲神經衰弱者之良藥。蓋神經衰衰之病狀。雖甚繁多。但一般治法。不外滋養鎮靜二途。此藥以維他命B與磷滋養神精。即以鈣鎮靜神經。復佐以興奮消化腺之士的年。俾胃力強盛。多進滋養食品。以補血強腦。則號稱不易根治之神經衰弱症。自有恢復健康之望。

四、魚肝油

魚肝油除富含脂肪外。尙有AD二種維他命。能治肺病。及預防肺病。蓋維他命A能增加肺之免疫性也。他如小兒發育不良。大人病後瘦弱。眼中乾燥。亦有服用之必要，市售魚肝油。約分清、乳白、麥精、三種。三種之中。以麥精魚肝油爲最適宜於胃部。惟滋養之力。不如清魚肝油強大耳。果類中之長生果。亦富於脂肪及維他命A。有時可作魚肝油之代用品。

五、阿膠

阿膠亦名驢皮膠。蓋取驢皮以阿井水煎成之正方形硬塊也。今江浙藥肆，改用杭州之西湖水與無錫之惠泉水。其純潔不亞於阿井。阿膠之主要成分。爲動物性膠質。主要功用爲止血。滋補之力極微。本草云其養陰。實不確也。

(乙)滋補之食品

一、牛乳

凡動物性食物。雖富蛋白質及脂肪。但多缺乏含水炭素。植物性食物。則多含水炭素。而缺少脂肪及蛋白質。故於一種食物中。兼含此蛋白質、脂肪、含水炭素、三種營養素。而又適量不過參差者。偏察動植物界。舍牛乳外。實不多覯。又維他命爲吾人生活之要素。苟有不足。疾病隨之而起。但含五種維他命於一物者。厥惟牛乳。其他食物。或有或無。卽有亦不過一種或數種耳。故牛乳實爲寶貴之食品。有力之家。可長飲之。其有不能飲牛乳之特異質者。可和於茶、咖啡、可可、中呷之。或以之烹園蔬。或以之製糕餅。均無不可。惟牛乳以新鮮爲貴。榨取后歷時稍久。卽易孳生細菌。而起腐敗。蓋牛乳對於細菌之發育。最爲適宜故耳。又乳牛大抵患結核病。其乳中難保無結核菌存在。此種牛乳。苟給兒童飲之。每有傳染腸結核之可能。故牛乳如不煮沸。頗覺危險。

二、牛肉汁

牛肉爲獸肉之王。蛋白質占百分之二十以上。並含有ABDE四種維他命。磷、鉀、鈉、鈣、鎂、鐵、諸無機鹽。吾國本草。稱其「安中補脾。益氣止渴」。蓋動物性食品中之滋養上品也。惟消化稍難。乃其美中不足。若與其他肉類。混合製成肉汁。則於病后產后。老人虛人之氣血衰弱。當進補養者。以此血肉有情。徐徐調養。誠極適應之食餌療法也。

三、桂圓膏

桂圓一名龍眼。以其形正圓。恍若神龍之雙目也。此物養心補血。益脾長智。蓋有益於神經衰弱之佳良食品。惟大便溏薄者忌之。陰虛火旺者。製膏時加入十分之二三之西洋參。尤妥。

四、羊肉粥

本草云。「羊肉補虛勞。益氣血」。李東垣曰。「人蔘補氣。羊肉補形」。張仲景治蓐勞。有當歸羊肉湯。用羊肉當歸爲主。益以補氣之蔘耆。健胃之生姜。而收止汗除熱之全功。（蓐勞之症狀。爲產後發熱。自汗體痛。）可見羊肉一物。在漢代已目爲婦科要藥矣。予往歲作客滬江。見市廛小食肆中有羊肉粥出售。偶食之。價廉而味美。因歎曰。此平民冬日之食補品也。體弱之人。日進一甌。不稍間斷。開胃健力。得益非淺。

五、胡　桃

胡桃俗名核桃。其功用有四。（一）治白喉。（二）治遺精。（三）療虛喘。（四）殺條蟲。目下世風不古。人慾橫流。加之海上繁華。甲於全國。操守不堅之青年。往往爲肉慾所誘。釀成遺精腦弱。腰脚痠軟。頭暈便祕等證。則當此世人認爲進補最宜之冬令。莫如服唐鄭相國方爲佳。其方用破故紙十兩。酒浸蒸。爲末。胡桃肉廿兩。不去皮。研爛。蜜調如飴。每日沸水冲服一匙。久久不輟。自見奇功。惟當注意者。此方乃治遺精延久。症屬虛寒。初起夢遺。蓋不可用。

冬令補品談

吳去疾

沈仲圭先生頃來海上。助編衛生雜誌。來索稿件。且限期甚促。余日困俗務。心緒煩擾。不可名狀。於一己所擔任編輯之神州國醫學報。亦常少作文字。外此更無暇投稿。惟念沈先生知愛之雅。誼不容辭。竊思現値國歷年底。若依舊歷計之。則爲初冬之月。當此冬令。吾國人多喜進補劑。則論冬令補品。亦可謂應時之作也。

然余平日主張。不欲勸人輕服補劑。何也。人生世間。苟能講求衛生。起居以時。飲食有節。其身體自然康健。何須乎補藥。藥物之爲用。不過補偏救弊而已。若常服之，則成爲習慣性。一遇疾病。服藥反無速效。甚或平日蓄積於身中之藥物。起反應作用而生他病。此不可以不愼也。况滋補之藥。其價値多昂貴。今者經濟恐慌。已成世界之潮流。而吾國爲尤甚。其在平人。日常所殷憂竊慮者。多在衣食之不給。何有餘力以服補劑。其能服補劑者。惟富貴之家耳。吾之所以不欲勸人服食者。職是故也。

或曰。子之主張。既如上所述矣。則此文似可以不作。乃今復爲此文。其意何居。

曰。天下之事。固不可一概而論也。如前所言。吾非謂補品不可服。不過謂平人不能服。無病之人不宜服耳。如其人身體虛弱。而其力又可以服補品者。則當此冬令收藏之際。正當培養其根基。以爲來春生發之本。世俗之所爲。固本於歷代相傳之經驗。未可厚非也。然人之體質。各有不同。其境況之貧富。亦不能一律。醫者遇此。必須通權達變。爲之量體而裁衣。不宜膠柱而鼓瑟。吾之意見。如是而已。

然則冬令之補品。其果用何藥爲當耶。請試爲言之。

曰。昔漢文帝有言。卑之無甚高論。令今易行。豈惟治國。卽治醫亦何獨不然。彼富貴之家。當此嚴冬之際。早已預備人參鹿茸燕窩白木耳魚鰾膠諸珍貴之品。以爲補益之資。其甚者。且喜服壯陽之品。以縱其慾。此上等階級之所爲。可以不論。吾亦不欲將類此之藥。爲之具陳。吾今爲普通人著想。爲普及衞生著想。祇論其有利無弊盡人可服者。貢獻於讀者諸君。

吾國醫治病。有最扼要之一法焉。卽所謂明辨陰陽是也。夫陰陽之別亦多矣。言其大要。無過於氣血二者。氣爲陽。血爲陰。內經謂陰平陽祕。精神乃治。故善治病者。不外審其陰陽。調其氣血。西醫之研究人體生理。較吾國爲詳。其論衞生之法。亦較吾國爲夥。近自發明內分泌及五種維他命之學說以來。習其學者。每舉之以驕人。宜其所用補品。高出於吾國萬萬矣。乃一考其實。則所用之藥。仍不出於血肉有情之品。(如牛奶牛肉汁鷄蛋鷄肉汁魚肝油及臟器療法之類。)以及各種礦物質之藥。(如鐵質補血燐質補腦石灰質補骨之類。)此等藥物。非不可用。然西醫之用藥。太過簡單。不能如吾國醫之用藥。可以攻補兼施。剛柔並用。以奏扶正祛邪之功。故服之者。非嫌其過於滋膩。卽嫌其過於燥烈。且西醫注重於補血。不注重於補氣。故其藥只有補血之品。而補氣之品。未之前聞。不知氣血之在人身。實互相維繫。人體之中。無一處無血。卽無一處無氣。舍氣而言補血固不可。卽舍血而言補氣。亦豈得治病之要乎。惟吾國古來之良醫。深明乎陰陽之理。氣血之原。其所定之方藥。雖對於人體之生理。各有所宜。然總其大要。無有不顧及氣血者。

且於吾國人之體質。亦甚相宜。此所以能得國人之信仰。而至今尤能深入人心。不致爲西醫動搖也。

今試舉二方以爲例。如四君、四物。一補氣。一補血者也。然四君之中有人參。(今多代以黨參。)不但可以補氣。又可藉以補血。以血隨氣而行也。四物之中有當歸。雖爲補血之品。然其氣味微辛。辛則能散。爲陰中之陽。又可以補氣。卽有熟地之滯。亦不妨礙。況又有川芎辛竄之品在其中乎。世之論者。多訾此方爲板實不靈。吾獨覺其具有妙理。至於合之爲八珍。加桂芪爲十全。則其用尤溥。雖極虛之症。此方力嫌不足。然平常服食。亦可以肆應有餘矣。

夫以中國藥物之多。醫方之衆。吾今論補藥。而特提此二方以爲言。未免所見之不廣矣。然吾亦有說。吾前不云乎。吾之此文。爲普通人著想。非爲富貴家說法。則本此宗旨。以爲選方之標準。其藥品之貴重者。固當在所屏斥。卽其方確佳。而藥肆中不備。不能輕易購得者。亦在所不取。故今茲所論。乃取其最普通者以爲例。非謂滋補之品。卽此戔戔者而已足也。

除上所述而外。尙有數方。亦皆和平之品。有利無弊。可以常食。各大藥店中。多有製就者。購取均極便利。其價亦不甚貴。非如參茸燕窩之類。動須百數十換。令人望而卻步也。(各方併列於後)

(一)十全大補丸

(二)全鹿丸

(三)斑龍丸

(四)右歸丸

(五)天王補心丹

(六)八仙長壽丸

(七)兩儀膏

(八)龜鹿二仙膠

(九)周公百歲酒

(十)附桂八味丸

編者按。吳君爲普通人着想。論冬令可服以上十種丸藥。言之頗合社會經濟破產之潮流。顧平常國藥舖丸藥。信仰西藥者。每嫌其效緩。可向佛慈藥廠購買提煉精華丸藥(以上丸藥俱有出售)則服量少而效力宏大。

體瘦畏寒可食鰻鱉

沈態璋

身體瘦削者。一交嚴冬。往往袖手胸前。縮頸領內。皮膚起粟。鼻垂清涕。此種不能抵禦風寒之狀。並非盡由衣裳單薄。皮下缺乏脂肪體溫容易放散。。乃其主因。缺乏脂肪之症。必須直接或間接補充其不足之脂肪。而後寒慄之狀。方能不再發生。故西醫治此。恆用魚肝油。中醫則投八味丸。然藥補不如食補。古人已昭示吾輩矣。

水族中含脂肪最富者。當推鱉與鰻。且價廉味美。食法又多。體瘦畏寒之人。際此冬季進補之日。正不妨今日甲魚。明日鰻鱺。旣治羸瘦。又快朵頤。何樂而不食耶。

本草云。鰻補虛損。鱉滋腎陰。則此貳物。不僅治瘦而已。亦著名之強壯劑也。惟鱉與雞子相忌。不可同食。

蛋最滋養

丁錫康

世界各國人民。無有不喜食蛋者。以蛋含充分之滋養料故也大都吾等所食者。均爲鷄蛋。鴨蛋鵝蛋則屬少數。魚卵有時亦爲人所嗜。惟多以鹽醃之。野蠻人民。則有以蛇卵壁虎卵爲食者。似覺太奇特矣。鷄卵大小不同。以其所含之滋養料言之。則蛋白含水百分之八十六。蛋白質百分之十二。脂肪千分之二。蛋黃含水百分之四十九。蛋白質百分之十五。脂肪百分之三十三。灰質百分之一。蛋大都不含糖質。此則吾人所宜知者也。蛋最初生時。內已含有細菌。而蛋黃所含之細菌。較蛋白爲多。因蛋白微有殺菌性質故也。此等細菌均穿入蛋殼自外而入。如蛋殼陰濕而汚穢。則細菌易於穿入。故夏天所生之蛋。較諸秋冬之蛋。含菌爲多而易腐敗也。蛋爲最佳之食品。因蛋不常傳染疾病。吾人未聞有食蛋而得病也。吾人如持蛋向光明照看。蛋質爲半透明體。凡蛋之壞者。其內含有暗點。一照卽知也

銀耳補內分泌液說

自新

近代醫術。愈臻昌明。對於人類之未老先衰。一切萎弱症狀。俱委諸人體各部器官內分泌液缺乏。因此各國醫家。研究內分泌孜孜不倦。大有興味。又根據臟器療法醫理。採取壯健獸類生殖腺液。腦脊髓液等。製成內分泌藥劑。爲補腦益精延年益壽之補品。其實人體內各部器官。全賴內分泌液爲之激動。使臻康健。吾國舊醫早已論及。如陰虛陰涸等語。

即是內分泌液缺乏之意。不過現在科學思想發達。陰陽五行之玄虛理想。被淘汰而崇尚實質。然萬事不離乎實質。雄辯不敵乎事實。蓋之所謂陰液陰血者。即今之所謂內分泌液也。蓋者補陰液陰血無上聖品。即今日補內分泌液無上聖品也。

四川銀耳。舊醫謂入色白手太陰肺經。足太陰脾經。足少陰腎經。性平。味甘淡而厚。屬純陰。主沈降。專走五臟之陰。不燥不膩。為補陰液陰血無上聖品。

中國科學社科學化驗銀耳之膠質。（即水煮溶液中）經蒸發後。呈不結晶透明固體。遇濕即現粘性。含有五碳糖六碳糖以及燐，酸，輕，養，淡，鉄，硫，鈉等原素。恰與亞拉伯膠質相同。查現代各藥廠內分泌製劑。多和入亞拉伯膠質。以補內分泌液。遂宜傳為補腦益精延年益壽之長生不老藥。其實國產四川銀耳。經科學化驗與亞拉伯膠質含有同樣成分。可以滋補人體內分泌液。而舊醫謂補陰液陰血。贊美已久。是四川銀耳之功效。足以滋補人體內分泌液。使分泌物質於血液內。激動人體內臟各部器官。以達到健全之狀態。所以四川銀耳。堪稱科學證明的國產補品。舉凡神經衰弱。記憶薄弱。未老先衰。形容萎頓。諸虛百損等症。大有補益之奇效。補品者。幸勿河漢斯言。

編者按。四川銀耳以本埠拋球場四川商店出售者為佳。因該店在其家鄉四川自置銀耳山場多處。完全自採自售。貨色既真確。功效自偉大。無其他售者。多摻混次劣之貨與多次之盤剝取利。故售價亦較廉也

吃補不藥忌蘿蔔

沈熊璋

我們貴國人有一種傳說。「蘿蔔解補藥」。凡是吃補藥的人。同時就不該吃蘿蔔。這話的流傳很廣。上至智識階級。下至農夫村嫗。沒一人不知這傳說。也沒一人敢違反這傳說。其實蘿蔔解補藥。是錯誤的。翻徧中西醫書。只有「服何首烏、地黃、者忌食。」並無解一切補藥的籠統話。去年冬天。我曾經把蘿蔔略略研究一下。覺得有三種正確功效。——化痰、消食、補益。為平民之滋養食品。若在進補時期。天天吃些蘿蔔。以與奮消化作用。那末。補藥就容易吸收。不至膩滯不化了。所以吃補藥不但不忌蘿蔔。而且應吃蘿蔔。

◎ ◎ ◎ ◎

HEPATRAT
PRO INJECTIONE
漢伯脫來
專治貧血症
本品為最有偉效之肝臟製劑專治一切惡性貧血及其他嚴重性之貧血疾患・鉛・鉍及砒中毒症功能增加紅血球及血色素並促進新陳代謝機能
SOLE AGENTS
KUNST & ALBERS
特生靈
痢疾特效藥
為治療及預防阿米巴痢疾之無上聖劑功效偉大妥速
包裝丸劑
二十五・五十・五百・二千五百粒
粉劑
十瓦裝 百瓦裝
Dysentulin!
中國總經理 德商孔士洋行 上海四川路一一〇號

本社徵稿啓事

逕啓者。竊維雜誌之生命。端在經濟之充實。與內容之精美。貳者缺一不可。本誌廣告及定費等收入。在經濟方面。差堪自給。內容宣傳常識。探討學理。雙輪並進。雖承讀者交口贊譽。本社猶未敢自滿。特訂徵稿新約。敢祈

醫林碩彥。賜寄宏文。用光篇幅。

1,本誌學術研究欄。最歡迎科學化之研究作品。如國醫持三部九候。診內傷外感各病。在生理上究竟能否成立。在事實上究竟有無徵驗。又如某藥治某症。某方治某病之臨床統計等稿。

2,本誌衛生常識欄。最歡迎以明白暢曉之筆。敍述人生必須之醫藥衛生常識。如飲酒之利害如何。女子何故十人九帶。男子何故十人九痔。欲免帶與痔。平日應如何攝生等稿。

3,本誌餘興小說欄。所以調劑讀者之腦力。內容略與各大報副刊近似。惟文字力求生動。取材尤須純正。

4,諸君投稿。經本誌選載三篇以上者。長年贈送本誌壹份。投稿經本誌選載六篇以上者。除長年贈送本誌外。並刊布投稿者之貳寸半身肖像。簡明小史於卷端。稍酬賢勞。

衛生雜誌社編輯部啓

本刊衛生顧問章程

(一)本刊經大衆訂閱者之要求。闢設衛生顧問欄。以便醫藥上疑難問題。及病因症治藥性等。作公開之討論與研究。若依本章程投函詢問。當卽照來函解答。

(二)重要問題。除依來信直接通函答覆外。本刊得隨時將答案披露。以便同志之研究。

(三)疑難之答案。須檢查醫籍。詳細考慮者。至遲須一星期可以答覆。

(四)不答覆之問題如下。(一)來信記述不詳者。(二)詞義不明者。(三)要求立得藥方者。(四)無關醫藥者。(五)委託評論藥方之是非者。(六)本社同志學識所不及者。(七)無覆信郵費者。(八)無衛生顧問劵者。但不答覆者。不答之理由。覆信聲明。

(五)來函概用中式紙張。繕寫清楚。附覆信郵費一角三分。並附寄下列衛生顧問劵一個。

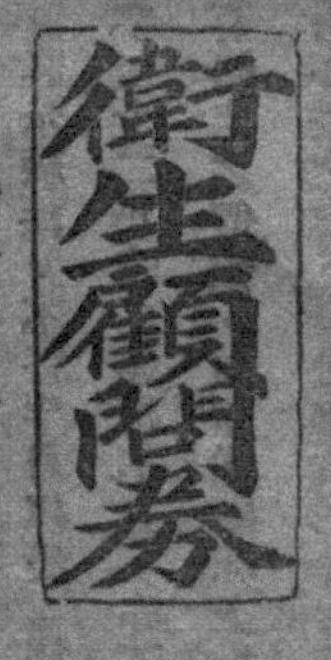

(六)來函寄愷自爾路嵩山路口瑞康里二六二號

學術研究

肺癆病之特殊療養法

董志仁

此項氣功療法。原爲修養法之一種。在民國十八年冬。張氏靜江主浙政時。提倡國術。舉行國術比試大會。所聘評判委員。均各地學術高超之輩。此時杭地傷科專家虞祥麟君。擔任該會創傷救護主任。由劉百川、杜心五二君之介紹。得識國術前輩王澄久老師。王老師年已七十餘。而精神矍鑠。望之如四十許。虞君知此老懷有異術。乃向其叩道。並侍奉起居。如事嚴父然。閱五月。始終如一。王老師嘉其誠。盡傳其術（即氣功術。該術有自練法及施術於人法之別。更分延年法強壯法與治病法數種）據述此術傳自異人。上可輕身不老。爲修養神仙之進階。中可却病延年。臨對大敵。架刀劍而不傷。下可療治疾患。凡藥餌所不能見效及一切疑難雜症。皆可施用云。不佞因專門研究肺病之故。對於治療肺病之善法。自在隨時隨地的注意中。及聞虞君有氣功術。可救藥餌無效之疾。乃往詢可否療治肺癆病。據答肺臟爲呼吸之重要器官。練習氣功。當可治療。不佞卽懇請指導。實地試驗。荷蒙不秘。詳示練法。不料半月以後。精神爲之一變。雖每日觀書寫字至十二小時。連續不息。亦不覺倦。始知此項氣功術。確有研究之價值。嗣卽從學理上推測。對於療治肺癆病。尙覺有不妥之處。於是參古酌今。略加增減。分爲吸氣療法。理氣療法。嘘氣療法三項。施治肺癆病者。竟有下列之優點：

（一）無服藥之煩惱

（二）無針灸之痛苦

（三）無經濟之耗損

（四）無不快之現象

輕症初患有迅速治愈之效果

危險重症有轉危爲安之能力

甲、吸氣療法

（一）吸氣前之預備　用火盆一個。燒炭令熾。（炭須不爆烈者爲佳）移入空氣暢流而無穢雜氣之房室內。安放於正中地上。旁置一榥。

（二）吸氣時之法則　病人向火盆以自然之姿勢。坐半臂於櫈上。兩眼平行綫直視前面。背不宜直。亦不宜彎。兩手掌向上。置於腿縫處。兩足距離約尺許。脚尖不宜斜。小腿彎與大腿適成方角形（不能坐者施用噓氣療法）坐既定。始可開始吸氣（註一）其法與深呼吸相同而實異。呼吸時肺部不宜高聳。（註二）從兩眼之間。山根部位注意。（註三）徐徐吸氣。連綿不斷。能發互響。如夜臥鼾聲。其氣隨其自然經過肺部。似乎送入臍下少腹。不必過意用力。惟須注意肺部不宜聳高。少腹使其外凸（註四）復次將胸腹濁氣。緩緩從鼻尖呼出之。此爲一呼吸。初吸者三呼吸即須停止。由導者施用理氣療法之手術後。離座隨便緩行數十步。以舒體力。再照前吸氣共三次。每日早上及午後各一大次。一星期後。俟每呼吸能延長至十五秒鐘時。可以加氣二口。即每次五呼吸。再過一星期。每呼吸有二十秒鐘可延長。此時肺癆病已漸見輕鬆。可以加氣至七吸。每一大次。共計二十一口爲止。（註五）

註一、（病人向完全燒紅之炭吸氣可治肺癆病之理）

1，使其所吸者爲較爲純萃之養　將燒紅之炭盆。搬入新鮮空氣之房室內。則炭氣因熱力之關係。皆向上升。則所吸者爲較爲純萃之氫。

2，使其所吸者是乾燥之空氣　肺癆病人。是惡潮濕而宜乾燥之空氣。此處因紅炭之燃燒。空氣已失水分而乾燥矣。

3，使其所吸者爲熱的空氣　空氣本屬冷冽。此處因紅炭之燃燒。空氣漸爲溫煖矣。

4，使其所吸者爲無菌之空氣　空氣中難免有各項微菌。此處因熱焰之冲烘。空氣中細菌。當無生存之餘地。故所吸者爲無菌之空氣。

5，因同時吸入乾燥。溫熱。無菌及較爲純萃之氫。則肺臟因氫的充足。能漸漸恢復其健康。使有菌之周圍。加添新組織以撲殺之。且患者施行此吸氣療法一星期後。胃量必能逐漸加多而知味。此因吸入之氫。較平日爲多。身體上之氫化作用增強。於是一切體力。消化。及免疫性。均能增強。而達真正治愈之目的。

註二、吸肺部時不宜高聳者。是表示不用深呼吸。有二優點。

1，吸入之濕　。因緩慢之關係。溫度可以適當。

2，已有肺病之人。不宜深呼吸。若行深呼吸。能使將愈之病傷。重現破裂。

註三、從兩眼之間。山根部注意者。

1，能使吸入之氣。達入鼻之上部。可以經過呼吸道之全部。而使黏膜活動。間接卽能助長肺之健全力。免除重罹感冒之憂。

2，亦是暗示呼吸宜緩慢之意。

註四、吸時少腹使外凸者。此舉表示當行腹式呼吸。因肺已有疾之人。行腹式呼吸。較胸式呼吸為佳。

註五、每一呼吸。有二十秒鐘可以延長時。其病能減輕者。為肺內疾患。已有漸愈之現象。

乙、理氣療法

此卽施術於人之法。由導者施用氣功手術(不用器械)按理各穴。能輔助吸氣療法。並佐治肺癆病人之各種兼症。

丙、噓氣療法

此法對於不能起坐之肺癆病人用之。其法則全從精神療法上蛻化而來。

按此項氣功法。不佞既作科學學理之註解於前。(關於氣功療法。一切詳細法則手術等。另撰專書。)復從中國醫學上。論氣之功用。運氣之優點。成一論氣篇。以備崇尚舊學者參悟。

黃帝內經素問曰。「百病皆生於氣。怒則氣上。恐則氣下。喜則氣緩。悲則氣消。思則氣結。驚則氣亂。寒則氣收。炎則氣泄。勞則氣耗。」可知病皆生於氣。而欲言養生者。自應奉素問「恬淡虛無。眞氣從之。精神內守。病安從來」之論。蓋氣為血之帥。血隨氣行。氣機若阻。血行自滯。而致病自易。故凡養生家。皆當勿令氣滯於胸膈之間。務使能運及下焦諸部。而常湛乎氣海。不獨養身宜然。卽國術家之一鼓氣間。在胸腹肋骨諸處。用梃鐵錘。突然猛擊。不但其人毫髮不損。甚至梃折錘崩者。亦平時煉氣所致。而道家所謂修煉丹田。實亦煉此氣也。休甯汪訒庵曰。「人身之所以恃生者。此氣耳。源出中焦。總統於肺。外衞於表。內行於裏。周通一身。頃刻無間。出入升降。晝夜有常。曷常病於人哉。及至七情交攻。五志妄發。乖戾失常。清者化而為濁。行者阻而不通。表失護衞而不和。裏失營運而勿順……。」此論氣之功用。已極簡明。今司氣機之肺臟有病。補之以氣。運之以氣。是肺病又何不可愈之理者哉。

附　肺病陰虛火旺的眞相

肺痨病必定有潮熱吐血等現象。而醫生及病家。均指爲「陰虛火旺」或稱「相火爍金。」這種說法。在一般人以科學爲崇信的。每以爲不合生理病理。而認爲玄虛的。謬妄的。其實他的學理。正合着生理病理。諸君不信。請讀張忍庵君的陰虛篇爲證。

張忍庵說。『陰虛。就是陽盛—本該。虛是實的對待。不對稱實而對稱盛。盛是衰的對待。不對稱衰而對稱虛。這完全是措詞上的講究。積漸成爲習慣。這裏只從習慣說。—就是養化作用劇烈。因爲養化作用劇烈的緣故。他對於養氣的吸收和二養化炭氣的吐出。都特別加多。但軀體細胞。除在肌表的可以直接與空氣起行呼吸外。其在組織內層的。是全靠血管運輸。血管的運輸。又全靠肺氣的交換。假如肺部吸入的空氣。其中養氣的成分並未加多。對於細胞營養。顯見得是供不應求。其吸入的養氣比較的少。吐出的二養化炭氣比較的多。飽和二養化炭氣的靜脈管到了肺裏。沒有適量的養氣以爲交換。遂重復迴入動脈管內。因爲動脈管和靜脈管所含的內容是相對區別。不是絕對的區別。二養化炭氣藉

動脈管的輸送。再度流入肌體內層。祇是增多熱量。於是細胞的養化作用愈劇烈。對於養氣的需要亦愈急迫。血管的養氣供給既不夠量。凡含養氣原質的液體。遂皆起行分解。在他四圍的淋巴。關係最密切。自然首先受其影響。肌體組織。遂即感爲乾燥。不幸進一層分解血液。血液帶着多量的二養化炭氣。輸入肺裏。空氣中的養氣不夠取償。便分解肺內的濕潤成分。要知肺內的濕潤水分。是生理上應有的東西。一旦橫遭破壞。生理作用。不免感爲阻礙。所以肺臟起作代償機能。分泌液汁。賫爲救濟。却又與靜脈管帶來之有色的廢料。膠結糾合。形成痰涎。自復刺激肺神經。引起欬嗽。咯吐出來這種痰涎。倘然不即消弭。咳嗽經久。肺臟震動劇烈。逐漸成爲物理的創傷。所謂肺病就是這樣患起。陰虛體質之主要的徵候。一是肌體乾燥。二即是肺病。又因爲養化燃燒是體溫上的主要來源。中國醫學就其體溫抽象。稱之爲『火』今其作用過於劇烈。超出正規的需要以上。特稱之爲『相火』以別於正規需要之『君火』『君』的下文該是『主』字。意思是說『主要』的。亦即是『必要』以別於『相』之爲非必要的—體溫。相火除如前與肺的關係。有一句術語。叫作『相火爍

金』外。多影響爲神經作用。顯得特別地興奮。最顯著是性慾的衝動。中國醫學卽用『相火』來說明。如陰莖容易勃起。精液容易發洩。俗語叫作『魚色兒』多是這種病態的表現。結果性神經益加陷於衰弱。其次是睡眠不足。頭部起行充血。官感敏捷。思慮紛亂。結果腦神經又益加陷於衰弱。更由性慾衝動之精液的浪費。和睡眠不足所起之營養的阻滯。間接引起軀體間劉種損失。於是副症叢生。所以治療肺病。用藥物治療不如改換生活環境。因爲營養狀况起行異常。所以體質跟着發生變化。尤其是都市地方。人烟稠密。空氣呼吸。炭氣的成分多。養氣的成分少。容易引起陰虛的體質。陰虛體質之主要症候是肺病。固然。肺病亦可以由咳嗽之物質的創傷引起。但既成爲肺病。返轉來亦可引起陰虛的體質。故肺病患者。對於都市地方最不相宜。習俗祇知道肺病不容易治療。而不知所以不容易治療者。乃是陰虛的體質。自然。體質求其變化。非一朝一夕之功。西醫不能在養化的原則上體認。祇當是肺病之應有的緣故。對於無關於肺病而容易引起神經性症狀之陰虛體質。無以名之。名之曰『肺癆質』這在邏輯上。顯然是重大的錯誤。所以我以爲肺病的治療。在於變化體質。體質的變化。在於恢復營養和改換生活的環境狀况。這是要遠離都市。親近自然。愈是林木蓊翳。花草鮮美。養氣充分的地方愈佳。因爲動物的呼吸是呼炭吸養。植物的呼吸。却是一個相反。是呼養吸炭。『以其所有。易我所無。』造化的奧妙。誰說是不值得讚美呢。

按居處有林木。空氣要清鮮。果是肺病療養之要素。但正如張君所說的陰虛體質之求其變化。是很困難。現在我們用極簡便的穩妥的特殊療養法—氣功療術—積極的增加病體中所需要的養。則潮熱吐血等等的陰虛症候。及相火爍金的現象。又何患不能克服呢。

臟器療法之醫學史

胡佛

希臘醫聖歇撲克拉斯氏。於西歷紀元前四六〇至三七七年。以烏或梟之腦治頭痛。驢、鼬、鳩。狼之肝臟治肝臟疾患。兔腎治腎臟疾患。摘出活犬之脾臟。治脾臟疾患。兔腦治振顫。狐肺治呼吸困難。牛眼治眼疾。驢或牡鹿之睪丸作催淫藥。雌兔之生殖器作妊娠藥。歐洲古時。亦有食胎兒心臟。益人氣力之說。羅馬時代。有將牝馬之胎盤。晒乾研末。用作媚藥者。考吾國本草。亦有類似上述之記載。如將牡鹿之陰莖。從根割下。晒乾。名爲鹿鞭。珍爲益壽補陽之靈藥。又如驢、狗、牛、野馬、狐狸、山獺等之陰莖。用作補精強壯藥。又如以山獺、蛙、山羊、鷄等之陰莖睪丸等。用作不老回春藥。尙有以處女之最初月經。製成紅鉛。以產兒之胞衣。製成紫河車者。又有以麋角之粉末。爲不老強精之祕藥者。又有將狗膽混和蜀椒。細辛。肉蓯蓉。謂極有强精之效能者。印度古典。加麻司托拉之奥義篇。有「用牛乳煮羊或野羊之睪丸。加糖飲之。可增男子精力」之語。以上所舉。不問事之遠近。地之東西。要皆爲臟器療法之嚆矢。而臟器療法之施用。乃出於先民之本能。亦彰彰明矣。

雖然。以整個之臟器治病。不但事倍功半。要亦未能十全、

洎乎近世。科學昌明。摘取壯健動物之臟器。施以精密之製造。而成取精用宏之內分泌製劑。施諸病人。功效確鑿。此種濟世利人之研究家發明家。眞令人肅然起敬者也。

最近德國安特諾博士發明之「壽爾康」防老補丸。係根據臟器療法醫理。採取壯健牛羊猿猴等睪丸腦脊髓等內分泌液。用科學方法。經紫光電提煉製成。實爲科學的臟器療法。確有返老爲少。補益虛弱。保實種子等功效。與普通含毒性之壯陽藥物。惹起假性興奮。實不可以同日語也。

人類確有長生不老之可能

才人

動物壽命之長短。據世界各學者之研究。約有下列諸說。

（一）法之琵傳氏。謂動物之壽命。爲該動物身體完全發育之時日之六倍或七倍。例如人類至十四歲而身體完成。故其壽命。大抵爲九十歲或百歲。

（二）富爾郎氏謂生物年齡。與身體發育時期之長短。有密切之關係。身體發育之完成。可由管狀骨與骨突起相結合而徵知之。彼動物之壽命。適爲某時日（即管狀骨與骨突起相結合所須之時日）之五倍。人體管狀骨之發育完成。須二十年。故其年齡爲百歲。

（三）瓦斯氏謂動物之壽命。隨食物之種類而有長短之差。詳言之。草食動物之壽命。較諸肉食動物。享高齡者頗多。

（四）某氏謂壽命之長短。與妊孕之多寡。有一種生理的關係。蓋妊娠與分娩。能消費母體之成分。故生數多子女之婦人。衰老甚速。克享長壽者寥寥。據此事實而推論之

。則妊孕較易之動物。其生命必短。吾人觀督上列各說。可知人類生存於世界。不爲傷生戕性之事。一切適應自然。則列子所謂百年大齊莊子所謂上壽百歲。固不難幾及。而祖龍漢武之覓方士。求神仙。以冀不死者。其愚乃不可及矣。

祟病研究

孫廷鑣

脈訣載有祟脈。爲長短不齊。乍大乍小。乍數乍遲。但方書無治法。蓋祟者。魅也。所不能見也。余生平素不信也。病家有信巫禱鬼事。余常嚴厲剖解。爲無其事。上月余表弟患病。據述由半夜子初而起。頭痛腰痠。惡風畏寒。有咳無痰。自汗氣急。邀余往診。察脈洪數實長。舌苔黃燥。顯係風邪襲於肺胃。雖自汗而惜寒。邪仍羈留皮毛。腠理不固。余用小青龍湯以疏表清肺。則邪解熱和。咳亦少減。繼用小柴胡湯和解表裏。則腰痠亦舒。惟汗不止。再用龍骨。牡蠣。淮小麥。糯稻根。之類以固澀之。則汗止熱盡。病霍然而愈矣。惟神倦力疲。余云。此乃病後邪退正虛所致。愼飲食。節勞慾。善調可也。不料倏然而變。神志昏憒。氣喘不寐。日安夜躁。如見鬼狀。問其痛苦。搖首不覺。察其脈象。一呼吸間。來去五六至。不弦不數。養如平人。觀其舌苔。浮白厚膩。目光炯炯。週室四射。察其色。濁黑帶青。翌日面目足跗俱腫。倏起倏倒。猶似癲狂。喃喃譫語。聲音極高、大呼你捉去好丁。你捉去好了。數聲而逝。口吐白沫。屍體軟弱。斯症傷於病。抑傷於祟。余實不明。請借貴社一角地。望諸同志研究裁奪。果有是症乎。

切脈宜以對待之形容別之

金勳長

國醫辨症。必須四診合參。則寒熱虛實。判別方能準確。然望聞問三診。有色有聲有因。可以推求。惟切診全憑心領神會。實際上辨別。似較爲難。抑知以對待之形容而領會。則易分別於指下。浮。不沉也。沉。不浮也。遲爲不及。一息三至也。數爲太過。一息六至也。滑。不濇也。濇。不滑也。虛。不實他。實。不虛也。長。不短也。短。不長也。洪。大而盛也。微。細而軟也。緊者。彈指有力。如轉索也。緩者。一息四至。如飄柳也。芤者。浮大而軟。按之中空。弦者。狀如弓弦。按之不移。革者。中空而外堅。浮起如鼓皮。牢者。弦長而兼實。位居沉伏間。濡者。極軟而浮細也。弱者。極軟而沉細也。細。如線也。伏。不見也。動者。滑大於關上。圓如豆粒也。促者。數而有止。結者。緩而有止。代者。動而中止。不能自還也。體認旣清。再參望聞問三診所審之何色何聲何因。而病症畢印於心矣。

衛生常識

肺病漫談

沈仲圭

肺病者。結核桿菌侵入肺部。營其破壞工作也。該菌爲極小之植物性微生物。非人目所能窺見。其耐冷熱之力甚強。在百度表百度之乾熱中。能生存至一小時之久。在百度表六十度之濕熱中。能生存至二十分鐘之久。在凍冷中。不能滅其生活。其爲害於人類至大。如教育普及。衛生完善之美國。據其死亡統計。死於肺病者。佔全死亡數九分之一。在我國則更多。竟有四分之一。其侵入人體。初不自覺。待諸症畢現。而病根已牢不可拔矣。且結核之祟人。不限於肺部。若胃、腸、咽、喉、鼻、舌、骨、腎、膀胱、睪丸、淋巴、皮膚、關節、等處。皆可發生結核病。不過臨床所見。以肺結核較多焉耳。

國醫治療肺結核之有效單方。以吾所知。有二藥焉。一爲肘後獺肝散。獺肝一具。炙研爲末。每服方寸匕。日三次。和漢藥物學謂獺肝治肺結核患者之欬嗽。吾友王潤民嘗以獺肝及童便爲主。佐以他藥。治愈重篤之肺結核。因識此二物爲是病之專藥。一爲骨炭。用豬。羊。魚。（圭按宜用大口魚）雞。等動物之骨。炙酥研末。混於食品中啖之。此因骨炭含有鈣鹽。對於肺部之炎症。能消弭之。肺部之潰爛。能乾萎之。肺部空洞之四周。能硬化之。故久久服用。不論何期肺結核。皆有裨益。

惟肺結核欲望全愈。首重調攝。單恃藥物。殊難爲力。所謂調攝者。即鮮潔之空氣。滋養之飲食。充分之休息也。欲得鮮潔之空氣。非轉地高山海濱不可。若飲食療養。可得言者。如鯽魚鱉肉之富脂肪。牛乳雞卵之易吸收。萊菔助消化。胃弱當餐。胡桃含單甯。遺精宜餌。藕湯治吐血。可代茶飲。菠薐療貧血。堪供肴饌。其尤善者。莫如壽親養老新書之黃雌雞飯。（圭按即百合煮雞）與價廉物美之豆汁耳。惟投滋養品。當以病人之好惡爲標準。苟病人不喜此物而強進之。固屬無謂。或滋養雖富。而消化困難者。亦當權衡病人之胃力能否勝任。以定取舍也。

酒精與肺病之關係

丁福保

法國某名醫。嘗研究肺病之起源。謂實於酒精有關係。彼嘗調查法國北部二十八州。其飲料多爲酒精。(如白蘭地及威士忌等酒）約住民十萬人中。患肺病者二百三十人。此外各地。多飲葡萄酒。以十萬人爲比例。患肺病者減其半。可知葡萄酒實爲肺病之大敵。故凡患肺病者。宜多飲葡萄酒。絕不宜飲酒精以益其病。

家庭良方錄要

張子英

(一)當歸　桂枝　芍藥　細辛　炙草　木通　大棗　附子　乾姜

右治凍瘡

(二)製白烏頭錢半　法半夏三錢　白殭蠶三錢　明天麻錢半　薄橘紅二錢　廣鬱金錢半　蘇薄荷錢半　姜竹茹三錢　粉甘艸五分　苦桔梗一錢

右治小兒頓欬

(三)花蕊石　荷葉　煅爲末共一錢開水下並以帶束胸部

右治胞衣不下

(四)王不留行二錢　淮木通錢半　全當歸三錢　炒甲片一錢　另以七星全蹄一隻煎湯水代煮藥

右治產后乳汁不通

(五)大蒜　輕粉　上二味搗成泥敷於手脈上左痛敷右右痛敷左

右治牙痛

(六)田螺一枚　大蒜一枚　麝香少許同搗爛塡臍眼以帛繫之

右治小便不通

脾胃談

道明

脾主磨運。具消化之機。胃主受納。爲水穀之海。我人所賴以養生者。惟脾胃是賴。一有不足。病隨生焉。是以中虛之體。脾陽必弱。胃氣不堅。一得粘膩生冷硬物入口。漸致寒熱腹痛。脹滿噯壓。納呆泄瀉。諸症叢生。於斯時也。脾胃兩受其侮。悉賴藥石以疎解之。則三焦利。脾胃運。而諸症以平。服藥之外。尤須注意衛生。昔華佗云。人體當使勞動。則食物易消。病自不生。戶樞不蠹。流水不腐。以其常動故也。吾願患脾胃症者。第宜平時運動。以助後天消化之力。則病可漸除也。

■硼砂的功用

——家庭小常識——

念文

硼砂的用途很大。家庭中常備之。很有益處。其効用如下。

(一)在夏季。貯藏生肉等易腐物。如撒硼砂於上。可置經日。

(二)洗滌白色衣服時。如撒入硼砂。則去汚之力。遠超肥皂之上。

(三)如以溫湯溶硼砂少許。用以漱口。有治療唇舌腐爛的功効。又可以用之洗小兒頭部。因毫無刺戟性。使小兒不致感覺不適。

■蚯蚓醫痔

王季繁

蚯蚓。又名地龍。俗稱曲鱔。生濕泥中。掘出。擇大者七八條。冷水洗淨。置磁茶杯內。外加白糖一匙。蚯蚓見糖。輾轉吐水。水盡則死。以水和糖。搽肛門內外。無論內痔外痔。不過十餘次卽愈。患痔諸君。試一爲之。

衛生小問答

張子英

(問)人乳之功效如何。

(答)此物有潤五臟。補血液。止消渴。澤皮膚之効。

(問)人乳之優劣鑑別如何。

(答)白而稠者良。黃赤青色氣腥穢者劣。

(問)人乳與牛乳孰優。

(答)當然以人乳爲優。惟乳婦年齡過長者。身有疾病者。其乳汁卽不佳良。勿飲爲妥。

(問)罐頭牛乳與鮮牛乳孰優。

(答)罐頭牛乳糖分太多。維他命缺少。祇能作無鮮牛乳地方之代用品。決不能與鮮牛乳相提並論。

(問)人乳可治病否。

(答)老人便祕。及目赤多淚。飲之甚佳。

(問)服人乳有無禁忌。

(答)臟寒胃弱之人不宜多服。

(問)牛乳之功用若何。

(答)牛乳之功用。爲潤腸胃。解熱毒。補虛勞。並治反胃噎膈。

(問)俗謂牛乳性熱。其言確否。

(答)本草明稱牛乳味甘微寒。何來性熱之說。且上條曾言牛乳有解熱毒之功。益足證明其性之非熱矣。

(問)牛乳與牛肉孰優。

(答)兩物皆爲飲食中高貴之品。惟牛乳宜於老人兒童。牛肉宜於壯年。此其異也。

醫林叢談

陸氏論醫集讀後感

沈仲圭

余少喜閱書。民七習醫後。對于醫藥書報。嗜之尤深。見一名著。嘗質衣物以致之。獲一佳作。迴誦再三不去手。年來腦病漸劇。氣血交衰。然讀書作文。每不能節制。蓋生平惟一之嗜好。祇此二者耳。

民十七。執教鞭於上海中醫專校。得識陸君淵雷。君授傷寒。以自然科學之原理。疏證仲景條文。學生百餘名。莫不愛戴備至。越二年。君與徐章諸子。合辦國醫學院。余亦一度濫竽教席。爾時君教務旁午。雖鮮「抵掌談醫」之暇晷。但於課后細覽其著述。未嘗不心悅誠服。而嘆爲中醫界僅見之奇材也。

今秋閑居故鄉。讀書自遣。聞陸氏論醫集（每部中裝四冊。定價大洋五元。上海牯嶺路人安里十一號發行）出版訊。亟購得一部。開卷快讀。如悟故人。蓋余素喜訂閱中西醫誌。并心折陸君。故凡陸君發表醫誌之著述。自無疎漏余目者。今葵達數載之文字。又重見於明窗淨几間。欣抃之情。溢於眉目。使余能飲。當爲之浮一大白。

書中論理之翔實。運筆之爽利。曠觀今日中醫界中。若志力學如此者。能有幾人哉。余昔讀高思潛費澤堯諸氏溝通中西之作。非不贊美。今與論醫集相較。似覺稍遜一籌。澤堯已去世。思潛倘健在。此集如入伊目。余知將點頭歎服。引爲同志焉。

君論藥頗推重章次公。嘗有「次公精於擇藥」之語。今觀集中用藥標準一篇。較之章氏。殊不多讓。如桔梗治痢。人參治胃衰弱之痞鞕。桂枝肉桂功用相同等。皆千古不易之說。

余與君相識已五載。但共事醫校之日。不過二年。此二年中。相與款款深談者。更無幾時。論私交。彼此殊落落。然欽佩之私。初不以交淺而減其熱忱。故斯篇之作。純係學術上之公論。非有標榜之意。存乎其間也。

——癸酉冬日作於杭州——

植物性國產藥物之化學分析與藥理

實驗序

時至今日。而言改進中醫。舍以科學方法。確定藥物方劑之效能外，別無良法。蓋醫乃自然科學之一。其研究之對象爲人類。人無古今中外。其外貌同爲方趾圓顱。其內景同爲五臟六腑。其正常之生活。同爲工作，飲食，睡眠，游息。則外感細菌，原蟲。而爲急，慢性傳染病。內傷飲食，七情。而爲官能，器質病。除特種之地方病外。初無東西洋之歧異也。人生天地間。不能適應自然。或體質虛弱。不勝病原體之襲擊。生理乃生變調。醫工用精密之診察。探求病狀之來源。病灶之所在。而用化學、細菌、物理、衛生、諸療法。以撲滅病原。或緩和病苦。而達恢復健康之目的。亦不以人種之差別。而顯效率之高低也。是以倡「中外人體質不同。治療應有區別」之說者。固屬妄人妄語。而不問中西生理之正誤。病理之玄實。診斷之精疎。徒以四千年歷史爲號召。民族繁庶爲左證。強欲保存舊說者。亦屬門戶之見。違心之論。絕非學者態度矣。夫自然科學。本是世界公物。擇善而從。豈得强分國界。故舍棄一切玄學，哲理。精研方，藥確效。乃今日中醫應取之途徑。亦一般學者公認之改進方策也。

黃子勞逸。精研藥化。歷有年所。慨中藥之式微。懷改進之宏願。蓋醫界之有心人也。其國產藥物之各個研究。常發表於國內著名醫志。讀者心儀已久。今復彙集東西學者以科學方法實驗國藥之結果。輯爲植物性國產藥物之化學分析與藥理實驗一書。供諸當世。西醫讀之。堪作治療之臂助。中醫讀之。得明正確之藥效。其裨益醫林。造福人羣。詎淺鮮哉。囑製序文。謹書管見如此。

民國二十二年十一月沈仲圭敍

貧病煙癮體當捨脈從證

道明

余於己巳歲。治一貧病顧左。向患黑籍。外受伏暑。發爲濕溫。寒熱勢不得分清。咳嗆痰聲如吼。百節痠痛。大便不行。小溲赤澀。胃納大呆。形容瘦削。按脈右三部濇細。左三部一息二至。均不能續。顯係真陰告衰。此屬難治。勉擬輕宣肅肺。洩熱消痰。服一二劑後。果得轉機。寒熱大退。咳亦漸疏。而病遂起矣。由是觀之。於貧病煙癮體。當捨脈從證。此其一也。爰特記之如右。以供研究此道者。

圍炉取煖難免熱毒吸入　煖後出外易招風寒入侵

王香巖醫案一束

杭州已故名醫王香岩先生。爲遜清歸安凌曉五之高足。行醫杭垣。垂五十年。社會聲譽之隆。病家信仰之殷。堪與乃師匹敵。生平治驗。都無筆記。惟門診方案。門人間有抄存。茲覓得一册。略一流覽。案語簡要。方藥平妥。頗足爲初學法程。爰爲擇要刊布。以見名醫非盡無實學也。　編者謹誌

林左

勞倦內傷肝脾營血不充血不養筋肢節痠痛背脊煩熱下脚清冷皆緣陰虛陽浮所致脈象弦小而急治擬和營養血以舒筋絡而潛浮陽

西潞黨參錢半　金石斛三錢　炙鱉甲四錢　陳皮一錢
紫丹參錢半　全當歸錢半　生米仁三錢　仙半夏二錢
赤茯神三錢　杭白芍錢半　元武版四錢　白蒺藜三錢

李左

木火刑金肺失清肅失血後咳嗽聲嘶不揚蓋肺爲聲音之門戶而朝百脈金破不鳴脈來弦細而急治之難冀近功姑擬清金保肺愼之

南沙參三錢　生蛤殼四錢　枇杷葉二錢　川石斛三錢
京杏仁三錢　橘絡一錢　馬兜鈴錢半　官燕根二錢
川貝母錢半　冬瓜子三錢　蜜炙牛蒡子錢半　杭白芍錢半

沈左

脾肺氣虛中焦留伏痰飲飲阻氣逆中運不及大便溏泄神疲體倦皆由來也脈象弦緩而滑治擬和中肅肺

南北沙參各三錢　新會皮一錢　杭白芍錢半　包全福花錢半
米炒於朮一錢　仙半夏二錢　生米仁三錢　白蒺藜三錢
白茯苓三錢　扁豆衣三錢　京杏仁三錢　焦谷芽三錢
紅棗三枚　玫瑰花三朵

程左

脾肺氣虛痰飲內阻加以肝氣上擾肺失肅化之權胸次走注疼痛氣逆不得安寐即內經所謂諸氣膹鬱皆屬於肺諸逆衝上皆屬於火是也脈象左弦右滑治擬清肺平肝

粉沙參三錢　白杏仁二錢　川貝二錢　新絳八分
炒蘇子錢半　白茯苓三錢　冬瓜子皮各三錢　白蒺藜三錢
絲瓜絡錢半　玫瑰花三朵　旋復花錢半　紫丹參錢半
生米仁三錢　橘白一錢

顧左

陰虛水不涵木肝火衝激肺絡絡血上溢盈碗即內經所說陽絡傷則血外溢是也脈象弦芤擬清肺理絡佐以平肝

紫丹參錢半　白茅根三錢　橘絡一錢　大黃炭一錢
小薊炭一錢　茜根炭一錢　女貞子三錢　鮮生地四錢
旱蓮艸三錢　川貝母二錢　京杏仁三錢　淮牛膝二錢
藕節三枚

陳左

肝升太過肺降無權氣之經度既乖血之絡隧亦閉是以咳嗽胸脅隱痛足胕浮腫夜不安寐皆由此致脈象弦細而滑治擬肅肺平肝

粉沙參三錢　仙半夏二錢　白杏仁二錢　橘白一錢
紫丹參錢半　旋復花錢半　川貝二錢　生蛤殼四錢
白茯苓三錢　青葱管三枚同煎　新絳八分　冬瓜子皮各三錢　白蒺藜三錢
生米仁三錢

勞左

百病始生篇曰陰絡傷血內溢則後血大便下血肢節痠痛小便濇滯不爽明是陰絡受傷血液不充所致脈象虛細而弦治擬滋陰和營

北沙參三錢　元武版四錢　赤茯神三錢　白扁豆花二錢
淡天冬錢半　丹皮炭錢半　槐米炭一錢　福澤瀉錢半
根生地三錢　炙鱉甲四錢　地榆炭錢半　生米仁三錢

王左

春温時邪始擾肺胃身熱欬嗽繼則逆傳心包神昏譫語口渴氣喘汗溢不攝脈象促數舌絳而燥以脈參症症已內陷誠防痙厥之變勉擬清熱達邪候
政

冬桑葉錢半　象貝二錢　青蒿子錢半　淨銀花錢半
帶心連翹二錢　鮮石斛三錢　川玉金錢半　鮮細石菖根一錢 淡竹瀝一兩 和冲
黑山梔錢半　粉丹皮錢半　白杏仁二錢　萬氏牛黃丸一粒

傅左

內經云上氣不足目爲之眩頭爲之暈良由陰虛陽浮肝火上升所致脈象兩寸虛軟治擬和營益氣

北沙參二錢　炒棗仁二錢　杭白芍錢半　粉丹皮錢半
炙綿芪一錢　赤茯神三錢　原生地四錢　白玉竹二錢
莧麥冬錢半　橘白一錢　石決明四錢　滁甘菊一錢

玉蝴蝶一錢

張左

肝腎陰虛木火內熾衝激血海血逆妄行下血如山之崩腰脊痠痛頭暈心悸即內經所謂陰虛陽搏謂之崩是也脈象弦芤尺虛治擬滋水柔肝以固奇經

西潞黨參錢半　元武版四錢　原生地四錢　清炙艸六分
莧麥冬二錢　炙鱉甲四錢　白茯神三錢　炒棗仁二錢
淮山藥二錢　煅牡蠣四錢　杭白芍錢半　東白薇錢半
管仲二錢

李右

心腎兩虛肝陽浮越不潛頭暈心悸神識恍惚久延恐成怔忡脈象弦細而弱治擬調養心腎以和營血

北沙參三錢　煅牡蠣四錢　遠志肉六分　元武版四錢
紫丹參錢半　炒棗仁錢半　青龍齒二錢　肥知母二錢
硃茯神三錢　白歸身錢半　原生地四錢　橘白一錢
清炙艸二分　杭白芍錢半

李左

肺胃陰虛肝火上衝清肅不行一身之氣失其順降之機失血後咳嗽氣逆聲嘶不揚皆緣肝升太過肺降無權所致脈象弦小而弱治擬清養肺胃以平肝火

南沙參　原金斛　生蛤殼　鳳凰衣

莧麥冬　川貝　冬瓜子　橘絡

官燕根　京杏仁　馬兜鈴　生米仁

枇杷葉　陳阿膠珠

陳右

肝陽上升營陰內虧適值信行風陽鴟張左頰頸項結腫神煩頭疼脈象浮滑而弦治擬清熱平肝

冬桑葉　黑山梔　白蒺藜　絲瓜絡

滁甘菊　粉丹皮　杭白芍　薄荷

川石斛　東白薇　橘絡　絲通艸

綠萼梅

行醫不宜偏執論

陳青雲

天時有春夏秋冬之不同。夏葛冬裘。春秋棉夾。隨四時而皆適。人體有虛實寒熱之各異。虛者補之。實者瀉之。寒者溫之。熱者清之。治百病而咸宜。望病狀。聞語聲。問病因。切脈象。悉心研究。對症用藥。臨機應變。因時制宜。爲一時之良醫。作萬家之生佛。胥在於是。古云醫不三世。不服其藥。因臨症既多。經驗富有。自能駕輕就熟。起死回生。假如庸夫俗子。一知半解。徒有虛名。毫無實學。江湖訣。滑頭戲。即使三世爲醫。亦何足貴。前賢云三世者。指黃帝內經。扁鵲難經。仲景傷寒論言。非指祖孫父子言也。醫師不熟讀黃帝扁鵲仲景三世之書。不足以言醫。此說較爲的確。無如內經難經傷寒論。文義奧深。鉤輈格磔。佶屈聱牙。不易領會。於是恃湯頭歌訣一書。以爲治病之不二法門。奈神農黃帝而後。代有名賢。著作林立。博覽方書。探賾索隱。猶有不周到處。而欲以一册之醫書。治萬般之疾病。其有不臨症枯窘。草菅人命者幾希矣。仲景譏審疾問病。務在口給。相對斯須。便處湯藥。自古已然。於今爲烈。滿清時代。杭州有官醫某。專以犀角羚羊。爲人治病。一日。自已患病。服羚犀而送命。世更有荊芥防風蘇葉之印板方。以傷寒名於時者矣。不論何症。皆以此數味應酬。被害者不計其數。而生涯偏暢旺。又有附子乾姜肉桂之印板方。以兒科名於時者矣。不論何症。皆以此數味應酬。被害者不乏其人。而生涯亦暢旺。此輩有僥倖之時。無淘汰之日。沽名釣譽。飾智驚愚。不特下流社會信之。上流社會亦信之。敬若人仙。死而無怨。豈非咄咄怪事。醫理無窮。不料竟有如是容易。足見華人之智識未開。程度太低。貴耳賤目。不別賢愚。不愧三等國民。將來治傷寒者。只須麻黃湯一方。治兒科者。只須四逆湯一方。中華民國。徧地皆是名醫。在坑滿坑。在谷滿谷。仲景傷寒論一書。三百九十七法。一百一十三方。完全竟是贅疣。金匱要略一書。尤屬駢支。天下可笑之事。孰有過於此者乎。膠柱而鼓瑟。刻舟而求劍。削足而適履。偏執己見。罔知變通。庸醫之誤人性命。猶庸臣之誤人國家。不至病入膏肓。不可救藥之地步而不止。想天數使然。人謀何益。整頓醫藥ㆍ事。亦等於告朔餼羊而已矣。一歎。

奇病徵答

讀者函詢

子英先生大鑒敬啓者敝人因初發育之時誤犯手淫過度以致發育不良全身各部尚可惟下體陽具稍異核其長約四寸有餘其粗與長相仿惟龜頭非常瘦小反細於陽具四分之三現今房事實覺其無深快感諒想女子方面尤無快感可言如此暗病長此以往則夫婦之唱隨家庭之幸福皆被掃地盡矣因思先生醫道宏富熱心在抱特照規章抄寫附郵一角三分顧問劵乙紙務請細答惠賜敝人則感戴

隆恩靡有涯矣耑此敬請

台安　十一月二十九日

猫病顧問

超

猫禿毛。法以煤烟墨研粉。及樫木粉。又硫黃末調和。塗於患處。每日三次。三四日後。即復生毛。

猫足腫。可覓足爪間腫勢最盛處。厚塗雄黃。任其吮舐。半日即愈。

猫跳虱。以舊毛巾・樟腦・浸燒酒少許。將猫身包入。猫頭切須露出。則跳虱可以盡除。

猫屎閉。而生內病。刮釜蓋上之油韌炙灰和飯中食之。極效。

猫煨灶。初生時。日以硫黃少許。納於猪腸內。或拌飯與之食。則遇冬不畏寒。亦不煨灶。

雞病顧問

超

雞有疾。捉壁嬉。和菜油飼之。自愈。

雞脹食。可以胡椒。和菜油灌之。即免此患。

雞內熱。宜飼之以菉豆芽。菉豆芽性涼。食之易長而無病。

雞便閉。以菜油拌鼠屎。蘸麻油飼之。可瘳。

雞瘟病。以煤油少許和麵粉搓成如米粒大。強使食之。其效如神。

醫藥雜訊

全國醫師大會元旦開幕

全國醫師聯合會籌備已久之第三次全國醫師代表大會。已定於明年二十三年元旦日起。至一月三日止。在南京中華路青年會舉行大會。各地報到代表。如上海市醫師公會。南京市醫師公會。中華醫學會。蕪湖醫師公會。甯鹽醫師公會。鄞縣醫師公會等代表外。陸續報到之各地代表甚多。各地已經寄到之各項提案。業已開始審查編排。各地代表報到期及提案截止期。均在十二月十五日截止。凡各地代表姓名及大會提案未曾報到者。均須於期前郵寄上海池浜路四一號該會總事務所。並聞此次大會該會刊行醫事彙刊十八期。編印大會尊號及秩序册。申報醫藥週刊。亦擬於元旦大會開幕日編輯特刊。分贈各地到會出席醫師。其他如南京醫師公會及上海新亞藥廠信誼藥廠等。並將設筵宴請各代表。以資聯絡。此外南京內政部衛生署等屆時再擬招待各代表參觀各衛生機關云

兒童齒科院不日開幕

天虛我生手創之家庭工業社。十餘年來。營業發達。該社鑒於兒童齒牙之不健全。與身體發育。國民強弱。俱有密切關係。爰提出一部資金。籌設兒童齒科院於上海南京路抛球場無敵牌總發行所二樓。由該社呈准本市衛生局。由該局派齒科主任蘇傑郎醫師指導進行。籌備以來。已逾三月。一切器械。均用國貨。異常完美。並悉該院聘請留德日齒科醫師三位外。其主任醫師一職。已由蘇醫師介紹顧海陵牙醫師擔任。顧醫師曾學醫於國立同濟大學。自費赴德。爲中國特出之人才云。

市牙醫公會已准立案

上海市牙醫公會。自本年六月十八日正式成立以來。會務進行異常積極。已於前月間先後接奉市黨部執字第一五二號證明組織健全訓令。及市社會局頒發公字第四十四號立案證書。凡本外埠牙醫生如欲閱該會章程者。可附回件郵資。向南京路六一一號該會索取云。

痲瘋救濟會

婦女後援會常會

中華麻瘋救濟會婦女後援會。昨假弋登路蕭宅舉行常會。到有徐婉珊女士陳招悅女士張嘉甫夫人顏斐雋女士蔡秉九夫人奚伯綬夫人等二十餘人。首請郭秉文夫人演講。詳述歐美婦女參加社會事業之熱忱。而於芝加哥愛迪女士之畢生事業。尤爲推重。次由新自山東滕縣麻瘋院參觀回滬之摩爾夫人演講山東滕縣麻瘋院。現有男病人一百十八名。女病人二十六名。平時均有適當之工作。如紡織養鳥等。又該院醫師余許二君。服務病人。非常周到。實屬難得云。

人參吃死人

好補者鑒之

閘北中興路大統路角。大昌百貨商店經理兼大興小菜場職員朱新發。年四十歲。近來朱以體虛。積勞成疾。故日前特出價大洋四十元。購得人參一枝。攜歸煎食。以期補益虛軀。惟朱素性躁急。期得速效。乃將四十元人參。匀作兩次分食。詎知補力太大。積弱之軀。不能接受猛力之補品。迨前晚第二次進食人參後。朱即至該商店樓上臥房獨自安睡。及天明學徒等不見其起身。遂至房內觀看。而朱神色已變。奄奄待斃。及請到醫生診視。脈息已無。旋即斃命。昨已備棺收殮。並聞朱對於該大興小菜場之建築。頗費一臂之力云。

杭州檢驗妓女聲中趣聞

（曉）

杭州市政府。對於本市江干拱埠兩處妓女檢驗辦法。原規定妓女須按月赴指定之醫院。受身體檢驗一次。不得規避。最近又改訂爲每週檢驗身體一次。如有託故規避至三次以上者。即吊銷執照。勒令停業。業於日前令公安局轉飭該管分局遵照辦理。並定於本月十五日起實行。玆江干花牌樓妓女林素心等二十餘人。以檢驗之期將屆。不堪接受。乃具呈公安局第五分局請求免驗。情詞淒楚。其所持理由。（一）九姓漁民之後裔遺教。祇賣嘴不賣身。藉娛客中寂寞。（二）向來無毒可以過去檢驗證明。（三）海月橋妓女。與拱埠妓女絕對不同。拱埠係來自蘇州上海。包帳拆做。花牌樓則全係親生之女。豈願任人蹧蹋。（四）自經前次檢驗。打針抽血之後。皆發腫羅內病。（五）雖無父母。雖無廉恥。赤身露體。任人驗看。實屬難堪。局長接呈後。即以批示。駢四儷六。語意亦頗滑稽云。

紐約城之接吻比賽會

（鑑因）

美國人士。不論男女。向以浪漫著稱。且極崇仰享樂主義。換言之。凡百事業。均以個人之幸福是否美滿爲前提。其男女之結合。亦漫無約束。合則俄頃訂婚。結爲夫婦。且私會特多。每於紅燈初上之際。釵裙帽影。一對情侶。出入於旅館中。不以爲奇。蓋風氣如此耳。今接美國友人來函。述紐約之接吻比賽會。實屬趣聞。錄之於此。

此間人民喜事好奇。證之接吻比賽會。益信美人對此事。快樂欲狂。在此不景氣之下。仍不減其踴躍好頑之熱度。此亦美民族之特點歟。比賽人物。以青年摩登男女爲限。比賽時。以不相識之男女。互相接吻。分班舉行。有評議員在旁紀錄其接吻之久暫。爲記分多少之標準。凡正式夫妻來參加者。則拒絕之。比賽者。盈千累萬。結果。以某小姐與其愛好之男子接吻時間。達三小時之久。取爲第一名。奪得錦標而去。聞此次接吻比賽會純屬富紳子弟好事者所舉行。閉會後。耗去茶點及一切費用。達數百金之巨云。

餘興小說

在黑暗中

徐哲身

利仁這幾天來，也不知爲了什麼事，總是那麼地不高興。他整天皺着眉頭，躲在房裏，好像春困的少婦，只索情思睡昏昏，輕易不肯走出房門一步。

他這種怪僻的舉動，照理，應該引起別人的猜疑；然而在他的父母哥哥等人看來，壓根兒不把他當做一回事。因爲利仁這舉動是自小就慣了的。是利仁家裏的人，誰也曉得，利仁是從小兒就多病多痛的。他的父母都很喜歡他，所以什麼事情，都任他的性兒。也許這就是他多病多痛的原因。

在學校生活時代的利仁，他根本就不愛運動。他看見那些同學們，在場中如臨大敵般競爭的時候，他就蹙着雙眉，搖頭嘆氣，說這些只是野蠻的舉動。眞是笑話，讀書人連一件表示斯文的長衫也沒有，只是這樣短衣窄袖，亂奔亂跳，還那裏有點讀書人的氣派，簡直像是那些賣苦力的工人。他時常議論那些運動員。他眼睛裏就看他們不起。他整天整夜的只是翻些古代詩詞。他實在巳中了古代那些傷感的詩人的毒，那些充滿了哀怨悱惻的詩詞　曾經賺了他不少的同情之淚。

也就是那些詩詞，把他造成了多愁善感！

當他有一些感想，驀地爬上他的心頭，他就一把眼淚，一把鼻涕的灑了一地。他有時幾天不洗臉，臉上塗滿了黑的手印和灰的啼痕。有時自巳照照鏡子，覺得這樣子委實有些見不得人了，於是他就無論是那個同學的面巾，拿來在臉上揩了一下。爲了這事，許多同學都討厭他，并且在背後還喊他是隻死老鼠，不顧公共衛生。

自此許多人便把這『死老鼠』的外號送了利仁。

什麼是衛生？利仁壓根兒就不懂這個名詞！他覺得人生在世，至多不過百年。得過且過，所謂『顢頇就是福』。誰還有那種閒心情，來處處注重衛生，白費心機。所以他出去買東西，或者寄信，看見公司裏和郵政局裏的壁上掛着的『請勿隨地吐痰』的牌子，他的心裏就忍不住要笑；他笑這都是中國人要學外國人的樣子。他張大了眼睛，看看四面的人，都在忙着自己的事，誰也沒有注意到他，他便很快地把含在嘴裏已經很久了的一口濃痰，吐在地上走了。

後來他看不慣那些同學們的冷淡的面孔，更聽不慣他們那些諷刺的言語。他很恨他們，甚至怕見到他們的面。於是他在父母面前，徵得了同意。便向學校當局辭退，搬到了家裏來自修。他父母特地爲他省出一間書房來。讓他一個人居，

書房起先倒很清雅，窗明几淨，一些洋裝及線裝書，都擺得秩然有序。然而沒有幾天，就雜亂得幾乎不像是個書房。那些書都不幸遭了離散之災，東一本，西一册的擱着。許多寫了字的紙條兒，也零零碎碎的躺在地上。桌上的灰塵像舖着一層白霜，地上除了那些碎紙條以外，還有一塊塊的濃痰和鼻涕。靠壁一張牀上，被兒團皺，枕兒歎斜，幾件換下來的衣服，捲成一束的塞在壁角裏。空氣是沉濁的，沉濁得幾乎使人窒息。

耳邊已經聽不到那些同學們惡意的笑聲，眼前已經看不到那些同學們可厭的面孔，於是利仁便更加放肆起來；他的臉上塗滿着黑的污痕，他的手上留着許多厚垢，他還是滿不在乎的自樂其樂。

父母自然是任他的性兒。只有他的哥哥看見他這種樣子，就老大的不高興。便揀了一個星期日，到他的書房裏來勸他。

剛踏進房，一股帶些微臭的氣息，就很快的鑽進哥哥的鼻管裏，幾乎使他把早上吃的東西，從肚底直倒出來。急把手掐住鼻孔。才在一把椅子上坐下，望覷那正在沉思的利仁，很誠懇的說：

『利弟！你這幾天怎麼老不出門一步？躲在房裏，從不到外面去走走，於身體是有礙的呀！』

回答是一個令人不可捉摸的搖頭。

『利弟，我眞不懂你是什麼心思？』哥哥繼續着說：『整天的躲在房裏，只和這些死氣沉沉的書作伴，究竟有何趣味？現在雖說是初冬天氣，但公園裏還有些樹的葉沒有落盡，我們現在就去走走吧！你看，你的面孔更憔悴了！你的精神更頹唐了！』

遊公園，利仁就不歡喜這些。自然他哥哥的提議又遭了拒絕了！哥哥睜起失望的眼睛，注視着利仁的面孔。半晌，忽然跳起來，很興奮的說：

『我眞沒有勸你的法子，你老是不聽話！這副骯髒的面孔，你自己也照照鏡子看。這房間裏，前天叫他們替你打掃乾淨的，怎麼又弄得這樣亂糟糟了。你不肯注重衛生，簡直是自趨墳墓！』

沒有回答，利仁用袖子把那快要拖到嘴邊的兩條又黃又濃的鼻涕拭去，仰起頭望着哥哥獃笑。在他那笑影裏，好像是說：

『別哄我吧！注意衛生，不見得便長生不老；不注意衛生，也不見得立刻天亡！』

哥哥帶着失望走了。只剩得利仁獨箇兒在房裏。

利仁在亂書堆裏，找了一本書來看；才看得兩頁，他忽然覺得厭煩起來，隨手把那本書攤開。站起來走到窗邊，推開玻璃窗門，想看看外面的景色。忽然一陣冷風吹來，吹得他渾身發抖。他覺得有些支不住，趕忙閉了窗，皺着雙眉，在房內走來走去。

本來多病多痛的利仁，自從受着那陣風一吹，不幸又害起病來了。起初只果乍寒乍熱，周身不舒服；到後來就連燒幾天，他那本來已是憔悴的容顏，現在更加枯瘦了，兩片嘴唇，也燒得變成紫色。他整天只是在黑暗中討生活！

雖然經過了許多名醫的診治，病仍然沒有起色；這當然不能怪那些醫生們的藥不靈其實他在病中仍然是把那令人發嘔的痰和鼻涕，塗滿了一臉，吐滿了一牀，而且偏又那麼多愁；醫生們也沒有他的法子，因爲醫生的使命只能治病，幷

不能干預別人的行動和習慣。

在黑暗中，利仁又過了一個星期了。病只是一天一天地加重；父母們着了急，便把那苦的藥盡量地向他肚皮裏灌。

利仁雖然有些不願意喝這勞什子，但有什麼法子呢？他只有握住鼻尖，把那苦水一口口地喝下去。然而他也覺得以前太把自己的身體糟塌了。

驀地房門輕輕地開了。他哥哥從外面昂然的走進。利仁看見他那強壯的樣子，心裏便有些豔羨起來。所以當哥哥誠意地詢問他病況的時候，他就把這話問了他：

『哥哥！你的身體，怎麼便這樣的好？從前我不討厭病；因爲病了，茶飯拿上手，什麼事都不用費心。現在我被這些苦水喝厭了。我很希望趕快的好起來！』

這意外的話，反使哥哥希罕起來。他呆呆的望着利仁的枯瘦的面孔，好像是在暗察他這話到底是眞心，抑是假意？半晌，哥哥才微笑道：

『你現在也明白了嗎？病是多麼苦惱的事！你要想病好，這事很容易，只要你能自此刻起，處處注重衛生便得了！從前不是有許多醫生都勸過你嗎？叫你事事要小心。無奈你總不肯聽他們的話，才弄得現在這種病骨支離的樣子。你自此注重衛生，這病便快好了，幷且以後的身體，也會慢慢的強健起來！』

利仁醒悟似的點了點頭，臉上浮着一個微笑。在那笑影裏，包含着無限的慚愧和感激！

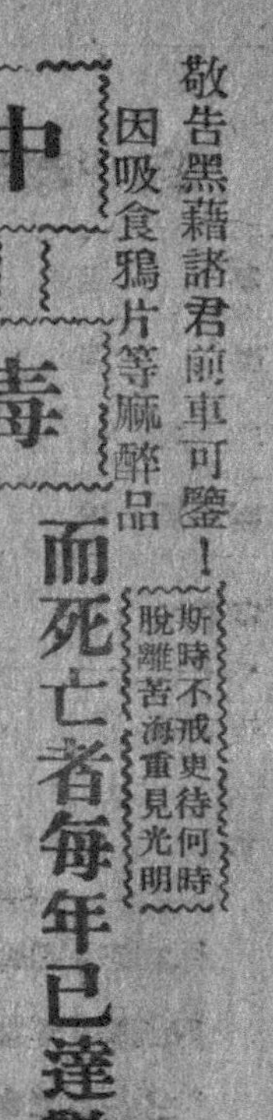

敬告黑藉諸君前車可鑒！

因吸食鴉片等麻醉品

中毒

而死亡者每年已達數萬人

斯時不戒更待何時 脫離苦海重見光明

影響人體生理上局部者分述如后

▲影響於神經系者——鴉片能麻醉腦部，刺激脊髓，因此腦與脊髓，均受其壓制，遂呈麻木不仁萎靡不振之現象、

▲影響於呼吸系者——肺部屢受刺激，呼吸機能漸成麻痺，肺萎肺癆之症，因之而生。

▲影響於循環系者——初覺加血壓，脈血弛緩，繼則血管縮小，脈細而速，若吸大量之鴉片者，必致脉管無力收縮血死。

▲影響於生殖部者——男有陽萎之症，婦有不妊之虞，宗嗣絕望，百病叢生，世人猶樂此不悟，誠可畏哉。

▲鴉片害毒大致已如上述，奈國人不悟，仍多終日吞雲吐霧，沉醉其中，我願世之嗜好此物者，及早回頭，決心戒除矣。（藥房均售）

希望黑籍同志速服馮氏救苦金丹

馮氏斷癮救苦金丹

國難臨頭共謀禦侮，肅清煙毒根本救國。救苦金丹戒煙神效無匹。戒時照常吸煙，見煙自厭，輕癮一二料，重則四五料。絕無絲毫痛苦，安全。斷癮，歷任大總統黎徐曹嘉獎。已風行六十六年，斷癮無數。爲十全十美之戒煙藥王。並世無雙之黑籍救星

戒烟捷徑

函索請向上海白克路大通路口峻芝堂立即奉寄，每料一元五角，函購起碼兩料，寄費加一

衞生雜誌第十四期

中華民國二十二年十二月出版

主編者 國醫張子英

校正者 國醫胡佛

發行者 衞生雜誌社

印刷者 衞生雜誌社

分發行所 中醫書局 現代書局

分售處 各省書局

衞生雜誌定價表（費須先惠）

出版	月出一册	全年十二册
價目	大洋一角	大洋一元
附註	郵費在內	國外加倍
	郵票代洋以一分五分為限	

○社址○ 上海愷自邇路嵩山路口瑞康里二六二號

「梅濁尅星」獨佔優勢
因德國「梅濁尅星」確有勝過種種治療方法之特效
梅濁尅星的殺菌力；勝過透熱電療，
梅濁尅最的消炎力；勝過注入色素，
梅濁尅星的清濁力；勝過注射針藥，
梅濁尅星的淨毒力；勝過局部洗滌，
梅濁尅星的鎮痛力；勝過插入油梃。
梅濁尅星的利尿力，勝過內服各藥，
其能勝過種種治療方法之理由何在？
淋病不能斷根，是因淋菌深伏尿道，爲黏膜所保護，藥力不能滲透黏膜，故終難斷根，表面雖愈，不時復發，德國「梅濁尅星」，具有滲透黏膜之特性，故能澈底撲滅潛伏之淋菌，而達完全根治之目的也！
(一)藥性純正和平絕無障害胃腸，臟腎礙及生育等副作用！
(二)殺菌力特大！爲任何藥物所難及！
(三)成分高貴！善治醫藥罔效之老白濁！
(四)無手術注射之麻煩與痛苦！而功效之靈速，過之！君於購買眞正德國出品白濁對症專藥梅濁尅星時務希堅決指定及認明盒樣（參見以前所登廣告）及猩猩商標以免劣藥混目欺人
德國白濁專藥
梅濁尅星
藥房均售
透膜殺菌
澈底斷根
暢銷四十五國，治愈數千萬人
名醫一致推崇，療淋最高權威
凡注射黃色素等針藥失效之一切新久五淋白濁婦女白帶尿道炎症，服此透膜殺菌澈底根治，絕非市上固濁傷腎妨碍生育之檀油劣貨所能望其項背！
閣下於購買時，務請堅決指定梅濁尅星，並認明盒樣及猩猩商標，以免劣藥蒙人。
上海柯爾登洋行獨家經理
沉湎慾海
難免傳染淋毒
如果因循不治
終身受累無窮
速服梅濁尅星
解除痛苦
淋病療養新書函索附郵二分

增進體內各細胞機能之生活力！
保護細胞以免各種疾病之襲擊！
延老各細胞之無限制的新生力！
亢進各細胞的代謝產物之排洩！

●壽爾康之成分

市上號稱返老還童之一切內分泌物製劑，其功效較著而名譽較佳者，所含內分泌物至多百分之三十三，而壽爾康中乃含有「盼好而蒙」百分之六十六，「盼好而蒙」PAN HORMON 即安特諾醫聖所發明，亦即安氏數十年來苦心研究之收穫，本劑以「盼好而蒙」為主，以各種名貴滋補藥物為輔，併多數名藥為一爐，已老者服之可以回少，未老者服之可以防老，誠開藥物史上未有之紀錄！

●壽爾康之製法

本劑係德國最著名之戚爾鄧大藥廠監製，廠方自置廣大牧場，畜以牛羊猿猴之屬，由獸醫考察，遴選強壯之獸，取普通獸體內之分泌物及各種滋補食品，日日餵之，俟其日益壯健，至相當時間後，乃由有經驗之獸醫，使用靈敏手術，採取其新鮮之內分泌物，再經紫光電提煉消毒，淘汰不良雜質，製成結晶體，名曰「盼好而蒙」，手續繁重，採選艱難，功效極宏：

壽爾康功能

本劑功能補充體內活力之缺乏，滋養內分泌腺之健全，促進新陳代謝之機能，增加其抗病菌之力量，乃亢進全身各機能之完美滋補品，與一般含有毒性之壯陽藥物，甚或假生興奮，藉取一時微效之催春劑藥物，絕不相同！

主治

補腦補血：滋陰益髓
調經種子：保腎固精
防止衰老：抵抗疾病
轉弱為強：廣嗣延齡

功效

神經衰弱：脊髓遺精
未老早衰：腰酸背痛
種子維艱：病後產後
月經不調：赤白帶下

壽爾康說明書
函索即寄外埠
函購寄費免加

分男用女用兩種每盒五元每料三十元男女同價：中央衛生試驗所化驗：

上海 南京路五四至五十六號

柯爾登洋行

HEALTH MAGAZINE

衛生雜誌

第十五期

中華郵政特准掛號認爲新聞紙類
內政部登記證警字第二八二九號
社址上海愷自邇路嵩山路口瑞康里

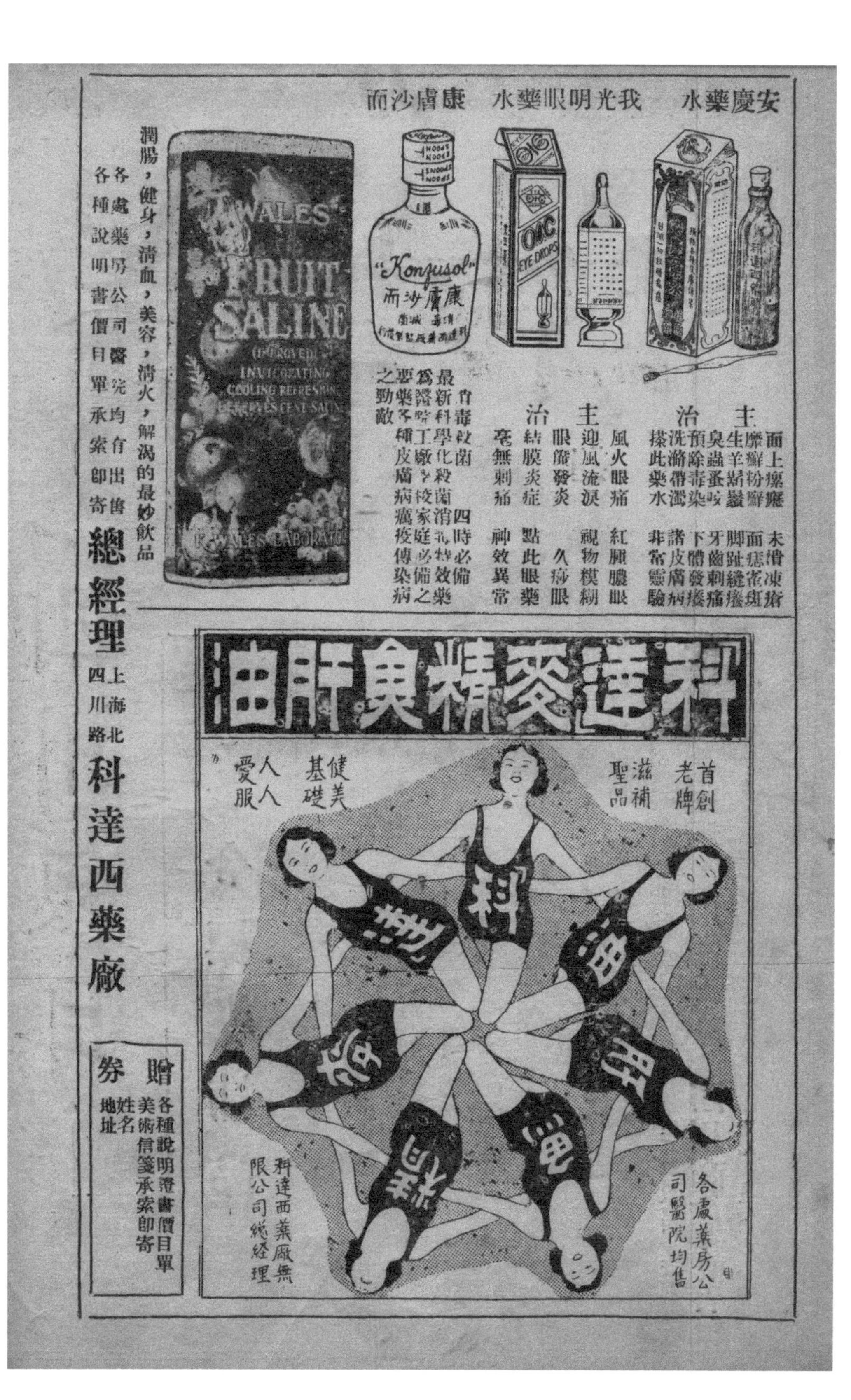
安慶藥水
我光明眼藥水
康膚沙而
主治
面上瘰癧
摩擦粉癬
生羊鬍鬚
臭蟲蚤咬
預除毒染
洗滌帶濁
搽此藥水
未潰凍瘡
面痣雀斑
脚趾縫癢
牙齒刺痛
下體發癢
諸皮膚病
非常靈驗
主治
風火眼痛
迎風流淚
眼瞼發炎
結膜炎症
毫無刺痛
紅腫膿眼
視物模糊
久痧眼
點此眼藥
神效異常
消毒殺菌
四時必備
最新科學化殺菌消毒特效藥
爲醫藥工廠學校家庭必備之
要藥各種皮膚病瘋疫傳染病
之勁敵
WALES
FRUIT SALINE
潤腸，健身，清血，美容，清火，解渴的最妙飲品
各處藥房公司醫院均有出售
各種說明書價目單承索即寄
總經理
上海北四川路
科達西藥廠
科達麥精魚肝油
首創老牌
滋補聖品
健美基礎
人人愛服
科達西藥廠無限公司總經理
各處藥房公司醫院均售
贈券
各種說明證書價目單
美術信箋承索即寄
姓名
地址

本社贊助人

王曉籟　徐賡華
王延松　王鈍根
潘公展　孫籌成
徐乾麟　胡仲持
許世英　張士俊
鄭洪年　金柏生
袁履登　顧文生
鄔志豪　俞福田
陸文韶　趙　沖

本社理事

秦伯未醫士
郭柏良醫士
蔣文芳醫士
包天白醫士
張汝偉醫士
盛心如醫士
朱鶴皋醫士
嚴倉山醫士
朱孟栽醫士
沈仲圭醫士

本社社長　胡　佛醫士
本社編輯主任　張子英醫士
沈仲圭醫士
潘國賢醫士
本社總務主任　繆曙初
本社發行主任　許世正
本社廣告主任　張承椿
陳伯民
朱景輝
本社宣傳主任　張森葆
本社推廣主任　陳錫安
沈伯祿
本社撰述員　全國各大名醫

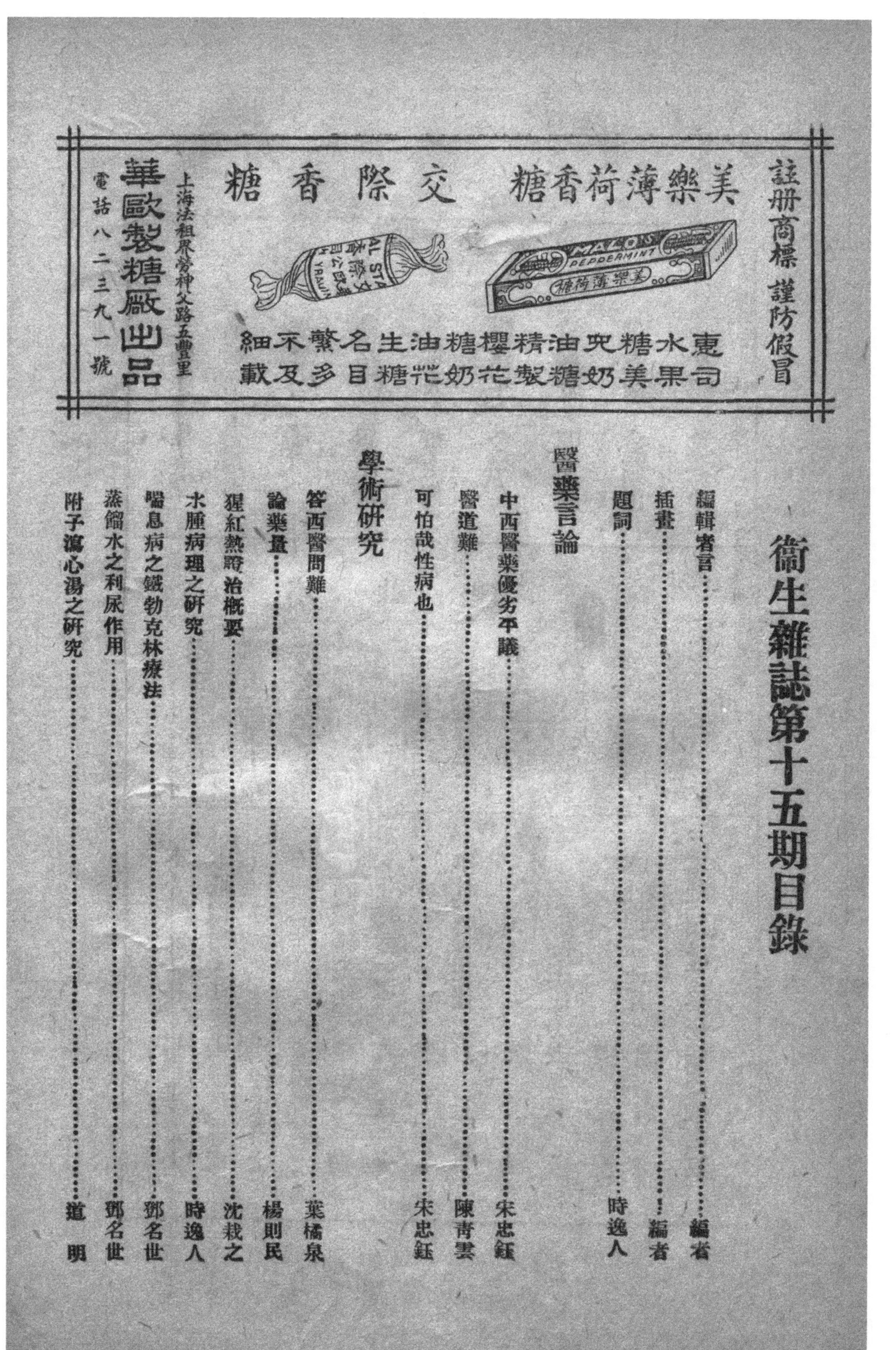

衞生雜誌第十五期目錄

醫藥言論

學術研究

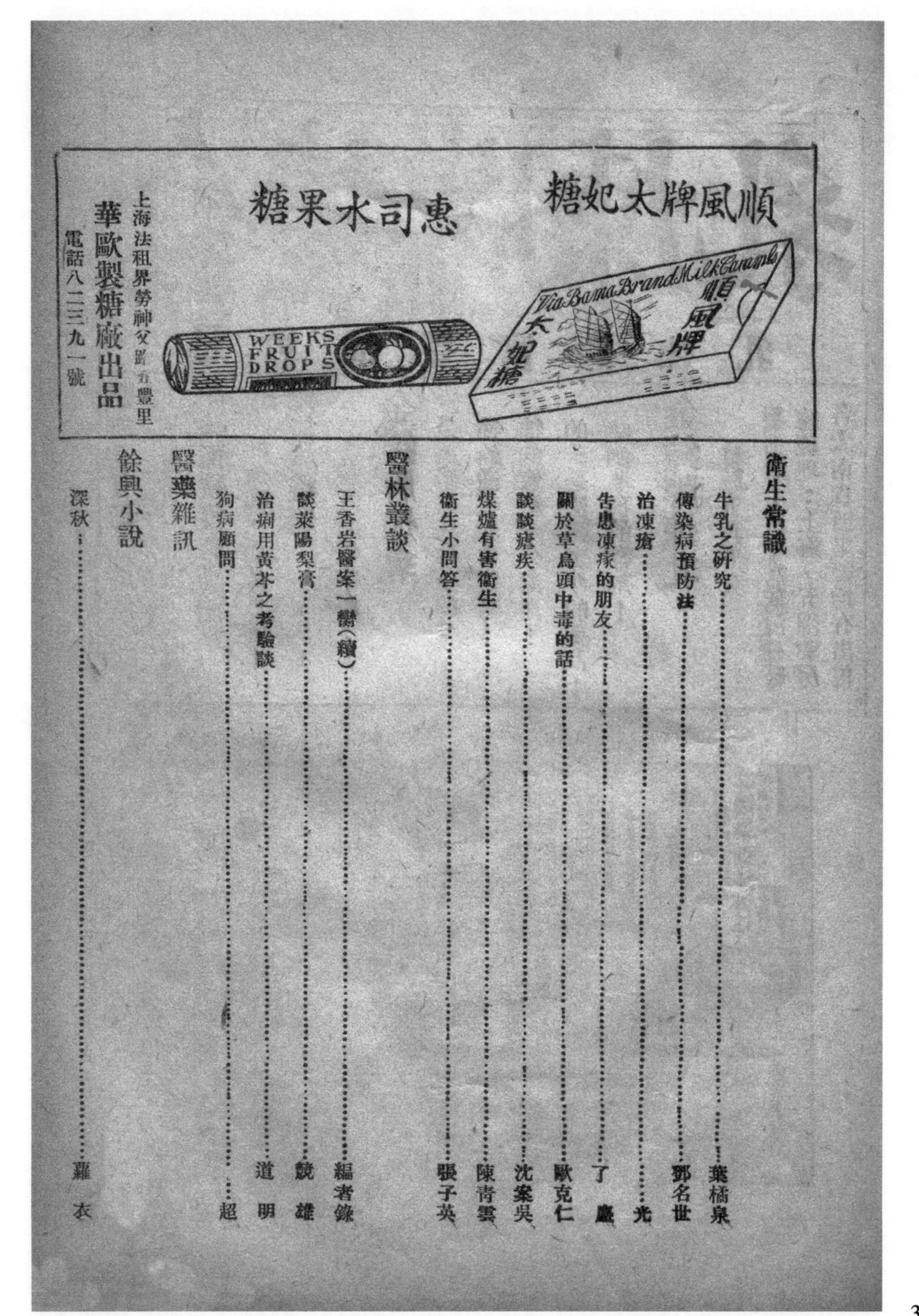

是奶油豐富的煉乳

嬰孩沒有母乳可飲
而飲煉乳，已是可憐！
嬰孩而飲沒有奶油
的煉乳，更是可憐！
你能夠辨別
煉乳的優劣麽？

金鐘牌煉乳
是不給當與你上的。
牠的滋養非常豐富！
牠的質料十分潔淨！
的確是滋補老年的要品！
哺飼嬰孩的補劑！

金鐘牌煉乳
每聽五角五分

製造者：丹麥，依濱生廠
總經理：上海，五洲藥房
各大南貨糖果號均有出售

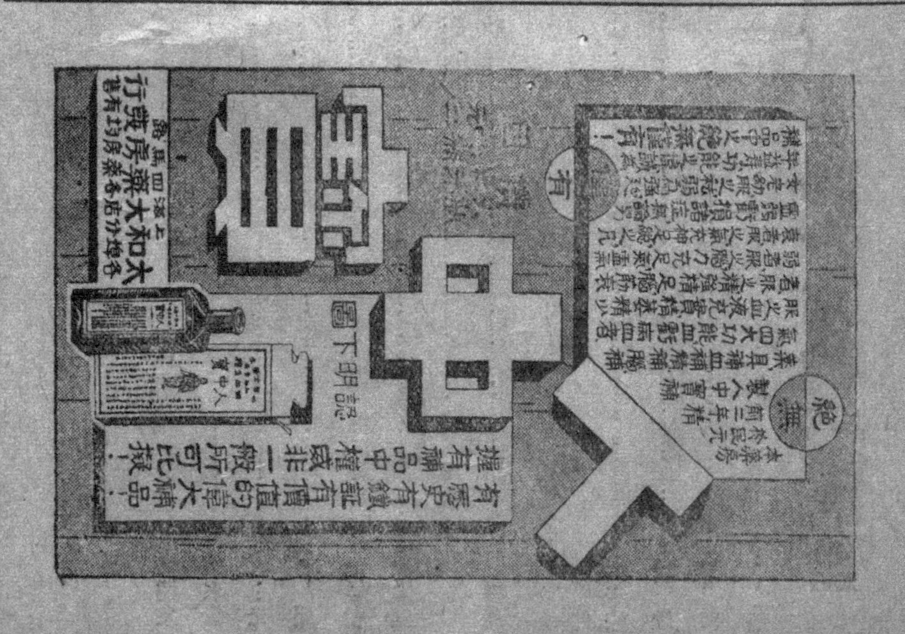

編輯者言

編者

本刊服務社會的宗旨。對各界果然是灌輸衛生常識。對同道是交換新頴醫學知識。不過國人的習慣。還免不去守秘術藏祕方的傳統思想。要知道。醫術以救世爲目的。並不是傳子傳孫的搖錢樹。本刊荷海內同道。撰賜心得之經驗佳稿。固不乏人。然而環顧醫林。肯不惜犧牲精神與光陰。撰述已有心得很具經驗之佳作。投諸醫刊。以供同道借鏡者。實屬寥寥無幾。這就是國醫學術不易改進之原因。有幾位同道。主張改良國醫的診斷方法。但不知道何種診斷方式。最爲適當。也須請同道加以討論。

還有本刊銷行廣大。是全國醫藥界的喉舌。對於維護同道。鞏固國醫基礎的言論。本刊極願披露。務希海內同道。加以注意爲幸。

DOTREN
胃病新藥
獨特靈
胃氣痛爲婦女界之大敵
獨特靈乃胃痛病之救星
要知肝爲生血之機，胃乃消化之器，一旦肝胃失和，則血衰，胃弱，百病叢生矣，大凡婦女情感，較男子爲甚，稍遇環境不良，事不如意，輒憂慮寡備，抑鬱沉悶，於是氣痛隨作，苦楚萬狀，形容憔悴，荷還延不治，必病入膏肓，縱無性命之憂，而終身幸福絕望，慘雲迷漫，暗無天日矣。
山道司大藥廠出品之獨特靈藥粉專治肝胃氣痛食積不化作嘔反酸胃呆食滯胃火胃寒反胃食膈食胸腹飽脹面黃肌瘦一切等症服獨特靈後離不藥到病除神清氣爽身心康泰永遠快樂之域
三公司及本外埠各大藥房均有出售
每盒洋一元七角半
可供二十四次服用
僻偏之處可向本行郵購
上海慎利洋行經理
博物院路十九號

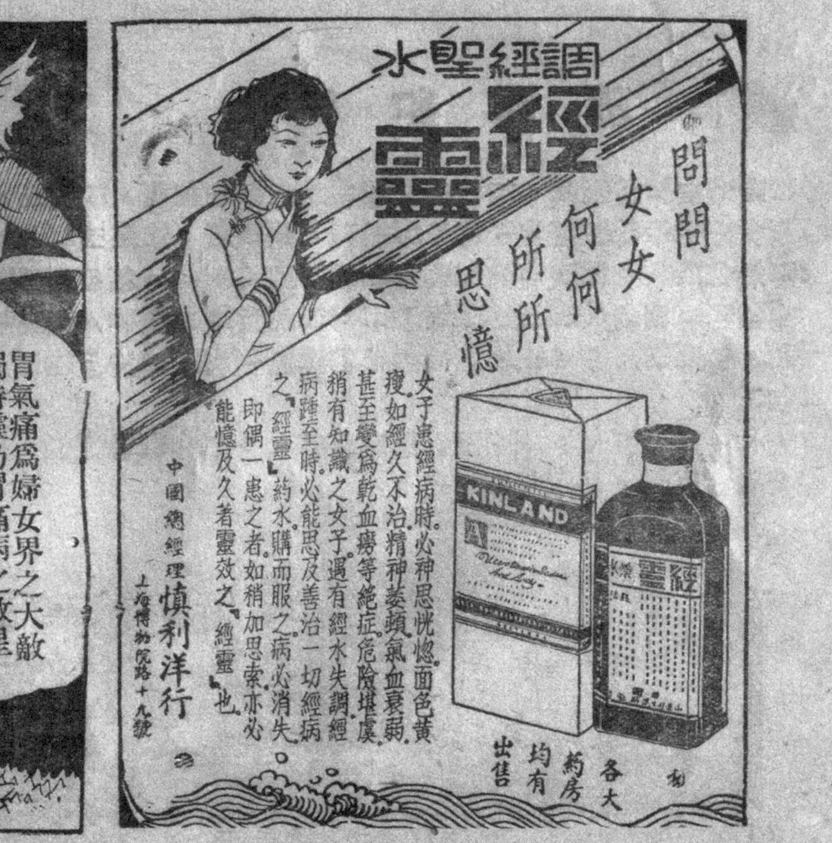
調經聖水
經靈
問女何所思
問女何所憶
女子患經病時，必神思恍惚，面色黃瘦，如經久不治，精神萎頓，氣血衰弱，甚至變爲乾血癆等絕症，危險堪虞，稍有知識之女子，遇有經水失調，經病踵至時，必能思及善治一切經病之『經靈』藥水，購而服之，病必消失，即偶一患之者，如稍加思索，亦必能憶及久著靈效之『經靈』也。
中國總經理 慎利洋行
上海博物院路十九號
KINLAND
各大藥房均有出售

醫藥言論

中西醫藥優劣平議

醫師宋忠鈺

醫不問中西。藥不論中外。有宏富經驗之醫生。以及確有佳良效果之藥品。且眞能除却病家之痛苦者。就是良醫和良藥。余著此篇。毫無成見。不過在余二十餘年中。所見所聞的。公平而論。你不罵我中不中西不西。我就受惠多多啦。從前有人說過這句話。『中西醫各有長短』。後經西醫同仁。也曾駁過的。我今仍要說各有所長。可是我要先聲明一下。自從我在學校畢業以後。我有一個親戚。是前清的御醫。我常常請教他。彷彿得到些一知半解的中醫知識。我又省了些個中醫書。我纔發這個議論。還有一說。我又因爲前幾天報上中西醫打筆墨官司。我想。這又何必呢。我們國家弱到這個樣子。我們大衆應當聯合起來。盡我們醫生的責任。第一。是設法把我們的人種強起來。第二。就是抵制外貨。決不可再鬧意見。否則。就大背我們爲醫的本旨啦。我今先說說中醫。醫學精純。經驗宏富的。固不乏人。而魚目混珠的。恐怕也不少吧。這個原故。實在因爲中國醫書。複雜的很。致使後世學者。如入五里霧中。不知何所適從。漢文明達的人。尙能於此中知所取舍。漢文不通達的。就不堪設想啦。要是再沒有明師指教。這類的醫生。恐怕不會救人的生命吧。我不敢吹牛。陰陽五行。五臟六腑。這些個議論。想要和西醫的病理相符。簡直是不可能。也因爲我的腦力鉛鈍。到現在還沒有弄清呢。要是說起中藥來。眞有不可思議的効果。較之舶來品。實有過之無不及。我用過幾次。是很信仰的。用再造丸治愈初罹病的偏癱二人。用烏鷄白鳳丸治愈產褥熱的六人。就是日本出品的中將湯。不是完全中藥嗎。醫治婦女月經不調。不是很有功效的嗎。况且現在東西洋各國。正在研究中藥日本由中國藥製出之品。已有二十多種啦。我國的藥。外人製出。反到中國來賣。這不是很可恥的事嗎。每年的損失。還不知多少呢。再說西醫。西醫的外科。比中醫好。這話不要我說。無論是誰。決不反對的。可是我從前在遼化開業時。用過一種藥。我寫出來。就可知中國不是沒有好藥。也可以曉得中國人道德心的薄弱了。我有一個友人。家境很富有的。每年配製許多藥施送。有一種醫腫毒的藥丸。據他說是很有功效的。因爲我相信。他送我十九。叫我試驗。沒想到竟用這丸藥。醫好了兩個蜂窩織炎。兩個疔瘡。重症三粒。輕症二粒。這樣的好藥。本應公開的。我向他討藥方。他是絕對的不肯。並且他一口回絕說。『就是我家的姑娘。也不肯傳的。』西醫的內科。不能完全說不如中醫。因限於篇幅。我不能一一指出。容後再詳。不過各有所長而已。要說同藝相嫉這句話。中醫從前實在有這個惡習。例如甲醫診得一病。換請乙醫診治。乙醫必攻擊甲醫。不是藥用的不對。就是病看錯了。再換請丙醫。又要攻擊甲乙兩醫了。西醫則不然。除英美派。德日派。稍有不合外。凡是正式醫師。互相嫉妒的很少。並且甲醫院施行手術。人不足用。可請乙醫院的醫師幫助。這是西醫的長處。然而西醫就沒有壞處嗎。一班不學無術的及騙詐取財的。實無談論的價值外。西藥裏實在毒品很多。偶一不慎。就要發生危險。並且我國人的體質。和西洋人比較。也相差太多了。還有數種手術。不能施行於我國人。毫無醫藥知識的。你不把他醫。是無道德心。你把他醫。他不說這病危險。反說是你醫死的呢。我的主張。以後中醫完全用科學化。我們醫界。不論中西。診斷用西法。治療用中藥。不知將來作的到作不到。還請中西同仁。不要罵我不識相。倘若能實行了。救國救民。

醫道難

陳青雲

昔李白作蜀道難。曰。蜀道之難。難於上青天。吾今作醫道難。曰。醫道之難。難於上青天。醫爲百業之王。惟其難能。所以可貴。范文正公謂我不能爲良相。必爲良醫。歐陽修歸田錄云。士大夫於天下事。苟聰明自信。無不可爲。惟醫不可強。葉天士爲有清一代名醫。易簀時。有遺囑戒子孫云。若輩幸勿輕易言醫。醫道之難。概可想見。古人往矣。姑勿具論。予行道四十餘年。即此數十年中而論。躬親目覩。舉世之所謂名醫者。輕則被人物議。重則被人唾罵。旁觀者知之。當局者不自覺耳。欲求一二白璧無瑕。保全令名者。直如鳳毛麟角。一難也。神農黃帝而後。名賢輩出。方書汗牛充棟。安能一一親覽。目中有未嘗見之書。即手中有不能醫之病。二難也。患病之家。或則迷信神權。仙方亂服。或則不肯忌口。飲食雜投。迨至食傷脾胃。病勢轉劇。反而歸罪醫師。用藥錯誤。人心不古。險詐萬端。徧地荊棘。防不勝防。三難也。醫師診病。看法不同。即意見不合。如葉天

衛生强種

時逸人題

士不佩服薛立齋。薛立齋亦不佩服葉天士。葉氏家懸匾額。顏曰踏雪齋。薛氏家懸匾額。顏曰掃葉山房。二人勢同冰炭。可想而知。珠街閣陳蓮舫。與賴嵩蘭意見不合。陳見賴之藥方。則曰放屁。賴見陳之藥方。亦曰放屁。二人動多柄鑿。可想而知。神州醫學報第二卷第一期。所載徐秉楠何書田佚事。徐先敗而後勝。何先勝而後敗。用藥如用兵。勝敗乃兵家常事。勝不足喜。敗不足憂。忽勝忽敗。忽喜忽憂。如周瑜之遇孔明。孔明之遇司馬懿。互相衝突。易傷感情。四難也。吾嘗謂醫師賺錢。如金鐘盜酒。隋珠彈雀。以無限之心血。易有限之錢財。最爲可怕。予閱歷數十年。其中千曲百折情形。令人實難言狀。醫理無窮。做到老。學不了。稍有疏忽。難免誤事。診病人多。醫壞人亦多。醫病人少。醫壞人亦少。非過來人。不知其中甘苦。世有僥倖治愈一人。輒志得意滿。睥睨一切。旁若無人。亦未免器小易盈。坐井觀天矣。吾故曰醫道難。

(按)晚近時醫。如葉天士薛立齋陳蓮舫輩者。能有幾人。然葉天士臨證指南一書。被後人批駁者。不乏其人。薛立齋被徐靈胎罵爲千古庸醫之魁。滿清慈禧后光緒帝患病。召御醫陳蓮舫治療竭力信仰。倚若長城。乃服藥後。二人病勢皆日重。迨萬分危險時。陳醫謂伊母子二人皆無救。將來是母先亡。不料是光緒先亡。以揚名中外之御醫。既不能救人之生。又不能料人之死。足見醫道談何容易。彼不及古時名醫。謂人莫已若者。更無謂矣。

俗諺云。聖人有三錯。吾輩一世爲醫。安有不錯。不過醫師之錯誤。是無心誤犯。非有意故犯耳。如爲名醫起見。謂我處處無錯。便是欺人之談。昔南京名醫葛仁齋。生涯暢旺。家貲數萬。一日夜間。有人請醫。葛乘輿往。至一室。燈火暗淡無光。俄頃。一人出云。爾認識我乎。我卽數月前。是爾所醫死之某人也。現在我一家老婆兒女。飢寒交迫。度日爲難。我欲向爾索命。非請爾醫病也。葛嚇得魂不附體。抱頭鼠竄而出。嗣後便發神經病。不克行醫。家亦衰敗。閱以上數端。令人不寒而慄。予願與　諸君共勉之。

可怕哉性病也

宋忠鈺

余今談起性病來。眞是不寒而慄。况且患性病者。並非完全無知識之人。卽人格最高尚之學生。亦有許多患性病者。眞是一件可痛的事。上海花柳病院。雖然很多。因無確實的調查。所以患性病者。難以知其詳細。前天余在大晚報上。看見北平之檢查妓女表。妓女二千五百餘人。患性病者。竟有一千九百餘人。平均算起。有七十%強。再照每一妓女。傳染三人計算。就有五千七百餘人。這五千七百人。再傳染自己妻妾。又不知有若干人。看起性病來。眞是可懼之至。北平實無上海繁華。妓女也無上海衆多。余今設一密算。比北平加多三倍。約有妓女萬餘人。以七十%計算。卽有患性病者七千餘人。如此下去。是一天多似一天。並且患性病者。多是有爲之青年。若不速謀補救方法。人種卽一天比一天衰弱。種不強。國能強乎。是在行政當局。有以善其後耳。余意娼不必禁。倘禁明娼。暗娼必日益加多。最要者是「檢梅」。凡妓女患性病者。令其停業。入院治療。病癒後方准其營業。妓女之在租界者。我國當局。亦可請准租界當局。合辦或自辦。須知在租界內。患性病者。仍是我們同胞。爲民族前途計。檢查梅毒。實爲我衛生當局。不容稍緩之第一要政也。

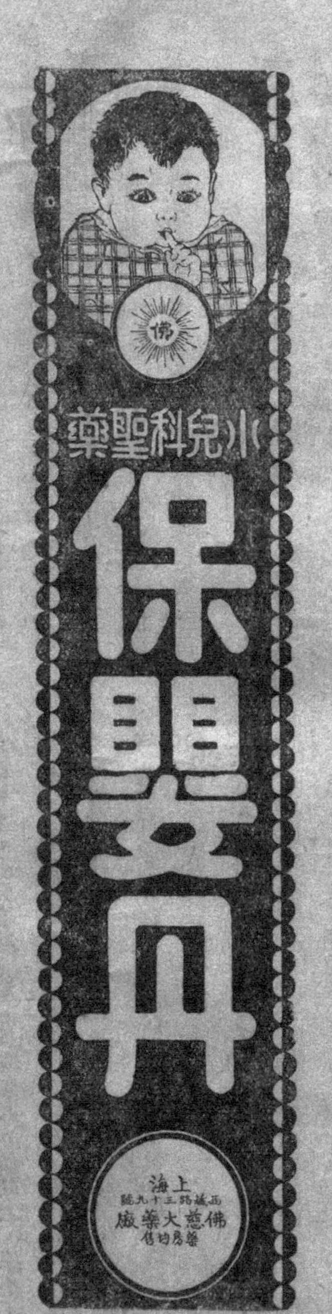

學術研究

答西醫問難

同仁醫院許持平問
雙林國醫葉橘泉答

（問）老人及虛弱之人。小便頻數。在中醫每謂腎虛。考腎臟雖主濾尿。而慢性腎炎及腎病。祇見尿量短少。從未見頻數者。此理究屬何解。請將用中醫補腎能治小便頻數之理。詳爲解釋。

（答）小便頻數。多見於老年衰弱。及營養不良之人。國醫舊說。稱謂腎中陽虛。換言之叫做命門火衰。用國藥溫腎壯陽之劑。如覆盆子、菟絲子、熟地、附子、鹿角、肉桂、………等。每獲確效。蓋國醫學說。係古人當時從療効上推測假定之辭。所謂腎虛陽衰者。其實卽膀胱及輸尿管肌細胞衰弱。括約肌無力之代名詞也。以上所謂溫腎壯陽之藥。乃具有強壯該處細胞。及恢復其生活力之功效。所以中醫學說。涉及陰陽五行。饒有玄學色彩。毋庸深諱。而國醫治療。確有顚仆不破之眞正學理在於其間。吾人生當二十四紀科學時代研究國醫藥學理。尤宜以近世之生理病理探求藥物之療效。以科學爲依歸。而改進舊說。以期古人從經驗所得知其然而不知所以然之國醫藥學說。發揚光大。得躋於世界醫學之場。固引爲天職。竊將中西隔膜之問題。多多提出討論。鄙人當竭其所知。舉以爲答也。

（問）中醫所謂肝氣、胃氣、肝火、肝陽等名詞。究屬何種病理。有何區別。

（答）肝胃氣之「肝」。非解剖上「製造胆汁之肝」、「胃」。却是消化器主要傢伙之胃。「氣」尤其不是呼吸之氣。肝胃氣的眞正病理。卽是精神不快樂。憂思縈慮。因腦而累及胃之消化不良。胃神經痛。鬱悶不舒。蓋古人所謂「氣」者。泰半屬之「神經」。（神經初譯作腦氣筋）如怒惱謂之「發脾氣」。暴躁謂之「肝火旺」。胃神經障礙或痛或嘔謂之「胃氣不和」。恚悶謂之「怒氣傷肝」。頭痛目赤。腦筋現充血狀者。謂之「肝火上升」。發熱熱入腦筋。神經與奮。而現顫動抽搐等象者。謂之「肝陽上冒」。「肝風動」。總而言之。肝氣、胃氣、神經性胃病也。肝火、頭腦充血性病也。肝陽、肝風、腦部運動神經中樞病也。推而論之。腦出血之謂中風。亦牽涉於肝。謂肝陽上冒。內風鼓動。雖與生理解剖上之肝。風馬其牛。毫不相涉。而投與古人經驗上所謂「疎肝理氣」之劑（實係弛和神經健胃之劑）如香附沉香……等以治肝胃氣病。「平肝瀉火」（實係降低血壓消炎之劑）如黃連山梔……等。以治肝火。「柔肝息風」（實係清腦安神）如羚羊角純鉤菊花……等。以治肝陽肝風。往往奏効。此病理上之區別。固是不同。而古來醫藥學說之同時錯誤。幸先獲療效。而後推求說理。故仍無礙於治療耳。

（問）嘗見中醫書有「心血不足則神煩」。「心火不足則神怯」二語。究作何解。用何中藥。心是否即大腦之知覺中樞。

（答）心血不足則神煩一語。古以心屬火。血屬陰。心血不足。換言之。可謂心陰衰弱。神煩。即是煩躁不欲寐之證而現衰弱證狀者。此殆虛弱而現神經虛性興奮之病。多見於肺癆後期。及產後或老人久病後等。用酸棗仁湯及柏子仁等。攝斂神經之虛性興奮。及地黃龍眼等。滋養血液。以營養神經。

心火不足則胆怯。則其證多含寒性陰性不發熱之神經病。如歇斯的列阿癲癇等。且此種心神怯弱病。往往伴有停痰蓄飲。病人畏寒面白。心悸胆怯。用中藥所謂「溫宣心陽」之劑。（實係神經興奮藥）如菖蒲甘松遠志及溫胆湯之類。以化痰蠲飲。往往見效。心實即知覺中樞。而火之有餘不足者。蓋以病機之機轉。現衰懈與興奮之分耳。古說之不足與陰症。有餘與陽症。無論在何處。均可作退行性與進行性爲別也。

（問）中醫有肺合大腸之說。有人謂病者大便燥結。用潤肺藥。往往獲效。其理由究何在。

（答）某藥治某病則有之。至謂某藥走某經。入某臟之說。則鄙人不敢贊同也。大便燥結。用潤肺藥而效者。即如杏仁瓜蔞仁天門冬麥門冬花粉知母……等。蓋杏蔞之仁有油。能潤腸。天麥冬液多。滋潤其燥。花粉知母。亦有洩熱潤燥之功。至以上各藥。尚有鎮咳潤喉化痰之効則有之。何嘗專走肺經。可謂肺家專利之藥物乎。但肺合大腸一語。現在既不能證明其理由。又不能反對其事實。他姑不論。祇以肺癆後期有兼發腸結核或肛門潰瘍者。斯時上則咳嗽。下則瀉利或漏膿。據經驗所見。往往咳嗽減則瀉甚或膿多。而或瀉減瘍斂。則咳必劇。此長彼消。如響斯應。此項代償之作用。究不知是否肺與大腸相合之關係。姑留諸後來再說。

論藥量

楊則民

國醫用藥。自來無標準藥量。高下隨心。各安其素而已。即以仲景方論。有以古之一兩卽今七分六厘者。(見吳醫彙講)有以爲卽今六錢者。(張景岳)有以爲卽今一錢者。(李時珍)有以爲卽今二錢者。(徐大椿)有以爲卽今三錢者。(陳修園)有以爲卽今三錢二分五厘者。(東醫寶鑑)有以爲卽今五錢一厘一毫者。(章太炎)有以爲卽今三瓦等于八分四毫強者。(湯本求眞)有以爲卽今三分四厘八毫者。(日人小島氏)此外異說倘多。舉此亦足見其惑亂矣。照此爲考古之事。其說雖岐。猶無害於眞際。獨至臨床用藥。亦各隨其成心而施之。此眞全世界之怪現象矣。是烏可以不論。

近百年來。國醫之宗東垣與天士者。主用輕量。柴胡不敢用一錢。干姜泡淡猶只用四五分。石羔煨后只用四五錢。吳茱萸則僅用七八粒而已。總之。一切有作用之藥物。用量無不輕微。至於宗仲景與張景岳者。大抵主用大量。一反其道而行之。然藥量雖差。而皆能治病。皆能門庭若市。雖彼此攻訐。而無誤於治病之事實。此極可商論者也。

東人之治漢醫者。其藥量較國醫輕至四五倍。而治病有效。與國人等。論者謂東人體質不及國人遠甚。故國人之有効量。對東人爲已逾堪受量。反之。東人之堪受量。對國人爲不足之有效量。然此說殆似是而非。蓋國人之業西醫者。每據日本藥局方之藥量。以施於國人。其效皆同。是體質厚薄之說。未可信也。

若以余見聞所及而言之。則除毒劑外。無論寒熱劑。似可高下隨症而用之均效。謂某藥不得逾錢。否則竭肝陰。動肝陽。刼胃汁者。皆癡人說夢也。蓋國藥十九無毒。且多爲生藥。有效成份每與其他成份和合。而不顯其偏性。當配劑時。又各守成法。或寒熱間用。或攻守同施。有拮抗節制之用。無單刀直入之勢。故可無標準藥量。而高下隨症用之有效也。謂余不信。試觀下例。

抗市一月前。有何醫生。來自廣東。能用大劑治病。而奏良效。門診之盛。全市稱首選焉。其人崇信運氣。難與談醫理。顧治病用藥。則具胆識。自謂得諸異人傳授。要之。千餘年來。能用大量治病而不傷人者。當首推何君矣。玆選其十餘方。以公於世。且以賬溫熱家忌用溫藥之膽云。

一、樓錦和　腫脹症危

泡附子四兩　雲苓二兩　乾姜四兩　煨肉果一兩
花　椒四兩　法夏一兩　蒼朮二兩　黑胡椒一兩
服一帖

（次診）泡附子六兩　煨肉果兩半　雲苓二兩
白朮四兩　乾姜五兩　北細辛八錢　川椒四兩
白胡椒一兩

（三診）泡附子三兩　乾姜五兩　北細辛一兩
泡蒼朮三兩　雲苓二兩　煨肉果兩半　生半夏一兩
桂枝尖一兩

（四診）天雄三兩　煨肉果兩半　生半夏一兩
桂枝尖兩半　北細辛一兩　橘紅四錢　良姜四兩
雲苓三兩（結果其病全治）

二、某姓　肝旺腎虛心弱

柏子仁六錢　益智仁五錢　覆盆子五錢　雲苓四錢
萸肉五錢　五倍子二錢　金櫻子六錢　服後有效與否未詳

三、竺鳴濤（前浙江保安處長）夫人　腎陽升陰凝

草果六錢　天生於朮六錢　桂木乾四錢　柏子仁去油八錢
姜炭五錢　炙草三錢　雲苓五錢　姜夏五錢　服後大效

四、潤甫兄　無案

白朮二兩　炙草二兩　乾姜八兩　茯苓三兩　綿芪二兩半
姜夏六兩　益智仁六兩　柏子仁去油六兩　破故子六錢
金毛狗脊一兩　川杜仲一兩　雲苓六錢（此四味先煎）
紅棗十枚

五、王澂瑩（浙江財政廳長兼國醫館長）酒濕入足痰多且吐

枳椇子三兩　川加皮一兩　車前子一兩　茵陳八錢
原半夏八錢　葛　根六錢　雲　苓一兩

六、黃太太　頭暈全身脹

蜜炙天麻　藁本　草果　醋製香附各六錢　白朮
巴戟肉川故子各八錢

以上計六例十方。其藥量之大。殊可駭人。然用之竟無害而且能愈病。且應診者。皆杭市縉貴及摩登小姐。所謂膏粱之人也。乃竟有此堪受量。寧非奇事。豈異如鄙人所謂除毒劑

外。無論寒熱劑皆可高下隨心而用之乎。願當世賢達有以教之。惟嘗附告者。上例除竺夫人與樓錦和二人爲就蓐重病外•其餘皆健康如常者。

(編者按)楊先生係浙省中醫專校教授。其治醫學。貫通中西。此文原由沈君仲圭代廉君文熹徵求。預備刊入醫報之國藥專號者。今廉君復惠交本社。囑爲披露。深恐楊先生未悉底蘊。特附數語。以明此稿原委。

猩紅熱證治概要

吳江 沈栽之

猩紅熱爲惡性傳染病之一。我國古時無此病。考此病之發源地•據西籍所載。在北美洲及歐洲西北一帶。上海租界初次發見死於猩紅熱之病者。在西曆一八七三年。(即同治末年之時)。即舊說之爛喉痧是也。亦曰爛喉丹痧。亦曰紅痧。亦曰疫痧。葉香巖醫案。稱雍正癸丑以來。有爛喉痧一症。嘉慶辛酉虞山陳耕道編疫痧草。論此病最詳。近世西醫雖知此症乃一種連鎖狀菌爲病原。惟猶未公認。然對於此症之特異證狀•鑑別甚明。爲舊說所不勝。爲曰發疹必先發於頸部。及胸部。狀如塗紅墨水於皮膚。其色非常鮮紅。成大薄片。爲一切疹點之最。口唇則依然蒼白。週圍無疹。此其特異之點也。而本症之舌。亦與他症不同。初有苔如灰白色。或黃白色。後漸漸脫落。呈鮮紅色。乳嘴腫脹。突兀不平。望之爲爛楊梅。與貓舌相似。又如覆盆子狀。按以上數端。爲白喉痲疹等證候所無。足可據爲診斷之標準。舊說論此。以爲感天地之癘氣等爲祟。凡人口鼻之氣。上通於天。天有鬱蒸之氣霾霧之施。人自口鼻吸入。着於肺胃。肺主咽喉。故發爲疫痧兼爛喉也。明清諸賢。固知受病之由。決非單純六氣所能範圍。在六氣之外。必尚有一種主動力。然又不識細菌之爲物。無以名之。名之曰瘴氣戾氣耳。然究其主動。則在微生物也。西醫對於治療此症。無甚特長。端賴衛生食餌。病室須空氣流。食物則取流動質。每日行攝氏三十五度之微溫浴二次。浴後。以五%之石炭酸軟膏塗布皮膚。硼砂嗽口。若見心臟衰弱。用葡萄酒內服。或用樟腦皮下注射。高熱時。用冷濕布纏絡。或用下劑。若夫國醫。則以辨證爲主。不尚理論。對於此證之治療。方法頗多。比之西醫似覺完善而有效。况猩紅熱之症象。變態百出。未必能如普通醫書所云•順序發現。其種種症狀。幾難以盡述。稍不加意診察。易誤認爲普通喉症或白喉症也。如其症初起。惡寒發熱。咽痛煩渴。必須再參以脈膊。是否較體溫頻數。（脈膊每分鐘可120至140 之多）因普通喉症與白喉之脈膊無此頻數。斯時當透表。稍佐清裏。使病毒從皮膚排泄體外。庶紅疹透於肌表。疹既透。所謂邪從外洩也。其喉痛亦可隨之輕減。若咽喉有腫痛腐爛者。外用玉鑰匙散頻頻吹之。如見面若塗硃。痧不出肌。兼見上吐下瀉。腹痛如絞。甚至發厥口噤。神昏目閉。舊說謂內夾濕滯痧穢。外感戾毒。暴寒折伏。表裏爲病也。卽西醫所謂毒素已入血中。現沉重之腦症狀。而兼泄瀉。此乃重症猩紅熱。最屬危險。十難救一。此時當急急透表升提。宣閉開竅爲主。清裏和中佐之。能得暢汗。痧遂外達吐瀉停止。或可稍有生機。否則其不致危殆也亦幾希。若有已出而復沒者。乃風寒所遏而然。須用升透等劑。依丁甘仁先生用升麻葛根湯加荊芥牛蒡子桔梗浮萍草櫻桃核枇杷葉等內服。外用芫荽酒。苧麻蘸酒揩之。倘體質素弱者。紅疹不能透達。可用透邪煎。或柴歸飲以扶正達邪。苟早用寒涼。則皮膚收縮。而病毒遂不得外泄。於是體溫增高。咽痛愈劇。甚至潰爛轉劇者多矣。惟疹已出全。熱度仍高。方可用寒涼瀉熱藥。熱淨。而病亦自愈。總之。治療此症要在臨症時。詳細辨症。有此證卽用此方。然非逆料所能範圍。全仗醫家之審慎周詳。且喉痧以得汗爲佳。得汗則易發。發則其毒外解。至於病房之溫度。亦須留意。不可過冷過熱。宜在華氏表六十餘度爲適當。空氣雖須流通但不可有風。若用火爐。爐上最好置一開蓋之水壺。使散佈水蒸氣。以免乾燥空氣剌激咽部。本篇對於猩紅熱之診斷與治療。提綱挈領粗具規模。學者本此離形詳攷博採。則於猩紅熱一症思過半矣。

（編者按）沈先生原係商界中人。因愛子喪於瘄疹。乃憤而學醫。從章次公先生遊。爲時未及一載。而其成績。已非時下僅讀醫宗必讀湯頭歌訣等書之市醫。所能望其項背。益信天姿聰穎。漢文通達者。從事國醫。其進步之神速。往往出人意表。沈先生不過個中一例耳。

水腫病理之研究

時逸人

液體蓄積於組織。或體腔內。通稱爲水腫。滲潤於皮下結締組織者。則呼爲浮腫。從其所在部位。有種種名稱。如心囊水腫。腦水腫 。胸水腫。腹水腫等類。 其發生之原因。以生理上毛細管內皮細胞。分泌液狀成分。名淋巴液。滲潤組織。以供給組織。以供給組織之營養物。并能吸收組織代謝產物之老廢成分。自組織腔。輸入淋巴管。經淋巴幹。而入大靜脈。設淋巴液分泌太多。淋巴管不能盡量吸收者。停滯於組織內。則成水腫。據醫家之考察其種類有五。分述於下。

(一)毛細管分泌亢進之水腫。此項又分三種。

(甲)血管神經性水腫。及麻痺性水腫。

1,血管運動神經麻痺。或興奮。致毛細管分泌增多。而成之水腫。吾國通稱氣腫。內經謂之膚脹。

2,麻痺性水腫。多生於組織液缺乏。運動不良。神經起救濟作用。筋肉援助太過。或半側麻痺。或四肢全麻。古醫謂之痛風身腫。

(乙)炎症性水腫。乃由於高熱劇冷。外傷、中毒、傳染病等。致血管壁起變化。而分泌增加。富於蛋白質。又多白血球。且有凝固性。其症狀爲寒戰、發熱。頭痛惡心。皮色赤濁。溺短赤澀。

(丙)惡液性水腫。及腎臟性之水腫。

1,惡液性水腫。一名淡血性水腫。乃因血液之水分太多。或蛋白質減少。而爲淡薄之血。同時其血管壁亦起變化。血液之水分。乃滲出血管。而爲水腫。其症狀。先腫於眼瞼、唇、鼻、頰、頸。後及於腰腹四肢。用手壓之。皮不凹陷。

2,腎臟性水腫。亦稱腎炎性水腫。因心臟衰弱。全身鬱血。致腎盂生局部炎症。不能盡其輸尿之功用。血中水分。因鬱滯而增加。同時排出蛋白質。故血中蛋白質減少。其症狀顏面先腫而周身之腫繼之。辨別以心臟病。先腫足踝。腎臟炎。則先腫於顏面及四肢。

(二)充血性水腫。又名局部性水腫。身體某部份。如皮膚。鼻粘膜、喉頭、氣管左側、右側、上肢、下肢、顏面、腎囊、等。局部之水腫。實亦含有神經性水腫之性質。蓋其原因。亦爲血管運動神佐障礙。故或偏、在左。或偏腫在右。或但顏面腫。或但腎囊腫。如麻疹。結節性紅斑、匐行疹等。皆屬之。

(三)心臟性水腫。又名鬱血性水腫。因心臟瓣膜病。或代償機能障礙。全身鬱血。血壓停滯。其液狀成分。自小靜脈、毛細管壁。漏出於體外組織。則成水腫。因鬱血故。所以皮見靑色。呼吸困難。

（四）因還流障礙之水腫。身體中之淋巴管。有多數連合枝。故雖一部份障礙。决不發生變化。惟胸部之大淋巴幹等。苟有病變時。凝結在上。則爲傷寒論中之結胸病。凝結在下。則爲腹水。（西名乳糜性腹水。吾國通稱爲單腹脹）。又淋巴液滲透於膀胱之內。則發現乳糜尿。

（五）塡充性水腫。由組織缺損。壓迫消失而生。其主要症。見於頭蓋腔及脊柱管內。如腦髓、或脊髓之一部萎縮消耗。其腦汁。髓液增加。而塡充其萎縮消耗之處。故名。

根據上述之考察。除第五項無治法外。第四項屬於單腹脹。與水腫症不同。其血管神經性水腫。如膚脹。痲痺性水腫。爲痛風身腫。治法處方。皆與水腫有別。至中國醫書。所謂之陽水腫。包括炎症性。及充血性水腫。因六淫外客。飲食內傷。症雖屬實。而有風、熱、濕熱、積熱、瘀熱、之辨別。所謂之陰水腫。包括心臟性。腎藏性。及惡液性之水腫。因情志操勞。酒色過度。症雖屬虛。而有虛寒虛熱之不同。及腹水、石水、之各異。所當分別論云。

喘息病之鐵勃克林療法

鄧名世譯

馬克福耳氏於最近三年中。用鐵勃克林治癒三百名喘息患者。結果非常良好。起初每隔二日或三月注射一次。每次用千倍郭霍氏舊鐵勃克林。•一立粉•行皮下注射。後乃漸次延長注射之時間。每隔一星期注射一次。治療全癒時期。平均爲六個月。

蒸餾水之利尿作用

鄧名世譯

格拉奈兒氏對於尿毒症及一切泌尿器疾患。常投以二百瓦至三百瓦之蒸餾水。頗有利尿之效。且能減除血液中之尿素。食鹽及尿酸。他若血壓過高及尿結石症亦可用之。此蒸餾水須在食前飲之。飲後須向右側橫臥二十分鐘。

（編者按）患白濁者多飲開水。使小便暢利。於病大有裨益。由是以言。蒸餾水不但治尿毒症尿結石之泌尿器疾患。並可治局部的傳染病也。

以上二則譯自一九三三年八月號治療學雜誌。

附子瀉心湯之研究

道　明

附子氣味。辛甘大熱。其性純陽。其用走而不守。通行十二經無所不至。發散宜生用。峻補宜熟用。凡中風痰厥心腹冷痛脾泄久痢寒濕霍亂氣虛腫滿諸症。皆當審其氣體之偏而加用之。庶乎有濟。黃芩氣味苦寒。瀉中焦實火。除脾家濕熱。酒炒則上行瀉肺。姜汁炒則定嘔開痰。凡熱痢寒㿗黃疸消渴熱咳失血胎動不安胆火目赤諸症當隨便取用之。枯芩一味。能瀉肺火淸肌表之熱。黃連氣味。苦寒入心瀉火。入肝涼血。達上焦用酒炒。達中焦用姜汁炒。達上焦鹽水炒。達血分用醋炒。此製藥之良也。凡熱痢酒毒肝氣暑溫霍亂諸症。皆當相機用之。大黃氣味苦寒。入足太陽手足陽明厥陰諸經血分。生用力峻。酒製則能引至至高之分。以達病所。凡暑濕下痢宿食停滯前後不通實熱吐衄諸症。皆當用之。

衛生常識

牛乳之研究

葉橘泉

本誌十四期滋補特刊「十種最優秀的冬令補品」一文中。對於牛乳。曾略加討論。今又承湖州葉橘泉醫士惠寄此篇。詳論牛乳之品類性狀成分功效服法。洋洋二千言。可謂專論牛乳之巨著矣。吾深願男婦老幼。日飲此滋養豐富之瓊漿。以健腦強身也。且此物乃動物。乳部分泌之液汁。非絕對的葷食。皈依三寶戒殺生之居士。似亦可飲之。

人們一到了冬令。差不多都要討論吃補品的問題。什麼膏滋藥呀。大補丸呀。鷄蛋呀。牛乳呀……等等各有各的益處。而都有養生的功效。就中牛乳最爲普遍。如罐頭牛乳。牛乳粉。鮮牛乳等。充斥市場。服用便利。著者先把牛乳的品類功效和應用。略談一下。

牛乳之品類

「牛乳」LAC.(COWSMILK)爲從母牛乳頭內擠取之乳汁。其品類大有良劣之不同。蓋牛乳身體之健全與否。飼養方法之合宜與否。擠取手續之清潔與否。罐頭牛乳及牛乳粉等。製煉方法。合理與否等。在在與擠取後營養上大有關係。乳牛體最易患者爲結核病。倘取乳之牛而患結核者。服用其乳。則勢必傳受其患。此不但不得其益。而反受其大害。所以吾人服牛乳時。亟宜謹愼將事。切勿可貪圖便宜而購劣品。海上因牛乳需要供給日繁。而乳牛牧場亦日漸林立。衛生行政當局。有鑒於品類之不齊。深恐不潔之乳傳染疾病。因有管理及檢驗牧場牛乳之舉。發給執照分合格之乳爲AB兩種。A字執照的。係檢驗後認爲最清潔無毒者。B字執照的。爲牛棚飼養尚合清潔。而未經消毒者。故吾人如服用牛乳。須服A字級者爲妥。至於罐頭煉乳。及乳粉。亦須注意。幸勿爲劣品所誤。

牛乳的性狀及成分

白色或黃白色。呈兩性反應。有一種固有之臭氣。味微甘。比重自一、〇二九、——一、〇三四、其主要成分爲水。蛋白、脂肪、乳糖、鹽分、水之分量占百分之七五—九一、脂肪之含量。百分中占二至七以上

一日中牛乳所含之脂肪。以晝乳爲最多。晚乳次之。早乳尤

少。故飲牛乳者。以耆乳爲最佳。

牛乳的醫治功效

能破血養生。治嘔吐不止。宜加石灰水四分之一和服。常服治久瀉久痢。積滯。尿帶雞蛋青類。外用則和饅頭屑作敷藥。能消炎散腫。(化學實驗新本草)按和石灰水服者。因乳中含脂肪極多。飲之易引起腹瀉故耳。

牛乳之服法

新鮮牛乳。每次用四兩或八兩。煮沸後服之。以防微生物之混入。罐頭牛乳或乳粉。每次用二三匙。用沸透之水一茶杯冲服。罐頭牛乳開罐後。冬日須七日服完。夏日須三日服完。若歷時過久。乳質變壞。服之有害。小兒冲服。以稀者爲佳。厚者不易消化也。

牛乳之處方

(一)牛乳四兩煮沸。加入石灰水一兩。(以生石灰二三錢。投入冷開水一茶碗中。用筷攪拌。徐待石灰沉下。乃取其面上之清水一兩。備用。)混和服之。能治嘔吐。(二)牛乳十二兩。煮沸。加紹興酒三兩調和。用清潔之布。濾淨渣滓。加白糖少許。凡胃不消化。飲食不進者。服之甚佳。(三)鮮牛乳六兩。煮沸。離火。用生雞蛋一枚。去殼混入。再加白糖及紹興酒少許同服。每日三次。凡患肺病及熱症身體虛弱者。服之最宜。(四)鮮牛乳煮沸。及稀粥各半。調和。隨量服之。此爲病後調理之良法。

牛乳在科學上的分析

『牛乳』吾人已認爲頗豐富滋養食品之一。歐美人士。幾無日不需之。普通分爲三種。新鮮牛乳。罐頭煉乳。及乳粉。現分述之。

(牛乳之成分)欲知牛乳於人生營養之關係。須先明瞭其成分。新鮮牛乳者。剛自母牛乳房搾取之白色乳液。比重約爲一、〇三三。含有水分847.0。乳酪BUTTER4%酪素CASEINE5%此外並有少量之無機鹽類。(如燐酸鈣)活力素(又名唯他命)A及D幾種。有益於吾人之酵母如TRYPSINE, PEpSINE LAPASE。牛乳中並溶有氣體。(如氧氣淡氣等)

牛乳與人體營養之關係

吾人需要之食物中。不外脂肪糖類蛋白質及不可缺少之活力素。吾人既知牛乳之成分如上。即可承認牛乳爲富有滋養之物。蓋人體所需要者。牛乳幾全有之。脂肪有牛酪。糖類有乳糖。蛋白質有酪素。並有二種活力素。及對於骨骼有重要關係之燐酸鈣。再者。我人所食之物。能得消化而供身體之吸收。多藉相當酵之力。LAPASE能消化脂肪。PEPSINE

在胃中有鹽酸之環境下。助以消化蛋白質成亞基酸AMINO--ACIDS。則腸能吸收。而 Tryqsine 亦能助以消化蛋白質。但無須鹽酸之幫助。綜觀以上諸點。牛乳之認爲頗有滋養。誰曰不然。

(牛乳久露空間)其味發酸。同時酸素即受酸性之影響。凝集成塊。此乃因空中之一種酸素名Lacticferment者。使乳糖受黴化而成乳酸之故。且空中微生蟲甚多。牛乳對於菌類之生長頗適宜。故易壞。牛乳中既含有酵母及活力素。故食時不宜熱之溫度過高。否則。其所含之活力素及酵母。皆將消毀。其滋養之減少。無致疑庸。但恐牛乳中含有細菌之類。則宜煮之沸騰。以免傳染。

(消毒牛乳)牛乳既爲直接供飲之物。則其不潔。即能傳染疾病。且我人知供乳之牛有病其乳中常含有病菌。最普通而危險者。莫如結核菌Mycodaeteriumtuqerculosis。爲病牛中患者過半數。故欲免此危險。牛奶棚中。常用牛乳消毒後出售之。因之市上常見『A』字牛乳。Pasfcurized 牛乳等。所謂Pasteurized 牛乳者。即用 Pasteur 氏之高壓蒸氣消毒法消毒之。謂「A」字牛乳。即牛乳之已經消毒。經工部局驗爲上等之牛乳。消毒法有二。其一即高壓蒸氣消毒。以牛乳置於消毒鍋中。有高壓蒸氣通入。另一消毒法。即低壓消毒法。此法即將牛乳置低氣壓中消毒。故對於牛乳固有成分。無多變化。

▲煉乳

普通之煉乳。多作高白色之粘性物。裝於罐中。味甚甜。其製法。即以新鮮之牛乳。用熱或蒸氣濃縮之。並加蔗糖。以增甜味。因蒸去之水分無一定。其成分不能推算準確。普通煉乳之水分祇26%其他成分之百分率。因之增高。牛酪95%酪素10%乳糖13%而蔗糖有40%左右之多。故煉乳其飲時。須冲水。使其成分與新鮮牛乳同。

煉乳固於使用及保存。便利不少。尤以旅行者稱便。但因用熱度濃縮故。其中活力素及有益之酵母。早已消失。且若盛此煉乳之罐頭。金屬中有鉛等毒物者。能使煉乳變成不合衛生之品。

乳粉

乳粉因其攜帶便利。用者甚多。乳粉之製法。即以新鮮牛乳。用較低之溫度。蒸發至乾。頗費時間。乳粉之各成分常更較煉乳者爲少。但欲得一美觀而潤滑輕燥之乳粉。常將其一部或全部牛酪除去。則可避免乳粉之凝結成塊。故其成分。實無一定。因之其滋養力之若何。又莫能規定。並且乳粉中。常加防腐劑。以防發酵變壞。要知無論何種防腐劑。皆不宜於人身。故用乳粉。須審慎之

（本節錄自二十二年一月十七日申報本埠附刊科學欄郝君之作）

牛乳與其他動物乳比較表

牛乳爲牛體乳房乳腺中所分泌出之乳汁。此種乳汁。吾人飲之有益。因凡能補助吾人身體上發育之各種營養品。牛乳中殆無不具有。故實爲重要營養品之一。

牛乳中所含之成分。因乳牛之年齡、食料、運動。以及距離分娩後時期之長短而異。但除乳牛患病時期所產之乳。不能進飲外。凡爲牛乳。吾人飲之。俱頗有益。有人飲馬乳羊牛以爲滋養品。但實際效用。遠不及牛乳。現舉數種動物乳汁所含成分。及營養率。列表於後。以明牛乳之優於其他動物乳。

種類	水分	蛋白質	脂肪	糖分	灰分	營養率
羊乳	八三·三	六·九七	五·二三	三·九四	·七一	二·四〇
馬乳	九一·三五	一·九五	〇·八一	五·五〇	·四〇	四·〇〇
驢乳	九〇·五五	二·〇四	一·〇三	六·一二	·〇三	五·七〇
猪乳	八四·六〇	六·三〇	四·八九	三·四〇	·九〇	三·五〇

犬乳	七六・七〇	九・九一	九・五九	三・一九	・七三	二・八〇
牛乳	八二・七二	三・九九	九・〇三	四・五〇	・七七	五・〇八

（本節錄自婦女雜誌十七卷九號盛文君之作）

傳染病預防法

鄧名世

傳染病之病原體（病菌）。出自人體而還諸人體。若斷絕病毒（即病原體。一名病菌）循環移行之徑路。則疾病卽不致傳染。研究此種斷絕病毒傳播之方法。實爲傳染病學上最切要之事。玆將傳染病預防上應特別注意之事。略述如左。以饗讀者。此頗重要。幸留意焉！

（一）病原體之隔離　患者爲病原體之巢窟。故患者必須與健者隔離。以防病毒之傳播。亦有患者全愈後。而病原體尙生存於體內者。其外觀上爲健康之人。而體內實攜帶病原體甚多。此等攜帶病原體之人。名曰病原體攜帶者。在傳染病預防上。應令其與患者受同樣之隔離的處置。

（二）患者之早期發見　欲使患者及病原體攜帶者與健康者隔離。必須早期發見。早期行之。始能收效。故在診斷上須迅速確實。至傳染病之早期診斷。則以細菌學的檢查最爲重要。如顯微鏡檢查分離培養。血淸反應以及動物試驗等皆可應用。並宜時時行之。是故大商港大都市皆有設立。細菌檢查所之必要也。

（三）消毒　傳染病之病毒。自患者體內排出時。常有一定之徑路。此排出之徑路。卽爲病毒傳播之淵源。如傷寒菌之隨尿糞排出而傳染於他人。結核菌之隨咯痰吐出而造成第二宿主（新的病人）是也。此種混有病毒之排泄物。必須嚴密消毒。以防傳染他人。消毒有藥品消毒。溫熱消毒。乾燥消毒。日光消毒種種方法。玆因限於篇幅。故略而不論。

（四）傳染病媒介物之防範　傳染病之媒介物亦視疾病之種類而不同。如霍亂之病原體常以水爲媒介而傳染。故一名水系傳染病。吾人苟於飲料水及使用水加以嚴密之防範。則消化器傳染病之大部分可以防遏。而不致發生。至若飲食之衞生。則尤爲重要也。此外有以下等動物及昆蟲爲媒介而傳染者。如瘧疾之蚊。鼠疫之鼠及蚤等類是也。此等傳染病之預防法。以撲滅其媒介體爲第一要義。他若污水穢物之處置。家屋衣服之清潔。皆足以減少傳染之媒介。

（五）病毒侵入門戶之防範　夫病毒（病菌）之襲人也。常有一定之門戶。苟注意防範之。則亦可以免除傳染也。例如消化器傳染病預防時。宜注意入口之飲食物。鼠疫預防時。宜注意保護皮膚不使鼠蚤刺螫。方能免於傳染者是也。此時務須採用適當有效之方法。始能受美滿之效果。他若預防呼吸氣病、而使用面罩。預防花柳病而使用如意袋等。皆爲病毒侵入門戶防範之例也。

(六)抵抗力增强　對病毒抵抗力强盛之人。病菌雖侵入體內。亦不能繁殖。且能抑制其病毒而不使之蔓延。故有免疫性之名。此種抵抗力有天然具備者。有人工賦與者。如一度罹麻疹後。不再感染麻疹者。名自然免疫。施霍亂預防注射後。不再感染霍亂者。名人工免疫。自此人工免疫法發明以來。防疫事業遂大有進步矣。

對於病毒之抵抗力(免疫性)有特異的及非特異的之別。特異的抵抗力。如罹麻疹後不再感染麻疹。而獲得特別之抵抗力者是也。非特異的抵抗力。如胃腸强健之人。不易感染傷寒赤痢者是也。凡注意衛生使身體强壯者。不獨非特異的抵抗力可以增高。即特異的抵抗力亦容易發生容易有效也。

免疫之持續時期。長短不一。視疾病之種類而異。罹天然痘後。往往可得終生免疫。由種痘所得之免疫性弱。其効不出數年。即歸消失。白喉之免疫性亦不長久。黴毒之免疫性則隨愈隨失。殆毫無免疫性可言也。

(七)公衆衛生之設施　上述種種傳染病預防法。爲各個人易於實行而必須注意之緊要事項。然吾人不可僅注重個人之設施。當更進而自公衆衛生之立場上。以謀整個之防疫方法例如清理水之來源去路。施行尿糞消毒。檢查牛乳之純潔。其他對於痘瘡則勵行種痘法。對於霍亂鼠疫。則嚴行海港檢查。對於肺結核。則增設療養院。對於沙眼。則增設公共診療所。務使傳染病絕跡，不致復萌而後已。——完——

(編者按)鄧先生以簡明之文字。述傳染病之防範要則。使芸芸衆生。得減少病苦。常享健康。斯眞有功社會之作。願讀者閱后。切實遵行。則當傳染病流行之際。自可減少感染之機會矣。

治凍瘡　光

天氣驟寒。手足易患凍瘡。余有一法。法以皂莢。(功同肥皂。長三四寸。闊約一寸。紫色而闊者。有効。)放入火中烟熏患處。然初起時。可用南瓜切片擦患處。覺熱即換。早晚兩次。行之數日。必愈。

（編者按）本誌十四期家庭良方錄欄第一方。治凍瘡甚靈。患者以此法外治。彼方內服。內外合治。則凍瘡雖爲頑固之疾。亦將消滅無形矣。

告患凍瘃的朋友

丁塵

患者們。你每天晚間。臨睡的時候。只要費四五分鐘的功夫。把兩足相互擦摩。用手亦可。（上年所生的地方多擦）以擦至極熱爲止。這樣你每晚不要忘記。持之以恆。便不虞凍瘃之患矣。方法就是這寥寥數句。靈不靈今年一試便知。

關於草烏頭中毒的話

歐克仁

辛苦大熱。搜風勝濕。開頑痰治頑瘡。以毒攻毒。頗勝川烏。然至毒。無所釀制。不可輕投。

翻開汪昂的本草備要第三卷——草部——來一看。就可以發現草烏頭這一個名詞——躍入眼臉。並且牠還說了上面這一段話。現在的醫生就因爲牠含有毒質的緣故。總不敢像其牠各種藥品一樣地施用。——簡直可以說是不看見施用。

照書上說。草烏頭是植物性鹼毒的一種。牠的毒質的主要成分草烏頭精Acomtine——一種原漿毒質Protoglasmic Poison牠的致死量是二至四克。假使病人吃過了牠的極量。那他就可以嗚呼哀哉了。——在半小時的時間內。——這因爲牠（草烏頭精）具有能夠破壞人體的一切含有氫氣的各種機體的作用的緣故。牠的毒理作用是先使中毒者的大腦神經中樞瘋癱。再依次作用到筋肉。作用到心臟。而終致全身都陷于瘋癱的狀態。所起的病症。——也就是草烏頭精的一種毒理作用的結果。——有嘔吐。發狂。口噤。脣舌刺痛。筋肉脫力。呼吸障礙等等。——終至於昏睡而死去。

至於解毒的方法。可以先用吐劑取吐。然後再用解毒劑解毒。倘使中毒者的呼吸也不暢的話。都末更宜施用人工呼吸法去扶持他。現在就把吐劑和解毒劑一樣一樣的寫在下面吧。

吐劑——吃了能夠刺激胃腑。引起嘔吐。使毒物得以排出。

芥子末一二錢。用溫開水一大碗冲服。

甜瓜蒂末四分。用溫開水一碗冲服。

吐根末一分。用溫開水一小碗冲服。

明礬末二三錢。用糖湯冲服。

肥皂水濃汁一大碗。內服。

生蛋白數個內服。

食鹽一大匙。溫金水一碗冲服。

膽礬末四厘。溫開水一碗冲服。

解毒劑——吃了能夠解毒。用以補助吐劑的排毒力量不足的。

五倍子末四五分。溫開水一小碗冲服。

石榴皮一兩。煎汁內服。——西醫書上說單甯酸動物炭等收斂性物品。可以解草烏頭的毒質。以上二種藥品都含有多量的單甯酸成分。所以我把牠們寫了出來。但我不曾親身試驗過。不知道有沒有効力。

巴豅草打爛。煎湯冷服。

飴糖黑豆水煎冷服。

二二，十二，廿四于上海。

談談瘧疾

沈宗輿

在這時談瘧疾。差不多已經不時毛的了。因爲瘧疾盛行的時間已經過去。將要完全消滅。據鄉人說：今年瘧疾。傳佈很廣。有時一鄉一村。竟十室九戶。被瘧兒纏繞着。呻吟牀褥。不能解脫。並且有許多是惡性瘧疾。接二連三的死去。慘不忍睹。就在上海。今年瘧病。也特別多。時寒時熱。胸悶惡冷。頭痛口苦。好像仲景傷寒論載的少陽病。不過一是寒熱往來有定期吧了。爲什麼瘧疾每屆冬天。便漸漸稀少。而入于減止狀態？那也有個道理。因爲瘧疾是傳染病。牠的媒介物是一種花紋。西醫名安俄斐雷斯。到冬天畏着寒冷。就避匿得無形無踪。所以瘧鬼也隨着牠隱沒。辨別這種瘧蚊。並不困難。牠和普通蚊蟲所二樣的。一。雙翅具着花紋。二。觸角和嘴。長短度相等。並且歡喜在暗處和夜間飛舞。三。棲息時。尾巴高聳。是易認識。好像教人知道牠是個瘧蚊。這種瘧蚊。吸着瘧人的血後。便把病原菌胞子蟲帶到體內。營一種無性生殖。一吮着康健人的肌膚。包子蟲暗地裏即從涎液送入。也就病起瘧來。並且可以連環式的傳染。所以稍有一點醫藥常識的人。在秋天見到蚊蟲。眞如虎狠一樣。鄉下醫藥常識完全沒有。衛生知識不普及。未免就是這個大原因。包子蟲在人身盤居着。赤血球一而二。二而四的分裂。把紅血球破壞。竄到血液裏。再找新紅血球營生活時。在這期間。表現出一種症狀——戰慄發熱頭痛的困苦——又因爲瘧疾原蟲種類的不同。有三日。間日。一日發的。還有惡性等名。西醫治法。金鷄納霜大家都承認是特効藥。據說楊梅瘡的六〇六。也有意想不到的效力。至于中醫去法。常山。草蔻。草果。單服常能把瘧截除。信石雄黃。也是殺滅包子蟲的悍將。不過大家不敢用藥了。有的。市上出售治瘧丸，。所謂祕方。必含着這種成分。鄉間農人。時常傳說：有一個方子。用砒硫和紅棗肉做成丸子。治三陰瘧有特效。要講治瘧最正宗的方子。算推仲景小柴胡湯。丹溪說：瘧症多寒的用柴胡桂姜湯。多熱的用白虎加桂放湯。張景岳治虛人病瘧。有何人飲等。瘧病淹延不愈。腹部偏左。常生着痞塊。叫做瘧母。因爲脾臟腫大的緣故。仲景鱉甲煎丸。最神效的了。

廿二，十二，廿一日作于燈下

煤爐有害衛生

陳青雲

交冬寒水司令。天氣上騰。地氣下降。春夏溫熱發生之氣。變爲寒燥肅殺之氣。所以朔風凜冽。草木黃落。先哲云。春夏養陽。秋冬養陰。際此冬令。自宜服養陰滋補之品。不宜使陽亢陰虧。十一月。於卦爲地雷復。一陽生於下。十二月。於卦爲地澤臨。二陽生於下。況冬時水旺。坎爲水。一陽藏於二陰之中。天氣雖寒。井水溫暖。天爲大天。人爲小天。斯時也。人身之中　。外陰而內陽　。外寒而內熱。虛邪賊風。避之有時。六氣皆從火化。（寒燥之氣。足以化爲燥火。）五志過極。皆從火化。內經言之綦詳。講求衛生者。自有絕妙方法。人非聖賢。誰能使陰陽和平。庸常之人。非偏於陰。卽偏於陽。華人氣體單弱。先天不足。少陰水虧者居多。不比，人氣體強壯。血液充足。何則。西人平日所食。皆雞汁牛肉汁。一切葷腥滋膩之品。華人飲食淡泊。血液貧乏。故煤爐一物。宜於西人。而不宜於華人。以西人有抵抗力。華人無抵抗力故也。以體質陰虛之華人。處冬令嚴寒之時。（交春陽火上升。煤爐尤不相宜。）六淫之燥火侵於外。七情之鬱火伏於內。再加煤爐烈火。終日薰灼。刼爍陰液。燥烈之氣。由口鼻入。蘊蓄肺胃。而目痛牙疼鼻血睡血便血等症。卽隨之而蜂起。人居煤爐暖室之中。毛孔開張。腠理發洩。一旦爲風寒所乘。更發爲風火喉症白喉爛喉痧火症傷寒等症。（人若熟睡。被煤爐幷能悶死。）寒火內陷。病勢危險。生死存亡。在於俄頃。人皆謂天氣使然。而不知皆煤爐之火毒。有以致之也。吾人御寒之法。亦有多端。衣服飲食。取其溫暖。其餘如曝太陽。熱水瓶。湯婆子等類。皆有益於衛生。何必定烘煤爐哉。人之畏寒冷而喜煤爐。如漏脯救飢。鴆酒止渴。非不取快一時。而毒發無從挽救。未病先服，。不如不烘之為愈也。中國現在時勢。事事效法泰西。而講求衛生一事。似乎咸知緊要。第吾謂西人講求衛生。大都有名無實。除煤爐外。如婦女之細腰。及高跟鞋。不過徒耀外觀。其實皆於衛生一端。有妨礙而無裨益。奈西人作俑於前。華人效尤於後。舉國若狂。不悟其非。予臨症四十餘年。深知煤爐之害。足以致人生命。此事從來無人發明。故作此篇以喚醒世人。明達者其以予言為河漢否。

診所　狄思威路天同路口源茂里二十八號

衛生小問答

張子英

(問) 偶然刀傷出血不止。有何藥可治。

(答) 最好用穿山甲研細末敷之。

(問) 身無他病。忽然大便不通。有無簡便之藥。

(答) 最簡便最和平而又功效確實者。莫如大麻仁矣可向中藥店購大麻仁五錢。搗碎其殼。濃煎飲之。數小時後。即得通調之輭便。

(問) 鱉甲龜板。皆稱養陰。其性効究有別否。

(答) 鱉色青。故走肝益腎而退熱。龜色黑。故通心入腎而滋陰。陰性雖同。所用略別。

(問) 冬日畏寒。手足冷過肘膝。應用何藥。

(答) 應長服八味丸。(即六味地黃丸加肉桂附子。)

(問) 小兒閑食。以何物為最佳。

(答) 無論大人小兒。均不宜雜進閑食。如欲食之。以八珍糕為佳。

(問) 八珍糕如何製法。

(答) 八珍糕，白茯苓、山藥、米仁、白扁豆、建蓮子、芡實、各一斤。史君子五兩。砂仁四兩。糯米粳米各一斗五升為末蒸糕。

(問) 八珍糕之功效若何。可治小兒何病。

(答) 此糕健脾開胃。和中利濕。固本培元。補氣消積。故治小兒肝膨食滯。面黃肌瘦等症。

醫林叢談

杭州已故名醫 王香巖醫案一欎（續）

某

咽喉疼痛頭面痘點滿佈身熱胸悶神煩脈象滑數治擬疏解爲法

冬桑葉　白杏仁　馬勃　川玉金

連翹　象貝　金蟬衣　橘紅

炒牛蒡　鮮竹茹　生甘草　方通艸

苦桔梗

周右

血虛氣滯肝脾不和腹痛。經水愆期腰酸心悸皆緣奇經血海失充所致脈象弦濇治擬和營調經

紫丹參　全當歸　焦谷芽　姜半夏

製香附　杭白菊　縮砂仁　白蒺藜

赤茯神　新會令皮　廣木香　上安桂心

何左

痞後餘熱阻肺釀痰咳嗽身熱不能胸腹隱痛皆緣熱鬱肺胃清肅失司所致脈象浮滑而數治擬清肅

冬桑葉　天花粉　橘紅　黑山梔

連翹　象貝　青蒿梗　枇杷葉

白杏仁　鮮石斛　通艸　淨銀花

復診

痞後餘熱逗留于肺阻氣機機肅降搏津以爲痰痰阻氣机欬嗽熱有餘波脈象浮滑而數尙擬清熱肅肺

冬桑葉　淨銀花　橘紅　黑山梔

連翹　川貝　天水散　川石斛

白杏仁　鮮竹茹　青蒿梗　括蔞根

冬瓜子

朱右

風痰襲中厥太陰肝脾經絡猝然肢痲跌仆痰涎上壅語言不出由經入藏面靑肢冷飲水欬嗆直視目不轉睛脈主沉伏糢糊以脈參症內閉外脫大勢已成勉擬宣竅滌痰以熄風陽附方請正

經霜桑葉　陳麗星　白茯苓　眞滁菊

法半夏　鮮石菖蒲搗汁一錢　淡竹瀝　煨明天麻　化橘紅

老姜汁　蝎尾　經濟大活絡丹

劉右

內經云諸痛痒瘡皆屬心火火熱上炎舌生疔毒漫延結腫勢虛走黃脈象滑大歷經請解未能發效姑擬玉女煎法請黏解毒意錄方候政

煨石膏　鮮生地　淡竹瀝　黑山梔

元參　川石斛　人中黃　天花粉

甓麥冬　粉丹皮　淨銀花　白茅根

肥知母　橘絡

楊右

宿哮有年脾肺兩虛中焦留伏痰飲飲阻氣逆不得平臥脈象弦滑此痰飲餘結爲窠囊阻鬱氣道所致治擬肅肺降逆

粉沙參　生蛤殼　橘白　白蒺藜

炒蘇子　川貝母　栝蔞根　冬瓜子

白杏仁　海浮石　旋覆花　白前

炙紫菀

復診

痰飲結爲窠囊阻鬱氣道遇勞而發發則痰隨氣升氣逆喘不得平臥脈象左弦右滑治擬肅肺降逆

粉沙參　冬瓜子　白茯苓　生蛤殼

炒蘇子　淡竹瀝　浮海石　白蒺藜

白杏仁　甜水梨汁　川貝　栝蔞根

白前　旋覆花

三診

肺虛留伏痰飲飲邪結爲窠囊阻鬱氣絡遇勞欬嗽氣逆喘即胸悶不時而發即內經所謂欬逆上氣厥在胸中也脈象弦滑治擬肅肺蠲飲

南沙參　浮海石　橘白絡　天花粉

炒蘇子　川貝母　旋覆花　淡竹瀝

白杏仁　生蛤殼　白蒺藜　白茯苓

冬瓜子　炙紫菀

金左

濕熱蘊于中焦神煩惡寒身熱大便溏泄飲食減下脈象濡數治擬和中清濕

粉葛根　白菊　赤苓　澤瀉

淡芩　廣皮　麩枳殼　查炭

製川朴　炒半夏麯　范志麯　豬苓

佩蘭

二診

濕熱侵入腸胃下痢雖瘥而日晡潮熱脉象濡滑尙宜清化

連翹　方通艸　橋紅　淡芩
青蒿子　象貝　川朴花　天水散
粉丹皮　絲瓜絡　川玉金　鮮竹茹

談萊陽梨膏

競雄

陶隱居謂梨不入藥。余甚怪之。嘗讀北夢瑣言。云『有一朝士見奉御梁新。診之。曰『風痰已深。請速歸去。』復見鄜州馬醫趙鄂診之。言與梁同。但請吃消梨。咀齕不及。絞汁而飲到家旬日。惟吃消梨頓爽也。『是梨能醫風痰矣。又類編云，』一士人狀若有疾。厭厭無聊。往謁楊吉老診之。曰『君熱證已極。氣血消鑠。此去三年。當以疽死。』士人不樂而去。聞茅山有道士。診術通神。而不欲自鳴。乃衣僕衣。詣山拜之願執薪水之役。道士留置弟子中。久之。以實白道士。道士診之。笑曰。『汝復上山。但日日吃好梨一顆。如生梨盡。則取乾者泡湯食滓飲汁。疾自當平。』士人如其戒。一歲復見吉老。似見其顏腴澤。脈息和平。驚曰。『君必遇異人。不然。豈有痊理。』士人備告吉老。吉老具衣冠望茅山投拜。自咎其學之未至。此與瑣言之說彷彿。可知梨治熱症有特效矣。又唐武宗嘗患心熱病。百藥不藥。青城山道人以紫花梨絞汁進之。風疾遂愈。此梨能治心熱病之又一證也。大抵古人論病多主風寒。用藥皆是附桂。故不知梨有治風熱潤肺涼心消痰降火解毒帝功也。然生梨多食傷脾。古人亦屢言之。若煎熬成膏。則流弊既絕。成效乃著，梨之佳者。首推萊陽之香水梨。余家江南。欲啖新鮮萊陽梨而不得。輒講上海同孚路義成公司經銷煙台東亞公司出品圓字壽商標之萊陽梨膏食之。所謂過屠門大嚼。雖不得肉當且快意也。

治痢用黃芩之效驗談

道明

黃芩外堅內空。功能除煩熱。爲少陽經寒熱往來之主要藥。又能除脾家溼熱。考黃芩有二種。中虛者名枯芩。瀉肺火。清肌熱。內實者。名條芩。專瀉大腸火。是以大腸溼熱下痢。少陽頭痛寒熱。皆可用之。試以實驗一則言之。家兄自上年六月初患淋濁挾疝氣證。諸方施治似稍輕減。綿延月餘而邪留未澈。客於少陽而爲寒熱。流入大腸而成下痢。總屬溼熱之邪。由此而外洩也。診脈右關浮虛。左關及右寸均見數滑。余爲之疏一方。內用條芩錢半。以洩少陽陽明之溼熱。服後痢減熱除。洵對症良藥也。以意推之。設方中無黃芩。則寒熱滯下之症。決不能一劑見效也。爰誌之以供研究此道者。

狗病顧問

超

狗禿毛。用百部煎水塗之。三四日後。卽復生毛。
狗癩皮。宜提蜈蚣拌飯飼之。自愈。狗有疾。以水調平胃散灌之極效。狗足腫可覓足爪間腫勢最盛處。厚塗雄黃。任其吮舐。半日卽消。
狗服毒。必發抖顫。亟以菜油拌飯飼之。倘不食，則强灌菜油亦可。其毒可解。

醫藥雜訊

國醫公會四屆會員大會

本市國醫公會。於念二年十二月念四日二時。召開第四屆會員大會。假座西藏路甯波同鄉會二樓舉行。到會員四百餘人。討論議案。(一)擬具計劃籌建本會會所案。(附辦法)議決。修正通過。(二)本會應擬訂國醫公約案(附公約草案)議決。修正通過。(三)本會應注重國醫學常識宣傳案。議決。通過。(四)國醫學院及專校應加解剖一科案議決。通過。(五)大會通過之議決事項。務須執行案。議決通過。(六)增設診單評議會案。議決通過。(七)擴大貧病施診所拯弱扶危案。議決通過。(八)研究足以代替西藥之國藥以杜漏卮案。否決取消。(九)取締巫亂濫發仙方以重人命案。議決通過。議畢由中國醫學院表演國樂國術。至六時散會。

國醫公會改選揭曉

上海市國醫公會前日假座甯波同鄉會。舉行第四屆會員大會。討論事務。改選委員。開票結果。丁仲英蔣文芳郭柏良秦伯未薛文元嚴蒼山沈心九張贊臣包識生等十五人當選爲執行委員。朱鶴皋許半龍任農軒徐小圃楊彥和等五人爲候補執行委員。謝利恆陸士諤傳雍言朱南山夏重光朱子雲方公溥胡彿朱少武等九人爲監察委員。吳克潛余伯陶唐亮臣等三人爲候補監察委員云。

限制麻醉品用量

▼日在國聯要求數量之巨

▼竟令國聯中人引爲駭異

▲國民新聞社十二月十六日內瓦電　今日國聯麻醉毒物監督處發表。一九三四年全世界金融用度所需之嗎啡高根海洛英。共約四十七噸此項數額。比預料爲巨。蓋因目下在嗎啡及海洛英等毒物中所可提煉之無害物質。視前增加故也。惟日本及高麗台灣所要求之海洛英數量。竟占全世界需要額一半以上。不免令國聯中人駭異。至全世界四十七噸總額內嗎啡之需要最多。獨占四十噸云。

中國防癆協會理事會紀

防癆協會自舉行徵求會員大會以來。工作異常緊張。現因促進會務起見。故特於前(二十七日)日午後五時半。在該會議事廳舉行理事會。到會者有吳鐵城（由李大超代）牛惠生李廷安朱恆璧及西人施需等。當由會長牛惠生主席。說明召集會議之用意。又由該會總事張君俊提出各項議案。遂加以詳細之討論。當經議決。徵求會員會之隊長三十五人。皆由各界名流担任。如吳鐵城王曉籟唐海安布美史量才。潘公展等。由各理事及幹事分途拜訪催促。以便早日完成徵求工作。隊長人數。暫不增加云。關於中英文宣傳工作。公推伍連德布美及丁福保諸君担任。所收各項捐欵會費。爲愼重起見。皆由該會會長牛惠生會計翁元龍總幹事張君俊連署方生效力再該會正在緊張工作。一俟經濟充裕。即擬實施各項工作如下。材料（一）搜集各院診治癆病統計。（二）搜集公共衛生機關之癆病材料。（三）多定各國關於癆病之刊物。（四）獎勵研究及學理之發明。宣傳。甲。文字宣傳。（一）舉辦週刊。（或附於大報之副刊）。（二）出版防癆叢書。（自編或翻印）。（三）傳單（須警惕短文）飛機傳播。（四）標語。（附於格言或有用之語句中方能經久）。（五）日報廣告。（六）電車汽車廣告。（七）電影廣告。（八）新聞傳播。（九）防癆月份牌與日歷。（十）利用印警語。（十一）懸賞徵求防癆論文及辦法。一・特約講員。二・組織宣傳隊並訓練之。四・聯合教會學校醫院工廠報館商號青年會及各公共機關舉行宣傳週。四・在以上各團體舉行市民講演大會。五・利用無線電廣播台。六・在各團體舉行防癆演說競賽各團體之優勝者。又在防癆協會決賽（一・聘請名流爲裁判員。二・懸賞頭二三名例如頭名二百元二名一百元三名五十元）內。圖畫宣傳。一・精印防癆圖畫。二・活動電影。三・幻燈。四・各種圖解。五、精美圖畫廣告。六・編輯防癆畫報。丁、游戲宣傳。一・製造防癆歌謠。二・編製防癆戲劇。三・編製防癆歌曲。四・編製防癆大鼓。五・編製防癆道情。六・編製防癆小說。七・發行防癆奬券。八・編製防癆紙牌。九・編製防癆棋局募捐。一。徵求會員。二。搜索捐、（TAY DAY）三。向國內外特時勸募。四。日報徵集反癆金。五。舉行游藝會。六。舉行跳舞會。七。請求政府津貼。八。發賣防癆印花事業。一。實施預防癆病之民衆教育。二。舉辦療偷院。三。救濟貧苦之病人。四。設院研究預防癆病之學理。五。舉行防癆展覽會。六。組織家庭衛生班。七。組織參觀團參觀中西模範家庭。八各處設立癆病檢驗所。九。督促各地設立分會擴大反癆運動。

煤球取暖全家中毒

甯波人何福亭。年卅八歲。家住滬西戈登路勞勃生路普愛坊五號。近來天氣寒冷。日以煤球生火取暖。本年十二月間下午六時許。突而全家五人均中煤毒。奄奄臥床。不省人事。當經人覺察。報告普陀路捕房。着救護車將何福亭車送寶隆醫院。四婦人車送廣仁醫院救治。聞勢甚危險云。

（編者按）冬日以火爐取暖。其必要條件有三。（一）有導氣管以放散炭酸瓦斯。（二）爐上置水一壺。使其沸騰。以潤濕乾燥之空氣。（三）驟出室外。宜以厚衣加身。庶無感冒之虞。平時更多喫香蕉。以解煤毒。潤大便。能如是。則圍爐取暖閑話家常。得其益而免其弊矣。

餘興小說

深秋

羅衣

第一章　活絡的女兒心

重陽巳經過去了，大概是，園裏的白楊樹，已不像夏天那樣的隨風招展；就是那些梧桐葉，也換了深黃色的衣裳，時常被風吹下一兩片來，飄，飄，不知飄到什麼地方去了，在流水，在天邊，或是那兒？但是誰也懶得去追尋牠們的歸處。天藍得比夏天要慘淡一點，幾朵積雪似的白雲，靜靜地停留在上面，風是有了一些，并不大，你看，那些脫了葉的柳條。不還是不服老地舞着嗎？可是，吹不動那并不沉重的白雲。偶而一陣歸雁排成隊兒在雲底下掠過，就像給白雲劃了一條痕。………

這深秋的午後，早晨還有些活潑樣兒的太陽光，到這時便顯得嬾懶了，幽幽地躺在窗前一張香桌上，似乎是被歪斜在桌面那幾個美術化的粉紅淺綠色的信封迷醉了，捨不得輕易地離開牠們。隔書桌並不遠的地方的一張沙發上，一個清秀的女郎，斜捱着嬌軀，躺在上面。那女郎的臉上，表現出她有滿腔心事的神態，不必問，只要看她那種樣子就知道的；她的眉尖緊蹙，就是那善笑的小嘴唇，也例外地閉得很緊。

誰曉得，她是什麼心事呢？

許多無頭緒的感想，像一片片的風掠過她的腦膜，誰也不肯停留一會兒。說是風，確乎有點像，風是捉不住的東西，她的那些雜念，也是一閃即過，而這一閃即過的風，却使得她煩躁，苦悶，和一種不知所以的悲哀。

的確，她什麼都想到了，她想起他們的初戀時期，而他——秋溶是怎樣地愛着她，怎樣地對她發誓，他說他除了她以外，以後決不再和別個異性親近，他又說他的確是真心的愛她，一毫沒有虛偽，他不是薄倖郎，他更沒有現在那般輕薄少年的憐新棄舊的行為，他又說她太美麗了，像隻小花雀兒，不，像從雲裏飛下來的仙姬，無論誰見了都愛，只要有了她，世界上那些粉白黛綠者流，都不能再入眼。而當時的她，還溫柔的笑着向他解釋：她不是那些『小心眼』的婦女們可比，她并不妬忌他和別個異性交際，只要他在無論什麼時橫，都有一個她在心裏就好了。

她又想到他們的熱戀時期的快樂，那些形影不離的親蜜，那些擁抱接吻的刺激，那些，……就是每一件纖細的事，每一句平常的話，這時都從記憶中遺忘的角落裏爬了出來。

她漸漸感覺到頭腦有些漲痛，於是她抬起手來，支着左頰，仍是繼續的沉思，他想從這乾了的果實裏找到一點點兒甜味。

這些過去的美麗的畫片，終於被最後的突如其來的一件事把牠剪斷了！一個陰影，迅速地充塞着她的心頭，她禁不住腰肢一震，那剛剛抬起來的頭，忽地又低垂下去，她覺得那些都是過去的陳跡，過去的夢，夢，可追不回來，而現在，現在是什麼都完了，她是遇着了騙子，而這個騙子，不但騙了她，還騙了她妹妹。

一種莫名的憤怒，使得她全身暴躁起來，她氣憤憤地走到書桌邊，一下就把那幾封信一齊抓在手裏，——這是秋濬從前寫給她的，在裏面，有好些動人的語句，她就是被這熱情流溢的信扎，到誘得很快的相信他了。——心裏想，這麼嘶嘶的幾下，就把牠撕做了紙條兒吧。忽然一轉念，她又不覺地把手軟下來了，他想，這又何必呢！倘這樣做。一定有人要笑她的思想退化的，只有那可憐的黛玉，才會做出焚稿那一類愚蠢的事！她又覺得就讓這些夢裏的渣滓，留下也好；留下牠也可以替生命史上畫上一個記號。

已經逃避到桌角的太陽，瞅着她笑，笑女兒們的心，太活絡了。

她的頭又隱隱的痛起來，於是她把那幾封信塞在書桌的肚裏後，便不倒在沙發上。這季節不是春天，但她却感到春天的嬌怠，疲嬾，她可沒有病，可是却像病後一般，軟弱得手都嬾抬起來。

只要一躺下，她禁不住要想，不知怎麼，這時忽然又原諒起秋濬來了。她覺得他原是愛着她的，不是嗎？自從妹子糾纏着他以後，他好幾次瞞着妹子抽空兒跑到她這裏來，在她的面前，他是那麼溫柔地哀憐地訴說他的衷曲：就是眼睛閉了，只要他的心還活着，他還是愛她的，他永遠的愛她，永遠，這都是妹子不好，她仗着比自己活潑點，聰明點，會說話點，便不住的對他挑戰，他的心可不是鐵鑄的，也是肉肉做成的，他可沒有老，他還是年青，他有的是熱情，他怎麼可以抵得住妹子的圍攻的陣勢和鋒利的長矛。

這樣想，她又恨起妹子來。

然而，沒多久的時候，她也原諒她了。妹子年紀小，而且懂事得較早，現在正是發育時期，她不像自己這樣老成，她是嬌生慣養的姑娘，是個什麼都滿不在乎的姑娘，她要怎樣，她就怎樣做，誰也改不掉她的性兒，現在她是急切地需要異性的刺激，她便找到一個男子；照理，妹子不應該這樣做，因爲這個男子是屬於她的。可是妹子也歡喜他，把他搶了去，有什麼法子呢？講起理來，妹子可不懂得！

最後，她想起一個辦法來：幹麼呀？這樣『小心眼』兒，本來愛情之果，是不能不有一點苦味兒的，到底還是早些拋棄了好。現在就打電話給秋溶，叫他好好的和妹子在一道兒吧，叫他從此不必再心念着她，而且沒有事，也不必到她這兒來，免得爲那些舊夢噓唏着。而她自己呢，就決定從此好好的做起人來，不亂跑，每天坐在房裏，看看書，做點事情。

在沉思中，太陽看不見桌面上的信封，覺得這裏已無可留戀，便悄悄地退到窗外，而且爬上了牆頭，只留着一角，屋子裏比前稍微陰沉了。

她提起一股勁，站起來，伸直了腰，正想跑到穿堂間去打電話，驀地房門開了，一個苗條的人影，像燕子穿簾一般從門口飛到她的面前，並沒有說話，只是一陣醉人的冶笑。認得，這就是妹子！

她比自己矮得一點兒，矮得並不討厭，反討人喜歡。體態似乎太輕盈了點，不大站得穩，有點像風中的柳枝。臉圓圓的，白裏泛着酡紅，紅裏也帶點嫩白，長而細的眉，直直的鼻，半笑半嗔的眸子，那一張玲瓏的口輔，就是不說話，也像有好多溫柔的絮語從那嘴唇邊兩個小紅井裏流洩出來。……無論在她身上的那部分，都充分地表現着一個慣會淘氣的樣子。

這位幽靜的姑娘，不禁怔住了，她睜大了巨眼望着那位淘氣的女郎，不做聲，好像不願意先開口一樣。

『素姊』！那小些的活潑的女兒，輕輕地扭了一下腰，好像是被窗外樹底下溜進來的風吹得擺動了一下似的：『你太多愁善感了，無論在什麼時候，都可以看出你的不高興。照我看，人生原沒有多大的意義，別人都會想出法子來滿足自己的快樂，幹麼我們就不會？幹麼我們只可以躲在房裏，嚐那冷酷的寂寞的滋味？幹麼我們不能掙脫了舊日的繮繩，不能忽視了遙遠的陷阱，不能閉起眼睛，盡量地飽喝着現實的甜酒？如果像你這樣子，那我們還是搬到墳墓裏去，——只有那裏，才沒有生之氣息，才適合你的性情。………』

話匣子一打開，就好像永遠不會斷絕似的，忽然窗外一陣風吹來，觸着她的衣襟有些力量，像從背後飛來一隻手拍了她的話匣子拍閉了，而且臉上的笑容，也在微驚的情緒中，逃到遠遠的去了。

『珊，不要亂說！』

『亂說』？素正經地望着她：『你已經一星期不出門一步了。』

『沒有事，幹麼要出門？』

素儀直有些不耐煩了，她生氣地斜倒在沙發上，用右手掩着半邊臉，她想不再理睬她。

『出門未必要有事，有事未必一定要出門！』珊冷冷地駁了一句。

這話使得素的心不安地跳了起來，而且使得她不能不再開口向珊抗議：『我歡喜躲在房裏！』

珊用跳舞式的步子，向前走了幾步，驀地旋轉身軀，像小鳥一般撲到素的面前，俯着腰，兩隻手扳住她的肩膀，輕輕地搖着。

『姊！笑吧，我好幾天沒有看見過你笑了。你從前笑得太好看，你笑，我就喜歡；你不笑，我心裏怪難過的，就像遺失了一件什麼東西似的。好姊姊！笑笑給我看吧！我陪你笑，你看，——哈哈哈！』

珊鬆了手，挺直了腰，便縱聲大笑起來。

笑聲很圓活的滾出去，滾出去，漸漸的遠了。

看見珊那麼驕傲地走出去，她再也忍不住憤憤然了。她覺得珊這種舉止，完全是向着她挑戰，完全是侮辱她的，無論如何，她再也不能寬恕珊了，她一定要報復，一定要想法子，把秋溶再從她手裏奪回來。她不能再躲在房裏，不能這樣的消極，消極博不到人們的同情，只能給人們以輕視與侮辱的機會，現在她才明白了，只有自己示弱，人們才會欺負你！她決定拋棄以前的計劃，重新再振起精神，不顧一切地幹下去，她告訴自己：——只許勝，不許敗！她把今後怎樣去對付珊，怎樣去引誘秋溶，都細細地想過，她要一下子就把珊戰敗，把秋溶奪回來，再看着珊躲在房裏哭。她那臉上的愁霧，不知在什麼時候消散了，現在是一種剛毅與果決的樣子。

未來的勝利。替她在頰上添了兩個笑渦。

（本章完全篇未完）

敬告黑藉諸君前途可嘆！
因吸食鴉片等麻醉品
中毒
而死亡者每年已達數萬人
斯時不戒更待何時
脫離苦海重見光明
影響人體生理上局部者分述如后
▲影響於神經系者—鴉片能麻醉腦部，刺激脊髓，因此腦與脊髓，均受其壓制，遂呈麻木不仁萎靡不振之現象、
▲影響於呼吸系者—肺部屢受刺激，呼吸機能漸成麻痺，肺萎肺癆之症，因之而生。
▲影響於循環系者—初覺加血壓，脈血弛緩，繼則血管縮小，脈細而速，若吸大量之鴉片者，必致脈管無力收縮而死，
▲影響於生殖部者—男有陽萎之症，婦有不妊之虞，宗嗣絕望，百病叢生，世人猶樂此不悟，誠可畏哉。
▲鴉片害毒大致已如上述，奈國人不悟，仍多終日吞雲吐霧，沉醉其中，我願世之嗜好此物者，及早回頭，决心戒除矣。
希望黑籍同志速服馮氏救苦金丹
馮氏斷癮
救苦金丹
戒烟第一
紅丸
鴉片
馮氏斷癮救苦金丹（藥房均售）
國難臨頭共謀禦侮肅清煙毒根本救國·救苦金丹戒煙神效無四·戒時照常吸煙見煙自厭·輕癮一二料重則四五料·絕無絲毫痛苦安全斷癮·歷任大總統黎徐曹嘉獎·已風行六十六年斷癮無數·爲十全十美之戒煙藥王·並世無雙黑之糟救星
戒烟捷徑
函索請向上海白克路大通路口峻芝堂立即奉寄，每料一元五角函購起碼兩料寄費加一

本社徵稿啓事

逕啓者。竊維雜誌之生命。端在經濟之充實。與內容之精采二者缺一不可。本誌廣告及定費等收入。在經濟方面。差堪自給。內容宣傳常識。探討學理。雙輪並進。雖承讀者交口贊譽。本社猶未敢自滿。特訂徵稿新約。敢祈醫林碩彥。賜寄宏文。用光篇幅。

1，本誌學術研究欄。最歡迎科學化之研究作品。如國醫持三部九候。診內傷外感各病。在生理上究竟能否成立。在事實上究竟有無徵驗。又如某藥治某症。某方治某病之臨床統計等稿。

2，本誌衛生常識欄。最歡迎以明白暢曉之筆。敍述人生必須之醫藥衛生常識。如飲酒之利害如何。女子何故十人九帶。男子何故十人九痔。欲免帶與痔。平日應如何攝生等稿。

3，本誌餘興小說欄。所以調劑讀者之腦力。內容略與各大報副刊近似。惟文字力求生動。取材尤須純正。

4，諸君投稿。經本誌選載三篇以上者。長年贈送本誌壹份。投稿經本誌選載六篇以上者。除長年贈送本誌外。並刊布投稿者之貳寸半身肖像。簡明小史於卷端。稍酬賢勞。

衛生雜誌社編輯部啓

本刊衛生顧問章程

（一）本刊經大衆訂閱者之要求。闢設衛生顧問欄。以便醫藥上疑難問題。及病因症治藥性等。作公開之討論與研究。若依本章程投函詢問。當即照來函解答。

（二）重要問題。除依來信直接通函答覆外。本刊得隨時將答案披露。以便同志之研究。

（三）疑難之答案。須檢查醫籍。詳細考慮者。至遲須一星期可以答覆。

（四）不答覆之問題如下。（一）來信記述不詳者。（二）詞義不明者。（三）要求立得藥方者。（四）無關醫藥者。（五）委託評論藥方之是非者。（六）本社同志學識所不及者。（七）無覆信郵費者。（八）無衛生顧問券者。但不答覆者。不答之理由。覆信聲明。

（五）來函概用中式紙張。繕寫清楚。附覆信郵費一角三分。並附寄下列衛生顧問券一個。

（六）來函寄愷自爾路嵩山路口瑞康里二六二號

衛生雜誌第十五期
中華民國二十三年一月廿一日出版

主編者　國醫張子英
校正者　國醫胡佛
發行者　衛生雜誌社
印刷者　衛生雜誌社
分發行所　中醫書局
　　　　　現代書局
分售處　各省書局

衛生雜誌定價表（費須先惠）

出版	月出一冊	全年十二冊
價目	大洋一角	大洋一元
附註	郵費在內	國外加倍
	郵票代洋以一分五分爲限	

○社址○　上海愷自爾路嵩山路口瑞康里二六二號

梅濁尅星
德國白濁聖藥
透膜殺菌
澈底斷根
藥房均售
上海柯爾登洋行獨家經理
「梅濁尅星」獨佔優勢
因德國「梅濁尅星」確有勝過種種治療方法之特效
梅濁尅星的殺菌力，勝過透熱電療，
梅濁尅星的消炎力，勝過注入色素，
梅濁尅星的清濁力，勝過注射針藥，
梅濁尅星的淨毒力，勝過局部洗滌，
其能勝過種種治療方法之理由何在？
淋病不能斷根，是因淋菌深伏尿道，為黏膜所保護，藥力不能滲透黏膜，故終難斷根，表面雖愈，不時復發，德國「梅濁尅星」，具有滲透黏膜之特性，故能澈底撲滅潛伏之淋菌，而達完全根治之目的也！
（二）藥性純正和平，絕無障害胃腸，腦腎礙及生育等副作用！

增進體內各細胞機能之生活力！
保護細胞以免各種疾病之襲擊！
延老各細胞之無限制的新生力！
亢進各細胞的代謝產物之排洩！

品質高尚
功效偉大
出類拔萃
人人宜服
俾爾壽康

藥房均售

壽爾康之成分

市上號稱返老還童之一切內分泌物製劑，其功效較著而名譽較佳者，，所含內分泌物至多百分之三十三而壽爾康中乃含有「盼好而蒙」百分之六十六，「盼好而蒙」PAN HORMON 卽安特諾醫聖所發明，亦卽安氏數十年來苦心研究之收獲，本劑以「盼好而蒙」爲主，以各種名貴滋補藥物爲輔，雜多數名藥爲一爐，已老者服之可以回少，未老者服之可以防老，誠開藥物史上未有之紀錄！

壽爾康之製法

本劑係德國最著名之戚彌鄧大藥廠監製，廠方自畜廣大牧場，畜以牛，羊，猿猴之屬，由獸醫考察，遴選强壯之獸，取普通獸體內之分泌物及各哺發補食品，日日餵之，俟其日益壯健，至相當時間後，乃由有經驗之獸醫，使用靈敏手術，採取其新鮮之內分泌物，再經紫光電提煉消毒，淘汰不良雜質，製成結晶體，名曰「盼好而蒙」手續繁重，採選艱難，功效極宏：

壽爾康功能

本劑功能補充體內活力之缺乏，滋養內分泌腺之健全，促進新陳代謝之機能增加抵抗病菌之力量，乃亢進全身各機能之完美滋補品，與一般含有毒性之壯陽藥物，惹起假性興奮，藉取一時微效之舊來劑藥物絕不相同！

主治

補腦補血：滋陰益髓
調經種子：保腎固精
防止衰老：抵抗疾病
轉弱爲强：廣嗣延齡

功效

神經衰弱：腎虧遺精
未老早衰：腰酸背痛
種子維艱：病後產後
月經不調：赤白帶下

壽爾康說明書
函索卽寄外埠
函購寄費免加

分男用女用兩種每盒五元每料三十元男女同價：
中央衛生試驗所化驗：

上海 南京路九四至五十六號

柯爾登洋行

HEALTH MAGAZINE

衛生雜誌

第十六期

中華郵政特准掛號認爲新聞紙類
內政部登記證警字第二八二九號
社址上海愷自邇路嵩山路口瑞康里

敬告黑籍諸君前車可鑒！
因吸食鴉片等麻醉品
中毒而死亡者每年已達數萬人
斯時不戒更待何時
脫離苦海重見光明
影響人體生理上局部者分述如后
▲影響於神經系者—鴉片能麻醉腦部，刺激脊髓，因此腦與脊髓，均受其壓制，遂呈麻木不仁萎靡不振之現象、
▲影響於呼吸系者—肺部屢受刺激，呼吸機能漸成麻痺，肺萎肺癆之症，因之而生。
▲影響於循環系者—初覺加血壓，脈血弛緩，繼則血管縮小，脈細而速，若吸大量之鴉片者，必致脈管無力收縮而死
▲影響於生殖部者—男有陽萎之症，婦有不妊之虞，宗嗣絕望，百病叢生，世人猶樂此不悟，誠可畏哉。
▲鴉片害毒大致已如上述，奈國人不悟，仍多終日吞雲吐霧，沉醉其中，我願世之嗜好此物者，及早回頭，決心戒除矣。（藥房均售）
希望黑籍同志速服馮氏救苦金丹
馮氏斷癮
救苦金丹
鴉片
紅丸
戒烟第一
馮氏斷癮救苦金丹
國難臨頭共謀禦侮
肅清煙毒根本救國
・救苦金丹戒煙神
效無匹・戒時照常
吸煙見煙自脈・輕
癮一二料重則四五
料・絕無絲毫痛苦
安夲斷癮・歷任大
總統黎徐曹嘉獎・
已風行六十六年斷
總無數・為十全十
美之戒煙藥王・並
世無雙黑之籍救星
戒烟捷徑
函索請向上海白克
路大通路口岐芝堂
立即奉寄・每料一
元五角函購起碼兩
料寄費加一

本社贊助人

王曉籟　徐庚華
王延松　王鈍根
潘公展　孫籌成
徐乾麟　胡仲持
許世英　張士俊
鄭洪年　金柏生
袁履登　顧文生
鄔志豪　俞福田
陸文韶　趙　冲

本社理事

秦伯未醫士
郭柏良醫士
蔣文芳醫士
包天白醫士
張汝偉醫士
盛心如醫士
朱鶴皋醫士
嚴倉山醫士
朱孟裁醫士
沈仲圭醫士

本社社長　胡　佛醫士
本社編輯主任　張子英醫士　沈仲圭醫士　潘國賢醫士
本社總務主任　繆曙初
本社發行主任　鄭慕楠
本社廣告主任　張承椿　陳伯民　朱景輝
本社宣傳主任　張森葆
本社推廣主任　陳錫安　沈伯祿
本社撰述員　全國各大名醫

衛生雜誌第十六期目錄

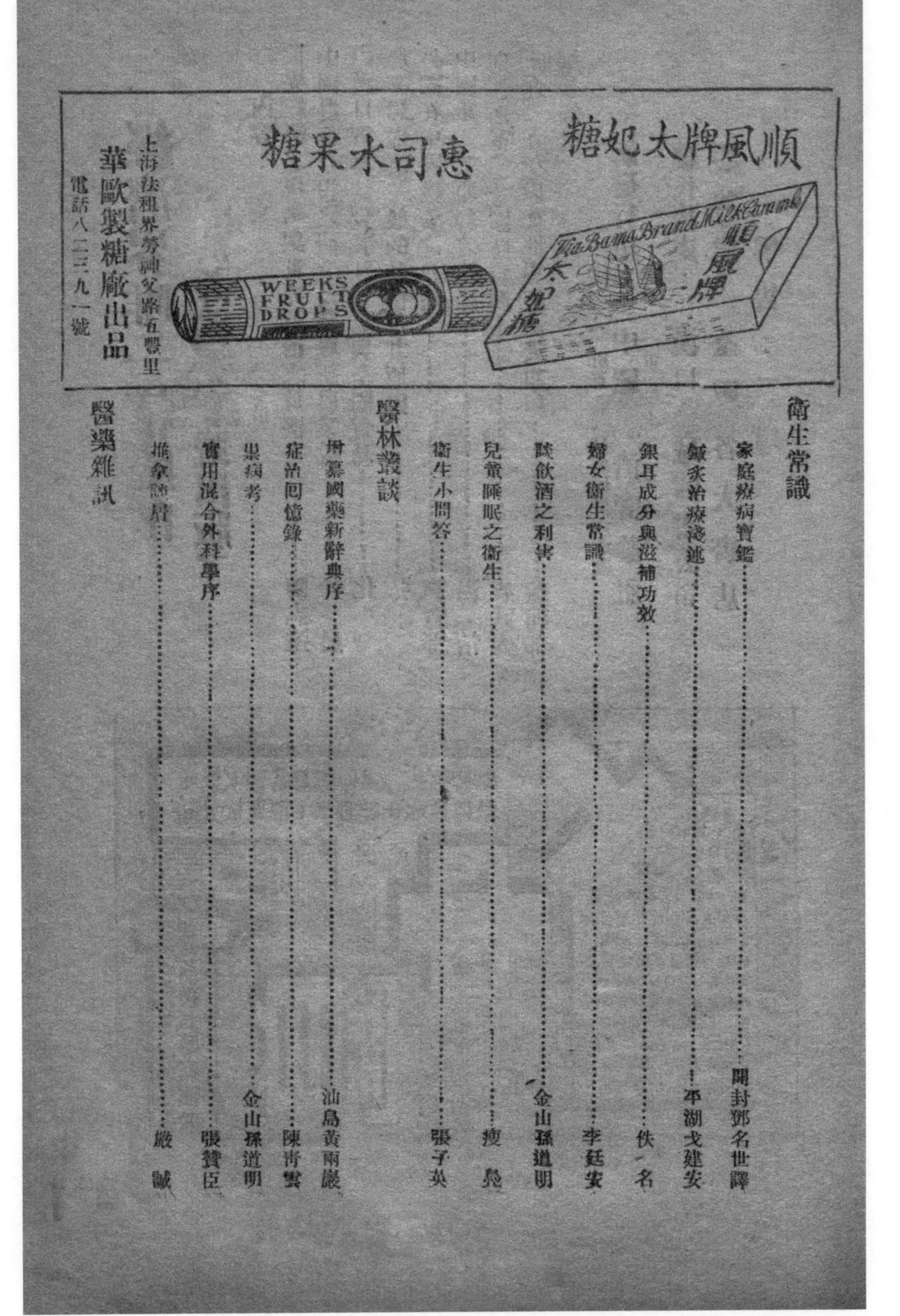

衛生常識

醫林叢談

醫藥雜訊

經濟界唯一權威的
經濟評論創刊號出版了

內容：

總發行處：中國經濟評論社
社址：漢口金城里六十號
電話：二三三八三

總代售處：漢口金城圖書公司

零售處：全國各大書店

零售：二角

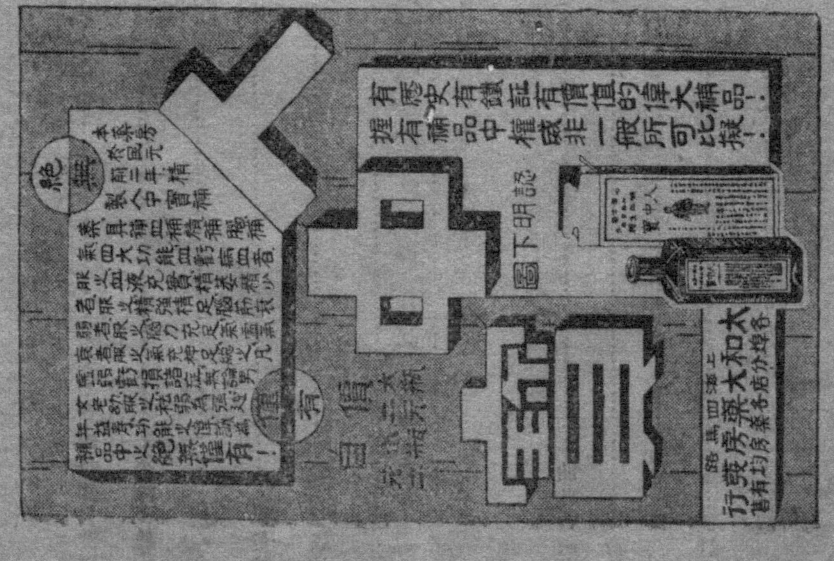

編輯者言

編者

本刊自出版以來。慘淡經營。復荷海內同道。竭力贊助。因此獲得些微成績。未始非吾國醫界之一線曙光。但恃久之計劃。非請全國醫界協力合作不爲功。本社同人力薄能鮮。時虞隕越。尙祈海內同道。作精神上之援助。

一　竭力介紹訂閱者。

二　撰寄最有心得之稿件。

三　供獻本社對於發展之計劃。

以上三者。均希望吾國醫界竭力贊助。則本刊之發展。亦卽吾國醫界之進展。國醫前途。實幸甚焉。

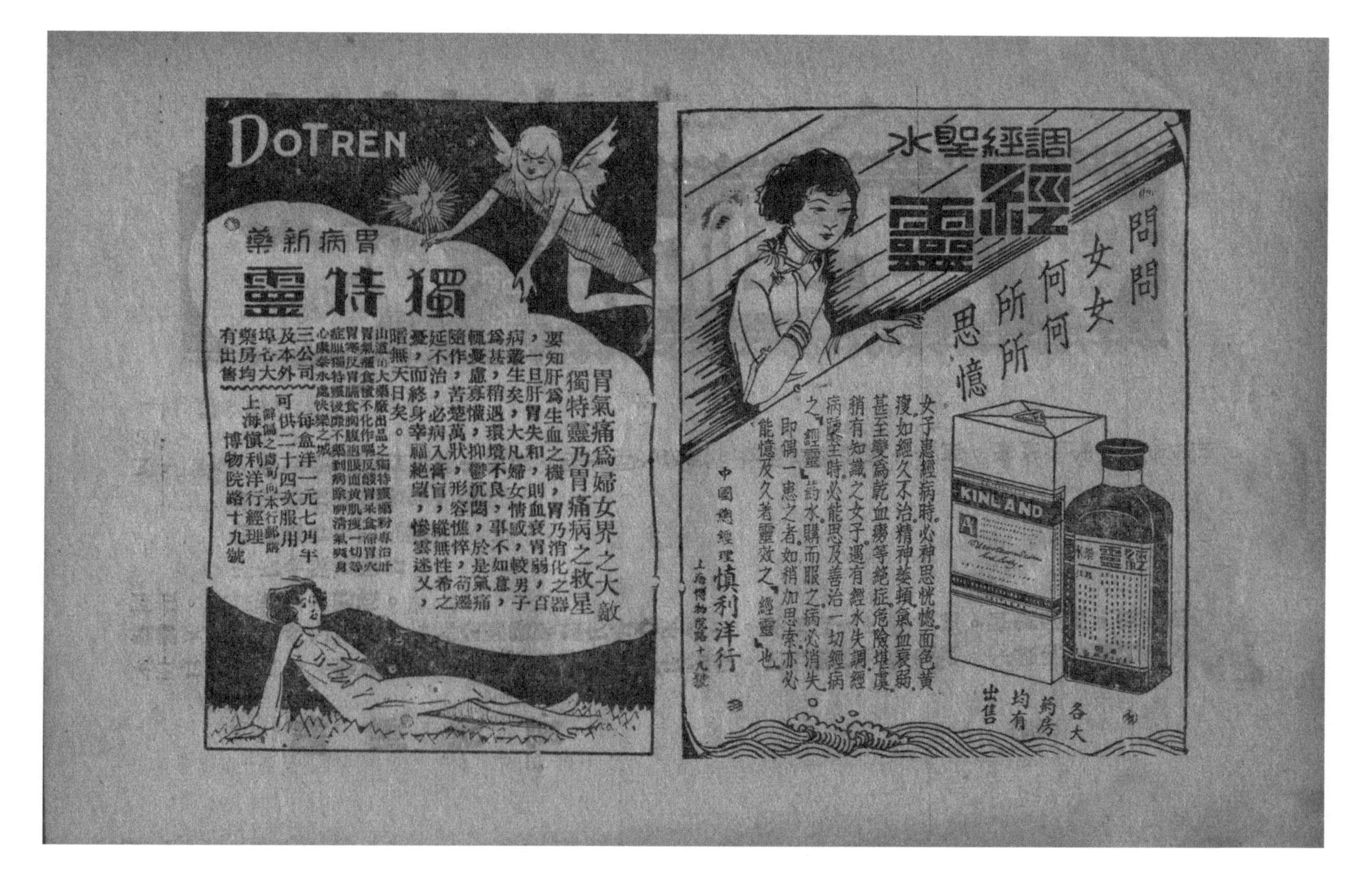
DOTREN
胃病新藥
獨特靈
胃氣痛爲婦女界之大敵
獨特靈乃胃痛病之救星
每盒洋一元七角半
可供二十四次服用
上海慎利洋行經理
博物院路十九號
調經聖水
經靈
問女何所思
問女何所憶
女子患經病時，必神思恍惚，面色黃瘦，如經久不治，精神萎頓，氣血衰弱，甚至變爲乾血癆等絕症，危險堪虞。稍有知識之女子，遇有經水失調，經病發生時，必能思及善治一切經病之『經靈』藥水，購而服之，病必消失。即偶一患之者，如稍加思索，亦必能憶及久著靈效之『經靈』也。
中國總經理
慎利洋行
上海博物院路十九號
各大藥房均有出售
KINLAND

醫藥言論

闢月經爲天癸及汚血之妄

嘉善顧大墉

嘗閱九芝世補齋醫書。有論月經卽天癸之說。殊屬可笑。夫月事旣爲天一癸水。則男子之天癸二字。將作何解。內經雖有女子二七而天癸至。太衝脈盛。月事以時下。故能有子之說。然未嘗天癸卽月經也。蓋天癸者。卽今之生殖腺也。內經稱男子二八而腎水充盛。女子二七而腎水充盛。人類至此時期。正靑春腺成熟之際。故男子能有精虫。而女子能有精卵。然則月經者何。因于生理之自然而排出也。所以排出則應于固期性之精卵成熟。純爲生理上之自然現象。不涉絲毫神祕者也。前人謂生于水穀之精微。則臆測之說。不足信焉。

乃今之妄人。謬謂月經爲汚血。此血一日不出。卽其人一日不健。本因貧血而無月經也。不知補血而唯逐瘀之是務。本因胎盤剝離而出血也。不知設法止血。而亦惟逐瘀之是謀。此種心目中。殆以病毒視月經。而不知月經點滴皆可寶貴之血也。不知近世醫說。稱月經爲子宮內部一種生理上之自然出血。故能按月而下。及婦人自受胎之後。則月經自止。所以養胎兒。變乳汁者。皆月經之所變也。設月經果爲汚濁物。而須排泄。安有積十月之久而不腐不病者乎。

更有婦人患崩症之後。每見面色靑白。體溫降落。脈博無力。甚或暈厥。此非貧血之症乎。且治之以補血固脫之藥而功效立見。夫經旣非血。則崩症無關於血。病旣無關於血。則崩後何以呈貧血之狀。且投補血之藥而見效。若果爲汚濁物。而須排泄。則崩漏以後。人應反見健康。而今不然。此非經爲營血之明證乎。且女子患乾血勞症者。何以月經變稀少。豈非血爲月經之原耶。

總觀上說。月經之爲營血。已無可疑。至於營血之原。則精之所化也。論述及此。可知前人妄說。具當一一廢之。尙待言哉。

病者心理謬誤之我見

萬友竹

諺云。天有不測風雲。人有旦夕禍福。故疾病之侵入人身。亦常有出於意表之外者。雖然自衛生之道日暢。則如何攝生以禦病魔。醫藥以驅病菌。亦未始不可力講求之。以奏人定勝天之效焉。吾人試衡諸東西各國近數十年來死亡率之遞滅。卽是以明衛生與醫藥之功能。獨惜我國人仍拘泥於種種謬誤之成見。不能急起直追。以求民族與健康之發揚。是故人以東亞病夫名我。我實亦無可自諱。自今而後。設吾人不欲自強則已。苟欲自强。當必自糾正謬誤之成見始。謬誤之成見維何。曰厥有五。一曰。固執成藥之効驗。例如某甲之某種瘧疾。見治於金雞納霜而愈。則衆人必以金雞納霜爲一切瘧疾之萬應丹矣。又如某乙之花柳病。因六〇六注射見瘥。則衆人亦必以六〇六爲任何性病之唯一勁敵矣。一人言之。十人傳之。十人傳之。百人信之。於是淪至一城一國。胥以莫不此爲然矣。世之誤投藥石而致死者。比比皆是。而由於固執成藥者實十之六七。此則糾正之道。端在醫藥界同人與司教育之責者。共起而作一深刻普遍之宣傳。庶幾凡今之顯不知以爲知者。皆獲自明其荒謬。而向者固執成藥之成見。當不攻而自破矣。二曰。固執新舊醫之優拙。自新醫問世以來。國人卽深具一不可磨滅之成見。蓋以新醫優於外科。而拙於內科。舊醫則優於內科。而拙於外科。於是凡有肺癆腸胃之疾者。多視新醫爲鬼門。而患皮膚癬疥疾者。又多以舊醫爲畏途。此實有大謬不然者。夫新醫爲東西科學之產物。自必有其正確之價值。而舊醫亦爲我中華五千年文化所孕育。自亦必有其足以生存之眞諦在。可知醫道無論新舊。均各有其學理與經驗之根據。果不能貿然指其整個或局部之優拙。而所以見優見拙者、厥在治醫之人而不在醫學本身耳。姑試就西醫之內科而論。其縝密之檢查試驗與診斷。往往有非望聞問切所能及者。乃衆人不此之察。而遽下優拙之斷。毋乃不可乎。三曰。選醫之猶豫。爲人子女者。莫不愛其父母。爲人父母者。尤莫不愛其子女。父母有疾。子女常爲之寢食不安。子女患恙。父母亦常視若切膚之痛。於是利害愈切。則指望其速痊也亦愈切。遂旦延甲新醫。夕聘乙舊醫。朝吞緩性之藥。暮服急性之藥。如是丁乙雖均爲扁鵲盧醫。亦必將昧於一貫之術。而無措其手足矣。庸知選醫而猶豫不決者。其所以示至愛於其父母子女者。適足遺以至害。而絕無萬有一得之補。眞知醫者不爲也。四曰。傳統之迷信。中國無一堅信之宗教。而多迷信偶像。舉凡其一生休咎。盡視偶像爲源泉。設如攖疾之人。其致病之由。病態之變遷。與夫醫藥之正途。悉可置之不問。但知問道於偶像。祈取香灰而服之。幸而告痊。則必欣欣然曰。命使然也。如是者。可以謂天下之至愚矣。至如何以啓其愚。幸維教育當局其慎圖之。五曰。信舊疑新之習。國人思想。不論於學術風俗貿易諸端。常具有不可思議之拘執心理。今就醫藥而論。窮里僻邑。以新藥為異術者。殆不可勝指。即如通都大邑之苛信新醫者。猶且拘執素負令譽之藥物。而以新問世為不可恃。如數年以前。六〇六盛行於神州。故縱有精益求精之九一四侵入市場。而問津者仍復寥寥。即此一斑。可知其餘矣。實則科學與時代並進為前提。庸見今日問世之九一四必較昨日六〇六為優。此勢之必然也。吾人既洞察此五者。然後可以就其癥結。而圖挽救。以為復興民族健康之初基。而宣傳之效。殆占泰半。是則吾所望於世之先覺者多矣。願勉之。

肺結核豫防運動

宋忠鈺

從前英國之結核豫防協會。在那十六次開會時候。衛生當局。出席報告。英國結核豫防上之成績。在十九世紀末。一千人中。死於結核者二人。現在減少至一人以下。一八四七年。統計一萬人中。患結核者三十餘人。現在減至七人以下。照這樣看起來。死亡率是一年比一年減少。至一九一七年。他種結核病之死亡。亦減少半數矣。總而言之。結核豫防上之實績。在患者之恢復期。加以充分之保護。最為緊要。據此新聞看來。足見英國結核豫防法。最為佳良矣。人人都說肺結核為國家病。大則國民之元氣。可以減弱。小則民族之精神。可以喪失。國家民族盛衰興亡上。亦有莫大之關係。民之不存。國焉能強。英國在豫防運動上 努力進行。才得到良好結果。以後再要繼續進行。將來之效果。一定可以增加。

我國的結核病。是一天比一天加多。每年的死亡率。也是一年比一年增高。從前在上者。不知衛生行政為何物。在下者。更不知肺結核傳染之厲害。從何處談到豫防。全國上下。渾渾噩噩。醉生夢死。無適宜之政策。且無相當之教育。醫學再不發達。欲肺結核減少。增加國民之康健。有如緣木求魚矣。前幾天報上揭載。吳市長提倡肺結核豫防會。此實是第一的善政。將來肺結核症。一天可減少一天。真是我國民莫大之幸福。吾尤希望不要坐而言之。必須起而行之。方能收實効也。

學術研究

抽血過氣注射法研究

吳縣姚心源

編者按。吳縣姚心源君。近以多年學術經驗所得。發明抽血過氣注射療法。其治內科外瘍各症。已經貓鼠之動物試驗。覺有顯著之成效。可惜注射器械。尚未試驗確定。療效之成績如何。是否確實。尚待研究。用特將發明經過。試驗情形。與醫治理論詳誌。以供海內同道商榷。如此術研究成功。未始非吾國醫界之光榮也。

(一) 發明之經程

(甲) 發明之動機

(一) 人而有疾。煎藥服藥。幾何不厭其麻煩。

(二) 苟在鄉間。買藥亦費時刻。

(三) 苟使急暴之疾配藥納服。勢必因循坐誤。

(四) 病患病不擇貧富藥產顯有貴賤。醫非盡人可得延。藥非盡人可得求。

因以上四項動機。際此農村荒蕪。人事流離。於醫藥之需要無人顧及。良可哀也。

然而國家之強弱。繫乎國民之壯衰。思有以補救。非藉志士之研討。不爲功也。

發明之立場

人非生知。求發明一項事件。固屬難能。因發明者。始因經驗之集有。繼乃造設而成功。始必簡陋。繼乃精純。余不諳科學。惟性好格致。嘗讀歷代各子有所勵心。近見泰西各國。

用各項伐克辛。可以預防各項疾病、

用輸血法。可以垂救衰老。

用睾丸劑。可以返老還童。

用移植法。可以播種牛痘。

用血清鍼。可以防患未然。

用强心劑。可以暫維現狀。

未嘗不嘆人事之可奪造化。余乃蓄意從事於此凡十年。寢食爲廢。思所以發明之而未可得也。

發明之嘗試

夫南嶺多毒。有金蛇白藥以治毒。湖南多瘴。有姜橘茱萸之治氣。魚鱉螺蚬治濕氣以生於水。麝香羚羊治石毒而生於山。蓋不能勝彼之氣。則不能生於其氣之中。朱子曰。天將降亂。必生弭亂之人。以擬其後。

余讀李因之文。不禁有所感觸於心。有試問於下。

楊樹生產之地。何以其居民多病瘧。

馬薯生產之地。何以其婦女多病癆。

普及衛生智識

□□題

棉麻生產之地。何以居民多病疹。

何以與馬同處。民多病疳。

何以與鼠爲鄰。民多病核。

節上五項。知微生物之傳染。蓋因於。

人身外衞之電導。 內營之磁吸。 有相當的因果在耳。

但是 瘧病用楊枝煎湯。服之立愈。

疹病用麻仁棉子煎湯。洗之立愈。

疳病用馬乳馬糞。治之可愈。

鼠疫之病。取鼠腎製成腺膏。注射之亦愈。

可見其物之使人病者。卽當以其物治之。乃愈。

吾嘗試於電

因爲電與電。磁與磁的感應。是同類相敵。

因爲電與磁。磁與電的感應。是異類相引。

人身體積間的肺藏。非導引於自然界的氣質而何。

人身體積間的腎藏。非代陳於自然界的性質而何。

氣質就是電導。

性質就是磁吸。

惟然。人的生活與病理。當然亦不能例外此電磁的兩項。空氣是因太陽中的以太而發生的氮氣物質。

血族是因地球上的以虹而發生的氫氣金屬物質。

經世界的哲人知道。

呼吸的當中。就是含有水分。水的體積。就是氫氣。換言之。就是電的一種。循環的當中就是含有鐵分的原斗。汎是磁的一種。

若是則人身之生活與病理。均不能例外於電磁而電磁之賦性則異相引同相斥。

（乙）發明時的感覺

我因為感覺近代中西醫紛爭。並知道西醫的治療。是倒因為果。並感覺到中醫的治療。是倒果為因。配藥費時間。服藥多麻煩。求其治療成功。亦屬有幸有不幸。而其効力尚未可必定。

不禁嘆時務之恍惚而學術之幼稚。為國民圖福利。而不知是求也。

上古聖人之言曰。余哀民不給。欲使其疾病無所苦。又何可得耶。

（丙）發明的思想

我於是就思想到中國的用鍼。何以叫射血。何以叫致氣。何以用鐵鍼。（金鍼銀針皆鐵屬）

我於是就想到中國古時的用湯液。就是取氫氣的體積來化合藥物。

我於是就思想到湯液。何以要因火煮。又何以古時又有砭石。這都我在物理的思想中。就思想到火是氫氣燄。水是氫氣體積。鍼是金屬物。那時節不容我不推求及於。伐克辛黴菌預防血清鍼。接血法補強等一切。

我就信任我的學理。

只要從電磁性的同類相斥。相斥的原理上引起人體內的自己抗力來抵抗。

所以病的發生。無非是充血和貧血。

要是血的自病。血性自己有力量來抵禦時。一切畸形。不難自己恢復。

要是血的強壯。就是抵抗力的富豐。其時對外像的電導。自然能調和。

所以我對於醫術方面。可以放膽說一句話。

要是適合於病的治療。就是相斥的方法。引起他自然的抵抗。那是無病不能痊愈。

是與病相引。適所以引起病理的反動而加之劇也。

及所以血清針之後。間有血清疹之發生。

所以施療伐克辛之後。間有引起皮膚豐隆之狀態。

所以接輸法。不能與異血族的血分相混合。

職是爲故。我就把以平日治病的經驗。讀書的學理。一一加以採求。就發明如下述。

（丁）大發明原則

主文　取最小注射器一只。開刺於皮膚上。抽出自己體積間的血。略留於氣管中。一分時。再將其血就原眼注射之。

經過許久的嘗試。及實驗。深信該項方法。無論何項大病。不過三天內。當能完全痊愈。

計能治療各病開列於下。

俗稱傷寒。　俗稱發疹。　俗稱瘧疾。

俗稱霍亂吐瀉。　俗稱各項如瘍如疔疽癬癧。

俗稱癆病。　俗稱中風。　俗稱癱瘓。

俗稱噎膈。以及其他急筋腦炎凍瘡戒烟等。

（戊）發明後的研究

既發明矣。既實驗矣。惟覺尚無所標準。

求眞確的治療

欲何病何日可愈。須治療幾次。每日可否連續施療。其施療方法。適宜於上午或下午。或飯前飯後。

施療後有無各項反應：

應否混合氫。氣或氣瘍。或氮氣。或氟氣。諸是等。

應否依照中國古時針法之施療於穴道中。俾有事半功倍之效。

至該項療法。有無何病治之不效者。均屬問題。當如全書述。

結論大概病之發生與血的原則有相關係者。决能取功。可斷言也。惟然。知何病不因於血蓋無。也是則該項療法爲最新式最經濟最緊短時間的內外全——療法也。

總言之。該項發明。便是截止病的進程。因有以上的原則。照中國俗講。同類相敵的辦法。便是以毒攻毒的根據。但是照目下的。

皮下注射。

靜脈注射。

脊髓抽水術等。

方法來移於此項手術上。似乎尚未能完善。

鄙人深信中國經絡的考證。對於療治。確有事半功倍的可能。

在是在腎部的穴道。因爲多有忌避之處。所以古書上說先治其標。苟非急病。不當卽行施用於本部。本部就是胸腹頭幹。標部就是四肢。

但四肢間的神經。乃係末梢神經。感應亦極迅速。且可以免避多項危險。

較之中樞神經的治療。良有足多。

所以該項療法。就定名爲抽血的標穴療法。

根據第一步的研究原則。就進一步來發明用具。那用具的構造。

乃用三個大小玻璃管套叠而成。

在外的玻璃管的頭部突出處。裝一金屬細鍼。其鍼中留空、藉以便內部的物質得以注射。

在最內的玻璃一端。裝一手柄。可以推動。其旁側置一彈簧器。預備與其中的玻璃互相伸縮收放。

在中的玻璃管一頭。開一小孔。一頭卽與最內的玻璃管相套。玻璃管外面亦裝一彈簧器。預備與最外的玻璃管互相伸縮收放。

中的玻璃管頭部。用象皮套好。因其內玻璃管的氣力壓迫時其橡皮套自然能脫離。

該項式樣。是依照中國打喉器。以及鍼療器。以及泰西注射器連合而成。

換言之。就是打喉器的變形。

鍼療器的改良。

注射器雙叠配置。

（巳）用法源理

就是中國鍼法——射血致氣以及靜而留久的複式

當抽血的時候。請就是射血。

當血抽在注射器中。而過以某氣的時候。就是致氣。

當血與氣相混合的暫時。就是靜而留久。

預計該項複式。其手術在三分鐘內。皆可完成。

所以應當將需要何氣。先爲預備。裝置在第二管。用橡皮頭套好。免得氣質逃出。

就是抽血之後。血留於注射器中。並不與外間空氣以及一切不淨物一切不需要物的混合。

這是第二步理想中來發明的。

因爲要是抽血的原針眼。在鍼已取出之後。當然再難將注射器射入。現在因第二步理想。混合施術與療術在同一時間實行。方抽出時。卽射入之。其間僅相去二三分鐘。對於人體的貧感富感。當然亦在暫時之間。決不有何項危險。

假使施術與療術分爲二步辦理。其針頭上針器管內難免不有其他化物(卽微生物)容留。那時節當然不能說一定沒有危險。其輕微者如注射鹽水及六〇六等手術後。常有爛肉或破胭的現象。就是注射鍼後。常有鍼疤等現像。並中國的古鍼後。亦有骨痛等現象。並不能稱爲手術之不良。大概仍舊是器械未能完備。

本方法就是免避以上的險難。得到有利無弊的果效。但是經過療術後。有無反應。或者要滿身發出紅疹。以及皮膚突然高起。鄙人在經過實驗之時。並無此現象發生。何以呢。迷瞻與僭安。

頭暈與心宕。

他的病性。是另有的主管區的主管。那出血太多。當然偶而有還許多現象。但是出血的時候。顯然有另的原因。或者遇着微生物的侵佔。現在的療法既然於暫時間。斷然能免避一切的侵佔。決不致於引起以上的現象。

那時候有人來講說。貧血的人可以先用他人的血輸血，然後再行抽血療治。

這方法。並不稱妥當。輸血的問題是極大因爲人願於血統種族各不相同。在患病的暫時那裏可找到同樣生病的人來輸血。卽使能揀到同血族的人願意輸血。那是用無病人的血來療有病人。其血顯已不同。這種血分。非惟不能療病。抑且助病的養成。因爲抽出的血。當然不是一種活潑的。並不算他以血補血。所以經過抽出後的血、當然就是藥。

假使在貧血的人們。他血早已不足。雖屬取出的血不多。暫時後仍舊從原處歸還。但是人身是活動的。他已經抽出來的並不能再爲身體營養。他的原位置地方。雖在暫時。那暫時當時早已有其他血細胞補充。所以經過抽出後的血。當然就是藥。再行注射入去並不能算病人自己還歸物。

如此講來。那注射的時候。並不一定需要在原處注射。因爲在原處注射。就知道他原處的來血與去血必定與抽出的同族。所以決定要在原處注射的。

人身體上的地位。左右前後。就是一絲一毫的距離。分區領域內中的主管却已不同。所以鄙人就主張用穴道療法。就是這個主義。

貧血的人旣經消耗。這不能算多的。但是那時節或者要頭暈心宕。以及療術要感覺到迷睡或譫狂等現象。鄙人深信這是決不會的。

人們旣知道抽血療法。雖爲至極虛弱之人。決不引起反應。那是應當明瞭療術的血族像態。

血族像態

當巳經過氣的藥血注射在人的穴脈內。

但是中國的穴道。規定有穴道地方。並不是一定有脉。而可以抽出他的血來。

要明瞭在穴道的地方。講解剖。就是骨的空處。講生理。就是呼吸時的府輸

所以要明了施術者是否在正確穴道中。就是插進針時看他有無出血。出血並不算在穴道中。

插進後。應該囑病人呼一二三。從腁下提起聲響。那時候穴道旁的微血管。因爲人的用力膨脹起來。就與納入鍼頭相遇。鍼頭是鐵的是熱的。微血管就破壞而血出。這才是抽血療法的正規。

其次因血巳過了氣。重復注射其中。那血藥與血管而新生的血。就起有一種波隴現狀。就如瀏海的水。因風的吹過而起了一種蕩漾的情形。這就叫陂隴。就可達到病的所在。那時候血藥就混合在全身的血管中。

經不了一次二次的療術。那無論是炎性的病症窒性的病症。結核的病症。化膿的病症。因爲方進的血族陂隴。均能因此同氣相敵。次第恢復生理原狀。

這就是陂隴的意義

但是因爲微血管無端受著鍼頭的熱性創破。豈不是有所妨礙呢。但是微血管的在人體。他天然新陳代謝。人們自己不能知覺。他是常常破裂及膠凝。果然是沒甚妨事。

巳經創破的微血管。當然無用。就要淘汰。一方面另外生出微細管。因爲人身體內的硬化。容易凝膠。不難於微鍼拔出時。完全恢復。

所以施術和療治合在一起的辦法。就是免避他重以傷犯。

針的製造

針的製造。其主要項下有三。

一是金屬物的頭、

一是玻璃的管

一是橡皮套

本項抽血器。

當然不能以普通的金屬針頭取用。應該用一種韌性的合金。並有免避在皮膚內毒化。當然不能以現代所常用玻璃針管。因爲常用的玻璃針管僅不過注射各種藥液。本療器因爲有過氣溶血的過程。血與氣的相合。難免不因爲其中所具成分、起有爆裂的作用。所以應當於藥玻璃管中加入何項免避爆裂的原料在內。這就是本器的秘蜜。

橡皮套的膠性。以及如何可以不與血氣起作用。那一個小小套子。當然亦在研究中。

以上方式另備。方式於下述。

術器的消毒。以及施術的預備。病的療穴。測病的標準。射血致氣的度量。血氣配合的限止。以及不能施用該器的例外。均在繼續研究中。

（未完）

男子何故十人九痔未痔衞生與既痔

婺源金勳辰

證治

飲食房色。人生之大欲。痔之起因。酒色兩字。必居其一。酒飲過量。肺氣受傷。鬱熱之濕滲入大腸爲痔。色慾過度。腎關不固。前陰之氣歸於大腸爲痔。尤其是醉飽入房。精氣腎舍。其臟空虛。酒毒乘之。流注於脈。停留不化。流著纂脫。從其所過肛門而爲痔也。欲避免痔患在少壯之時。血氣未定。須當戒酒遠色。爲攝生第一要着。

痔證有七種。肛邊發露肉珠。狀如鼠乳。時出膿血。妨於更衣者。曰牡痔肛邊腫痛生瘡。突出五六日。自潰出膿血者。曰牝痔。肛邊生瘡。顆顆發癟。癢而復痛。更衣出清血者。曰脈痔。腸內結核。痛而有血。寒熱往來。登溷脫肛者。曰腸痔因便而清血隨下不止者。曰血痔。每遇飲酒發動。瘡痛流血。曰酒痔。憂恐鬱怒。立見腫痛。大便艱難。強力肛出而不收。曰氣痔。名色種種。各當審其因而治之。其形有如蓮花雞冠核桃。或如牛乳雞心鼠乳櫻桃之狀。藏肛門之內。或突出於外。久而不瘥。變爲瘻也。潰有膿血大都爲熱甚。至者潰出黃水。則爲濕熱矣。久而不愈。血氣衰弱。以致穿穴成漏。爲無痔而肛門左右別有一竅流出膿血者。

痔證治法

痔證之方不一。東垣雖分濕熱風燥四治。大都不離蕩滌瘀熱之藥。如蝟皮皂角檳榔大黃桃仁之類。在所必用。兼風毒則加羌防升柴。甚則麻黃藁本汗之。兼燥氣則加秦艽當歸黃芪。濕勝則加蒼朮黃柏澤瀉茯苓。兼熱甚則加芩連郁李生地。膿血則加甲片歸尾。酒痔則加葛根赤小豆地芎芥半。氣痔則加枳橘木香紫蘇。食積則加黃連枳實麴蘖。痛極則加乳沒。血多則加髮灰。氣虛則加參芪。血虛則加膠艾。不必拘執古方也。惟血痔諸藥不應。石煤槐花空心烏梅湯服神效。

外治諸法

諸痔欲斷其根。必須枯痔藥。當實其竅。必戒房勞。百日方妙。凡治內痔先用通利藥。蕩滌臟腑。後以喚痔散。塡入肛門。其痔即出。欲用枯痔散。先以護痔膏圍護四邊好肉。然後敷之。敷枯藥後。色黑堅硬。裂縫則以落痔湯洗之。脫落孔竅不收者。以生肌散摻之。至於穿腸久漏者。另有胡連追毒丸。黃連閉管丸主之。諸痔及五瘻六瘤。凡蒂小而頭大者。俱用養線方治之。

洗痔法。用生蚌劈開取水液。即用養湯薰洗效。痔脈赤腫痛。以眞熊膽研水敷之。腫痛自消。自己口涎粘敷尤効。

點痔用大螺螄一箇挑去掩。入麝香冰片少許。過一宿。化水點之。又法。用大蝸牛一箇。去殼。生銀杏肉一枚同研爛。入冰片半分研勻。點上即收。

附方。

喚痔散。治內痔不出。　草烏頭生用一錢　刺蝟皮燒存心一錢　枯礬五錢　食鹽炒三錢　麝香五分　冰片三分　爲散。先用溫湯洗淨。隨用津唾調藥三錢。塡入肛門。片時即出。去藥上護痔膏。

護痔膏　白芨　石膏　黃連各三錢　冰片麝香各二分　爲細末。雞子清入白蜜少許調成膏。護四邊好肉。方上枯痔散。如痔旁肌肉堅者。不必用此

枯痔散。凡痔瘡突出。即用此藥。　白礬二兩　蟾酥二錢　輕粉四錢　砒霜一兩　天靈蓋青鹽水浸煅赤清水內焠七次四錢　共研極細末。入小新鐵鍋內。上用磁碗蜜蓋。鹽泥封固。炭火煅至二炷香。待冷取藥。研極細末。鉛罐收貯。每日上午葱湯洗淨。用津唾調捻如錢厚。貼痔上。令著以薄綿紙按顆掩捲上。東捲其藥。

不使侵好肉上。若內痔。至晚再換一次。至六七日。其痔枯黑堅硬住藥。待其裂縫自落。換落痔湯洗之。

落痔湯　黃連、黃柏、黃芩、大黃、防風、荆芥、梔子、槐角、苦參、甘草、各一兩　朴硝五錢右作三服。用水煎洗。待痔落之後。摻生肌散。如痔旁肉不赤腫。枯黑卽落。不必用此。

生肌散　乳香　沒藥各一兩　海螵蛸水煮五錢　黃丹炒飛四錢　赤石脂煅淨七錢　龍骨煅淨四錢　血竭三錢　熊膽四錢　輕粉五錢　冰片一錢　麝香八分　珍珠二錢另研　爲極細。鉛罐收貯。早晚摻二次。膏掩漸斂而平。

洗痔消腫痛方。　蕺菜一名魚醒草　苦楝根　朴硝　馬齒莧　瓦楞花各一兩　用水十碗。煎至七八碗。先薰後洗。諸痔腫痛可消。故附錄之。

胡連追毒丸。　治痔漏不拘遠年近日。有漏通腸。汚從孔出。先用此丸。追盡膿毒。胡黃連一兩切薑汁炒　刺蝟皮一兩炙切再炒脆　麝香三分　爲末陳米爛飯爲丸。麻子大。每服一錢　食前溫酒下。服後如膿水反多。是藥力已到。勿必憂懼。候膿水將盡。服黃連閉管丸。

黃連閉管丸　胡黃連淨末五錢　穿山甲麻油煮黃色　石決明煅　槐花微炒各五錢　爲末。煉白蜜丸麻子大。每服一錢。晨昏各一服。米飲下。至重者四十日愈。如漏之四邊有硬肉突起者。蠶繭二十枚炒末。和入藥中。治遍身諸漏皆效。

煮線方。治瘻瘤及痔根細者。　芫花半兩勿犯鐵　壁錢二錢　用細白扣線三錢　同上二味。用水一碗。盛貯小磁罐內。慢火煮至湯乾爲度。取線陰乾。凡遇前患。用線一條。大者用二條。雙紮於根蒂兩頭。留線逐漸緊之。其患處自然紫黑。至冰冷不熱爲度。輕者七日。重者十五日後。必枯落。落後用珍珠輕粉韶粉冰片爲散收口。至妙一方。用芫花根洗淨搗汁入壁錢浸線用之。

調經新論

張光耀

月經爲婦女生理上必具之現狀。大抵處女自十四五歲至十七八歲之間。卽有一種血液。從子宮內流出。而達陰道。以至於外陰部。無病之人。每月必有一定之運行日期。惟有孕之際則停止。因此千古以來。認爲月經爲成胎之要素。其實成胎之要素。並非月經。乃爲卵子。惟月經來潮。爲卵子已成熟之表示。有成孕結胎之可能性。不過從經驗上之證明。月與成胎。却有重大之關係。所以有「調經種子」之語。

欲明瞭月經與成胎之關係。當先明瞭生理學。蓋處女於相當年齡。在腹內左右兩側。產生之卵巢。亦長大成熟。有開始製造卵子之可能。於卵巢表面。先產生含有液體之水泡。（醫學上稱爲濾泡）此濾泡內就產生卵子一個。卵子既然長成。濾泡內液量亦增多。以後濾泡被其脹破。因此卵子與濾泡液。俱脫離卵巢而流出來。從輸卵管流入子宮內部。若湊巧與男子性交。精蟲射入子宮。與卵子會合。就此成胎。當卵巢輸卵管子宮陰道等血液流入子宮。則子宮內膜血液充盈。成爲腫脹柔軟狀態。能使血液從內膜滲漏出來。子宮內膜。因此被血液冲破。倘未受孕而己死之卵子。亦隨血液冲出子宮來。子宮又無內膜。所以出血不停。成爲月經來潮。至數天之後。子宮出血減少。內膜巳生長。始得恢復原狀。月經停止。再至下月依舊如此。所以月經按月準確。爲按月卵子成熟之表現。若無月經。或過多過少。或遲至先至。即是卵巢產生卵子有障害之兆。難以成胎。還有一層。卵巢輸卵管子宮陰道等。何以有血液冲出來。蓋卵巢實有內分泌作用。能分泌物質。醫家稱爲「卵巢賀爾蒙。」一九〇一年。法國哈爾拜 Hallau 氏。曾經詳密研究。月經之原因。實在卵巢。其實驗係將有月經之母猿。卵巢割去。結果。月經不來。再將卵巢移植於母猿身體之他部。結果。月經繼續來潮。又據格來斯 Glass 實驗。將婦人之卵巢割去。再將其他婦人之卵巢移植於割去者之某部。結果。月經亦不停閉因此證明卵巢。實能分泌化學物質。以供血液。成爲月經來潮之結果。所以月經不調。過多或過少。遲至或先至。亦爲卵巢賀爾蒙分泌障害之結果。不特此也。據法國醫家實驗。卵巢又能使子宮輸卵管陰道等生殖器官。發生充血狀態。及感受卵巢賀爾蒙。成爲月經來潮之結果。

月經不調。既然爲卵巢賀爾蒙分泌障害。及卵巢實質對於子宮感受性缺乏。則調經之道。當注重於卵巢。巳彰彰明矣。法國安特諾博士發明之「壽爾康」補丸，有男用女用之別。女用的「壽爾康」內含有雌性壯健動物卵巢賀爾蒙成份。（Varian Hormone 及濾泡液體卵巢實質內面一切成份。爲人體。卵巢總激動素。其醫理以科學的臟器療法爲根據。經數百次之動物試驗爲實驗。所有因卵巢賀爾蒙分泌障害。及卵巢實質對於子宮感受性缺乏而起之月經不調。過多或過少。遲至或先至等症。俱有頭著之效驗。蓋婦女卵巢機能失調。月經就變化增多或減少。不過月經過多。並非卵巢賀爾蒙分泌盛旺。乃因子宮內膜不易全脫。而且脫出之後。子宮新內膜不易生長，所以出血不止。成爲經期延長過多矣。惟有服卵巢賀爾蒙製劑「壽爾康」。能使月經出血停止。子宮內膜迅速生長。

月經減少。或完全停止。雖然有種種原因之不同。大抵因子宮感受性缺乏。卵巢賀爾蒙分泌作用退化之故。所以應服卵巢賀爾蒙及卵巢實質製劑「壽爾康」補片。使卵巢分泌多量之卵巢賀爾蒙。促進卵巢輸卵管子宮陰道等生殖器官。充滿血液。一方面。又使子宮新陳代謝機能旺盛。對於卵巢賀爾蒙之感受性增強。則月經易來而增多矣。

失眠症用半夏秫米湯義

九江李樹萱

夫人之衛氣。行於陽分二十五度。於身體之外。耳目口鼻皆受其氣。所以能知覺視聽而寤矣。營氣行陰分二十五度。於臟腑之內。耳目口鼻無以運動。所以不能知覺視聽而寐矣。不寐者。病在陽不交陰也。經云。胃不和則臥不安。蓋衛氣日行於陽。夜行於陰。行陰行陽。胃爲中樞之道。今胃有痰濕。蘊爲實邪。則行値暮夜。陽欲由於胃以下交於陰。無如胃中實邪上衝。以逐衛氣。衛氣逗留於陽分。欲入而不入。營氣欲出而未能出。營衛之氣。與胃之痰濕相搏。所謂胃不和臥則迷離。然陰陽升降。坎離相交。亦必藉胃土而成既濟。似此古人責重於胃。故以半夏性溫。專化痰濕。直去胃中實邪以降胃氣。佐以秫米養營滋陰。以和營衛之氣。且秫米微寒而甘。甘能生津。以滋陰血之液。寒能勝熱。微寒以抑虛陽。則陽安陰平。營衛之氣自和矣。尤必與半夏辛溫之品並用。以去胃中實邪。專降胃氣。且辛以散之。溫以化之」胃邪自無立足之地。胃氣既和。而後營衛之氣亦復其出入之道。陰陽和。豈有不臥哉。一化胃中實邪。一滋營中之液。而不臥之病。竟奏全愈。古方之神乎其用。有如是者矣。

女子何故十人九帶未帶衛生與既帶證治

婺源金勳辰

行經及產後。奇經不固。新陳代謝障害。子臟空虛。外感與勞傷。均能病帶。雖有五色。赤白惟多。白者屬氣。赤者屬血。虛者宜補。實者宜攻。如欲避免帶病。在行經及產後時期血。必須依衛生眞詮一篇戒。諸傷。避風寒。愼飲食。禁色慾。十二字一一力行。則衝任帶三脈自易充復。而帶病無由生矣。

帶分虛實論治

脈來微細虛弱。症見腰痛頭疼背脹眼花骨節痠楚。或在崩漏之後。因亡陽。或在新產之後。因亡陰。或因驚恐而木乘土位。或因思慮而氣鬱傷津。此屬於虛象者。氣虛宜補中益氣。血虛宜膠艾四物。氣血俱虛。加味八珍湯。下元虛冷。順氣散吞震靈丹。帶下不止者。四物湯加煅牡蠣粉。吞固腸丸。脾鬱結者歸脾逍遙合法。間以四七湯。吞白丸子。帶久枯涸。宜潤補。如龜版阿膠歸地之屬。帶久滑脫。宜澀濇。如牡蠣龍骨蓮子芡實之屬。又有帶久臍腹引陰冷痛者。東垣固眞丸。虛中有火者補經固眞湯。虛中兼寒者。元戎四物湯。脈來滑大有力。帶下連綿不絕。掌熱口乾。甚則時嘔酢水。此痰濕在胸。屬於實象者先以瓜蒂散吐之。蓋水自高而趨下。必先絕其上源。次以淡劑滲泄之藥。利其水道再次二陳二朮燥其痰濕。若屬濕熱蘊結而痛者。先以十棗湯下之。繼服苦楝丸。及大延胡散調之。他如風邪入胞門。帶下五色者。宜煖宮丸。加香附與茱萸。

平人頭眩與老人頭眩症治異別

九江李樹萱

經云諸風眩掉。皆屬於肝。又云上氣不足。腦爲不滿。耳爲之苦鳴。頭爲之苦傾。老人頭眩。固屬精髓空虛當以滋補爲主。此正如內經所謂精不足者補之以味。至於平人氣血壯盛精液豐富。又何有頭眩之病。蓋頭爲清陽。若脾陽下陷。肝氣不達。肝陽夾痰火而上升。令人頭眩。此正如朱丹溪劉河間所謂無痰不作眩。無火不作暈。當以抑木降火化痰爲主。一宜峻補。一宜清降。又如胃中蘊熱大便祕結。濁邪泛濫。而頭腦疼痛者。以大黃枳實苦降即愈。症狀不同。治法亦異。醫者臨床尤宜審愼分別。以定方針、殊無誤耳。

李樹萱作於江西國醫專修院

衛生常識

家庭療病寶鑑

原著者：佐佐木稔
編譯者：開封鄧名世

緒論

自西洋醫學輸入我國後。所謂民間醫藥。如草根樹皮之類。遂無人過問矣。雖然。西藥非盡有效。民間藥非盡無效。實際上。西藥不治之病。而用民間藥以治愈者亦數見不鮮。是則。民間藥亦不可厚非也。

本書所載材料。均係日本民間多年經驗之有効良方。不獨爲我國空前所無之良好家庭醫書。卽在日本亦爲不可多得之名著也。原書所載藥草。有許多爲吾國所無者。槪行删去。原書目錄。依日文字母編次。各科雜參。茲特爲之分科排列。以便檢查。本書範圍頗廣。舉凡一切疑難雜症及經驗確効良方。無不應有盡有。家庭間得之。則不啻一常年醫藥顧問也。末附岡本幸一郎氏所著之和漢藥處方集。均係合乎科學原理之經驗良方。經多數人士之實驗。皆有特別之良效。讀者苟能按方服藥。定必獲意外之良好結果也。

第一編 內科

第一章 傳染病

（一）白喉

本病以小兒最易感染。大人較少。其初。惡寒發熱。病人多信爲感冒而不介意。迨至咽頭疼痛。發生蒼白色之僞膜時。震駭求醫。然已陷入危險之境矣。故本病宜及早注射白喉血清。切不可遺誤治機也。鄉村僻地。不及注射血清時。用左列二方。亦有奇效。

（一）取青竹一端。置於火上焙之。待竹油流出時。卽以茶碗受之。每次服五六滴。

（二）取新馬糞煎服。

（二）赤痢（有紅痢、白痢、噤口痢等名）

本病之主要症狀。爲裏急後重。腹痛雷鳴。起劇烈下痢。便中混有血液。粘液濃汁等。療法如左。

（一）取車前草之莖及葉煎水服之。

（二）黄連三錢、生姜一錢半、水三合、煎成二合、頓夕二回加溫服之。大約服此藥二次以後。熱卽消退。連服二三日卽愈。

（三）傷　寒（輕者爲太陽病、重者爲陽明症）

傷寒病之初期症狀。頗與感冒相似。迨發熱。則脈與呼吸不共熱進行。是爲本病之特徵。故不難區別。其療法至今尚未有特效藥。唯有注意豫防。速請醫生施以相當之對症療法耳。

（四）百日咳（疫咳）

百日咳爲一種小兒傳染病。感染之者。以二歲至五歲之小兒爲最多。其傳染由於接觸者居多。冬春二季最易流行。療法如左。

（一）取仙人掌擠水置於鉢底上研磨之。每食後服半杯。連服三四日卽愈。

（二）先將白蘿蔔子置於鍋內炒焦。然後研成粉末服之。頗有大效。

（三）取同等分量之梨與蘿蔔。搗碎之。加入炒糖少許。拌攪均勻。而後食之。

（四）取貯藏多年之陳蘿蔔子。加入炒糖。置於鍋中炒之。一日數回分服。治百日咳甚效。

（五）將南瓜子燒成灰。然後加入赤炒糖調和而食之。

（六）車前草之葉一把。甘草二三條。加水煎之。一日服三回。四五日卽愈。

（五）猩紅熱（俗有痧子熱、疫毒痧等名）

感染本病者。以三歲至十歲之小兒爲最多。大人亦有罹之者。唯極少耳。本病今日尚無特効藥。唯有速請醫生施以適當之處置耳。其預防法。第一隔離。第二消毒。

（六）丹　毒（俗名大頭瘟、又有火丹赤丹等名。）

本病之主要症狀。爲惡寒發熱。患部皮膚呈鮮紅色而腫脹名且帶光澤。觸之則灼熱疼痛。其浸潤部邊緣與周圍健康部。截然如切。界限分明。小兒老人患本病者最爲危險。有心臟病腎臟病者。尤須格外注意。療法如左。

（一）浮萍草搗碎塗於患部。頗有奇效。

（二）取景天草搗碎。貼於患部。

（三）將新鮮之蟹。搗成蟹汁。或內服。或塗擦患部。皆有效。

（七）破傷風（俗有牙關緊閉、發痙、剛痙等名）

本病症狀非常劇烈。經過非常急速。宜及早延醫注射破傷風血清。

——待 續——

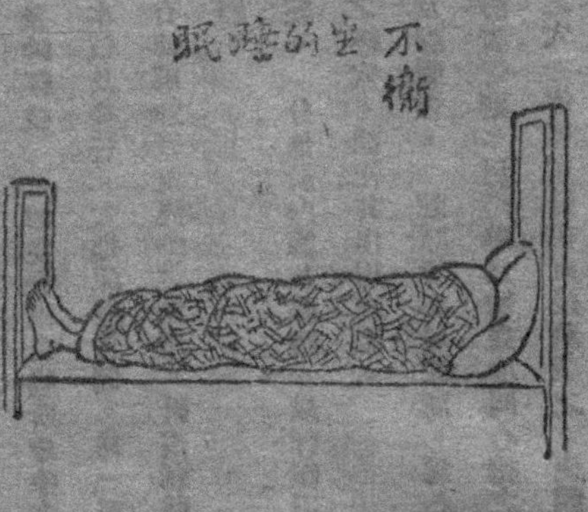

鍼灸治療淺述

平湖戈健安

鍼灸者。古法之醫學也。其源肇始於軒歧。內經一書。發其先河。實較他法為重視也。言其效用。能起沈疴於瞬息。癒危症於霍然。任何病症。靡不能克奏膚功。古有萬病一針之說。孟子謂七年之病。求三年之艾。洵非虛語也。漢代以還。方藥盛行。針灸之學。徒以經穴不明。手術難諳。遂使習者少而術不彰也。雖有專家。亦必奉為枕祕。降至近世。幾成絕學矣。

針灸治病之神奇。已有數千年之實驗。而其學理。則向極惝恍模糊。所謂陰陽補瀉。子午流注等談。實無根據可尋。然自日本諸醫學博士。經科學研究後。乃知為最合於科學之理學療法。自物理的化學的種種治療功効。且為他種醫學所不及。其理淺述如下。

一 經穴之內容及作用

全身經穴。總計六百六十有三。（經外奇穴及不定穴尚不在內。）而其內面之組織。實不外乎神經血管。淋巴管。等之循行徑路。分佈於各區域。古謂十二經絡。奇經八脈。亦係實際之談。惟認識不清。經路不明耳。若以經穴解剖之。則其理論約如下述。

(一)神經末梢、 為知覺神經及運動神經之終點。有感覺刺激。幹理運動之作用。若與以針灸之刺戟。能使其作用調正或鎮靜。

(二)微血管、爲動脈管及靜脈管之末枝。其作用爲運輸血液。以營營養。若與以針灸之刺戟。能使之擴張或收縮而得營養旺盛。或炎症消退。

以上二種。嚴密分佈於皮膚。爲任何經穴所共有。然經穴。須取於內部組織重要之處。

(三)神經幹及神經枝、即從脊椎及腦所分佈之運動及知覺神經之本枝及分枝。大都深隱骨側。爲一部份之經穴所根據。有傳導知覺及運動之作用。針灸刺戟之。可使興奮或鎮靜。

(四)交感神經、分佈於內臟及腺體。以行作用。針灸其分佈區域之經穴。能使其作用旺盛。

(五)動脈管及靜脈管、動脈管亦居深部。爲心臟輸出血液之脈。靜脈管則多居淺處爲輸血液回心臟之脈。於其分佈區域之穴。皆可用針灸直接刺戟之。使調節其作用。

以上爲經穴之據爲重要之神經及血管。又有他種組織。亦爲針灸有效之部。(即經穴。)如關節。肌肉。臟腑。腺體等。其作用有障礙時。皆可於其適當之穴。用針灸治療之。

二　幾種重要病症之針灸治效原理

勞症　是症爲最危險而又最廣佈之病。爲一種結核桿菌侵入各部。破壞組織而起。最多者爲肺結核與淋巴腺結核。(瘰癧)舉凡種種療法。每難治療。爲現代醫學上之一大問題。但施以適當之灸法。其治癒之例甚顯著。其理如下。

(一)因施灸時之高熱溫度。能溶解結核菌之臘膜。並殺滅之。

(二)灸後因蛋白體之產生而白血球顯著加多。因白血球之有食菌作用。而病菌消滅。

(三)灸後血液循環旺盛。營養佳良。或誘導血液。不使患處充血。使易痊癒。

(四)神經及細胞。因溫熱之刺戟。而呈興奮活潑。以恢復其健康。

風症　風症爲腦及神經病。亦爲醫學上難治之症。而針灸治療。實有絕大權力。

(一)因針灸之誘導作用使調節腦部血液。而使腦出血。腦充血。腦貧血等症。歸於平復。

(二)灸後用血管之彈力增加。而防止出血。

(三)針灸於瘋癆之神經。使神經細胞興奮而恢復其活動性。

(四)於神經之痙攣及疼痛。以針灸直接或於連續之神經刺戟之。能鎮靜其病勢。

痧症 痧症有係爲食物不消。腐敗而發者。(假性霍亂。)有爲病菌傳染而發者。(眞性霍亂。)而來勢甚猛。其經過甚速。危險堪虞。而針灸爲極迅速之療法。已盡人知之矣。其理如下。

(一)針灸能鎮靜神經之作用。而使拘攣疼痛等症消失。

(二)針灸能旺盛血液之循環。使毒物易於排洩。不致蓄積。又使恢復厥冷。並增加白血球。撲滅病菌。

(三)增加腸胃蠕動力。制止腸胃發炎等。

婦人病 婦人率多月經失常。血崩。帶下等症。針灸均能據理而治之。其理如下。

(一)生殖器之炎症。用誘導之法。誘導血液使聚集於局部。而消退之。

(二)旺盛其血行。增高其熱度。以求器官之強健。

(三)因交感神經之興奮。而使其組織之作用健全。

腫瘍 針灸於治療瘡毒。疔、疳、癬、疹等外症。亦有相當之價值。

(一)增加白血球。撲滅病菌。

(二)用灸之熱度。燒殺皮膚之寄生蟲及細菌。

(三)因新陳代謝作用之旺盛。血液中之毒素悉得排出。已破壞之組織。易於生成。

上述各症。但爲舉例而已。實則任何病症。悉可依此原理而治療之。寄語醫家。幸勿輕視針灸法爲幸。

銀耳成分與滋補功效

佚名

吾人每到秋冬。亟思服食補品。蓋一年來。事業勞形。身心不無虧損。自應有以調補。補品中所熟知者。如參茸燕窩銀耳等類。但究含何種補質。有何功效。大多茫然。僅知人參之補氣。鹿茸之補陽。燕窩之滋陰。對銀耳之功効。所知比較稍多。如治陰虧。體氣虛弱。肺病、咯血、久咳、胃炎、便祕、痔瘡、婦女血崩白帶。不消化等症。據上述各補品之功効。參茸燕窩至屬單純。効力微薄。且多偏弊。白以銀耳(即白木耳)一物功用最多。最適合吾人之服食。

銀耳功用雖如上述。但究屬父老相傳。未足據以爲信。今科學昌明。自應實地化驗。知其成分所在。方能據爲準確。中國科學社胡洋君。作科學上精確之化驗。化驗結果。銀耳內含多量之脂肪。蛋白質、磷、鐵、鈉、等原素外。更有甚多類似亞拉伯樹膠之粘液汁。精於醫學者云。此項粘液汁有三大功效。(一)助消化(二)補血液(三)利大便(按歐戰時戰場上流血過多之人。醫生用百分之六之亞拉伯樹膠。和千分之七食鹽。加入蒸溜水。注入血管。以填補血液。有良好成績)。世傳四川銀耳。能治百病。久服益壽延年。今觀所含成分。自非虛語。蓋食物中未有能同時具上述三種功用。而補品中更難覓得。今銀耳能全數具有。奇珍之稱。當之無愧。

編者按。銀耳產地非只四川一處。貴州湖北兩省亦有此產。以地理氣候之不同。功効自有極大差別。據老於服銀耳者說。地球場四川商店之四川銀耳。最爲可靠。

婦女衛生常識

李廷安

婦女爲一家之主幹。故其自身衛生之能否實行。不惟僅關婦女本身之利害。而於所生兒女。及家庭方面。皆有直接之影響。用舉婦女衛生常識如左。

(一)衣服之衛生　(甲)衣服樸實。寬舒。適體。合乎時令。(乙)衣服清潔。乾燥。常洗濯。常吹風。晒乾(丙)內衣。鞋襪等宜寬大。袴帶宜鬆。鞋宜平底。以免妨礙姿勢。以及血液循環。(丁)睡眠時宜穿寬鬆衣服。如換寬大寢衣尤佳。

(二)飲食之衛生　(甲)廚房之衛生。廚房宜清潔。透氣。常洗掃。廚房應有防蠅之紗窗紗門。廚房應有潔淨之菜櫃及冰箱。廚房應有垃圾桶和陰溝。廚役大小便後。應用肥皂洗手。方可做事。(乙)飲食物之衛生。食物材料須清潔。新鮮。並富於滋養料。飲食物須煮熟。水菓等須洗淨去皮而後食。勿食已腐之食物。未熟或過熟之水菓。勿食富有刺激性之食物。如濃茶。咖啡。烟。酒等。每日宜多飲開水。(丙)食時之衛生。飲食須有定時。每日三餐外。勿吃雜食。食時須快樂。飯前飯後宜休息半小時。食時應各備食具。勿用公共匙筷杯碗。食物必須細嚼。使食物與唾液全部攪和。且因嚼碎後。則消化液容易滲透。又可免除飲食過飽之弊。食物時最忌以水送下。或用湯泡飯。因食物未經咀嚼。不易消化。

(三)居處之衛生　(甲)居室。室內宜清潔。常洗掃。室中宜通風。及日光充足。屋內宜溫度適宜。(攝氏寒暑表十八度至二十度。空氣不可過於乾燥。住宅內應有洗澡之設備。夏季應有防蚊蠅之設備。如蚊帳。紗窗。紗門等。冬季室內忌用煤球。及無烟囪之煖爐。防中煤毒。(乙)廁所。廁所宜遠離廚房。糞便應處置得法。以免發生臭氣。傳染疾病。最好須有下水道之設備。(丙)環境。垃圾桶應有蓋。並常倒盡。以免蠅之生長。室旁之積水宜清除。髒水坑宜每數日灑煤油少許。以防蚊之生長。

(四)日常生活之衛生習慣 (甲)休息與睡眠。宜睡眠充足。成人每日必須睡足八小時。如能於午時休息半至一小時更佳。(乙)清潔。指甲宜修短。早起。睡前。飯後。便後應洗手。頭髮每日梳頭二三次。每星期洗頭一次。可增進血液循環。幫助排泄。而使頭髮光澤。清潔。染髮。燙髮。或用鉗拔毛。皆不合衛生。不應提倡。洗澡。冬日每星期至少一次。夏日每日一次。可使皮膚清潔。增進血液循環。而使肌肉及神經得以休息。牙齒。每早每晚刷牙一次刷時宜下下均刷。飯後漱口一次。以免食物變成酸質。而腐蝕牙磁。每年請牙醫檢查一次。大便。每日應於一定時間內。大便一次。最宜在晨間。可免頭痛。口臭。困倦。不消化等情。勿隨地吐痰。咳嗽或打噴嚏時。宜用手帕掩口鼻。以免傳染病之蔓延。勿用公共手巾。碗。筷。茶杯等。以防花柳病。癆病。砂眼。等之傳染。(丙)運動。每日必有相當之運動。如體操。工作。行路。遊戲等。(丁)空氣與日光。每日必須在戶外日光下。工作。遊玩。或休息。約一二小時。有時可舉行郊外旅行。(戊)精神之休養。宜心平。氣和。凡事忍耐達觀。以音樂美術陶冶性情。運動改變工作。驅除煩悶。憂慮。與悲觀。

(五)婦女經期之衛生 (甲)凡爲母者。於其女十三四歲時。須先講明月經係生理上之變遷。始於十四五歲。而止於四十五歲左右。每二十八至三十一日一次。每次三至七日。量數約四至八兩。含有血液。與表皮。臭味特別。其症狀爲白帶。流血急燥。心煩。便結。困乏。腫脹等。並告以經期時之衛生法。(乙)經期時尤須注意個人衛生。如充足之休息與睡眠。適體溫暖之衣服。飲食須有定時。大便每日通順等。(丙)不可有激烈運動。及過勞工作。以免經痛等病。(丁)身體之清潔。不宜沐浴。但可擦身。可用軟墊。並用清水洗濯外陰部。(戊)精神上之休養。須忍耐。制止感情之興奮。少閱有刺激性之文字及圖畫。以免刺激。(己)經期時應禁房事。

(十六)生產之衛生　(甲)產前衛生(即孕期衛生)。凡已婚之婦女。如月經素日正常。一旦停止。。有懷孕之可疑。即須就醫診斷。是否受孕。衣服宜寬大。輕鬆。胸腰二部。不宜束緊。飲食宜有定時。食易於消化及營養充足之食物。及以水菓蔬菜等。魚肉類之食物。不宜多食。須多飲開水。烟。酒。濃茶。咖啡。辣椒等之富於刺激性之食物。以及藥品等。均不宜於孕婦。不宜多服。日常生活之衛生。宜特別注意之。應有充分之休息與睡眠。多做戶外工作。或輕便之運動。可活動身體。及多得新鮮空氣與日光。孕期前六月可隔日沐浴一次。臨產前三月。不宜浸坐於盆內。只可噴浴或擦身沐大小便宜通暢。以免毒質散入血中。故宜多飲開水。多食。菜菓品。及適宜之運動。房事於產前三月。後三月。須極端禁止。以防小產及染毒。孕婦身體衛生。牙。宜勤於洗刷。多食含石灰質之食物。(如玉米。豆類。胡蘿蔔。雞蛋。牛乳等物。)如牙有疾。宜即請牙醫治療。乳部。內凹之乳頭。應常用手向外拔。並用肥皂水洗之。洗後可用少量之凡士林摩擦之。以便哺乳嬰兒。及免除授乳時乳頭破裂之虞。陰部宜常用水洗濯。以保清潔。(丙)孕婦精神之衛生。勿愁產時困難。凡事快樂。產母之營養。日常生活。以及心理之變態。皆可影響於胎兒。(產前檢查)請產科醫生細為檢驗身體各部之以及血與小便。以預防疾病。以及生產時之危險。如孕婦有以下症狀之一者。須即延醫查檢。治療之。以免意外危險。其症狀為嘔吐。頭痛。眼花。水腫。抽瘋。陰部流血等。(丁)產時衛生。延醫。孕婦於預定臨盆期左右。如發現腹痛。即須延請產科醫師。或助產士診查接生。最好赴醫院生養。切勿使舊式產婆。或親屬接生。以免性命之危險。消毒。臨盆時。孕婦之陰道。及接生者之手。必須用藥水消毒。墊布剪臍帶之剪刀。及臍帶布等物。皆須消毒。以防產母得產褥熱症。嬰兒抽瘋之危險。臨盆陣痛發作後。不宜急燥。或使勁。以免疲困。而致力竭難產。陰道。除產科醫科醫師外。不得使手探入。以防產褥熱症。流血。若係舊式產婆接生者。遇有會陰破裂時。應即請醫師用線縫好。或產後流血不止。應以手揉小肚。使子宮收縮。墊高臀部。並請醫師止血。嬰兒點眼藥。嬰兒生下。臍帶剪斷包好後。即須用百分之一硝酸銀滴於兩眼內。以防淋病菌侵入。而致瞎眼。產前應將臨產時。以及嬰兒所用各物。預備妥當。飲食。產婦可隨意飲開水。食易消化之食物。如稀飯。牛乳。雞蛋。湯。麵等。(戊)產後衛生。休息。產後應充分休養。至少眠臥十日。始能起床。二三十日後。始能工作。否則易得身體衰弱。子宮位置不正諸疾。營養。產後數日內。宜食易消化。而富於營養之食物。如牛乳。豆漿。蛋。麵。饅頭雞湯。肉湯等。以補損失之血。並增乳汁。應多飲開水。按時進食。清潔。(一)勤換衣服。勤於擦身。使皮膚清潔。血液活動。(二)每日至少刷牙二次。(三)產後宜臥而哺乳。三日後。可坐起哺之。哺乳前後宜將乳頭用硼酸水。或白開水洗淨。如遇有乳頭破裂等事。宜即延請醫師醫治。(四)大小便後。宜用過蘇水(LYSOL)冲洗外陰部。墊子等宜清潔。最好蒸過。如產後發熱。或十日後仍流血而發臭味等事。應即就醫診治。(五)每日應大便一次。空氣。宜多得新鮮空氣。適宜之日光吮乳。產後第二日。不論有無乳汁。宜令嬰兒吮吸乳頭。以促乳汁。並子宮收縮。產後檢驗。產後二月。赴產科醫師處。請其檢驗子宮之位置。是否復元。有無染病危險。以及令其指導育嬰等事宜。

（完）

談飲酒之利害

金山孫道明

酒之入也。先入胃而次入腸。又次入膀胱。是故普通嗜酒之。一杯徐飲。佐以食饌。毋使過量。而健飯如恆。酒後小便必多。腦來亦甚清爽。照常辦事。不致誤公。此酒之益也。至于醫藥上亦有特殊之功用。如西醫所謂有刺激心臟機能。中醫亦謂能和行氣是也。

一般青年男子。會有煩悶失意等事。無以解愁。不得不借杯中物以消遣之。少量固無妨于身體。其後飲之旣久。積癮漸深。不致酩酊不止。而病斯作矣。直接則爲嘔吐眩仆叫罵。間接則爲咯血喘哮脘痛。不能養身。反害身矣。古語云。禹惡旨酒而好善言。吾願有紅友之癖者其鑒諸。

兒童睡眠之衛生

瘦鳧

兒童睡眠時。呼吸與血液循環。較爲遲緩。體溫低而抵抗力弱。際此冬令。苟不加以注意。易致疾病。茲將關於小兒睡眠方面之衛生。提出諸點。雖屬顯淺。若能依照實行。對於兒童健康。不無裨益。

(一)睡衣及帶鈕。務須寬大。使小兒之四肢。得以伸展。而免緊壓。致礙身體之發育。

(二)被與枕之質料。均須取用輕鬆柔軟者。使兒睡時。得以舒適。臥枕之高低。宜平適體。過高或太硬。往往使頭顱骨曲畸。成為畸形。將來成長時。頗不雅觀。

(三)睡衣與寢具。以及尿布之類。宜常洗滌。以免污濕。易致疾病。

(四)小兒之被褥。宜視氣候之寒暖而增減之。若過薄。則患感冒。過厚。則皮膚弱。務體溫適度為準。

(五)兒童獨睡時。應將被之四角。附以帶。繫於床邊。以免兒踹開被時。易受風寒

(六)兒童臥具。宜安置高燥。陽光流通之處。須常置陽光下曬曬，

(七)嚴寒時。小兒被窠中。可安置湯婆。(切勿用火爐器外套以絨布)使被內溫度和暖。

(八)小兒睡時。務安靜。勿使驚覺。以免擾亂其神志。初醒時不宜哺乳，或向外走。致患感冒。

衛生小問答

張子英

(問)感冒傷寒何故。

(答)因寒暖不小心。當人體毛竅開啓之際。被風寒侵襲。無力抵抗之結果也。

(問)溫病有何法可以預防。

(答)溫病為冬時感寒不即發之伏邪。宜常服辛涼之品。使伏邪徐徐透泄。自無大患。如多桑叶菊花薄荷之屬代茶。可以預防。溫病及猩紅熱等症。

(問)口舌痛及有紅點何故。

(答)時屆春令。萬病發泄。口舌部份細胞組織鬱結。風熱不能散泄。所以作痛。或現紅點。宜服桑葉薄荷等辛涼之品即愈。

(問)時眼痛何故。

(答)時眼痛因眼部細胞組織鬱結。風熱不能散泄。所以炎痛而現紅赤。其發炎故分泌淚旺盛。可用桑葉薄荷內服外用桑叶煎湯薰洗。切不可全用涼遏。蓋火鬱則發之之意也。

(問)頭眩頭痛何故。

(答)平常之人。遇頭眩頭痛。不外乎風熱上炎。與濕濁不降。如濕濁不降。必現苔膩。可用陳皮半夏等理氣化

痰。風熱上炎。可用桑叶薄荷菊花等品治之。

（問）耳下生痄腮腫痛何故。

（答）耳下細胞組織鬱結。痰涎凝滯。每致生痄腮腫痛。可用桑叶薄荷等涼散風熱。使細胞組織不鬱結。又用貝母瓜蔞元參等品。化痰涎 清積熱。凡初起未潰者。大抵可以卽愈。

（問）鼻流濁涕何故。

（答）鼻流濁涕。亦爲風熱上炎。可用桑葉薄荷等涼散風熱。元參麥冬等清肺。以制止呼吸器之分泌。若鼻流清涕。大抵由感寒而起。可用蘇葉杏仁等溫散之卽愈。

（問）小兒易染天花何故。

（答）小兒素有蘊毒者。一引卽發。所以易染天花。預防之道。宜恒食辛涼之品。如桑叶薄荷代茶。地力煮熟。隨時飲之。但既經傳染。不宜涼遏。宜食升發之品透發之。令其全身出齊。待漿足。然後可以用涼血解毒之品。

（問）猩紅熱究屬何病。

（答）猩紅熱亦爲一種傳染病。俗稱爛喉痧。亦稱紅痧。因其發痧點於皮膚。如塗紅暈水然。又加咽喉腫痛或腐爛。但與普通喉症及白喉有別。初起時。不宜涼遏。宜用透達之劑。如桑叶薄荷牛蒡子浮萍之屬。甚則用升麻葛根。必須使紅痧透達。則毒從外洩。喉痛亦必減輕。

醫林叢談

增纂國藥新辭典序

汕島黃雨巖

中國藥學。自有神農本草經以後。迄今四千餘年。中經歷代因革損益。類多能闡發學理。可法可傳。其最有功後學者。厥惟明代李時珍氏之本草綱目。其書旁搜博採。列藥一千八百九十二種。集諸家之大成。不愧爲藥學大家。此中國藥學極盛之時也。至前清趙恕軒氏。復撰本草綱目十遺十卷。舉宇宙內可入藥之物。綱目所未採者。則爲之增。或綱目已載。而治法有未言。根據有未詳者。則爲之補。共增新奇藥品七百十七種。且辯正李氏之傳訛數十條。並述李氏以後醫家本草。自子史迄稗乘。有關於藥物者。罔不採入。詢足以補翼李氏。而與綱目並傳不朽者也。自茲以後。雖各有發明。然皆一鱗半爪。未足言進步。而歐美人士。則用科學分析以研究藥學。領異標新。大有蒸蒸日上之勢。自西藥學說輸入中國之後。而中國藥學爲之一變。雖有丁福保氏之化學實驗新本草。江忍庵氏之中國藥物新辭典。及晉陵下工所譯漢藥實驗談。新本草綱目等書行世。類皆語焉不詳。未能饜足我人之需要。葉君橘泉。醫中翹楚也。學貫中西。經驗宏富。近以中國藥物學缺乏佳本。乃本其經驗所得。依據本草綱目而參用日本藥物學名著。歐美最新學說。及中國二十年來純粹經驗學說。與近世科學實驗方法。兼收並採。棄粕擷華。著爲增纂國藥新辭典一書。內容條分縷析。博大精純。爲中國藥學放一異彩。誠改進之先鋒。神農之功臣。而足與李趙二氏後先輝映也。然則是書未出。猶之玉蘊深山。是書一出。又覺紙貴洛陽矣。其嘉惠醫林之功。豈有涯也哉。雨巖身醫界。廿年於茲。嘗慨中國醫藥日就窳敗。思有所貢獻。顧才疎學淺。有志未逮。今讀先生是書。怦然有動於心。而喜其與素旨相冥合也。故自忘譾陋。書此爲弁而歸之。

中華民國二十二年。歲次癸酉孟冬月。永定潤光黃雨巖。序於汕島雨廬。

症治回憶錄

陳靑雲

愚園路愚谷村洪氏婦。予之戚屬也。去年陰歷六月生產後。至七月間。患伏暑症。內熱胸悶。溼濁上升頭痛。內經云。溼之傷人。首如裹是也。往傷寒專家治之。不得法。轉爲喉症。又治不得法。肺移熱於大腸。肛門患一痔毒。至八月初。延予診治。診得六脈沉細。手足冷過肘膝。自汗盜汗。溱溱不絕。神昏譫語。舌黑而潤。命門眞火上微。釜底少薪。不能上生脾土。脾主四肢。爲諸陽之本。手足逆冷。亡陽在卽。難經云。六陽氣俱絕。則陰與陽相離、陰陽相離則腠理泄。絕汗乃出。大如貫珠。圓轉不流。朝發夕死。夕發旦死。功以神昏譫語。厥陰痰火上蒙。又有心竅內閉之憂。脾腎虛寒。肝與包絡實熱。症係邪實正虛攻補兩難。然一經權衡其間。則亡陽汗脫。尤爲緊要。予故以降纖活命飲加味爲主。藥用生黃芪。台參鬚。全當歸。金銀花。生甘草。米炒冬朮、交趾桂、麻黃根、浮小麥、廣鬱金、石菖蒲、蓮子心、殊砂茯神、皂角刺等藥調治。使內外寒熱虛實各症。兼營並顧。孤陽不生。獨陰不長。故尤注重於回陽救急。服藥後。手足溫和。神字爽慧。虛汗較少。苔黑亦退。第一二次台參鬚均用一錢。第三次加五分。囑病家云。參鬚用滾水泡。緩緩服下。泡三次後。可以不用。並囑病家至中秋節。病勢可以轉輕。可喫猪肚猪腰鹹蛋海蜇等過節。不料病家不肯深信。擅自專主。以爲台參鬚既服之奏效。何妨多用二錢。罐內煎透。一口服下。遂病勢大變。益覺昏迷。當夜再來請予。予詢悉情由。乎足已經轉和。腹中已有陽氣。清火化痰之藥。可以承受。以萬氏清心丸兩粒與之。服後神識又稍清爽。予擬以吳氏清宮湯續進。掃盡餘氛。奈病家迫之及待。恨不得病人立刻全愈。遂往各廟宇叩服仙方。予見勢不佳。只得見幾而作。急流勇退。伊乃請某名醫治之。某醫不知其中底蘊。遂將予方件意批評。其意蓋謂不宜用補藥也。不知予治洪婦病。正病勢危險非凡。諸醫束手之際。服予藥而手足蘊和。神氣清爽，英心孤詣。達此目的。談何容易。果如某醫所言。宜清肉化痰爲主。然則四肢逆冷。陽氣將絕。再服寒涼之藥。豈非脫陽告變乎。雖有人仙。亦不能持此方法以救人。天下事坐而言易。起而行難。責人則明。恕己則昏。人情大都如此。所以病家服某醫藥後。如石塔澆水。隔靴搔癢。以後不惜重金。聘請中醫東醫西醫。成羣結隊。竭力救治。較之鄙人。更一蟹不如一蟹。非但無效。病勢反劇。醫藥費用去二千數百元。延至九月下旬。依然一命嗚呼。是經手醫治洪婦之人。病家痛恨異常。名譽不損失。以得人錢財。不能與人消災故也。假如依予治法。或者有救。亦未可知。

致而病家驚至心驚。禍至神昏。生死大數。非醫師所能做主。予平日替人診病。其熱心毅力。件羣疑衆謗。不辭勞怨。神州醫學報中。予曾屢次提及。庸人之毀譽何憑。但求問心無愧。能受天磨眞鐵漢。不遭人忌是庸才。予安能隨波逐流。自貶人格。以求媚於當世耶。

陳青雲自撰　虹口狄思威路天同路口源茂里二十八號

祟病考

吳江徐靈胎案
景陽孫道明錄

同里朱翁元亮。僑居郡城。歲初。其媳往郡拜賀其舅。舟過婁門。見城上蛇王廟。俗云燒香能免生瘡腫。因往謁焉。歸即狂言昏冒。舌動如蛇。稱蛇王使二女僕一男僕來迎。延余診視。以至寶丹丸一遣老嫗灌之。病者言此係毒藥。必不可服。含藥噴嫗嫗亦仆。不省人事。舌伸頸轉。亦作蛇形。另易一人。灌藥訖。病者言。一女使被燒死矣。凡鬼皆以硃砂爲火也。次日煎藥。內用鬼箭羽。病者又言一男使又被射死矣。鬼以鬼箭爲矢也。從此漸安。調以消痰安神之品。月餘而愈。此亦怪之類也。非金石及通靈之藥不能奏效。

林家巷周宅。看門人之妻縊死。遇救得甦。余適寓周氏隨乘往看。急以紫金錠搗爛水灌之然醒。明日又縊。亦遇救。余仍以前藥灌之。因詢其求死之故。則曰我患心疼甚。有老嫗勸我將繩繫頸。則痛除矣。故從之。非求死也。余曰。此嫗今安在。則曰在牀裏。視之無有。則曰相公來。已去矣。余曰此縊死鬼。汝痛亦由彼作祟。今後若來。汝即嚼余藥噴之。婦依余言。嫗至曰、爾口中何物。欲害我耶。詈罵而去。其自述如此。蓋紫金錠之辟邪神效若此。

同學李鳴。古性誠篤。而能文。書爲一時冠。氣貧不得志。遂得奇疾。曰。夜有人罵之。聞聲而不見其形。其罵語惡毒不堪。遂惱恨終日。不寢不食。多方曉之不喻也。其世叔何小山先生。甚憐之。同余往診。李曰。我無病。惟有人罵我耳。余曰此即病也。不信。小山喻之曰。予之學問人品。人人欽服。豈有罵汝之人耶。李變色泣下曰。他人勸我猶可。世叔亦來勸我。則不情甚矣。昨日在間壁罵我一日。即世叔也。何今日反來面諛耶。小山云。我昨在某處竟日。安得來此。且汝間壁是誰家。我何從入。愈辨愈疑。惟垂首浩歎而已。卒以憂死。

道按。靈胎先生爲有清名醫。視病能洞澈病原。故用藥有

如神施鬼設之奇。試觀上述祟病三則。皆有事實可徵。頃閱

貴刊有孫廷鑣祟病之作。其中一片疑團。未能打破。今特錄檢此事。以證實之。足見祟病從古有之也。

實用混合外科學序

張贊臣

釋氏之旨云何。曰慈悲也。耶蘇之旨云何。曰博愛也。釋之慈悲與耶之博愛。有翼乎。曰無以異也。既無以異。奈之何釋氏之徒之喜攻耶。而耶氏之徒之喜攻釋乎。曰嗚呼誤矣。釋固未嘗攻耶。耶亦未嘗攻釋。相攻之耶氏釋氏之徒耳。豈耶氏釋氏之本意哉。蓋大道無所不容。絕無偏私之見。存乎其中。而博愛慈悲。其救世之旨。一而已矣。苟能知乎此。則可以解今日中西醫學之爭矣。

夫時至今日。中西醫學之爭烈矣。各是其長（互非其短。亟亟不可終日。而不知東方醫聖之仲景。與西方醫聖之柯和。靈兮有知。必不願其徒也。互相攻訐也。蓋其救世之旨。即釋氏之慈悲。即耶氏之博愛也。慈悲博愛。大道從同。又烏得而互相攻哉。今者中西醫之互相攻擊。豈仲景與柯和之本意。是中醫之徒之攻人者。仲景之罪人也。而西醫之徒之攻人者。亦柯和之罪人也。

吾友余子無言。年富力強。邃於中西醫學。予主編醫界春秋。及囊之世界醫報。得余子之力爲尤多。嗣中國醫學院院長包先生識生。聘余子主講外科。余子乃出其精力。編著實用混合外科學一稿。蓋實鑑於中西醫學。各有所長。而不可偏廢也。惜乎此稿未竟。余子即去職。予以余子此稿步步踏實。不同空乏。其採取泰西之新知。發揮中醫之眞理。在在使之混合。絕非尋常中西合纂之書可比。乃攖之以實春秋。銷數劇增。於此可見愛美之心。今所同然。非予一人之私意也。

然予嘗攷之。主張滙通中西醫學者。始於唐容川氏。盛於丁福保氏。而丁氏又有萬鈞陳邦賢。顧鳴盛諸子。以爲之輔。編釋中西合纂之書。不一而足。不可謂非滙通之巨著也。顧其所編。皆中西學說。兩兩並列。合編則有之。混合則未然。今余子仍故其意。而作進一步之剪裁。編著混合外科學一書。每論一症。於使中西學說。混合而爲一其總論則西爲經。中爲釋。以中說混合於西說者也。其各論則中爲經。西爲

釋。以西說混合於中說者也。嗚呼。余予此編。豈僅嘉惠醫林而已哉。直唐氏丁氏之功臣也。又豈唐氏丁氏之功臣而已哉直仲景柯和之功臣也。書既成。予爲之校訂一過。樂而爲之序。

中華民國二十三年一月武進張贊臣序于上海醫界春報社

（附啓者）余君之混合外科學總論現已出版由上海白克路西祥康里第七十七號醫界春秋社發行分洋裝平裝二種洋裝定價二元六角預約一元五角平裝一元八角預約一元每册外埠寄費一角三分預約截止期二月十五日過期即照定價發售遠道邊省及國外特延期一月以示優待。而免向隅。

推拿談屑

嚴嚴誠

推拿一科。能治療多種疾病。爲我國古昔治法之一。卓著神效。人所共知。所惜後人偏重湯液。不屑注意手技。其奧理因以不能闡揚。江湖術士。昧於理解。故作神奇。巧立猿猴摘果。赤鳳搖頭等等之術語。以欺蒙無人。文人學士。乃愈益不願稍稍爲之探索。此推拿科。至在今日。所以將有失傳之虞矣。

推拿一術。本有不藥之醫之名。如社會需要。已成爲一種專門之業。惟我國男女間之防範。甚爲嚴密。又素鮮婦女習此者。遇有婦女需要推拿時。延就男師。頗感不便。此亦推拿科衰落之一大原因。推拿之功。有勝湯藥。對於嬰孩爲病。有所獨擅。年老氣血欠充。筋骨往往發生疼痛。如時施推拿。尤爲合宜。設皮膚筋肉受傷。腫硬痲木。或因跌仆閃失。氣鬱血滯。爲腫爲痛者。尤所必需。

醫藥雜訊

中委振興中藥

中央委員焦易堂陳果夫陳立夫葉楚傖石瑛等計劃擬以私人名義。集資八十萬。創辦中藥製造廠。並劃一部份經費。設國醫專校及國醫醫院等。候進行步驟商定。卽開始籌備。

京市戒烟醫院開幕

京市戒煙醫院。五日下午二時舉行開幕典禮。到劉瑞恆金寶善賴璉及江甯地方法院首檢官孫紹康等。由衛生事務所長王祖祥及院長倪穎源引導。參觀一週。均表滿意。該院設病床百五十張。百張供戒烟用。五十張供普通病用。

俄教授發明藏血法

塔斯社一月五日莫斯科通訊　莫斯科血液研究所波格達諾夫教授已發明保藏鮮血辦法。故携血赴遠處實行接血之舉已屬可能。該研究所已將鮮血自莫斯科送至梯弗利斯海參崴等處。完全無恙。並來證明鮮血藥力有效期間爲十五日。過期卽不能爲接血之用。自是以後醫院及產科醫院均得廣用接血辦法。該研究所復稱接血得刺激其他人體器官之機能。同時能加強該體。組織新陳代謝作用。該所現有分所百餘處云。

英眼科醫生之奇術

英人華生。兩歲時。患瘋疹。致兩目失明。現年二十九。以爲終身不復覩光明矣。現遇眼科專家湯姆士博士。認爲可治今日施手術。至爲巧妙。取其他二瞽之眼角膜。而換入之蜸是華生兩眼不見天日已二十七年者。居然又覩光明。此種可驚的成績。已引起頗大注意。許多著名外科醫士如則爾德等皆入醫院視察。

湘省舉辦公共衛生計劃

長沙通訊。全國經濟委員會。現設立衛生實驗處。將衛生事業。列爲重要建設之一。於是各省聞風興起。注重衛生事業。加以國聯技術合作。撥有鉅款爲補助遠東衛生經費。廣西已取得補助費三十萬元。江西取得七十萬元。國內醫藥界頗稱慶。與衛生署長劉瑞恆等。以湘省有長江一帶最著名之湘雅醫院。與湘雅醫學院。此外公私立醫院。均比較各省爲多。衛生事業，實較有基礎。故欲以湖南爲全國舉辦衛生事業將中心區。經電促何鍵對於湘省衛生。加以注意。劉瑞恆並贛二月中旬。偕國聯技術合作代表那斯瑪氏來湘視察。預計定來可得國聯補助至少一百萬元。因湘省固有成績。比較桂之兩省爲優也。何鍵亦深以爲然。決定本年先撥五十萬元舉辦衛生事業。並聘湘雅醫院院長王子玕(即王光宇係西洋派)爲湖南省政府衛生顧問。籌劃一切進行。同時南京衛生署。亦派龍毓瑩來湘指導一切。何鍵則派民政廳長曹伯陶爲主體。會同王龍二氏。積極舉辦。其計劃大綱與經費預算。已提出省府常會通過。其計劃大綱如下。(一)目標。以醫藥省有制度爲目標。期於十年之內。關於保健預防及治療各項。能普及全省。並完全由政府主持。以防止私人藉藥營利之弊。而全省人民。無論貧富。人口均得有享受之機會。(二)辦法。第一步先在民政廳之下。設立湖南衛生實驗處。秉承民政廳之命令。主辦全省公共衛生事宜。再於長沙。醴陵。攸縣。平江。瀏陽。五縣。各設衛生院一所。各該縣城市及鄉村之保健預防及治療。均由各該院主持辦理。在戰時並協助辦理軍隊衛生。及收容傷兵治療事項。第二步。則於常德。岳陽。益陽。湘潭。寶慶。湘縣。零陵等縣各設衛生院。以後期於十年之中。全省各縣。均有衛生院一所。在每一衛生院之下。視需要之程度。於城市及鄉村。設立衛生所。並將省立傳染病醫院。省立醫院。省立衛生考驗所。次第設立。(三)人材之訓練。暫指定湘雅醫院爲訓練人才之機關。現應將其教學之目的及方法。完全規定。以符合醫藥省有制度之目標。將來其畢業生。即由省政府分派往各縣城市及鄉村工作。以防止醫生集中大城市。而無人肯往小城市及鄉村工作之弊。並繼續擴充湘雅助產學校。以養成助產人才。此外則在各師範學校中。增加衛生教育課程。以期能以學校爲中心。而普及公共衛生工作。(四)實際之工作。本省工作。務期腳踏實地。不事誇大。總以人民能得實惠爲主。目前亟應舉辦者。有下列各項。一。普及種痘。及預防注射。二。普及助產。三。普及醫藥救濟。四。協助辦理學校衛生。五。婦嬰衛生。六。工廠衛生。七。特種傳染病之管理。八。流行病之研究。例如種牛痘可以預防天花。人人知之。然惟大城中較爲普遍。小城市及鄉村中。則種牛痘者甚少。本省應期於五年之中。將全省三千花人種遍。又如接生一項。舊式穩婆。已無人置信。而新式接生。每次需費。總在十元以上。甚至數十元不等，苟非素封之家。何能勝此負担。應由各縣衛生院。負担助產責任。每次不得超過二元。貧者並須免費。以期普及。而便人民。

本社徵稿啓事

逕啓者。稿維雜誌之生命。端在經濟之充實。與內容之精采二者缺一不可。本誌廣告及定費等收入。在經濟方面。差堪自給。內容宜傳常識。探討學理。雙輪並進。雖承讀者交口贊譽。本社猶未敢自滿。特訂徵稿新約。敢祈醫林碩彥。賜寄宏文。用光篇幅。

1，本誌學術研究欄。最歡迎科學化之研究作品。如國醫持三部九候。診內傷外感各病。在生理上究竟能否成立。在事實上究竟有無徵驗。又如某藥治某症。某方治某病之臨床統計等稿。

2，本誌衛生常識欄。最歡迎以明白暢曉之筆。敍述人生必須之醫藥衛生常識。如飲酒之利害如何。女子何故十人九帶。男子何故十人九痔。欲免帶與痔。平日應如何攝生等稿。

3，本誌餘興小說欄。所以調劑讀者之腦力。內容略與各大報副刊近似。惟文字力求生動。取材尤須純正。

4，諸君投稿。經本誌選載三篇以上者。長年贈送本誌壹份。投稿經本誌選載六篇以上者。除長年贈送本誌外。並刊布投稿者之貳寸半身肖像。簡明小史於卷端。稍酬賢勞。

衛生雜誌社編輯部啓

本刊衛生顧問章程

(一)本刊經大衆訂閱者之要求。關設衛生顧問欄。以便醫藥上疑難問題。及病因症治藥性等。作公開之討論與研究。若依本章程投函詢問。當即照來函解答。

(二)重要問題。除依來信直接逕函答覆外。本刊得隨時將答案披露。以便同志之研究。

(三)疑難之答案。須檢査醫籍。詳細考慮者。至遲一星期可以答覆。

(四)不答覆之範圍如下。(一)來信記述不詳者。(二)詞義不明者。(三)要求立得藥方者。(四)無關醫藥者。(五)委託評論藥方之是非者。(六)本社同志學識所不及者。(七)無覆信郵費者。(八)無衛生顧問券者。但不答覆者。不答之理由。覆信聲明。

(五)來函概用中式紙張。繕寫清楚。附覆信郵費一角三分。並附寄下列衛生顧問券一個。

(六)來函寄愷自爾路嵩山路口瑞康里二六二號

衛生雜誌廣告例

地位	面積	價目
封面	大半頁	大洋四十元
底面	全面	大洋四十元
封面裏	全面	大洋廿八元
底面裏	全面	大洋廿八元
封面第二頁	全面	大洋廿四元
	半面	十二元
	四分之一	八元
底面第二頁	全面	大洋廿四元
	半面	十二元
	四分之一	八元
普通	全面	廿元
	半面	十二元
	四分之一	八元

一封面底面裏外均用二色套版印不另取費
一代製銅版鋅版費另加
一代繪圖樣費另加
一惠登廣告者贈本刊一册

衛生雜誌第十六期
中華民國二十三年三月一日出版
主編者 國醫張子英
校正者 國醫胡佛
發行者 衛生雜誌社
印刷者 衛生雜誌社
分發行所 中醫書局
分售處 現代書局 各省書局

衛生雜誌定價表（費須先惠）

出版	月出一册	全年十二册
價目	大洋一角	大洋一元
附註	郵費在內	國外加倍
	郵票代洋以一分五分爲限	

○社址○ 上海愷自爾路嵩山路口瑞康里二六二號

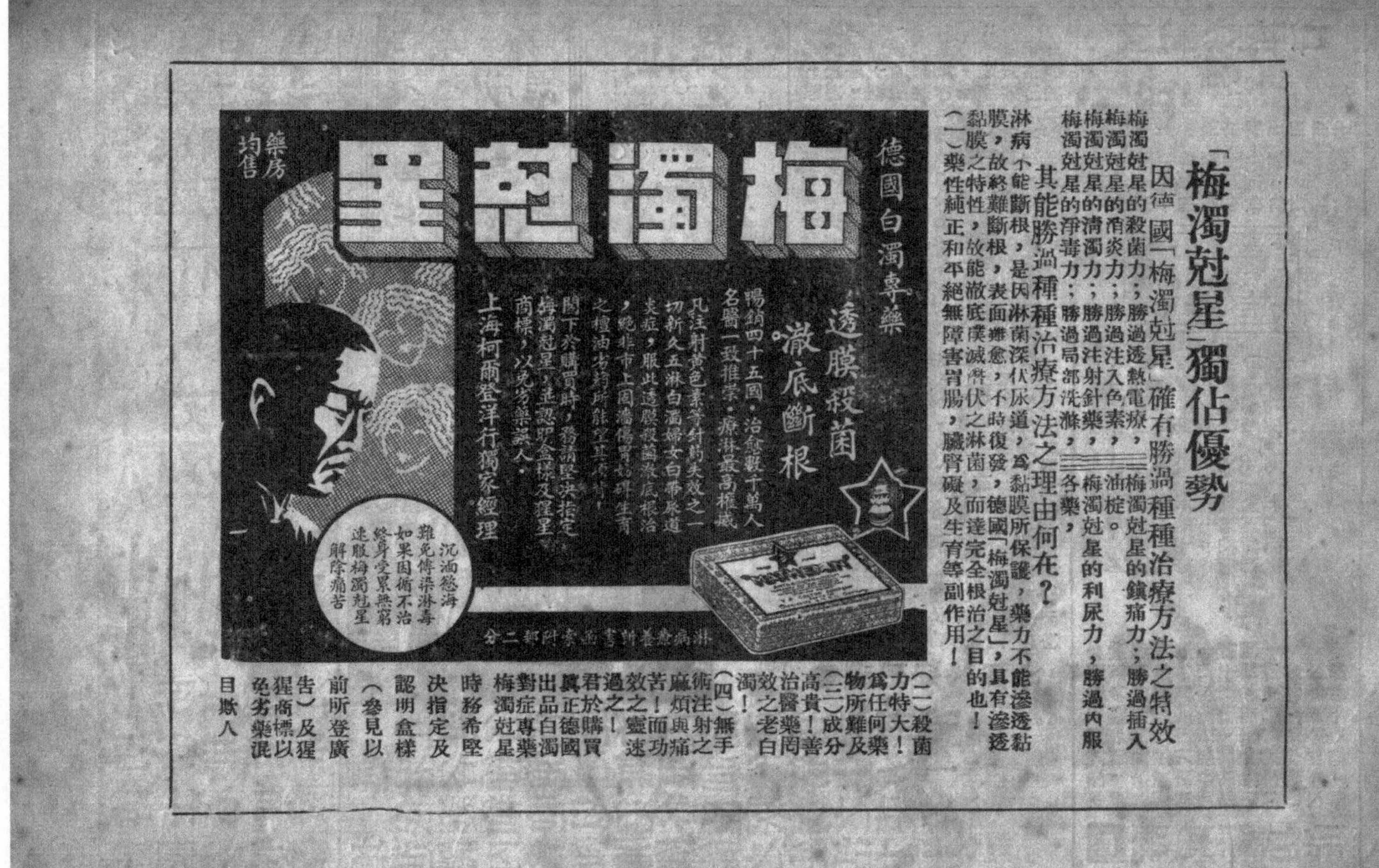

梅濁尅星
德國白濁專藥
透膜殺菌
澈底斷根
暢銷四十五國，治愈數千萬人
名醫一致推崇，療淋最高權威
上海柯爾登洋行獨家經理
藥房均售
「梅濁尅星」獨佔優勢
因德國「梅濁尅星」確有勝過種種治療方法之特效
其能勝過種種治療方法之理由何在？

增進體內各細胞機能之生活力！

保護細胞以免各種疾病之襲擊！

延老各細胞之無限制的新生力！

亢進各細胞的代謝產物之排洩！

品質高尚

功效偉大

出類拔萃

人人宜服

俾爾壽康

藥房均售

●壽爾康之成分

市上號稱返老還童之一切內分泌物製劑，其功效較著而名譽較佳者，所含內分泌物至多百分之三十三而壽爾康中乃含有「盼好而蒙」百分之六十六，「盼好而蒙」PAN HORMON即安特諾醫聖所發明，亦即安氏數十年來苦心研究之收獲，本劑以「盼好而蒙」爲主，以各種名貴滋補藥物爲輔，融多數名藥爲一爐，已老者服之可以回少，未老者服之可以防老，誠開藥物史上未有之紀錄！

●壽爾康之製法

本劑係德國最著名之戚彌鄧大藥廠監製，廠方自置廣大牧場，畜以牛羊猿猴之屬，由獸醫考察，遴選強壯之獸取普通獸體內之分泌物及各種滋補食品，日日餵之，俟其日益壯健，至相當時間後乃由有經驗之獸醫，使用靈敏手術，採取其新鮮之內分泌物，再經紫光電提煉消毒，淘汰不良雜質，製成結晶體名曰「盼好而蒙」手續繁重採選艱難，功效極宏：

回壽爾康功能

本劑功能補充體內活力之缺乏，滋養內分泌腺之健全，促進新陳代謝之機能增加抵抗病菌之力量，乃亢進全身各機能之完美滋補品，與一般含有毒性之壯陽藥物惹起假性興奮藉取一時微效之催春劑藥物絕不相同！

主治

補腦補血：滋陰益髓

調經種子：保腎固精

防止衰老：抵抗疾病

轉弱爲強：廣嗣延齡

功效

神經衰弱：腎虧遺精

未老早衰：腰酸背痛

種子維艱：病後產後

月經不調：赤白帶下

壽爾康說明書

函索即寄外埠

函購寄費免加

分男用女用兩種每盒五元每料三十元男女同價：

中央衛生試驗所化驗：

上海 南京路五四至五十六號

柯爾登洋行

HEALTH MAGAZINE

衛生雜誌

第十七期

中華郵政特准掛號認為新聞紙類
內政部登記證警字第二八二九號
社址上海愷自邇路嵩山路口瑞康里

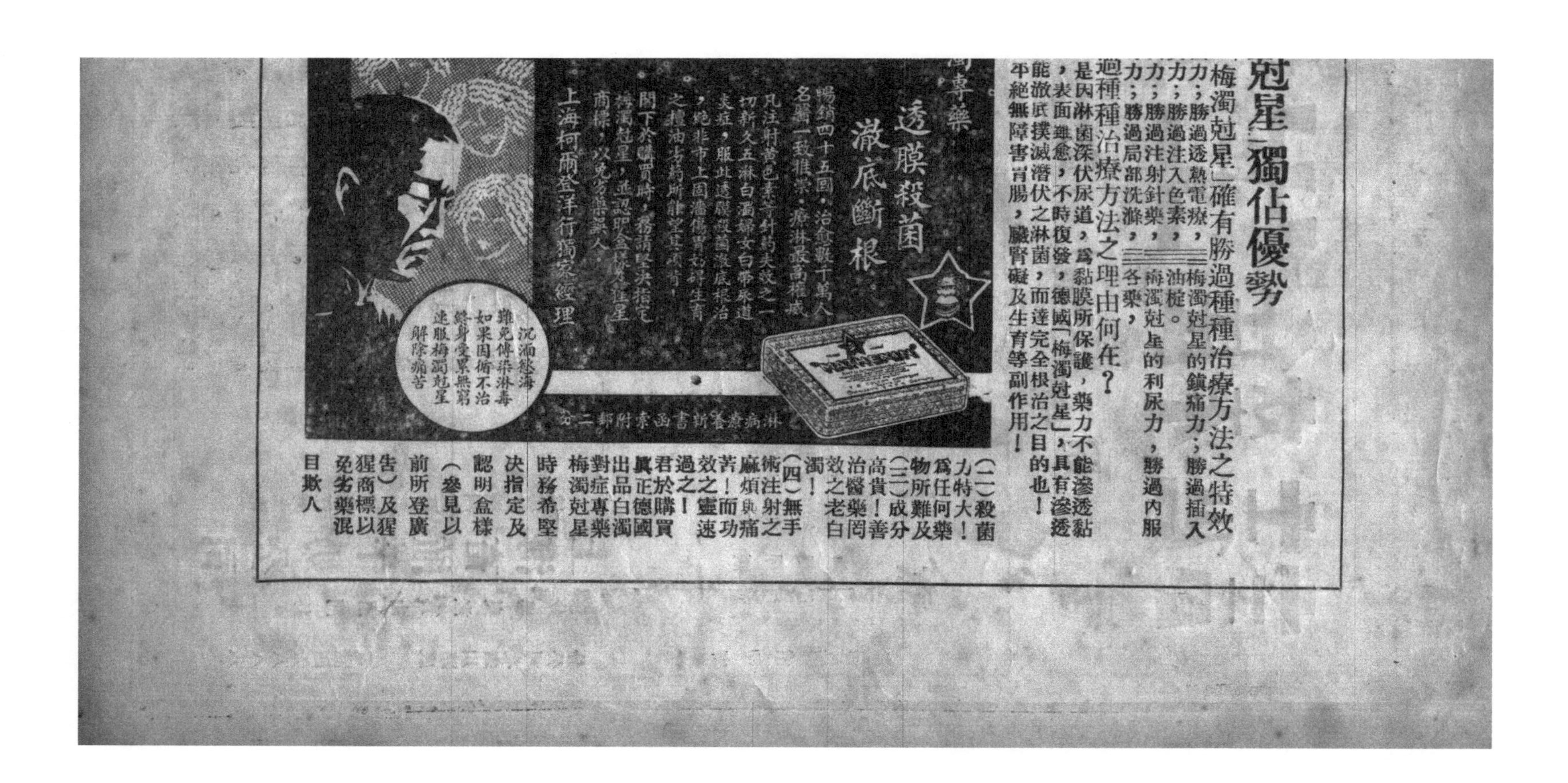
冠星」獨佔優勢
「梅濁冠星」確有勝過種種治療方法之特效
力；勝過透熱電療，
力；勝過注入色素，
力；勝過注射針藥，
力；勝過局部洗滌，
梅濁冠星的鎮痛力；勝過插入油梃。
梅濁冠星的利尿力，勝過內服各藥，
過種種治療方法之理由何在？
是因淋菌深伏尿道，爲黏膜所保護，藥力不能滲透黏
，表面雖愈，不時復發，德國「梅濁冠星」，具有滲透
能澈底撲滅潛伏之淋菌，而達完全根治之目的也！
平絕無障害胃腸，臟腑礙及生育等副作用！
專藥
透膜殺菌
澈底斷根
暢銷四十五國，治愈數千萬人
名醫一致推崇，療淋最高權威
凡注射黃色素等針藥失效之一
切新久五淋白濁婦女白帶赤道
炎症，服此透膜殺菌澈底根治
，絕非市上國產傷胃劣品所有
之擅油吞藥所能望其項背。
閣下於購買時，務請堅決指定
梅濁冠星，並認明盒樣及猩猩
商標，以免劣藥誤人。
上海柯爾登洋行獨家經理
沉湎慾海
難免傳染淋毒
如果因循不治
終身受累無窮
速服梅濁冠星
解除痛苦
（一）殺菌力特大！
（二）爲任何藥物所難及！
（三）成分高貴！善治醫藥罔效之老白濁！
（四）無手術注射之麻煩與痛苦！而功效之靈速過之！
君於購買眞正德國出品白濁對症專藥梅濁冠星時務希堅決指定及認明盒樣（參見以前所登廣告）及猩猩商標以免劣藥混目欺人

本社贊助人

王曉籟　徐廎華
王延松　王鈍根
潘公展　孫籌成
徐乾麟　胡仲持
許世英　張士俊
鄭洪年　金柏生
袁履登　顧文生
鄔志豪　俞福田
陸文韶　趙　冲

本社理事

秦伯未醫士
郭柏良醫士
蔣文芳醫士
包天白醫士
張汝偉醫士
盛心如醫士
朱鶴皋醫士
嚴倉山醫士
朱孟栽醫士
沈仲圭醫士

本社社長　胡　佛醫士
本社編輯主任　張子英醫士　潘國賢醫士
本社總務主任　繆曙初
本社發行主任　鄭慕楠
本社廣告主任　張承椿　陳伯民　朱景輝
本社宣傳主任　張森葆　陳錫安
本社推廣主任　范桂卿　沈伯祿
本社撰述員　全國各大名醫

衛生雜誌第十七期目錄

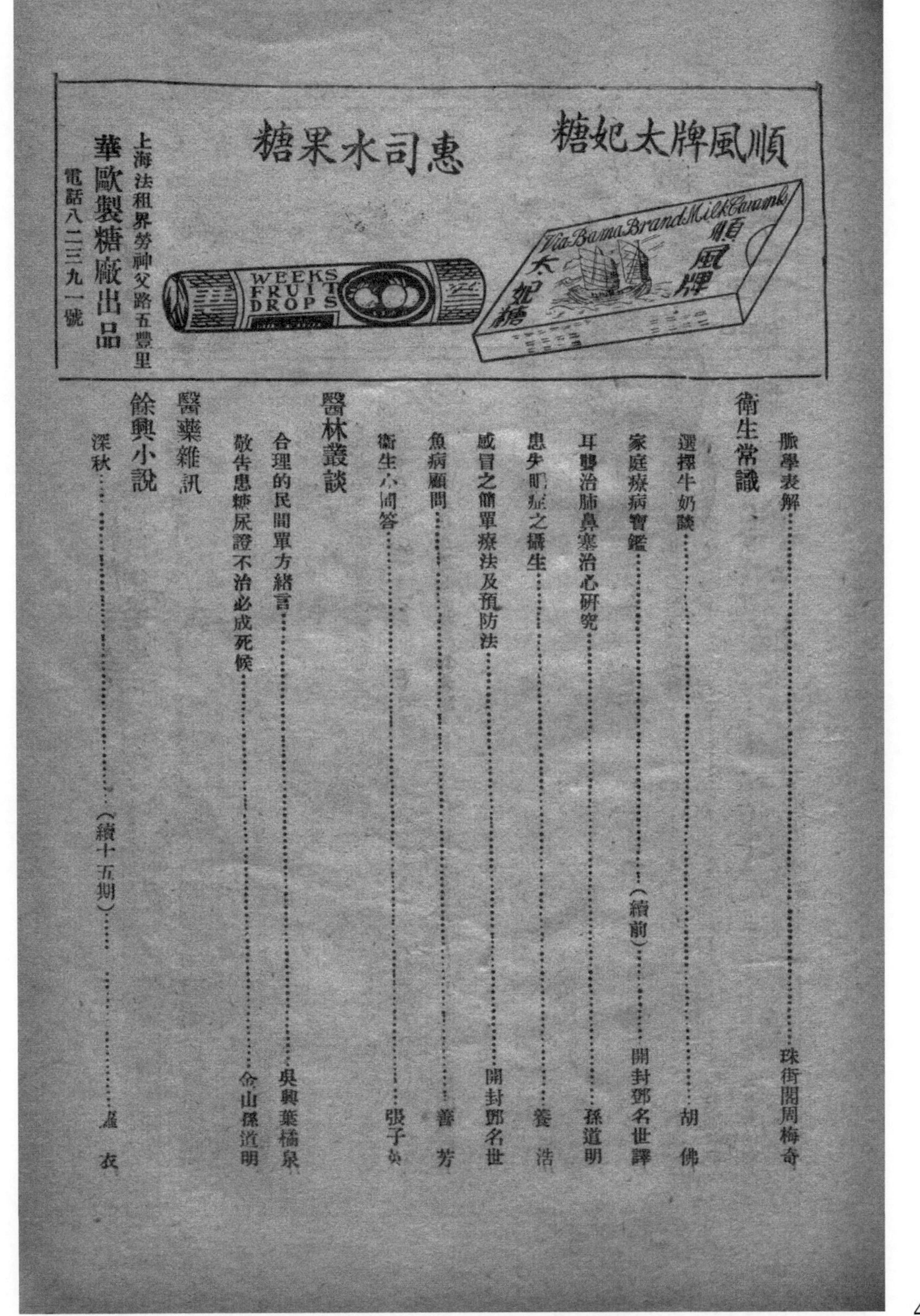

衛生常識

醫林叢談

醫藥雜訊

餘興小說

大中華橡膠廠出品
雙錢老牌
國貨優等
美觀而經濟之各界用品
時式套鞋
摩登跑鞋
熱水袋
運動跑鞋
自由跑鞋
今年婦女國貨年
諸姑姐妹須記取
膠鞋牌子着雙錢
繼續努力挽利權
全國各埠京廣貨號均有出售

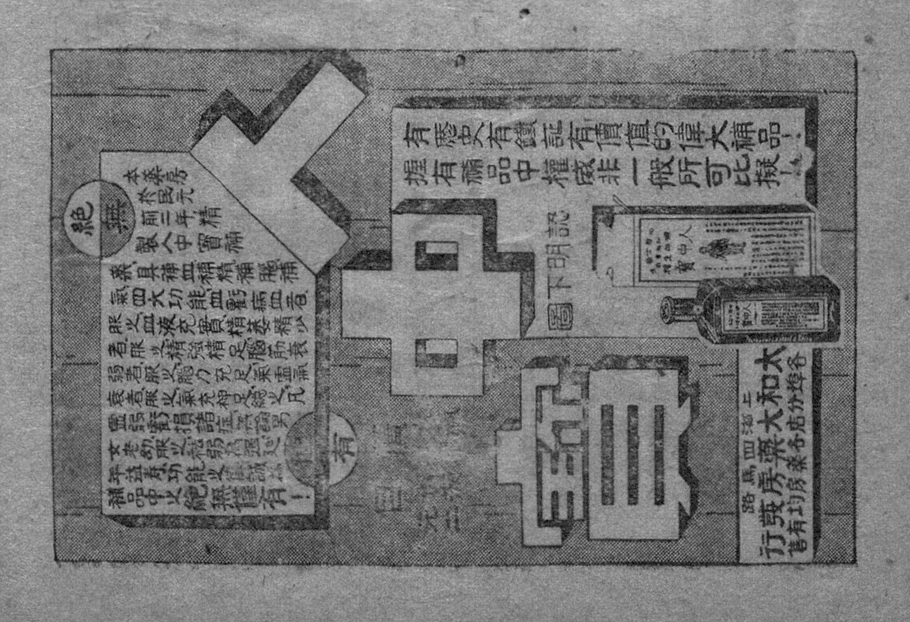
人中寶
有膠也入有鐵説有價值的偉大補品！
提有滿品中權威非一般所可比擬！
圖下明説
太和大藥房發行
上海四馬路
各埠各大藥房均有售

編輯者言

編者

本刊自十五期起．每月得增加新定戶一千餘份。諒以內容逐漸整理刷新。博得閱者之同情心。則此後本刊之發展。正未有艾。但本刊對於定戶愈衆。愈覺抱歉。蓋百計搜羅精采之稿件。實屬不易得到。所以大多數稿件。自愧敷衍塞責。恐難滿訂閱者之慾望。惟本刊學術研究欄。爲公衆討論學術之場所。人人可以發表意見。務希同道撥冗撰稿惠寄。大約至少可得下例幾點利益。

一 因研究撰稿而得增進自己醫學技能。

二 本刊定戶衆多。銷行廣大。得發揚名譽甚大。

三 因本刊銷行之大得引起病家之信仰。發展醫業。

四 得聯絡同道。互通聲氣。

以上四者。對於投稿本刊者。俱有確切之利益、不過撰稿方面。務須注意本刊宗旨爲幸。

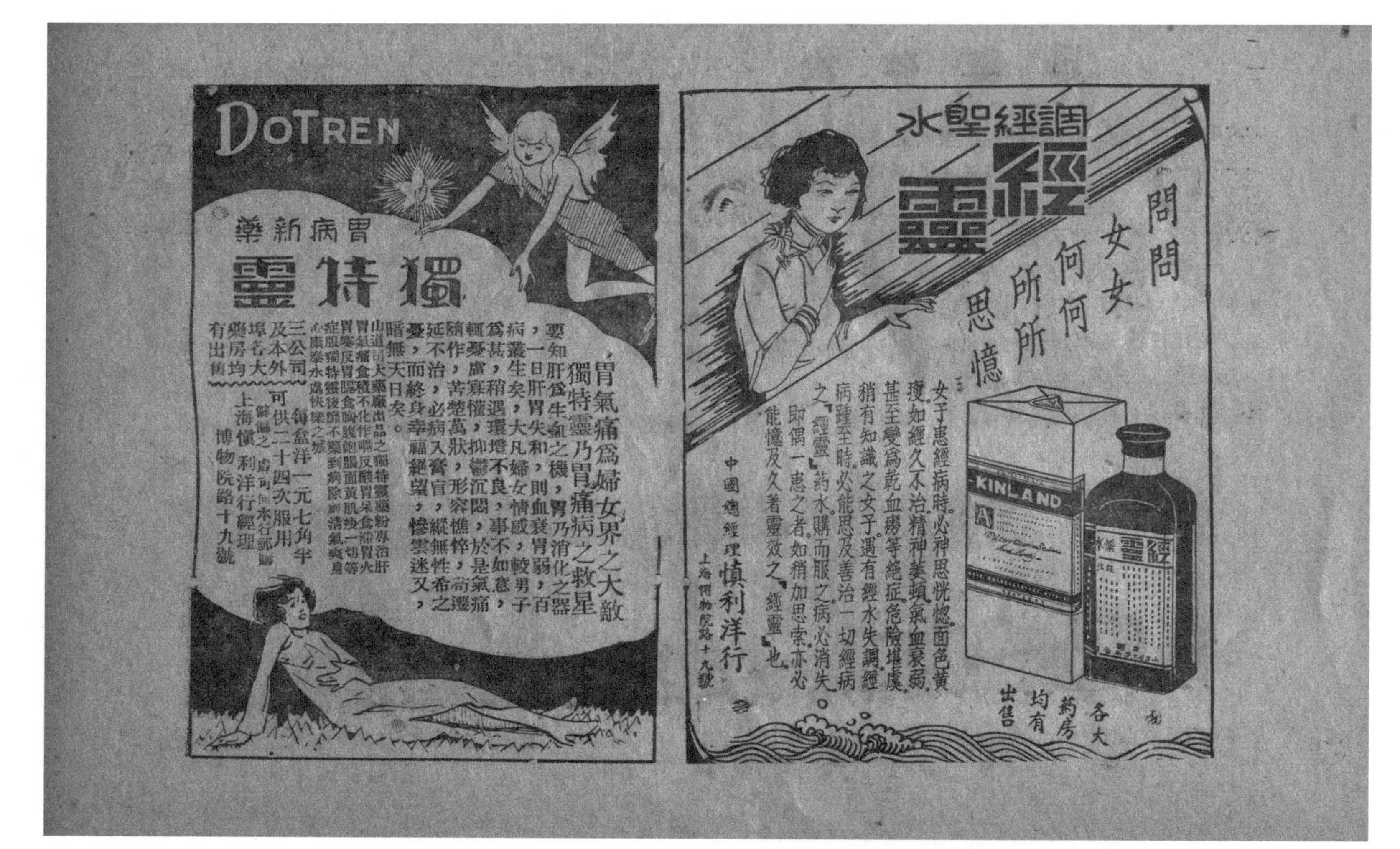
調經聖水
經靈
問女何所思
問女何所憶
女子患經病時，必神思恍惚，面色黃瘦，如經久不治，精神萎頓，氣血衰弱，甚至變爲乾血癆等絕症，危險堪虞。稍有知識之女子，遇有經水失調，經病踵至時，必能思及善治一切經病之『經靈』藥水，購而服之，病必消失。即偶一患之者，如稍加思索，亦必能憶及久著靈效之『經靈』也。
中國總經理 愼利洋行
上海博物院路十九號
各大藥房均有出售
KINLAND
DOTREN
胃病新藥
獨特靈
胃氣痛爲婦女界之大敵
獨特靈乃胃痛病之救星
三公司及本外埠各大藥房均有出售
每盒洋一元七角半
可供二十四次服用
上海愼利洋行經理
博物院路十九號

醫藥言論

中醫學理是否合乎科學平議

張子英

近來中西醫學理之紛爭。其中心點。即在西醫學說合乎科學原理。中醫學說不合科學原理之間。但究之事實。何以中醫學說不合科學原理。而治病功效。反較合乎科學原理之西醫學說。爲迅速。爲靈驗耶。是中醫學理不合科學原理之說。尙屬荒謬無稽之談。須待後人糾正也。

欲研究中醫學理。是否合乎科學原理。必先明瞭「科學」二字之意義。蓋科學二字。在社會上雖然已經流行普遍。然其意義。一般人尙未認識淸楚。卽學者亦各執一辭。尙未公認其定義。從歷史方面看來。如拍拉圖之所謂科學。係指理論之知識而講。如亞里士多德則不僅指理論之知識。如數學物理學等爲科學。卽實際上知識。如政治學經濟學及應用知識如修辭學等。亦稱科學。及至近代，因爲自然科學勃興。於是一般學者。漸將科學二字之意義。加以限制。舉凡研究自然現象者爲科學。康德以有一定之原理。但成有系統之知識爲科學。如社會學歷史學等。祇要已成爲有系統之研究。卽可稱爲科學。斯賓塞亦贊成康德意見。哈蜜頓說。「科學是因果相生的知識」。皮耳生說。「凡曾經科學方法研究出來的智識。都算是科學」。總之從各方面考證。凡從嚴密方法研究出來。有確實的對象可以經驗。成爲有系統之知識。就稱科學。

科學二字。旣然解釋淸楚。則吾人應該研究中醫學理。是否有確實的對象可以經驗。是否成爲有系統的智識。舉例如下。

內經曰。「陰虛生內熱」。「陰」指人體內一切陰性物質而言。凡人體內一切陰性物質。如精、血、津、液、唾、及一切腺液等。俱虛耗。則人體內部生熱。若施行輸血。或注射液質。或內服生津滋液等藥。則內熱減退。可以恢復原狀。反之。若平人斷絕飲水、湯、等。一切液質。純以極乾燥之品代食。必漸生內熱而患病。豈不是有確實的對象。可以經驗乎。舉凡人體無論何種病症。一遇熱症。皆可以施行輸血。或注射液質。或內服生津滋液等藥治療之。中醫治傷寒溫熱。及勞損等。一切熱症。無不根據內經「陰虛生內熱」之學理而治療之。豈不是成爲有系統的智識乎。誰曰「陰虛生內熱」之說。不合科學原理耶。

按以上舉例。爲自然現象一定之原理。且屬因果相生的知識。深合康德及哈蜜頓之科學意義。凡我中醫界。幸勿自愧學理不合科學原理可也。

新生活運動聲中與民衆衛生的關係

范康

新生活運動的聲浪。自　　在江西發動後。很迅速的傳播於全國的各鄉都會了。聽說　　在江西對於這個運動會有下面的幾句話：

現在從南昌做起。開始一種新生活運動。要使南昌所有的國民。個個人都過整齊清潔簡樸。一切能合乎禮義廉恥的新生活。可以做全國人的模範。

又說：

江西要做建設國家與復興民族之基礎。知識份子應先負起復興民族之責任。務當以身作則。以風動全國。國家民族之復興。不在武力之強大。而在國民智識之高超；提倡國民智識道德。在使一般國民衣。食。住。行。能整潔簡樸。合乎禮義廉恥。新生活運動。爲救國建國復興民族最有效之革命運動。

真的。我們中國國家社會情形。太畸形了。傍的不要說起。單祇在衛生方面說。已覺得很奇怪了。在一般有錢的社會中人。有他們個人生活。有他們個人衛生。沒有錢的示會中人。也有他們個人生活。和衛生。在有錢的人。他們生活多是浪漫的。所謂浪漫的生活。就是興居無節。往往徹夜不眠。或作長夜之飲。或爲連夜狂賭。舞場聲色。與服狗馬。俱爲他們每天不可少的功課。至於他們的衛生。那就很難說了。在他們認爲衛生方法。無非徒襲西人皮毛。而忽其實際。故實際上也是空洞的事。換言之「徒托空言」。而病魔的襲擊。也無怪其然了。沒有錢的人就是無產階級中人。他們過的是牛馬生活。世間幸福之事。似乎與他早已無緣了。他們一日做十幾小時的工作。往往還不夠一飽。身上穿的是「牛衣」。夜中睡的是「馬圈」。——或許好的人家牛馬生活還較他們舒服——病魔的襲擊也與有錢的人無異。他們本不知衛生。而所得到衛生的就是天然的抵抗力較有錢人強大。這也恐怕天賦他們的吧，我們看了上面的文字。有錢的和無錢的。都有他們的害處。本來中國一般民衆。不知衛生二字是怎末解。我們一方面不能不說中國經濟的破產。而另一方面。則不能不說民衆教育的落後了。

我們要補救這幾個罅漏。一方面就是重新改造。求經濟的平衡。他方面自然迅速地普及民衆教育。多多輸灌衛生的常識。那時新生活運動中對於衣食住行才可如願以償了。

蔣委員長說這新生活運動的責任。要我們有智識的人首先負起。這當然是很對的。不過有智識階級的人。除了少數是有錢的以外。其他都不是閙着智識階級的失業恐慌麽？我們於衣食住行同樣與無智識階級的人閙着飢餓麽？所以他們對於新生活運動中的衛生。恐怕也不能有怎麽貢獻。

但是我們中國國難。天天在緊迫。枯窘的經濟命脈。來蘇倘須有待。教育普及。一時恐更難實現了。不過我們應該抱大雄無畏的精神。在適當環境之下。務必矯正以往過去的萎靡。頹廢。墮落地積習。整飭新精神。要件件事情。都要有朝氣。比如飲食必須規定時間。而且必須選擇清潔合於衛生的食品。動作也要規定。不要今天做事做得很疲倦。明天就不去做。因爲疲倦是使人生易入萎靡。頹廢。墮落之途。久之就成爲習慣了。須知一個人沒有一定飲食起居時間。那對於他的身體。必定有很大影響。

別的不講。單看六朝時候一班清淡的人士。也是可爲殷鑑了。他們差不多連小便都懶得去撒。（如稽康與山巨源絕交書中就是一例）那時一班文人。眞個文弱得很道地。坐在琉璃的屏風內。還怕風。他們以有病態爲時髦。可是五胡亂華。晉朝的天下。也這樣地葬送了。

武進國醫學會用牋

自强不息

武進國醫學會題

年 月 日

會址化龍巷

我想造成東亞病夫之名。祇少與那時有關。
嗚呼國難日亟。而國民精神仍與六朝時無異。我自愛之國民當從今日起。整飭精神煅煉體格。與惡劣環境相奮鬥。勿忘今日新生活運動中之意義。尤須體驗新生活運動中之國民衞生。那才免國破族滅那些慘痛的預言。

國醫以維護同道改進學術爲先務

景陽　孫道明

試觀今之君子。其責人也詳。其待己也廉。詳故人難於爲善。廉故自取也少。己未有善。曰我善是。是亦足矣。己未有能。曰我能是。是亦足矣。外以欺於人。內以欺於心。未少有得而止矣。不亦待其身者已廉乎。其於人也曰彼雖能是。其人不足稱也。彼雖善是。其用不足稱也。舉其一。不計其十。究其舊。不圖其新。恐恐然惟懼其人之有聞也。是不亦責於人者已詳乎。予謂不然。吾人生當二十四紀科學時代。研究國醫藥學理。改進之不暇。烏可以攻訐同道。而自以爲是乎。吾輩身列醫林。弟宜發憤觀書。潛心研究。識證擬方。絲毫莫苟。庶不踐庸醫之臭名。視同道如同胞。互相揣摩。遇互相愛護細過則掩飾之。遇奇證則討論之。自今而後。吾願現代先覺醫家。力倡維護同道。改進學術之說。如西醫之和衷共濟。以實驗爲先驅。庶幾科學昌明於前。醫道改良於後。何難與西醫並駕齊驅歟。

◉性教育的芻議

路爾鈺

廿二年十一月念九日新聞報茶話欄裏。看到斐君的『請救救一個大學生』一稿。心裏有無窮的感慨。自已有許多放膽的話。忍無可忍的寫下來了。

據斐君說：這位大學生秉性忠良。而還是剛剛被吃人的上海誘惑了的。既而染了梅毒。過後又怕壞了名譽。於是千方百計去求治。拔根以後。又礙了一個疤痕。花了許多冤枉錢。疤痕依然未消。他現在是神經失常了。斐君反說他同室的三位大學生。都染了梅毒。痛苦萬分。我們看了這一件記載。該有什麼感想？

現在治花柳病的廣告特多。可見梅毒也是社會的流行病了。在社會上一般無智識的。他們只顧到一時的肉慾。絕不知梅毒的厲害。那末。他們不知而犯。情猶不恕。爲什麼堂堂的大學生 。也會這樣倒行逆施起來！再說每日的新聞紙上。有許多濫用性慾的問題。—如遺棄。誘姦。私奔等。—而智識階級佔其多數。他們明知要受法律裁制的。爲什麼又是這樣倒行逆施起來！這就可見一般人對於性智識沒有澈底了解的緣故。從這觀點上。我又想到一件重要的事。

去年中華職業教育社的統計。據說現代的青年。大部份有神經衰弱症。而神經衰弱的起源。大多起於手淫。

手淫是學生病了。尤其在中等學校裏。據我個人的調查。一百個中學生中有六十個手淫劇烈。三十個中常。十個偶犯。十二天一次的十五個。三四天一次的有二十多個。八九天一了一最普通了。他們原因的統計(一)看淫書淫畫。(二)受同學的誘惑。(三)。胡思亂想。時間多在睡後或晨醒。自己幹了分懊悔。懊悔不多天又要幹了。簡直有了癖癮一般。無戒除。

話又說回來了。記得我那時在中學裏讀書。受了多方的誘惑。也跑到手淫的一條路去了。初時不常天天幹。後來跑進高中。還是幹。不過約摸多些時日吧了。我雖然看了一本性衛生方面的書。知道手淫是危險的。想竭力遏制住了自己的衝動。我賭過咒。罰過誓。而結果每克制不住自己。一下子又犯了。照這樣看來。我們貴中國的青年。個個像是風中之燭。還談什麼救國呢？

綜合以上幾點性的問題。使是青年的危機隱隱地埋伏了。我們怎樣的補救呢？

我們補救的法。(COLUMBIA)就是實施性教育。試看一九一九年美國維基河尼(VIRGINIA)可倫比亞及別的省分行學校教育會議。有下列的決議：

(一)性教育須佔教育上的新地位。和生物學•生理學•體育•衛生•及其他科學相聯絡。

(二)關於生殖作用上的重要事實。及青春期所起的生殖變化的意義。淋病梅毒等花柳病的過程。及遺傳的基礎觀念等。須於學校的初級教示學生。

這會議的結果。實爲美國實施性教育的嚆失。(摘萬有文庫『性教育』)其他各國也均相携並進。唯獨古老的中國。她受了幾千年以來的拘束。爲了因循的觀念。便把兩性看得很神祕而不肯公開了。所以至今沒有一個學者敢來唱導一聲。教育當局也只置之不問。我來引證一件：

某校在教育界中很負盛名的。有一次一位姓張的學生。在生活週記薄上的『應改的習慣』一欄中。填了手淫。又在『感想』的一欄中填了『據個人統計。六十三天內犯手淫七次。而俱在早晨。可見宜早睡而不宜晏起。更悟性教育之重要矣。』生活指導者看了。心中像不滿意。過了幾天。又叫他撕了這一頁。說是怕人家看了難爲情。

嘿！你看堂堂的生活指導。他不明教育的重要。而反認爲這是一件難爲情的事。卽如青年一般。也是暗裏幹得起勁。而子裝得十足。試想這種啞子吃黃蓮自瞞自的事。痛心不痛心？

我所以誠心誠意的貢獻這個施行性教育的建議。在全國教育家教，當局•和學校生活指導者之前。

學術研究

內傷病理治療大要

海陵張沛恩

百病之源。皆由於內傷。若無內傷。必無外感。外感因於內傷。正氣有虧。邪乘虛入。故經曰。「邪之所湊。其氣必虛」。千古不磨之論。但此氣字。有陰陽之別。醫家尤當體究。內傷之源不外心火妄動。耗散眞陰。眞陰者。即人身內養形之津、精、涕、唾、血、氣、液、七般陰物耳。正陽眞人曰「精津涕唾氣血液。七般靈物總皆陰」。蓋人身籍此七物。以招攝眞陽。交紐而生。再將所招之陽。靜而勿動。則形固無病。否則妄動之火日刼眞陰。眞陰虛一分則陽去一分。其去必自下上騰。多見上盛下虛之症。上熱下寒之候。雖爲病種種不同。皆由眞陰內奪。奪盡則死矣。人之有液。如草木之有汁。燈燭之有油。有油則燈燭長明而不熄。有汁則草木長榮而不枯。有歌曰「欲作長明燈。須識添油法」。故內傷之症。首重補陰。須藉血肉有情之物。塡得陰回。陽自來復。油足則火自明矣。設有陽浮而難潛者。佐以介類以潛之。妄動之火。爲龍雷之火。不時飛越。欲以涼藥直折。則其焰更張。如春夏溼升化水之際。龍雷多動。相火隨濕熱俱騰。雨勢愈盛。電光愈熾。必俟秋金司令。天之燥氣下降。則龍火皆消。而火勢熄矣。介類甲堅。體沉而靜。故能潛陽騰濕耳。可借血肉有情以補陰。古哲用桂附和滋陰藥。以爲導龍入海法。陰精不甚虛。暫用有效。若陰液大虧之輩。投之不但不能育陰。剛猛之性。反有耗液助燥之患。受其害者多矣。夫外感不僅燥濕兩端。內傷亦然。血虛生內燥。氣虛生內濕。內燥則外燥湊之內濕則外濕湊之。燥濕二氣。互相爲病。實不啻同氣相求也。見證雖多。但能分別何者爲燥。何者爲濕。濕病用益氣。燥病用育陰。或與外感之燥濕兼病者。即用前人外感諸法治之。此內傷之大要也。今將內傷之病。揭出三層。以分淺深。用概其餘。勞力之人。手持肩荷。奔走勤勞。以傷其氣。其脈必大。仲景所謂男子脈大爲勞。勞傷中氣也。或脹痛諸恙叢生。倦怠少食。甚至吐血欬嗽。皆中虛不運。不能砥柱中宮。熱浮於上。此等虛熱。用勞者溫之諸藥。分別輕重補之。再加休息。自可就愈。內傷之傷氣者。其傷較輕。勞心傷神之輩。或卷牘煩劇。或百計經營。多方謀慮。心旌無片刻之靜。心火內灼。勢若燎原。陰精日耗。但借一夜靜息之生。一陰不敵五火。以致虛陽諸症百出。吐血欬嗽。怔忡心悸。盜汗蒸熱。虛煩少寐。遺精白濁之候。種種困纏。不一而足。脈必濇數。或兼浮大而搏。蓋搏濇之脈。陰虛化剛之象。勞心不但傷神。並能傷精。故較勞力之傷爲更重。治之必怡情靜養。寡欲生精。再以育陰補氣諸品。填助血液。多有得生者。危莫甚於色勞。必先勵心以傷神。勞形以傷氣。繼縱情妄泄以傷精。一旦精氣神三者皆耗。百無一生矣。見證亦如前象。種種不一。且多顴紅、氣短、音啞、羸瘦、形脫諸症。指下現剛勁細濇諸象。凡物無汁則乾。乾則堅而硬。脈象亦然。陰液大虧者。脈必勁濇。彈指堅硬之脈。是爲燥之剛象。亦猶濕病。脈多濡弱。物見水必軟而柔。此皆理之易見者也。燥濕二脈。由此可辨。虛勞之症。大都陰陽不紐。上盛下虧。上盛非有餘。是虛陽充塞不潛。先天與後天。漸離而死，世人欲以區區藥餌療之。宜乎無效。治法宜趁先天未絕。急用返還工夫。以延其命。常人皆由精化氣。氣化神。神化虛。此爲順。去而日損之人。多不自覺耳。但能除去妄念。時時虛其心。致虛極守靜篤。吾以觀其復。此老子心法也。蓋虛極自能生神。神生氣。氣生精。精又生形。此由先天虛心以復後天。即返還之道也。玉溪子規中圖說。論之最明。却病如神。功勤指日可復。又云。一息尚存。皆可復命。古人不我誑也。世之患風、癆、蠱、膈諸危症。果能靜養。自然神與氣交。遍身內外關節歷歷有聲。百脈自通。宿病自愈。採先天無涯之元氣。續我有限之形軀。不亦易乎。古來內傷諸病。名目甚多。立論傳方。病之不深。而先天未離者。間可獲效。否則均不免於一死。深可歎惜。總而言之。治內傷諸病。不必分別門類。但以傷精、傷氣傷神。酌其淺深。補陰補氣爲治。外感病後。客邪未清。參而治之亦可。若先天乖離之症。非靜養無功。古人五勞七傷。多立名目。徒生煩瑣。殊不知此情之發。傷神傷精。均係心君所主。五藏之虛。即是勞形傷氣所致。同屬一軀。百脈相聯。一體相生。豈有此虛彼實之分別乎。故曰。五勞皆傷形之氣。七情皆耗心之精神。統其要。無非精、津、涕、唾、氣、血、液七般。爲形軀之輔。心身爲括耳。此指後天血肉幻化之心身。故隨大化之陶鑄變易生死。若能悟得未生我以前之心身。方不爲造化之規界。可超出五行之外矣。

（通訊處）：「姜堰中心鎮娑植林醫社」

抽血過氣注射法研究（續）

吳縣姚心源

（二）發明後考證

（子）學理　據內經的證明。蘭古時代。大概湯液與針治並用。所謂苦之以鍼。毒之以藥。不能偏廢其一。所以治著痹的病。除用鍼外。並須用桑桂馬膏納服。所以治尸厥病。除用鍼外。並須用角髮酒飲服。舉上二例藉明鍼藥二科的相使相成。後來因爲唐宋的政治提倡。就把湯液來治病。坐使鍼的方法不彰於時流。爲無志無識所取用。遂使鍼的眞義。湮沒而不可聞矣。

湯液的治療。窮其究竟。在氣化上著想。固盡人同口一辭者。然則與卒不得藥。何勿卽取其到處有之氣。此鄙人利用氣來溶血。就是代表湯液的。

中國的鍼療。當然是盡人信爲確有眞義。但其手術之敏捷。射血致氣留久等方法。施術者都未能認識。此事之不爲世倘也久矣。且時人尤性好務易。卽患病者又性好速愈。鄙人爲務易務速起見。對於鍼的用法。尤不能不加之改良。鄙人爲湯液鍼療混合起來。就發明如上述。

因爲鄙人的資質魯鈍。窮首經討。探素靈的祕奧。發現出來的新大陸。好比礦苗的始透。待人來開掘。果然淸時有解剖[illegible]名叫王淸任。雖然並不能說他的經驗。略無所誤。但是他有一句話說。世界的疾苦。無非是氣虛血瘀。可與吾的現在發現的學理。相爲暗合。

氣虛血瘀四個字。要是動一動腦經去想。用一用手足去査。實在是不戢之論。有不能磨滅者。

就是元代的朱丹溪。金朝的王海藏。朱說的百病都由菀。王說的百病都由痰。菀就是血菀不利。膠結併塊。血的成分是碳水和金屬的化物。其膠結併塊。却因爲血當中有一種澱粉的沈澱。這澱粉在體積間肝腎的當中爲最多。他說的膠結起來。就是澱粉不普當勻和在血當中。鄙人想用波隨的方法來勻和他。當然是一種可能之事。

就是說人身體上患著濕氣。濕天然亦是一種水蒸氣。因濕是自然的現象。自然界中就含著不少電氣子在內。所以風化與潮解的根究。仍舊不外電解的作用。那濕病就也是化解後的變態。所以濕在於人身。當然亦是菀血。

王說的痰。痰的一個字。內經上是沒有的。但是現在的人們。幾幾乎無人不知道有痰的物質。他的起源。就始於仲景金匱方痰飲二字。其實痰是因有酵母的在血的當中。酵母可以發酵。發酵起的變形。其實是膿。所以說痰就是膿。因爲發酵。所以使血旅的成分化成稀薄。字說痰者淡也。當然是通論。所以劉河間專主火。那一個火。加一個疒。就是疢。推原火的問題。同水的問題。歸根結蒂。是異出而同宗。水的氫氣與火的氫氣。他變見的成績有以異乎。是無以異也。一是液。一是焰。僅其因果關係。所以水而經過燃燒之後。以及被太陽的熱度來薰陶。就發出的水泡汽。這就可以見是因果問題。劉河間的主火。就是在因果當中考查出燃熱動運。所以稱曰火。二火相叠。就是炎。炎就是發酵體。所以痰火炎疢。換言之。立在一條陣線上。

朱說在澱粉上。王說在酵母上。酵母澱粉。一以貫之。

元朝的李東垣。何以要主脾胃。他因爲研究湯液的納食。必定先經脾胃。然後乃可應感及其他。這是他的苦衷。因他的脾胃發明。就引起朱說和王說。因爲朱王都是他的弟子及再傳弟子。親炙門牆。而亦助東垣之發明者也。

但是現在抽血治療。不必經過脾胃。便可設療。和東垣的保守脾胃。正復相同。東垣是元朝人。千餘年來。焉知有和他暗合者。

所以此種方法。就是湯液的不經過脾胃治療。

在昔常侍吳門徐�安夫子之門。其言曰。人患疾後。用藥設療。必苦其脾胃。而人之營養賴以爲生命者。皆惟此脾胃是仰。病因乎營養不利而發生。乃更傷伐其營養之場所。不啻重傷之也。安得舍脾胃之療法而求其他。吾黨諸子其勉矣耳。余乃耿耿此心。無時或巳。再夫子常以注射法爲人療病曰。其法始於中古之針療而加以改良也。舍脾胃而代以皮膚。針療藥療合於一。余曰有是哉。以注射劑之豪繁。在鄉在野。倉卒無己能辦也。卽在都市者。以其價値千金，僅束手就斃爾。源將有以事於此。歷十餘年。徐師遽歸道山。源不敏。且以魯質。常憶師言。方寸自仄。以爲有賢師栽培之重。庭訓督責之專。未能有爲也。自拜別師門。垂七年久。無以糊口四方。僅以五斗折腰。其間曾事丹徒趙公就文字之。幸得格致之理。夫以格致雖非科學。科學之方或髣髴可以求之。于是於一九三四年偶於無意之中。並與弟氏蘇林姪氏善炳相爲研究。卽以余之思想。證彼實驗。非惟踐師門之約。亦求藝術之進於大同。無復後於他人之所爲。斯大願耳。

(丑)事實　該項發明是根據電療術太陽燈術鐳光照術腦膜炎肋膜炎抽水術而混合設計。就是利用血與血氣與氣的同類相求。其結果的混合。得到氣血上異類相引。生出人體積上的抵抗力來治療

因爲抽出的血。雖屬並不是從前在人體內的血。但其磁性的同類當然存在。

因爲考查病原時。知道病的起因。就利用病因氣素來配置治療的氣素。

結果仍舊是中國原有的氣化治療法。

吾現在要舉三個例字在下例。

(一)知道強直性的病症。其主動所在。就在肝系。其病體是肝系的藏粉缺乏。所以然者。就是氮物質充多將氯來消除。(藏粉是碳水代物)一時間不足應用。全體的大筋輭短。小筋弛長起來。名詞就叫瘓癱。應該在脚大指的上動脈抽出血來施療。脚大指的動脈是通乎肝系的。就是肝神經的末梢強直性的病。應該用氯氣混合。

(二)口渴。其主動的所在是脾系。因爲脾系的油資細胞缺少。中國名詞就叫津液。(津液是油液的一種)就是氯氣加增之後。使得油質的細胞限止了繁殖可能。所以愈飲就愈容易渴。但見油質的需要是氮氣。所以應當用氮氣來混合血族在脾神經的末梢設療。脾神經末梢就在足踝。

(三)咳嗽主動的所在是肺系。病體是肺系的筋纖維。(就是肉肌間的白絲)因爲氯氣和氮氣的抗爭而發生表現的反動。其病就是氯氣包圍氮氣使得纖維質不能自由。其末期就變結核。所以應當在肺神經的末梢。(肘口)用氯氣來混合血族。

以上所述的情形。並不是自然界的氣質有所偏施於人而發生各項疾病。因爲人身自己的抗力顯有不足。自腐然後蟲生。所以黴生菌以及中邪中毒等名稱。都是互爲因果。並不是有一定的律準。但是醫療的旣往不咎。就考查他的現狀。乃有以上療法。換言之。亦可稱爲新的血清治療。其原理當然盡在人的想思中。實驗並不見特殊的。因爲該項療治。苟不能預爲考查。其神經末稍以及病的主動被動求其氣性的當量。決不

能奏功也。這就是治療的祕密。

本項論文除器質祕密治療。祕密兩項外允許盡量發表。

爲抽血療術繼續研究並定名。

定名曰抽血過氣注射法。

前定名抽血的脈穴療法。該項名詞似尚未妥合。

因對於外瘍各病。卽可在其發生的局部上抽血。因爲外瘍的發生。決定不能離開穴兪的地位。吾們肉眼中看的注射器。其玻璃管中似乎是空的。但是玻璃管並不是眞空管。其中早已含有不少的空氣。

因爲抽血的時候。血抽到玻璃管中已經與氣質相混合。那血的稀厚性已經不能與人身體原來的血相同。

要是再將其化氣去混合。是血與血氣與氣的相合。呂東萊云。物之相資者不可相無。物之相害者不可相有。兩不可相無。則不得不合。兩不可相有。則不得不爭。合之欲其兩全也。爭之欲其一勝也。將全其兩。勿偏於一。將勝其一。勿分於兩。

這就是同氣相敵而引起的抵抗力。始基於兩相對。纔成於優勝劣敗。

近時代方聚訟於兩相對論而廢勝敗論。當知相對其因。勝敗其果。時人欲倡相對廢勝敗。或未全耳。我因將此項療術施治於已經窒息之鼠。覺其心口尙溫。乃將其血抽出。並不尋其穴兪所在。卽行在其足部將原血注射入之。歷十餘分時。鼠竟活矣。當時之試驗並不用過氣法爲之復合治療。因抽血已經經過空氣在內。無待再過他氣。

纔乃試驗一被擊傷之貓。其貓滿身青紫。喘鬬斷絕矣。余急以此法爲之療治。其時貓已失其知覺。並不知痛。經術療歷十五分時。見其滿身創傷次第皆愈。而貓亦敏活如故矣。

我于是知人的生命。是受一種血分的波隨作用。因爲波隨作用的影響。血細胞在人的血脈中是一刻不停。而且迭移其位的。其速度是種對流的求心作用。（並不是直流）

因爲他是求心的。所以就發生動力來活躍。其活躍原因。是爲求心的衝動。所以八到了離心的時代。就是生命的毀滅。

並且知道細胞的壯強。是根據細胞鹽基體而加級。我嘗亻亍海的左右。看見起初是一顆小的基本沙塵。後來因爲水時的衝動漸漸階級起來。就成功沙堆。沙堆大起來。就成了島嶼他的能力完全依靠這個圓動來組織。因加階來壯強而造成他的健全。

人的疾病。無論炎性的細胞相離。窒性的細胞相互。以致化膿及桔核。通是他血族的波隨作用。失却了健全的能力。而不能自為抵抗。

所以吾們因創破以及解剖而見到的血族當中。皆有紅白血球的生殖。

這紅白球狀並不是血的本相。因為受了創破及經解剖之後。得到空氣的混合加增。他的相互性已經起了膠凝的變化。

要知道血族的本相。其在人體之中當然亦如河水海水的迭移其位。成功他一種波隨作用。吾們應當知道波隨作用。是依據地心的引力太陽的導力生存。然後發生出他自己的低抗力。

所以血族的渙散和併合。是波隨作用的反健全。人是一種有機物質。所謂幾就是導的吸的角度。換言之就是電磁兩項。

所以人身體的肉肌。名曰胭隙。外肌名曰腠理。理就是圓動的代名詞。隙說不詳。

函為虹吸與電導。所以人的循環新陳代謝的作用。無莫不依據這圓動的力量。所以佛經上說大轉小輪。求其詳說。就可代作進化論。

吾們因為其抽血致氣。再致氣再射血等四項工作。連在一起。人身體的血族當然能喚起他的波隨並補救他的渙散併合。

但是施用針治之後。該項針的消毒。應當如何。

並且欲免除針空中有空氣存在應用如何。

鍼的頭是錶屬的。那玻璃管內本來有空氣的。這錶屬針就是電療上的電線。

那空氣血族名氣均是藥物及化學原料。

所以當經過化學作用後以及電線的後程。應當消毒。這消毒法如常例。

證明本術絕對可以治病的理由。

血是水做的。取近諸譬。

水的成分。是適宜於微生物生活的。

但是將水來煮沸。微生物就不能生活。

水來煮沸。是用火的。

火的成分是水的成分相同。因為同是氫氣。所別者。一為液體。一為焰體。液與焰僅屬因果關係。

水是生活微生物的。

火是毀滅微生物的。

假使水的體積含了空氣的氮素。經過火的燃燒必定有氮成分留在水的底下。難以煮沸。因爲氮是滅火的不能助燃。

人的疾患。是爲氮的充成。

並不是患於氫氧。

所以吾就將一枝油燭來點着。那助燃的部分就是氫。氧的火焰其留燼就是氮的部分。

血是水做的。其學名就是硬水。因爲血的當中含着不少的金屬物在內。

但是金屬物的立場。不外乎磁體。磁體惟電導可以將他解決。得到同異類的相引相斁。

電無論如何就是氣。

氣的發源地就是太陽。

本術既利用以上的化學性。

抽出的血硬是硬水。

補進混合氣質的藥血就是沸水。

所以這水就是無微生物(無毒)的血清液體。

把血清來治病。將人身的氮化物得到人體自然的生理抵抗。不難於排便器排洩之。

但是細胞的營養是不能離開氮氣的。

所以人體整個的營養。名詞就叫元氣。

元氣的成分。是氫氧氮等各氣混合。

因爲本術是。喚起他自然抵抗。並不是。有以消滅氮氣。而得到元氣成分的常量。

所以本術比較一切用極量藥物來治療。實有利而無弊之。

換言之。就是保持元氣的療治法。

發明後的補充

從前中國醫術用動物的血來治療病的。有以下種種。鱉血。據云可以治瘧以及一切骨熱痛。

猩血。據云可以治肩息以及一切脇膜痛病。

蟮血。據云可以治小兒赤遊丹毒。

鼠血。據云可以塗牙宣血出。以及牙疳病。

鷄冠血。據云可以起發痘瘡。

山羊血。據云可以接骨。

猿血。據云可以治鼠瘻瘰癧。

鵝血。據云可以止吐血癆瘵。

獅血豹血犴血等本草均詳載其治療之法。而猪血牛血馬血等。亦頗言其功效有益人身。

因爲血的當中有一種抗毒素。他就是鋏性的同類敵對能力。惟是人體血管中的血。得到自然界電性的異類相引。那血與血之間均被特殊的電像混合。以電磁因異類作用。於是相引接化合起來。於是親和不得解。因爲得到同類的血來幫助人體的血。血的力量於是乎充分。而電的力量於是示弱動物界的血。其間成分。雖其小部分別有區別。而其營養能力。當然有相當的成功。

所以前古的哲人。用動物界的血。或塗搽。或飲納而取效於病體者。屢見偉功。

何況所發明的療法。可以不必由胃施展。覓入血管之中。該項血像保留其自然界的能力來恢復失守的血族。

我更要推查到人的因爲動氣緣故驚喜憂恐。腹內起有痞癖之塊。是比較牛腹生黃麝腹生香馬腹生寶相同。

他因爲驚喜恐憂的緣故。將血行的當度忽而暫時的障礙。而血中的血脉(卽細胞其狀球)(小體)(脘乳類卽階級物)就在其局部方面兩相併合起了。肓殖作用漸漸的擴張起來。這就得到結塊結核的程度。就是人身排洩的作用•他所以不能依時排洩的。當然亦是腸肌間的血脒血脘起有感應所致。所以人類的乳糜就是血屬一分子。僅乳糜之中有脘無脒。而血屬之中旣有脒又有脘。譬如鷄蛋無脒者。不能育雛。

我更要推查到普俗的放痧法。

世俗社會上有一種。不爲近人所齒及的放痧法。並不是放痧的原理不良。皆爲治術者。在於無智無識。以致無所用其長也。

吾見脚腫的人。腹腫的人。以及世稱夏日發痧的人。居然因開切皮膚之後。略出血水而取愈者。

大概以上的放痧術。僅限於霍亂病及腫脹病。致於其他。蓋未能得其融通也。

霍亂病腫脹病的病灶。雖然並不是一例的。大概可以在外軀各項地位上尋得到有毒筋紅筋特殊表現。這就是病根。

吾於是就想到瘰癧的病者。腰膝痺的病者。紅絲疔的病者。要是避重就輕的療法。醫生當然要將他局部間的紅筋青筋的特別表現用刀開出血來。固然不必在發辭地加以毀療。只要在他老窠上主持其病的病源所在。出一些血。不難得到擒賊擒王的利便。因為羣龍無首。他主持者已經馘首。而衆體自然瓦解。

附錄放痧法在頭喉乳舌陰胸等處。以其施療不甚方便。故缺之。

手十指看其有無毒筋。將其毒筋所在用綫紥緊。刺出血。

兩臂彎。其間的筋在宛宛中。須先用溫水揩打。其筋自出。然後迎刺。

足十指。法同手。手足指切勿刺指頭。指頭刺後。令人頭眩。

兩腿彎。卽膝後。治同臂彎。此穴可深寸許。惟腿上大筋不可刺。刺亦無血。令人心煩。腿兩邊硬筋不可刺。刺則筋弔。（名曰轉筋）臂法亦如不。所見的紅筋青筋名曰痧眼。乃毒氣阻止而發生。如痧眼有多處只刺一處。

吾於是又想到小兒的病。無論腹瀉或痙搐。他必然有青筋發現於手部。俗名曰子丑寅三關。要是其青筋過了寅關。大都不治。

放血術〇放血術並不是專能治痧眼。

所謂痧脹的名目。當然就脒脫的殖育所以形其脹也。

上節數項。可見有毒眼的筋紋的病。如小兒的吐瀉。或驚搐霍亂痧脹疔脹瘰癧膨脹的腹青筋諸項。皆其易見者也。要言之。就是毒血凝成的病根。

但是從前的方法。只有放血而無射血。因為未能明瞭射血後的功果比放血尤宏。玆得證余學理為補充而全之。

要是有一種毒筋生在臟府的上面。尚未表現於肌外那時候應當用。

熱水來洗浴。或用紫蘇水蒸洗。均能出現。

該項方法。所治各病。計開於下。

頭疼 腿酸 身熱 無汗 自汗 手足冷 頭眩 噁心 汗
如雨下 腹痛 吐瀉 痧點 白瘔 斑癩滿身脹 滿身重
手不能舉 足不能行 皮黑 急倒 神智不清 譫妄 大便
不通 小溲少 溲窒 抽筋而酸 不眠 人體日瘁 癆病
白帶 昏悶 裁眼 心悸噤口不語 喉蛾 喘逆 角弓反張
腰痛小腹急痛 牙關緊閉 舌捲卵縮 外發紫泡身痛如有
芒刺身 痒 癲瘋 攣拘搦 吐沫兩脇疼 蛔虫痛 結糞

痞塊　心煩　嗜睡　遍身青紫塊　腫脹　脚脹　頭腫　傷風　咳嗽嘔噦　霍亂　瘧疾　心痛　流火　流痰　吐血半身不遂　老弱　鼻衂　牙疳　膈不得食　月經不通　倒經　書瘂

小兒一切。如氫痉。外瘍一切病癰沮腫毒。

瘡疥疔癬。　婦人產前後。　戒烟戒酒。

以上各症。究於何處看根眼。則當著專書揚之。

（未完）

與姚心源先生論新發明醫術書

張汝偉

（上略）接誦來函。并附一九三四年中國最新醫術之發明一書。復釋三四。欽佩無似。偉知識淺薄。腦力滯鈍。對此新發明。理論上頗具同情。至於事實上。祇能待先覺者。爲前驅指導。俾得蕭規曹隨。立萬世不朽之業。追敢不盡力宣揚。以冀早日之成功哉。夫以病人自己的血。抽出。再以抽出的血。注射人體。以療疾病。定名曰內抵抗療法。此即古之循環酒。輪迴湯之意義也。又嘗見鄉僻之家。小兒偶傷食滯。倘傷以米糰者。即以米糰灸灰呑服。倘傷以麵食者。即以麵食灸灰呑服。而其滯能消。萬試萬靈。偉嘗釋其義。萬物灸爲灰炭。其味焦苦。焦苦入心。心生血。焦苦入心即以本物之氣。助心血之奮張。以消該物在胃中之積滯。腸氣得以運行。此亦循環輪迴之間接意義也。又如梗何魚之骨。即以本魚之目珠。灸灰呑服。而其骨遂軟化。吐血之人。其第一口血。以棉花拭入。灸灰呑服。而其血可止。并永遠不發。亦即內抵抗之療法也。作者能秉此旨。進而求之。發明空鍼。注血射入。按穴施治。其效有必。特此空鍼製法。與夫手術之敏活遲鈍。論穴部位之準確深淺。是非有數十年研究之苦功。而師生之能得其眞傳者。亦恐有萬一之害耳。至于書名取乎西醫。似少欠妥。旣云中國之醫術。何不用民二三年字樣。拙見如斯。敢質高明。以爲然否。匆此佈復。順頌進步。

（汝偉按）心源先生。對于國醫之學。研古求新。水乳融合。又能獨標心得。闢闢草萊。眞傑出之才。承荷馳書研究。偉近年迫以環境。精神頹唐。爰就所知。草以奉復。用以證明理想之非虛。將來成功之後。於醫學上。必能放一異彩也。爰錄此書。用以介紹讀者。諸君以爲然否。

丹毒之新療法

鄭名世

特根氏曾診視一丹毒病人。至第七日自病人之靜脈內取血二十瓦。迅速注入患者之臀部肌肉內。歷二三日。丹毒症狀。完全消退。

丹麥求孫氏治療顏面丹毒四人。用蒸沸之新鮮牛乳五瓦至十瓦注入肌肉內。經二次注射後。丹毒完全治愈。皮膚亦復原狀。

合理的民間單方摘錄

葉橘泉

（第八十六則）決明子治眼病明目消翳

眼病昏花。結膜乾燥。白珠角膜現充血。甚則起翳。生瞕。甚病理之原因雖一言不能盡。而中醫古籍。大抵以眼屬之肝臟。種種眼病。不外以肝病所司。如色淡無痛而視力昏糊者謂肝虛。色亦熱痛翳遮蒙者謂肝火。所以治目不離乎治肝。考諸近世學理。「維他命A」缺少者。易病目。蓋本品乃抗目疾之要素也。維他命A之來源。雖取自植物。其攝入於體內。貯藏之大本營。在於肝臟。肝之與目之因緣。要亦不外乎維他命A之間接的關係也。用決明一錢開水吞服一日三次數日自愈。

者決明子爲豆科植物馬蹄決明之莢實中的種子。莢狀如細小之缸豆。中藏種子數十粒。色黃褐。質堅硬有光澤。形如小豆。一頭尖斜。據日本下山藥學博士之化驗。謂其內含之有效成分爲「依摩丁」$({}_{14}H_{22}CH_2O_2(OH_3)$與「佩利蘇汎」相類。內服能治肝臟疾患。外用可治蝮蛇咬傷。及毒蟲刺傷。治一切眼病目赤腫痛。卒生翳膜。或眼目乾澀。羞明多淚。視物昏花。及青盲。每日吞服一錢。久之夜見物光。加入於其他對症藥中煎湯內服。醫治一般目疾。據著者經驗。本品對於目疾確有相當功效。至其所以奏效之原理。以爲不外促進肝臟。供給「維他命A」以抗眼病。進而求之。則本品之植物種子。其亦富含維他命A亦未可知耳。還望國內藥化學家。注意及之。

（第八十七則）白芨有效於肺癰吐血。

肺癰。卽肺膿瘍。與肺懷疽等之舊稱。其證狀痰多而惡臭。膿血雜出。有時吐痰連腐敗之肺組織而出。吐嗽頻頻。口中乾燥。胸膺之痛不一定。身體發輕熱。呼氣臭惡。爲本病之主要證候。吐血有肺出血。胃出血之別。但以白芨三——五錢煎汁。或磨細粉內服。連續頻進頗有效。

按白芨爲山野自生蘭科植物之球狀根。其形上部肥大。下部狹小。往往爲分岐形。呈黃白色。內含多量之粘液。爲止血治瘡藥。應用於瘡毒諸瘍。能促肉芽之發生。且止疼痛。亦廣用爲止血劑。可代白阿膠。治疥癬惡瘡。收疽死肌。有殺蟲解毒去腐生肌之功。其粘液塗面上。能消皯皰。塗手足皴裂。令膚滑澤。綜其去腐生肌止血殺蟲諸作用。則本品之對於肺癰吐血之能奏特效者自有至理存于其間亦頗彰著也。

婦女懷孕質疑

陳靑雲

婦人懷孕一事。最爲難辨。竟有更數十醫師。而不能確實診斷者。如千古疑案。雖有老吏斷獄手段。亦不敢輕易定讞。考古方書。以內經最爲可信。其言曰。手少陰心脈動甚者是妊子。陰搏陽別。謂之有子。此以脈候爲驗者也。或謂婦人有子。必有眩暈滿悶嘔吐(方書謂之惡阻。)怯寒嗜臥胃口反常之現象。然各人體氣不同。胎氣不同。所以脈候證候亦不同。經云。脈沉細而附骨者是積。乃體弱婦人。雖有懷孕在身。月分已久。脈象依然沉細。並無流利雀啄之象。細加診察。與癥瘕積聚彷彿相似。醫師如冒昧從事。用消痞化瘀之藥。其胎即被打下。甚至有懷孕以後。身體違和。百病叢生。中西醫藥並進。誤認爲乾血癆。窮年累月。治療罔效。迨生產後。各恙一律痊癒。醫師方知是胎氣而非疾病。然前次各醫之雜藥亂投。業已誤人不淺矣。婦人經阻腹痛。亦不一端。有血淤腹痛者。有胞阻腹痛者。兩症既不相同。治法亦逈然各別。狗兒胎有孕後。依然月月行經。其症與腸覃無異。腸覃腹大瘀積。而行經如故。以孕婦而誤作腸覃治之。行血逐瘀。便攝大禍。又有婦女妊娠。過期不產。腹大便便。當作氣鼓水鼓血鼓醫治者。更有生產數次之婦。而胎氣前後變換者。所以胎孕一端。胎疾甚多。最易與各症魚目混珠。碔砆亂玉。辨認不淸。失之毫厘。差以千里。他人性命。醫家名譽。皆有莫大關係。但憑方書所言。以脈候症候爲斷。有時驗。有時不驗。致使岐黃家聚訟紛紜。莫衷一是。究竟以何者方法診斷。。使懷孕一事。足爲一定不易之鐵證。同道中已請教數人。皆不能切實答復。予聞西醫有一驗胎法。當面可以見效。其法以藥水一杯。使婦人服之。片刻。解一小便。色黑者是有孕。不黑者非孕。如此試驗。已勝我中醫一籌矣　諸君醫學精深。經驗富有。倘乞於下期本報內。賜教一切。不勝感盼。

脈學表解

珠街閣周梅奇

醫家切脈。譽不重視。故望聞問切。位居最下。通常所採用者。或不能家喻戶曉。甚有疑其姑弄玄虛其中無物者。轉而信仰一手切脈。一手持錶。以為遲數正確。其他盡是模糊者。不知脈學原有章法。按步就班。自得真確所在。今將大綱列表。所以備考查者。一目了然。譬如遊覽。此為指路之牌。求大衆便利耳。差誤缺漏之處敬候 指教。

（一）脈之名稱與形態

浮 如水飄木 主表

洪 浮而有力 虛 浮而無力

散 浮而渙漫 芤 有邊無中

濡 浮而小 如綿浮水面 微 濡甚

革 芤而弦

沉 如投水石 主裏

伏 沉極推筋着骨 牢 沉而有力 大而弦長

實 牢甚 沉而無力

細 沉而直

遲 一息三至 主寒

緩 和勻 如春柳 濇 遲細往來極遲

結 來緩 止而復來 代 來緩止數不來

數 一息六至 主熱

滑 流利 緊 有力

促 數時一止 動 如豆粒之動

長 過於本位
短 不及本位（別脈）

弦 端而長直

二（奇經八脈）

脈名	脈形	感受	主病	危病
衝	直上直下尺寸俱牢 中央堅直	胸中有寒	疝氣	攻心則支滿溺失
督	直上直下尺寸俱浮 中央浮起	腰背強痛	風癇	
任	寸口丸丸細緊直長		男疝女瘕	
帶	關左右彈			
陽蹻	寸左右彈			
陰蹻	尺左右彈			
陽維	尺內斜上至寸			
陰維	尺外斜上至寸			

（三）脈之診法

（一）七診　浮—中—沉—上—下—左—右

（二）九候
- 寸—浮、中、沉
- 關—浮、中、沉
- 尺—浮、中、沉

（四）脉之分部與所主

左寸主胞絡與心　左關主肝與膽

左尺主膀胱與腎　右寸主肺

右關主胃與脾　右尺主大腸與腎

（五）五臟之本脉

心—浮大而散　肺—浮濇而短

肝—沉長而弦　腎—沉石而濡

脾—和緩

（六）脉之時令

春弦　夏洪　秋毛　冬石

（七）脈之大別

（實強）謂之太過病生於外。（虛微）謂之不及病生於內

（八）脈之主病

浮—主表—主腑—主熱—有力爲風—無力血虛

浮遲—表冷　浮數—風熱　浮緊—風寒　浮緩—風濕

浮虛—傷暑　浮芤—失血　浮洪—虛火　浮微—勞極

浮濡—陰虛　浮散—虛極　浮弦—痰飲　浮滑—痰熱

沉—主裏—主寒—主積—有力痰食—無力氣鬱

沉遲—虛寒　沉數—伏熱　沉緊—冷病　沉緩—水蓄

沉實—熱極　沉細—虛濕　沉弦—飲痛　沉滑—食滯

沉伏—吐利—陰毒積斂　沉牢—痰食—痼冷　沉弱—氣鬱陰虧

遲—主臟—主裏—有力爲痛—無力爲虛

數—主腑—主吐—主狂—有力實熱—無力虛瘡

滑—主痰飲—關部主食—尺主蓄血—尺主吐逆

濇—主寒濕—主少血—反胃結腸—主自汗

弦—主痰飲—主水侮脾　陽弦頭痛　陰弦腹痛

長—主氣分平治　沉長—風痫　沉短—痞塞

短—主氣病　細—主氣衰　大—主病進　洪—主陰傷

緊—主寒痛　緩大—主風虛　緩滑—主濕痰

濇小—主陰虛　弱小—主陽竭　陽微—主惡寒
陰微—主發熱　陽動—主痛—主驚
陰動—主熱—主崩中失血　革—主虛寒相搏—主男子失精女
入漏血　陽盛則促—主肺癰—主熱毒　陰盛則結—主疝瘕積
鬱　代—主氣衰—主泄膿血—主傷寒—主霍亂—主跌打悶絶
—主疝痛甚—主女胎三月

孕婦束腰有礙衛生

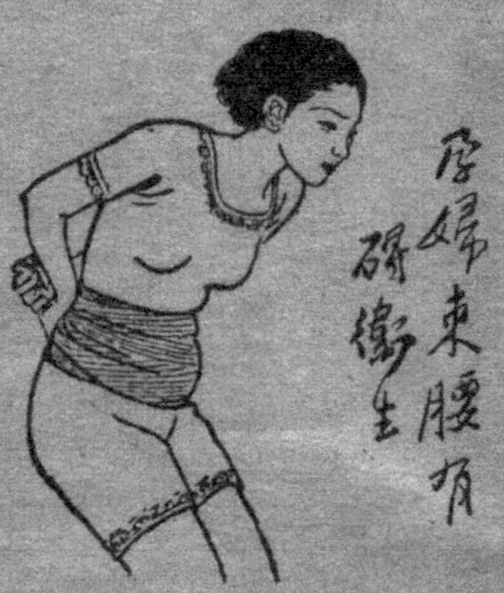

（九）脉證同參

病名	與病相宜之脈	與病不相宜之脈／死脈
中風	浮 遲	堅 大 急疾
傷寒	浮 洪	沉微濇小
汗後	靜	躁
勞倦內傷	虛弱	
瘧	弦數 弦遲	代散
瀉痢	沉小 滑弱	實大浮數
嘔吐反胃	浮滑 弦數緊濇	結腸
霍亂	代	遲微
咳嗽	浮濡	沉伏 緊
喘息	浮滑	沉濇
火證	洪數	微弱
骨蒸內熱	數爲虛	濇小
勞極	浮軟微弱	火炎而數
失血	芤而緩	芤而數大
蓄血	牢大	沉濇而微
三消	數大	細微短濇
淋閉	實大	濇小
癲狂	浮洪	沉急
癇	虛緩沉小急實	弦急
腹痛	細遲	浮大

痛　弦急　牢急　弱急
黃疸　洪數　浮大　微濇
脹滿　浮大　洪實　細而沉微
積聚　實強　沉細
中惡　緊細　浮大
癰疽　未潰洪大　已潰濇小　未潰浮小　已潰洪大
肺癰　數而無力
腸癰　實熱滑數　沉細

（十）姙脈

結胎　少陰動甚
三月　滑疾而散
五月　疾而不散
男脈　左疾
女脈　右疾
將產　散而離經
新產　小緩爲順　實大弦牢爲逆

（十一）反關脈

脈不行於寸口由列缺絡入臂後手陽明大腸之經故動在臂後名曰反關

有一手反關有兩手反關者此非病脈也

（十二）絕脈

心絕　如操帶鈎如轉豆躁疾　一日死
肝絕　如循刀責耳如新張弓弦　八日死
脾絕　如雀啄如屋漏如水流又如杯覆　四日死
肺絕　如風吹毛羽中膚　三日死
腎絕　如𢈔索如辟辟彈石　四日死
命絕　如魚翔如蝦遊至如湧泉去如弦絕

衛生常識

選擇牛奶談

胡佛

牛奶含脂肪蛋白質糖類維他命等滋養料甚富。爲吾人日常最適當之營養品。巳盡人皆知。但牛乳爲母牛乳頭內擠取之乳汁。其品類有優劣之不同。且牛體最易患結核病。傳染甚易。又乳牛身體之健全與否。擠取手續之是否清潔。飼養方法之是否合宜。在在與服牛乳者康健上發生重大關係。所以吾人服牛乳時。實有謹愼選擇之必要。不可貪便宜而購劣品。小之失却營養上之價値。大之傳染疾病。釀成大患。如上海一處而言。牛乳需要頗巨。中外經營牛奶棚者亦衆。但品質自有高下之不同。於是工部局爲預防不潔之牛奶傳染疾病計。管理牧場。及檢驗牛奶甚嚴。發給執照。分合格之乳爲AB兩種。如檢驗認爲最清潔無毒者。則發給A字執照。牛棚飼養尙合清潔。而未經消毒者。則發給B字執照。所以吾人選擇牛乳。以服A字級者爲穩妥。但同屬A字級牛乳。其牛奶之清潔與優劣。仍有不同。則非吾人所得而知之矣。據調查所得。一九三二年。工部局衛生處。檢驗全上海牛奶棚肺癆牛。大抵百分之七十八至九十五。均有肺癆。卽素稱優良之洋商可的牛奶公司。亦有百分之七十八。惟華商上海畜植牛奶公司祇百分之十七。(今年)(一九三四年)衛生當局檢驗畜植牛奶公司吳淞分場肺癆牛。竟屬百分之零。完全無肺癆牛。工部局衛生處定章。微菌計算。每立方生的咪脫。不得超過三萬粒。最近一次報告係在一九三四年(今年)三月十九日及三月二十七日。工部 局衛生處檢驗上海畜植牛奶公司微菌全無。其他次數平均不過在百粒以下。又工部局衛生處定章。糞穢療菌。不得在一立方生的咪脫十分之一內發現。上海畜植牛奶公司在十倍該分量檢驗中全無該菌。又工部局衛生處。檢驗牛奶脂肪。上海畜植公司之脂肪大多數爲百分之四、八。其他外人所辦的牛奶公司。脂肪祇百分之三、八。從以上調查報告看起來。同屬A字級牛奶。其清潔與含滋養料之豐富。仍有優劣之不同。所以吾人選擇牛乳。自當愼之又愼。惟牛乳爲四季常服之適富營養品。無論成人與兒童。均宜常服。不過選擇品質。實爲第一條件。服牛乳者。幸勿河漢斯言。

家庭療病寶鑑（續）

原著者：佐佐木稔
編譯者：開封鄧名世

（八）流行性感冒（俗名傷風時症古名天行中風）

本症潛伏期約二三日。無前驅症候。大抵突然惡寒戰慄。繼之以熱。體溫達三十九度乃至四十度。頭痛。脊痛。腰痛。全身倦怠。食慾不振。其他並有眼症狀及呼吸器障害。惡性者：往往併發他病（腦膜炎肺炎等）而致死。療法如左；

（一）生姜。梅乾。蘿蔔各一個。搗碎後加入豆豉少許。然後再注以一碗熱水拌攪混和。乘熱服之。

（二）將橙作輪狀切開。榨取其汁。投入一合之熱水中。次加以少許之白砂糖拌攪均勻。而後飲之。其他炙蜜柑皮之煎汁。亦可用。

（九）徽毒（俗名楊梅瘡）

（一）取一把野薔薇之葉莖根三者。切碎之。投入三合之水中煎之。至藥液變爲濃茶色即成。一日三回分服。

（二）取陰乾之蕺草根葉莖一錢。水二合。置火上煎成一合。每日朝夕二回分服。

（三）胡桃葉煎水服。

（四）土茯苓煎水服。臨用時。宜加以少許之砂糖。

（五）常食昆布。亦有良效。

（十）耳下腺炎（俗名時行腮腫。古名痄腮）

本病爲一種流行性傳染病。重症者。往往併發睪丸炎。苟治療適當。則不難全治。化膿者極少。初期可用五十倍鹽剝水漱口。或用一百倍鉛糖水冷罨患部。

（十一）瘧疾

（一）取紫陽化陰乾煎水。乘熱服之。

（二）蕨草（一名風尾草）煎服。

（三）取車前草之葉莖煎水服之。

（十二）痲疹

痲疹之經過約二十餘日：即潛伏期十日。前驅期三日。加答兒期三日。發疹期二日。恢復期四日是也。潛伏期過去後。即至前驅期：體溫昇至三十八度。病人多信爲感冒。而不以爲意。迨至加答兒期。則體溫益益上昇。咳嗽吐痰咽頭發赤腫脹。次入發疹期。痲疹先發于前額眼瞼。次乃波及軀幹及四肢。

一度罹此病後。多得終身免疫。大抵無須醫生治療。多能自癒，此病多由空氣傳染。宜注意隔離。療法如左：

（一）金橘仁煎水服。或取金橘置於鍋中加砂糖煮而食之

（二）高熱不退者。用馬蹄一錢。水一合。煎湯服之。每回一杯。服後夜間熱度增高。但至翌日即退。——待續——

耳聾治肺鼻塞治心研究

孫道明

耳爲腎之竅。與心臟之絡相連繫。是以先天壯實之人。音聲傳來。聽覺甚聰。其有聽而不聞者。原因殊爲複雜。今但以耳聾之屬于氣者言之。肺爲腎之母。經云。金鬱則泄之。治法如川貝牛蒡滑石連翹薄荷諸味研末吹之。蓋取其辛潤肅肺。氣自疏通耳。

鼻爲肺之竅。職司呼吸。在肺氣充實之人。香臭傳來。嗅覺甚清。其有塞而杳不知味者。必其人之肺氣不清。心火上盛。今且以鼻塞之屬于火者言之。肺屬金。心屬火。火未有不尅金者。經云火鬱則發之。治法如防風連翹前胡杏仁川貝茯苓橘紅苦梗諸味。購取煎服。覆被令汗。汗後宜避風數日。鼻塞即通。以上二方。皆從研究得來。倘患此者。不妨按法一試之。當然有利而無弊也。

患失眠症之攝生

養浩

(一)適度運動　就寢之前。須爲適度運動。使腦中積血。移於四肢。但切忌過於劇烈。

(二)行深呼吸　就寢之前。須爲複式深呼吸。約十分鐘停止。使腦中積血。集注腹部。於眠睡極有效力。

(三)甯靜精神　就床後若妄想。或憂慮。則精神必不安。決無成眠之理。故就寢後。宜甯靜精神。縱有憂慮。亦當棄之。

(四)戒飲濃茶。　睡眠之前。勿飲濃茶。因濃茶刺激性甚強。有礙睡眠。其他咖啡。香烟。香料等種種刺激品。亦宜戒之。

朋友！你患失眠症嗎？如果有的話。不防照上面的方法試一試。幾天後你就會覺察自己精神的舒暢。這就是牠的功勞啊！

感冒之簡單療法及預防法

鄧名世

愛倫。芬克。拜兒氏等。常以少量之沃度以治感冒並預防感冒。頗著成效。其法先將沃度丁幾（即碘酒）一滴。混和於二百五十瓦之水中。作含漱料。一日含漱數次。次以棉球蘸酒塞入鼻腔。每日送入二次。每次插入一小時。可以預防感冒。已經發病者。與以硫酸規甯（金鷄納霜）半瓦或一瓦。往往可得速愈。

魚病顧問

善芳

魚遭毒翻白。糞清水澆入池中可解。魚瘦而生虱。以楓樹皮投水中則除。魚游勞尾賴。乃以鹽擦其遍身。使吐黑涎卽愈。

衛生小問答

張子英

（問）要將吾人眼光久保不變。有何方法。

（答）眼爲吾人極宜要之器官。當然想法使其不致傷害。如行路讀書。坐車中看報。薄暮時。及燈光漾盪之際。均不宜讀書寫字。否則對於眼光必有損傷。

（問）鄙人前曾與朋友逛遊北里。近日尿中刺痛。尿線甚細。此是何病。有何方法使之除去。

（答）尊恙顯係淋病。如在一二星期內尚可設法澈底根治。過此恐難斷根。將與君之生命偕老矣。

（問）鄙人現年三十四歲。已結婚。有二子一女。最幼四歲。在四年前曾患白濁。後已治愈。但疲倦時尿時仍覺有白物。且不爽利。是否白濁病之復發。且近四年來。內子體健無病。並未懷孕。此白濁與子嗣有關係否。

（答）君之白濁病並未根治。有成老白濁之傾向。須耐心調治。又患白濁者。往往無子。

（問）鄙人少年時曾患手淫。近覺頭昏眼花。腰脊痠楚。遺精早洩。尚有何方法可治。

（答）手淫爲現時代青年極易犯之病。不知多少有爲之青年。斷喪於此。君早年既已誤犯此病。宜下決心戒除之。局部宜用冷水摩擦。勿食有刺戟性之物。如煙草。酒。辛辣等品。再進滋補之劑。又戶外運動。亦最有益。

（問）鄙人有子二歲。曾患疳病。面黃肌瘦。食慾不振。大便溏泄。有何藥餌使之復原。

（答）令郎既有疳病。宜早爲調治。先須調節其飲食。但小兒最不肯吃藥。惟八珍糕最可便試服。方藥與效用已詳第十五期本欄。

（問）鄙人夢遺早洩。腰脊疼痛。下元虛冷。飲食無味以何種丸藥最適宜常服

（答）金匱腎氣丸頗可試服。或桂附八味亦可。

（問）行深呼吸對於肺病有何損害。

（答）肺病重時。頗不宜於深呼吸。又呼吸時須注意空氣之清濁。否則徒知呼吸有益人體。而不知空氣之惡濁。往往招致其他傳染病也。愼之。

（問）每日以睡幾小時最爲適宜。及每日幾時入睡與晨起爲佳。

（答）普通每人以八小時之睡眠最爲適宜。但成人往往無八小時之睡眠時間。大抵每夜十時入睡。次晨六時起身最佳。

（問）臨睡時之衛生如何。

（答）臨睡時不可飲有刺戟性及生硬物。以防夜中遺精。冬日宜在臨睡之前。用熱水洗脚。最爲有益。又燈火亦宜熄滅。以避強烈燈光刺激神經。以至不能入睡。

（問）患手淫者。何以有人主張將燈火不滅。得非矛盾乎。

（答）此非矛盾也。大抵患手淫者往往在黑夜中胡思亂想。因而引起自瀆之行爲。有陽光。所以使不正當思慮不起。故有人謂黑暗之處。乃製造罪惡之地。吾人以利害衡之。甯去其重而就其輕也。

（問）忽然鼻衄。有何方法止之。

（答）宜在額部罨以冷布。令其安臥不動。鼻孔用焦梔子塞之亦可。蓋古人取血見黑卽止之義也。

（問）肺病咳血。身體羸弱。常用何補品最宜。

（答）四川銀耳。頗可常服。

（問）鄙人現有幼子。年已三歲。尚在授乳。惟體質甚弱。尚未能行步。有何方法使之早行。惟現在乳汁甚少。可否斷乳。

（答）令郎三歲尚未能行。古書所謂行遲。其實還是授乳時間過長之故。普通小孩。在十個月卽可斷乳。蓋乳汁中缺少石灰質等支持骨幹之重要物。遲行之故卽在於此。速宜斷乳。萬不可再行繼續授乳。以免他日瘓軟難行。

醫林叢談

合理的民間單方緒言

吳興雙林葉橘泉

世界醫藥學術的發端。莫不由於人類偶然發見之單方。經無數先民之沿用。屢試而屢效。然後始著爲藥學。但初僅知某藥有效於某症。而不知其所以然之理。例如印度古時。有一窮人罹瘧患。露宿於樹下。熱甚口渴。偶飲某池水。其患驟瘥。同時同樣患者。飲此水而均瘥。嗣經發見池旁有金鷄納樹浸水中。始知該樹之皮實能治瘧。民間沿用至百餘年後。（一五二〇年）由厄瓜多爾人康尼什爾canizares將金鷄納樹皮粉。獻秘魯總督金康伯爵夫人服。以治瘧甚效。夫人帶此粉至西班牙。於是名聞全歐稱之謂伯爵夫人粉。至一六八二年。有耶穌會教士帶此粉至中國北京。醫治康熙瘧疾。當時稱耶教會粉。直至一八二〇年。始由歐州化學家。提出一種有效成分。名「金甯」者。能滅瘧原虫及健胃退熱。至此功用始明。學理大白。又如我國當時有病吐血者。偶食鮮藕而其患驟瘥。又有一庖丁削藕。藕皮偶墜血盂內。而血遂不能凝固。因此方知藕有止血化瘀之功效。始相傳爲單方之應用，但初不知其富含單甯酸。而有止血之效。遂妄言性涼而下降。據此可知經驗有效之單方。頗有研究之價值。而溫涼升降之藥性。實爲藥學之魔障。魔障不除。則藥物作用之眞面目終不能見。即施之治療。亦永無進步之可言。試觀西藥由生藥而製爲原料。由原料而再化分化合。製出日新月異之新藥。我則除漢唐以前。藥書祇載純粹經驗之治效外。而唐宋以後醫家則競以五行生尅論病理。以五味形色測藥效。論藥之書。則滿紙升降浮沉寒熱溫涼。色青入肝。色白入肺。…………等玄說。玄說盛。醫藥身份似躋上高深神奇之境。於是迷離惝恍迄於今日。雖有汗牛充棟之醫藥載籍。而皆盤旋於迷陣中。以致形成世界落伍之醫學。惟東倭漢醫東洞丹波氏等。迷夢先覺。素主古方經驗效藥之考徵。因此彼邦於維新後一般藥學家之化學研究漢藥者。有所憑藉故大有發明之著述。彼之得佔世界醫學第二位置者。良非偶然也。今日我國醫藥科學化之聲浪。囂然塵上。乃半由東洋之研究漢藥者。牖啓之。烏呼可哀。而中央國醫館。對於醫藥學說之整理。主破壞。主保守者。尚爭訟紛紛也。實驗與玄說。將兩利而俱存之乎。無是理也。既無理是則與其用形色氣味五行生尅之醫藥以治病。毋甯取稽古相傳之驗方效藥。考求其所以然之理。但驗方新編。單方大全等書。收載雖夥。惜皆精粗不分。良窳雜夃。若得一一科學之整理。則豈知淘沙得金。直可云禮失求野。蓋自昔良方。每多流入鄉村野老。及鈴串俗醫之手。彼等雖不知醫。只知符合其單方之病狀而給藥。然往往取效如響。此可證我之所謂舊說玄荒謬。而舊藥仍能療病也。竊以謂欲求中國醫之發皇。首宜注意民間之效藥。求其效準確。而合於學理者。表彰而出之。再進而求化學家提煉之精製之。於是人類自然本能所發見之民間藥。一轉移間而成爲世界醫林之特效藥矣。今因於診務之暇。留心採訪。數載於茲。凡所見所聞。或得之鄉老之口授。或訪自鈴醫之祕傳。選其效力。確著而符合近世醫藥學理者。筆於紙。以貽海上醫藥出版社。陸續刊布。於報章雜誌。以求於海內諸同志。謬蒙閱者見許。紛紛函促印行單行本。乃不辭淺陋。彙錄付印。惟急就之作。謬誤不免。還希讀者諸君之糾正。則不僅著者個人受益也。

（本書編輯凡例）

（一）本編蒐輯之單方。以功効最準確。藥物最普通。而且合於科學學理者爲依歸。

（一）本編所收單方。共百則。都以單味藥物爲主治。以符單方的命名。一以便民間的採用。一以明藥理的功効。

（一）自昔方書。未嘗論藥卽間有論之者。亦無非以色味五行分屬臟腑。如色白入肺。色赤入心。色 入肝……等。殊不知藥物入胃。有色變爲無色。有味變爲無味。斷無因色味之不同而分入臟腑之理。宜其爲近世學者所詬病。本編根據近世學理詳論各藥之形態成分及藥理之作用。使數千百年來。謬誤之論一變而科學實驗之學說。此編者之本意也。

（一）是編收載之方藥。不但供民間之採用。且可作新醫藥家研究中藥之參考。因新醫尚無特效藥之疾病。中藥治之屢獲奇效。卽西藥已有特效之數種疾病。以中藥治之反比用其特效藥速癒。此可知中藥有勝過西藥之處。如妊娠嘔吐之川半夏。瘧疾之用常山。寄生虫之用使君子石榴根皮等。學者苟能盡力研究。前途尚有驚人之發明。當未可限量耳。

（一）本編之分量及用法。悉屬著者所實驗其形態。性狀。藥效。成分。實驗方法等。係根據日本藥物學書。及近世新醫藥名著考徵。而來完全依據科學立說。力闢穿鑿虛妄之舊習。

（二）中藥之夥。甲於全球。效方之富不可勝計。其確有醫治實效。而未抉其奧者。在在多是本編僅選集百則。作提要鈎玄之輯。他日有暇。當再為續編。

本書刻在印刷中

全書約四萬餘言

七十磅道林紙精印

袖珍本布面燙金

定價一元預約六折（寄費一角五分）

預約處浙江雙林絲行埭一號存濟醫廬

預約截止期二十三年五月底

（附告）拙編『增纂國藥新辭典』因內容繁富。印費巨大。尚在招股中。一俟股資招足。當即發印。大約下半載可以出版。空函預約諸君。恕不專函奉告。此佈。

敬告患糖尿證者不治必成死候

孫道明

我鄉沈某之次子。健飯如逾恆。而體膚羸瘦。背脊傴僂。不能工作。鄰佑咸為童子痨。挨延[illegible]載。年經弱冠。而尚未成人。病株漸深。家貧無力就醫。延至癸酉歲孟春中旬。病重不起。此予曾目覩耳聞。後披閱康健週刊。郭柏良醫士所著。有胃病談屑中消病一篇。謂患糖尿病者。善食易飢。且不生肉。體日以羸。如前症是矣。我謂患此者。小便必多。而味覺甜。其原由於腎臟虛冷。不能蒸化精微。穀氣所入。盡為小便。故善飢多食。而形消肉瘦也。患此症者。須及早求醫療治。以冀出險入夷。否則坐觀成敗。不死於命。必死于病矣。可懼哉。

醫藥雜訊

國醫學會道德條例

上海市國醫學會前由會員大會議決，擬訂學術上之道德條例。以資共守。後由本屆執監委員一再聯席討論。業已訂妥公布在案。玆錄其條例如下。（一）對於同道探討學術時。不論口頭或文字。均應出於和緩之詞調。眞誠之態度。（一）學術固無國界畛域之分。似僅襲外人皮毛。即自詡爲國醫科學化。反失國醫之眞理。（一）非國醫原有之病名。愼勿輕言。致遭咎戾。（一）解說病理。固不必泥拘古書。但亦不可炫奇立異。（一）對於國醫未有深切之研究與經驗。未可忘談改革。（一）勿作虛僞之證明。勿作誇大之宣傳。（一）在非醫界友人或病家之前。不宜忘評他人。以炫已長。（一）遇有不洽已意之醫方。儘可報告本會。以資討論。不得貿然指謫。（一）凡遇有特別心得及奇效驗方。卽應公開。俾得播遠傳久而免湮沒。（一）不宜輕刊書報。致墮國醫信譽。

汎太平洋醫學會

▲國民新聞社十三日紐約電　汎太平洋醫學會。定於明日（十四日）起舉行空前未有之「泛舟會議。」此爲該會第五次大會所議定之奇特議案。該輪船名班斯門尼亞號。將啓程往各處周遊。各地會員之欲加入者。可於該輪到埠時登輪參加。該輪開赴委內端辣國。沿途經過古巴西班牙等處。在船上時。將研究各種關於醫學之提案。到委京加拉架後。將舉行會議一日。並將接受委總統之宴請。預定本月三十日可以返抵紐約。與會者皆一時之名醫云。

市立傳染病醫院開診

本市衛生局前以傳染病院尙付闕如。亟待籌設。爰於閘北天通庵路前中國公立醫院舊址。設立傳染病醫院。業已就緒。卽於今日起開始開診。玆將經情形。分誌如下。

▲籌經過　本市閘北中國公立醫院。自一二八之役被燬後。市衛生局以亟待舉辦傳染病醫院。爰與該院董事迭次函商。將該院當局之同意。市衛生局進行擬具計劃。開具預算。呈請市府核示照准後。當卽委派市衛生局第二科科長吳利國等着手籌備。

▲今日開診　市衛生局以公立醫院原有居屋應加修葺。經市府核撥開辦費。將居屋加以修加以修葺。並購備一切醫藥醫

具。以應亟需。並經正式委任吳利國暫兼市立傳染病醫院院長。祝愼之爲醫務主任。徐女士爲護士主任。內設病床五十位。即於今日起開診。

▲將來計劃 市衛生局以本市市民衆多。該院原有屋宇。將來定不敷用。爰經呈准市府於閘北慈善賽馬路獎券項下。撥付三萬元。暫建二層洋房二幢。業已開工。約於半年內可以竣工。將來並擬擴充至二十五幢。惟以經費尙無着落。故暫緩進行云。(中央社)

武進國醫學會

第四次理事會議

武進縣國醫學會於三月十一日下午二時。在化龍巷本會會議室。舉行第四次理事會議。出席者。錢寶華。施秋至。錢今陽。周病驥。萬仲衡。楊養浩。龔英生。呂永綾。張翼清。列席者。錢同高。張達方。主席。錢今陽。紀錄。周病驥。開會如儀。(甲)報告事項。(一)全體理監事。向縣黨部請願經過。(二)立法院祕書處函復。焦彭二委。已照常供職。(三)縣黨部指令。爲電請轉電四中全會。對國醫與西醫同等待遇。已據情轉電。(四)北平市國醫分館祕書處。函賀本會當選理監事。就職。並勗本會協力奮鬥。同心共濟。(五)略(六)河北省國醫分館快郵代電。電上立法院。挽留焦彭二委。及擁護焦館長主張之原文。表示與本會取一致主張。(七)江都縣國醫支館公函。爲徵求本會出版刊物。(八)中央國醫館祕書處覆函。爲本會皓代電內。上立法院一電。義正詞嚴。至堪嘉慰。現焦彭二委。所有立法院。暨中央國醫館職務。已經主管各機關分別慰留。尙望團結力量。共束進行。(九)江西省國醫分館公函。爲該分館遷移地址。繼續辦公。(十)福建省國醫分館公函。照錄該館上立法院電文。及立法院祕書處覆函。請察鑒。(乙)討論事項。(一)縣黨部舉行淞滬抗日二週年紀念大會。本會已由錢常務今陽。施理事秋至。代表參加。請予追認案。決議。准予追認。(二)湘省常德縣國醫公會。藥業同業公會。聯合辦事處快郵代電。爲各縣樹設衛生院。其主要醫藥。概指西醫西藥而言。由此推行全國。恐我國醫藥前途。發展有礙。應請全國醫藥兩界。羣起向湘省府請求。本會應如何表示案。決議。由本會電請湘省府。擁護國醫藥。並函覆常德縣國醫藥聯合辦事處。(三)登記膠提。王南平塡具入會志願書。由錢今陽。呂永綾。介紹申請加入本會。應否准予入會案。決議。交監事會審查後。再行核辦。(四)縣黨部令。推派代表六人。准時參加總理逝世九週紀念會案。決議。推楊養浩。錢今陽。張達方。周病驥。施秋玉。呂永綾。代表本會參加。(五)錢常務寶華提。本會應否赴各鄉鎮佈種牛痘案。決議。先在第七區鄉灣鄉公所施種。地點。由周理事病驥接洽。

吳淞炮台灣將設海港檢疫所

吳淞炮台灣海濱有基地一方。廣約十畝。戰前原係海濱旅館舊址。茲悉該地現爲海港檢疫處購進。處長伍連德博士昨日到淞。在市政辦事處書契交付地價洋三萬五千餘元。聞該地就購後建築海港檢疫所云。

餘興小說

深秋（續十五期）

第二章 捲土重來

晚上，房裏是什麼都靜悄悄的，沙發像歇散下來的工人，挺着大肚皮休息着。桌角瓶裏兩朵虞美人，嬌羞地垂着頭，暗香在寂寞中輸送。窗帘冷汗凄地垂着，沒有月影相映，也沒有風皺起波紋，只在燈光在上面蕩漾。素默默地坐在桌角，支頤沉思。

一切都決定？她看不慣珊那傲然的態度，那冷剌剌的笑臉，她一定要報復，一定要重整旗鼓，列成陣勢，向她的敵人進攻。

「只有先把秋溶俘虜了來！」她聰明地決定了她的戰略；然而却立刻有一件事使她沉吟起來了。把秋溶再奪回來，談何容易；現在秋溶下不像以前那般自由了，以前——好久的以前了——秋溶抽空兒跑到她這兒來一趟，珊立刻就跟來了，使她秋溶有許多話不能向她說，而她也有萬語千言無從傾訴，她只好默默無言地坐着。秋溶怕珊看出他心裏的難過，只好打疊起精神，想出一些關於文學的話來說。珊時常打斷他的話頭，而且時常顯出不耐煩似的擦着他的身體，暗催他走。這些，她都看出眼裏，記在心頭，在從前，她只是無心的看着，記着，現在想起來，却不能不替秋溶叫屈了，而且證明了秋溶的心并沒有變，不過礙着珊的面不便流露出來吧了。珊的脾氣，她是知道的，珊不像她這樣幽靜，這樣溫柔，就是芝蘇兒的事，也會使她面紅耳赤。而她且有一個古怪的脾氣，也可說是特殊的性兒，就是她喜歡的那件東西，不願意別人也去動一動。珊整天的倍着秋溶，就是怕別的女人會把他搶了去，珊把秋溶看守的這般嚴緊，而現在，素想從她的手中奪回來；的確是件夠蔴煩的事！

現在就去找秋溶吧？她知道，她一定要去找他，坐在房裏空想，成功不是約會找到她。她應該在他的面前，放出自己的手段來，使他爲她傾倒着，羨慕着，而恢復以前的熱情。使他爲她拋棄了珊，正像現在爲珊忍棄了她一樣。然而去找他，又不成功，珊是不慣躲在花房子裏的，她正似一隻自由的小鳥一般，歡喜在停着白雲的天空裏飛着玩，當然秋溶是伴着她的。到那兒去尋他呢？就是找到了，有着珊在他的身邊，什麽話都不好說。幾次，站起來，又坐下了。

最後，她決定還是寫封信給他，在信裏，她故意嗔怪他騙了她以前的夢和現在的事實，都足證明他是一個騙子，他不應該有了珊，便忘記了她，讓她一個人在這裏忍受無上的寂寞。她又譏嘲他像隻獅子狗，被珊用繩子牢牢的綑着了，不能由有的跑動一下，但她却希望他接到這封信後，揀一個早晨來看看她；因爲只有早晨，珊還睡着，他們可以自由的談話。她還預先的告訴他，她有許多話要向他說，希望他能更早點來。

秋溶果然在一個早晨來了。在園裏假山背後的冬青樹下，他們一塊兒坐着，素的身體偎在他的懷裏，不知怎麽，竟忘記了說話，不是怕羞，只是不知道說什麽好。仰起頭，望着他的臉，一縷哀怨，透過她的心，她的眼睛有些嘲濕了。

早晨有些風，白楊樹的枯條兒在搖曳。梧桐葉在地上打着旋兒玩呢。冬青樹的葉兒，蘇蘇地響着，好像代替他們低訴心中的幽情，從樹上漏下來的太陽光，顯得很嬌嫩。

在怨恨和求勝的兩重心情下，統於把素悝心裏的話壓迫了出來：

「你以前怎樣的對我說來？也許那些話你早已忘記了，可是我并沒有忘記，我永遠清清楚楚的記着，永遠不會忘記。我問你，近來你怎麽不理我了？你不用辯，我舉幾個證據給你看，那天——記不得是那天了——我在霞飛路碰見了你，我可沒有眼花，你和珊靠得那麽緊緊地垂着走，從我的旁邊擦過去了，你和她笑着，談着，裝着沒有看見我。過後，我們又住卡爾登門前遇着，你伴着珊進去了，本來我是預備到裏面去的，但我看見你就要傷心，我只好回來了。我不扯謊，我哭過，也恨過你，但是，我還是愛你的，我不能讓你倒在別個女人的懷裏，不能讓你再離開我…………」

以下的話，給悲哀吞下去了。

那位青年睜着憂悒的眼睛，驚詫地望着她，半晌說不出一句話來；突然，幽凄地嘆了一口氣。

我們以前也曾說過，而且還發過誓，誰也不可以離開誰我們「現在就是我們實行同居，也算不得是過分的事。好吧，」

就這樣做！我可以陪你玩，陪你讀書，做事。」

那位青年搖了搖頭，吞吐着說道：

「素！原諒我吧！不是我肯違背了你的話，我始終是愛着你的！實在，我敵不住珊的引誘，我捨不得她，也像捨不得你一樣。」

素禁不住傷心了，她伏在他的懷裏，小聲的哭。

第三章　從成功到失敗

進攻吧，這輕紗糊成的壁壘！

連着幾個早晨，這深秋的園裏，都有着他們的蹤跡。雖然每次都是匆匆的幾句話，但在素已覺得很滿足了。

當她悽切地把他心裏的話說完了後，接着又表出她的意見的時候，那位青年，總是照例地睜大着眼睛，不做聲。從他的眼光裏，可以看出他那怯懦而無能的本性。他始終是默默着，不大多說話，就是到他不得不開口時，他也只是那麼遲緩的說出兩句而已。可是素並不恨他，反覺得他變得更溫柔了。雖然有時她也討厭他那沉吟不決的樣子，但立刻她又了解他了。她不灰心，不斷地奮鬥。她要把她的毅力壓服了他的愛情；她要把她的柔腸縛住了他的心。

漸漸地，漸漸地，那位怯懦的青年有些回心轉意了。他已經敢用假話騙住了珊。也敢偷偷地跑到素這裏來，和她談些話，做點天眞而快樂的事情。每當他坐在她的身邊，或者她倒在他的懷裏的時候，她私自賀她的勝利慶幸着。

擁抱，接吻，他們又回到以前的夢境中了。

有幾次看見珊一個人在馬路上走，她冷冷地看着她笑，好像是說：「你也有今天了嗎？」可是珊却像不懂得這笑的意思似的，她還是像以前一樣，嬌憨的笑着，活潑的跳跳來去，她完全還是一個小孩子呀．她不懂得悽怨，更不懂得哀怨！

珊這樣滿不在乎的態度，使素不能不有一點遺憾；珊雖然失去了秋溶，可並沒有像她一樣的哭過。

這個，素有點懷疑起來了，除非珊還是一個不懂事的小孩子，便不能這樣無情，你想，一個女人對於她的愛者，是比自己的生命還要看得重，而現在珊便像沒有失戀這回事一般。有時素故意在她的面前談起了秋溶，她笑了笑，便把話岔開了，好像秋溶和她並沒有什麼關係。因此素疑心她是另有愛人，不然，她決不會這樣快樂的。

素也會把這猜疑和秋溶說通。秋溶也是微微的一笑，什麼話都沒有說。素也笑，她心裏十分的欣喜，她想，秋溶聽見了這消息，毫不驚奇，也不氣憤，一定他也拋棄了珊了。他把珊當做不相識的人，自然對於她另有所戀，是用不着驚奇和氣憤的。

可又怪！這生活只過了一星期，秋溶忽然又對她冷淡起來了。她真猜不透秋溶到底是個怎樣的人！該他無情吧？他那些溫柔的話語，漂亮的面貌，的確可以使每個年青女的心迷戀，無情的人，是不應該有這些的。

無論如何，她既把他俘虜了來，倘不能讓他第二度從她的手中逃掉。她一定要去找到他，問他一個究竟；她寫了幾封信給他，沒有回信，人也沒有來。她又打了幾個電話給他，接話的不是他自己，是另一個男子，回說他沒在家。

沒在家，爲什麼不到她這兒了。

而珊近來的舉動，也確使他難堪。珊整天的也在外面，可是一回到家裏來，儘對着她冷笑，又時常故意說到秋溶的事。幾次使她幾乎在珊的面前流下淚，幸而都忍住了。可是她的心是多少的難過和痛苦呢！

痛苦給了她一些力量，她決定自己去找他。就是他從此永遠不理她了，也沒有什麼關係，只要再見着他一次，讓她把她的許多話向他說完就夠了。

她換了一件旗袍，匆匆地出了房門。

先到了秋溶的家裏，那老實的僕婦很客氣地回說少爺已經出去了，不在家，她退了出來，又在秋溶的幾個朋友處找了一遍，都沒有秋溶的影子。

失望和痛苦在她的心裏熬煎，她很快的在馬路上走着，沒想到應該到那兒去，只管走。驀地一陣笑聲刺醒了她，她惘然地抬起頭來，一對青年男女的影子閃進一家影戲院的門裏去了。

那男子不是秋溶是誰？伴着他的是珊！

一種極大的失望，把她推到悲哀的深淵裏去了。

（全篇完）

本刊衛生顧問章程

(一)本刊經大衆訂閱者之要求。闢設衛生顧問欄。以便醫藥上疑難問題。及病因症治藥性等。作公開之討論與研究。若依本章程投函詢問。當即照來函解答。

(二)重要問題。除依來信直接通函答覆外。本刊得隨時將答案披露。以便同志之研究。

(三)疑難之答案。須檢查醫籍。詳細考慮者。至遲須一星期可以答覆。

(四)不答覆之問題如下。(一)來信記述不詳者。(二)詞義不明者。(三)要求立得藥方者。(四)無關醫藥者。(五)委託評論藥方之是非者。(六)本社同志學識所不及者。(七)無覆信郵費者。(八)無衛生顧問券者。但不答覆者。不答之理由。覆信聲明。

(五)來函概用中式紙張。繕寫清楚。附覆信郵費一角三分。並附寄下列衛生顧問券一個。

(六)來函寄愷自爾路嵩山路口瑞康里二六二號

衛生顧問券

敬告黑藉諸君前車可鑒！
因吸食鴉片等痲醉品
中毒
而死亡者每年已達數萬人
斯時不戒更待何時
脫離苦海重見光明
影響人體生理上局部者分述如后
▲影響於神經系者—鴉片能麻醉腦部，刺激脊髓，因此腦與脊髓，均受其壓制，遂呈麻木不仁萎靡不振之現象、
▲影響於呼吸系者—肺部屢受刺激，呼吸機能漸成麻痺，肺萎肺癆之症，因之而生。
▲影響於循環系者—初覺加血壓，脈血弛緩，繼則血管縮小，脈細而速，若吸大量之鴉片者，必致脈管無力收縮而死，
▲影響於生殖部者—男有陽萎之症，婦有不妊之虞，宗嗣絕望，百病叢生，世人猶樂此不悟，誠可畏哉。
▲鴉片害毒大致已如上述，奈國人不醒，仍多終日吞雲吐霧，沉醉其中，我願世之嗜好此物者，及早回頭，決心戒除矣。（藥房均售）
希望黑籍同志速服馮氏救苦金丹
馮氏斷癮
救苦金丹
戒烟第一
鴉片
紅丸
馮氏斷癮救苦金丹
國難臨頭共謀禦侮肅清煙毒根本救國・救苦金丹戒煙神效無匹・戒時照常吸煙見煙自癮・輕癮一二料重則四五料・絕無絲毫痛苦安全斷癮・歷任大總統黎徐曹嘉獎・已風行六十六年斷癮無數・為十全十美之戒煙藥王・並世無雙黑籍之救星
戒烟捷徑
函索請向上海白克路大通路口峻芝堂立即奉寄，每料一元五角函購起碼兩料寄費加一

衛生雜誌廣告例

地位	面積	價目
封面	大半頁	大洋四十元
底面	全面	大洋四十元
封面裏	全面	大洋廿八元
底面裏	全面	大洋廿八元
封面第二頁	全面	大洋廿四元
	半面	十二元
	四分之一面	八元
底面第二頁	全面	大洋廿四元
	半面	十二元
	四分之一面	八元
普通	全面	廿元
	半面	十二元
	四分之一面	八元

一封面底面裏外均用二色套版印不另取資

一代製銅版鋅版費另加

一代繪圖樣費另加

一惠登廣告者贈本刊一册

衛生雜誌第十七期

中華民國二十三年四月五日出版

主編者　國醫張子英

校正者　國醫胡佛

發行者　衛生雜誌社

印刷者　衛生雜誌社

分發行所　中醫書局　現代書局

分售處　各省書局

衛生雜誌定價表（費須先惠）

出版	月出一册	全年十二册
價目	大洋一角	大洋一元
附註	郵費在內	國外加倍
	郵票代洋以一分五分爲限	

○社址○　上海愷自爾路嵩山路口瑞康里二六二號

增進體內各細胞機能之生活力！
保護細胞以免各種疾病之襲擊！
延老各細胞之無限制的新生力！
亢進各細胞的代謝產物之排洩！

壽爾康之成分

市上號稱返老還童之一切內分泌物製劑，其功效較著而名譽較隆者，所含內分泌物至多百分之三十，而壽爾康中乃含有「盼好而蒙」百分之六十六，「盼好而蒙」PAN HORMON，即安特諾醫聖所發明，亦即安氏數十年來苦心研究之收穫，本劑以「盼好而蒙」為主，以各種名貴滋補藥物為輔，融多數名藥為一爐，已老者服之可以迥少，未老者服之可以防老，誠開藥物史上未有之紀錄！

壽爾康之製法

本劑係德國最著名之戚彌鄧大藥廠監製，廠方自置廣大牧場，畜以牛羊猿猴之屬，由獸醫考察，選其強壯之獸，取普通獸體內之分泌物，及各種滋補食品，日日餵之，使其日益壯健，至相當時間後，乃由有經驗之獸醫，使用顯微手術，採取其新鮮之內分泌物，再經紫光電提煉消毒，淘汰不良雜質，製成結晶體，名曰「盼好而蒙」，手續繁重，採選嚴謹，功效極宏：

壽爾康功能

本劑功能補充體內活力之缺乏，滋養內分泌腺之健全，促進新陳代謝之機能，增加抵抗病菌之力量，乃充進全身各機能之完美滋補品，與一般含有毒性之壯陽藥物，惹起假性與奮精，取一時之微效之催春劑藥物絕不相同！

主治

補腦補血：滋陰益髓
調經種子：保腎固精
防止衰老：抵抗疾病
轉弱為強：廣嗣延齡

功效

神經衰弱：腎虧遺精
未老早衰：腰酸背痛
種子維艱：病後產後
月經不調：赤白帶下

壽爾康說明書
函速即寄外埠
函購寄費免加

分男用女用兩種每盒五元每料三十元男女同價：
中央衛生試驗所化驗：

上海 南京路五四至五十六號
柯爾登洋行